INTERNET NA 50

PASCAL VYNCKE

INTERNET NA 50

Het complete basisboek voor Windows 7, XP en Vista

LANNOO

WWW.LANNOO.COM

OMSLAGONTWERP Jef Boes

VORMGEVING BINNENWERK Studio Lannoo

OMSLAGILLUSTRATIE Corbis

D/2010/45/308

ISBN 978 90 209 9143 7

NUR 988/748

INHOUD

INLEIDING: DE MOGELIJKHEDEN VAN INTERNET VOOR 50-PLUSSERS

Je bent 50-plusser en je hebt al veel van het internet gehoord (en misschien al eens uitgeprobeerd), maar wat zijn nu eigenlijk de mogelijkheden voor jou? Of je nu nog aan het werk bent of met pensioen, het internet heeft voor iedereen enorm veel te bieden.

In dit boek worden alle mogelijkheden op een rijtje gezet. Het is geen saaie handleiding vol theorie, definities en andere onprettige dingen, maar een boek waarin je de échte leuke dingen leert over het internet die weinig anderen aanbrengen (in de veronderstelling dat je het zelf wel vindt).

Je hoeft het boek niet van voren naar achteren te lezen, je mag het doornemen zoals je zelf wilt. Er wordt nooit voortgebouwd op zaken die we eerder hebben beschreven, zodat je nooit zaken 'moet' leren die je toch niet interesseren. Alles wordt eenvoudig en duidelijk uitgelegd met verhelderende foto's, zonder onnodige saaie details.

Internet: een gigantische bibliotheek

Als eerste belangrijke punt in dit boek bespreken we de mogelijkheden van het opzoeken van *informatie* op het internet. Het internet is niet enkel een enorme bibliotheek met informatie, er zijn nog veel meer zaken die je nooit in een bibliotheek zult vinden en die toch heel interessant zijn.

Als je (klein)kind ziek is, kun je over de ziekte op het internet meer informatie vinden. Ook je eigen kwaaltjes of die van je partner kun je zo opzoeken en zo extra informatie lezen om er meer over te weten te komen. Het internet vervangt de huisdokter natuurlijk niet, maar als de huisdokter zegt dat je een infectie hebt van een bepaald virus, kun je daarna gaan lezen wat dat virus doet, en wat je eventueel kunt doen om sneller te genezen, minder klachten te hebben enzovoort.

Informatie zoeken om te stoppen met een bepaalde verslaving, zoals roken of drinken, kun je op het internet eenvoudig vinden. Je vindt er goede methodes om te kunnen stoppen.

Je kunt trouwens niet enkel informatie over gezondheid op het internet vinden, er is ook nog veel andere informatie, bijvoorbeeld over het pensioen. Als je zelf al met pensioen bent, kun je opzoeken hoeveel je nog mag bijverdienen, waarop je recht hebt, hoeveel vakantiegeld je krijgt enzovoort. Als je nog geen pensioen hebt, kun je uitrekenen hoeveel je later zult krijgen, wanneer je met pensioen kunt gaan enzovoort. Ook informatie over erfenisrecht, schenkingen, het verkopen van eigendommen enzovoort kun je snel en eenvoudig vinden.

Verder is er ook informatie te vinden over wonen: over veilig wonen, 1001 preventietips, de woning aanpassen aan je (toekomstige) leeftijd enzovoort. Indien je voor jezelf, je partner of voor een van je ouders een rusthuis/serviceflat/rustoord/dagcentrum zoekt, kun je via het internet snel het geschikte adres (qua prijs, comfort, ligging...) zoeken in jouw buurt.

Ook voor hulp bij je hobby, bijvoorbeeld het reconstrueren van je stamboom, is internet enorm geschikt. Zo kun je tal van archieven op het internet raadplegen of mensen die met dezelfde stamboom bezig zijn opsporen.

Werk je graag in de tuin? Dan vind je veel informatie en tips over tuinieren, planten, vijvers enzovoort.

En internet kan je helpen bij hobby's als wandelen, fietsen of reizen: tips voor wandel- en fietsroutes, meer informatie over de dieren of planten die je onderweg vindt, nieuwe plekjes, reisverhalen van anderen enzovoort.

Je kunt met het internet ook heel goed bijleren. Niet enkel van al die websites over specifieke onderwerpen, maar ook via echte cursussen. Je kunt op het internet cursussen vinden om zowat alles te leren. Iets over de computer, bloemschikken, talen, fotograferen, wijn maken, goochelen, schaken, beleggen, typen, tuinieren... noem maar op.

Je kunt die cursussen rustig volgen, in je eigen tempo. Je hoeft niet op bepaalde uren naar de les te gaan, je moet je niet haasten. Neen, thuis aan je computer kun je de cursussen lezen en intussen leren. Hoe snel of hoe traag je dat doet, beslis je zelf. Als je een keertje geen zin hebt, dan doe je het gewoon niet.

Bij informatie hoort ook de actualiteit, wat er gebeurt in deze wereld, en dit op alle gebieden: het gewone nieuws, sport, de beurs...

Als 50-plusser wil je vast en zeker ook op de hoogte blijven van de actualiteit. Je luistert naar de radio, kijkt tv of leest de krant. Via het internet kun je ook al deze dingen doen, allemaal gratis, dus óók gratis de krant lezen. Bovendien heb je het voordeel dat je veel sneller op de hoogte bent. Een krant brengt steeds oud nieuws, het nieuws van de dag ervoor. Met het internet kun je enkele minuten nadat er iets gebeurd is ergens in de wereld, al een uitgebreid verslag lezen; nog voor het in de krant, op tv of op de radio is gemeld.

Een extra voordeel is dat je ook snel, eenvoudig en gratis het nieuws van vele andere bronnen kunt raadplegen: het nieuws uit Nederland, Frankrijk, Amerika, Engeland...

Dit is bijvoorbeeld erg handig als je op reis gaat: je kunt via het internet al het nieuws over België of Nederland blijven volgen, zelfs het regionale nieuws uit je streek kun je raadplegen via het internet.

Internet: je eigen postkantoor

Als tweede belangrijk onderdeel op het internet is er de *communicatie,* waaraan het volgende hoofdstuk in dit boek volledig is gewijd.

Dankzij het internet kun je met je kinderen en/of kleinkinderen heel eenvoudig en gratis communiceren. Je kunt ze via het internet een elektronische brief (e-mail) sturen, die onmiddellijk aankomt. Je hebt er dus geen last van dat het antwoord dagen uitblijft omdat het eerst moet worden bezorgd en het antwoord op de brief opnieuw enkele dagen onderweg is. Je kunt snel de groeten doen aan een vriend/vriendin, hem of haar even iets vragen enzovoort. De drempel om een briefje via het internet te sturen, is veel lager dan bij een echte brief. Ook in omgekeerde richting kunnen je kinderen of kleinkinderen je laten weten dat ze bijvoorbeeld morgenmiddag langskomen.

Het leuke aan e-mail – in vergelijking met de telefoon – is dat je de e-mail kunt versturen wanneer je maar wilt en dat de ander op dat ogenblik niet aan de computer moet zitten. Zo kun je 's nachts om twee uur nog een e-mail sturen en hoef je niet meer te wachten tot de volgende morgen om te telefoneren (en mogelijk weer de persoon niet te kunnen bereiken omdat die al weer is gaan werken).

Je kunt via deze weg ook vragen stellen aan een bepaald bedrijf, een instantie, de overheid en zo zelfs rechtstreeks communiceren met ministers.

Je kunt via het internet ook gratis prentbriefkaarten versturen, in digitale vorm. Je hebt de keuze uit duizenden verschillende kaartjes. Je kunt er je eigen tekst bij zetten, de achtergrondkleur kiezen en een melodietje bij plaatsen. Bovendien kun je zelfs een datum ingeven voor in de toekomst: pas op die dag mag dat kaartje aankomen.

Een derde belangrijke zaak van het internet is het *financiële aspect*, waar het derde deel van dit boek aan gewijd is.

Via het internet kun je niet alleen al je bankverrichtingen laten uitvoeren zoals overschrijvingen en het saldo van je rekening bekijken, maar ook werken met de beurs, je verzekeringen beheren enzovoort. Het is goedkoper, eenvoudiger en sneller dan naar de bank of verzekeraar zelf te gaan.

Via het internet kun je ook zaken zelf kopen en verkopen. Winkels via het internet verkopen allerlei producten. Boeken, cd's, video's, spelletjes, computerprogramma's en ander materiaal hoef je niet meer in de winkel te kopen, want dat kun je veel goedkoper via het internet doen. En de dingen die je niet via het internet wilt kopen, kun je wel uitgebreid vergelijken via het internet. Als je bijvoorbeeld een nieuwe tv, computer, dvd-speler, muziekinstallatie, fiets, auto, printer, grasmaaier, motor, diepvriezer of oven wilt kopen, kun je via het internet de prijzen en mogelijkheden vergelijken. Je kunt van heel wat zaken ook de mening van vele andere kopers lezen om te zien of zij er tevreden over zijn of niet.

1001 mogelijkheden

Een vierde belangrijk punt in dit boek zijn de *vele andere mogelijkheden* van het internet.

Het spreken met mensen die ver weg zijn, bijvoorbeeld met je kinderen, kleinkinderen of familieleden die uitgeweken zijn naar een ander land. Via het internet kun je zoveel communiceren als je wilt, zelfs met beeld én geluid, zodat het lijkt alsof ze bij je in de kamer staan, en dit allemaal zonder extra kosten. Zo verlies je dus niet het contact vanwege het geld dat het vroeger kostte om te bellen of om een vliegtuigticket te kopen om ernaartoe te gaan.

Je kunt via het internet ook via andere wegen communiceren. Zo kun je nieuwe mensen via het internet leren kennen, een soort van pennenvriend(inn)en. En dit is echt niet enkel voor mensen die slecht ter been zijn, ook 'jonge' 50-plussers kunnen zo ondanks hun nog drukke leven, contact zoeken met andere mensen die dezelfde interesse hebben en zo vrienden maken. Eventueel kun je dan later ook de stap zetten om de mensen in het echt te leren kennen door met elkaar ergens af te spreken.

Als je zelf een bepaalde hobby hebt, kun je via het internet in contact komen met anderen met dezelfde hobby en zo tips, informatie of verzamelstukken uitwisselen.

Hulp via het internet is ook een heel belangrijke mogelijkheid. Je kunt zo vragen stellen over vrijwel elk onderwerp. Als iemand anders het antwoord weet op jouw vraag, zal die je antwoorden. In omgekeerde richting kun je ook je eigen kennis gebruiken om vragen van anderen te beantwoorden.

Deze en vele andere tips om het werken met de computer en het internet eenvoudiger en sneller te maken, vind je in dit boek.

Internetwoordenboek

Het laatste en zeker niet onbelangrijkste onderdeel is een *internetwoordenboek* voor 50-plussers. In dit boek gebruiken we in principe geen moeilijke woorden of speciale termen. Indien het toch niet anders mogelijk is, worden de termen in het boek meteen voldoende duidelijk uitgelegd. Spijtig genoeg houden vele anderen in deze wereld er geen rekening mee dat je al die moeilijke woorden niet kent. Daarom is er een uitgebreid woordenboek van de meest voorkomende internettermen. Steeds staat bij elke term een duidelijke uitleg, in gewoon Nederlands.

Als je dus iemand een onbekende term hoort gebruiken, deze ergens leest op een pagina op het internet of ergens in een ander boek of een brochure, dan kun je het snel opzoeken in het laatste hoofdstuk van dit boek.

Dit boek werd geschreven door de maker van de grootste website voor senioren in de Benelux. De auteur heeft dan ook enorm veel ervaring met 50-plussers: wat zijn hun mogelijkheden, taalgebruik enzovoort. Dit boek is dus volledig op hun maat gemaakt.

Veel plezier met dit boek en nog vele leuke jaren op het internet!

I •• HOE KOM JE OP HET INTERNET?

De internetverbinding

Om op internet te komen, moet je een aantal zaken weten. Eerst moet je beslissen welke internetverbinding je wilt nemen. Er zijn drie soorten. We hebben ADSL, kabel en via de mobiele telefoon. Theoretisch gezien kan het ook nog via de gewone telefoonlijn, maar dit systeem is totaal verouderd, duur en vooral extreem traag.

Ik leg eerst de drie keuzemogelijkheden afzonderlijk uit om ze vervolgens met elkaar te vergelijken.

De verschillende mogelijkheden

◂◂ *ADSL*

Met ADSL surf je heel snel op het internet. Je koopt een pakket in de winkel en je kunt dit helemaal zelf installeren. Je moet met ADSL niet betalen per minuut dat je surft op het internet, maar gewoon een vast bedrag per maand. Je hebt meestal een reeks extra mogelijkheden zoals ruimte voor een persoonlijke website of meerdere e-mailadressen. Je telefoon blijft vrij tijdens het surfen, wat betekent dat je tijdens het internetten zelf kunt bellen of gebeld worden. Let regelmatig op aanbiedingen van een gratis modem of een gratis installatie, of van korting op het abonnement.

◂◂ *Kabel*

Internet via de kabel verloopt via de kabeldistributie. Het surfen op het internet gaat heel snel en je telefoonlijn blijft vrij. Je kunt dus tijdens het surfen bellen of gebeld worden. Je betaalt bij het surfen via de kabel ook niet per minuut, maar een vast bedrag per maand. Ook hier heb je meestal een aantal extra mogelijkheden zoals extra e-mailadressen of ruimte voor een persoonlijke website. Een verbinding via de kabel moet worden geïnstalleerd bij je thuis. De installateur maakt voor jou de computer in orde, levert het materiaal, legt de kabel in je huis en zorgt ervoor dat alles werkt. Dit kost echter wel geld, maar let op de aanbiedingen. Heel regelmatig zijn er forse kortingen te verkrijgen op de installatiekosten. Soms wordt de hele installatie volledig gratis aangeboden.

◂◂ *Internet via mobiele telefoon*

Internet kun je ook via het gsm-netwerk verkrijgen. Zo hoef je niet altijd thuis te zijn, maar kun je overal in het land met je laptop het internet op. Het internet wordt namelijk via de draadloze signalen van je mobiele telefoon verstuurd.

Nadelen zijn de duurdere prijs voor het internet en de mogelijk lagere snelheid. Je hebt (bijna) overal wel ontvangst met je mobiele telefoon, maar de verbinding werkt niet altijd snel. Vraag daarom aan de provider naar de dekking van hun zogenaamde 3G-netwerk, het snelle netwerk om te kunnen surfen. Indien dit netwerk niet aanwezig is in je buurt, kun je er nog steeds gebruik van maken, maar dan zullen alle internethandelingen extreem traag verlopen, omdat in dit geval oudere technologieën worden gebruikt.

Vaak nemen mensen een extra abonnement naast hun gewone internetaansluiting. Zo kunnen ze niet alleen thuis gegarandeerd snel internetten (met kabel of ADSL), maar overal in het land, dus ook op vergaderingen, in het park, in de tuin, bij de kinderen, op de luchthaven, in de bus of op de trein.

In sommige laptops zit een speciale gsm-modem ingebouwd, maar dit is (voorlopig) nog zeldzaam. In de praktijk koop je een gsm-modem die je gewoon in een USB-poort steekt en waarmee je zo op het internet kunt.

De vraag is nu natuurlijk wat je gaat kiezen: ADSL, kabel, klassieke modem of via mobiele telefoon?

De klassieke modem (via analoge telefoonlijn) raad ik af, want traag, verouderd en te duur.

Indien je denkt weinig op het internet door te brengen of indien je weinig financiële middelen hebt, dan kun je overwegen om een goedkoop ADSL- of kabelpakket te nemen, vaak 'light' genoemd en met een laag maandelijks bedrag. Je krijgt dan echter wel relatief traag internet met de nodige beperkingen, maar beter dat dan geen internet!

Dan sta je nog voor de keuze: ADSL of kabel?

Mensen die technisch wat beter onderlegd zijn, kunnen ervoor kiezen alles zelf thuis te installeren. Zowel bij ADSL als bij kabel is dat mogelijk, maar bij kabel is dat niet altijd aan te raden. Het bespaart je geld, maar kost meer moeite. Je kunt de installatie ook laten doen. Let dan op de acties: geregeld krijg je grote kortingen of is het helemaal gratis.

Heb je geen vaste telefoon (gebruik je enkel nog je mobiele telefoon), kies dan voor het surfen via de kabel. Bij ADSL ben je immers altijd verplicht om een vaste telefoonlijn te huren, zelfs al gebruik je geen vaste telefoon meer.

Niet iedereen kan echter ADSL of kabel krijgen. Op sommige zeldzame plaatsen is het om technische redenen niet mogelijk. Vraag altijd net voor je iets tekent of bestelt na of het wel mogelijk is. Vooral voor ADSL is dit zeer belangrijk, omdat je het installatiepakket gewoon in de winkel kunt kopen, zonder dat iemand dit voor jou controleert (en dan kom je thuis en werkt het niet!). Bij de kabel heb je dit probleem niet. Je kunt de benodigdheden voor de kabelmethode namelijk niet zomaar in de winkel kopen. Je moet ze bestellen of telefonisch aanvragen en dan worden de mogelijkheden meteen voor je nagekeken.

In praktijk ligt de keuze tussen ADSL en kabel bij jou. Theoretische snelheden zijn bij kabel meestal hoger dan bij ADSL. Maar de prijs, een speciale actie of bepaalde limieten kunnen je doen beslissen bij de concurrentie te gaan.

Indien je graag altijd en overal internet hebt, dan kun je kiezen voor internet via de mobiele telefoon. Het is relatief duurder en trager dan gewone internetverbinding, maar de mobiliteit is maximaal. Eventueel kun je dit boven op een ADSL- of kabelabonnement nemen.

In het buitenland (roaming)

◂◂ *GA JE SOMS NAAR HET BUITENLAND?*

Wanneer dit zo is, kan het handig zijn als je ervoor zorgt dat je internetaansluiting ook de functie 'roaming' ondersteunt. Hierdoor kun je via een gewone modem toch in heel wat landen tegen zonaal tarief op het internet en zo je e-mails nakijken.

Roaming wordt niet altijd ondersteund en is ook niet altijd gratis. Indien je weet naar welke landen je af en toe reist, vraag dan of in dat land roaming is voorzien, want je moet daar over een toegang van de provider beschikken om tegen zonaal tarief te kunnen bellen (anders geldt het internationaal tarief en dat is onbetaalbaar).

Basiskennis Internet Explorer

Met je computer kun je veel dingen doen. Onze bedoeling is met onze computer op het internet te kunnen 'surfen'. Surfen is het bekijken van informatie op het internet. Dit doen we door middel van een programma dat hiervoor gemaakt is: een browser. Een browser, soms ook wel 'bladeraar' genoemd, maakt het ons mogelijk om op internet te 'bladeren'.

De browser die we in dit boek zullen gebruiken, is Internet Explorer. Dit programma staat op elke computer die je koopt en is gratis. Bovendien heeft het vele voordelen omdat het op hetzelfde systeem werkt als de rest van het besturingssysteem Windows en het e-mailprogramma Outlook Express.

Internet Explorer kun je starten vanaf drie verschillende plaatsen. Het is mogelijk dat bij jouw computer een van de drie mogelijkheden niet werkt.

De eerste mogelijkheid is de opstart via het bureaublad. Dit doe je door met je linkermuisknop te dubbelklikken op het typische logo: een e met een cirkel eromheen:

Een tweede mogelijkheid is om in het startmenu op 'Internet' te klikken. Klik met je linkermuisknop links onderaan op 'Starten', vervolgens op 'Internet'.

Een laatste mogelijkheid is eveneens in het startmenu voorzien: klik met je linkermuisknop links onderaan op 'Starten', vervolgens links onderaan op 'Alle programma's'. Er verschijnt nu rechts een lijst met allemaal programma's, klik daar met je linkermuisknop op 'Internet Explorer'.

Vervolgens start onze browser op. We zien in onze browser verschillende zones.

Helemaal bovenaan staat een balk met een tekst in die vaak begint met http://www. Dit wordt de adresbalk genoemd. Zo'n http://adres is eigenlijk een internetadres. Om naar een bepaalde website te surfen, zul je later in deze adresbalk het internetadres moeten intikken en vervolgens op de Entertoets drukken.

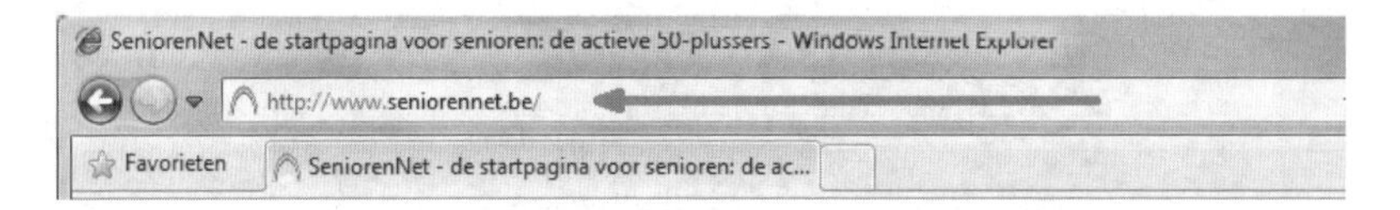

Rechts onder deze balk zie je een tweede zone met 'Pagina', 'Beveiliging' en 'Extra' staan. Dit noemen we het menu. Door op een woord, bijvoorbeeld 'Extra', te klikken opent zich een submenu. Vrijwel alle functies van het programma zijn in deze menu's ondergebracht. Als je iets zoekt waarvan je niet goed weet waar het staat, loop dan de verschillende menu's af. Hoogstwaarschijnlijk vind je zo heel eenvoudig een oplossing voor je probleem.

In de rest van het boek zal er vaak worden gevraagd om met je linkermuisknop op 'Extra' te klikken. Dit wil uiteraard niet zeggen dat je de muis moet vastnemen en tegen het scherm moet aandrukken op de plek waar 'Extra' staat. Het betekent dat je de muisaanwijzer (het witte pijltje op het scherm) moet verplaatsen totdat het boven 'Extra' staat en vervolgens de linkermuisknop moet indrukken.

Als je straks op het internet aan het surfen bent en je wilt teruggaan naar de pagina die je net ervoor had openstaan, klik dan met je linkermuisknop linksboven op de eerste knop waar een pijltje naar links staat.

Ben je een of meerdere pagina's teruggegaan en wil je toch opnieuw een latere pagina bekijken die je eerder hebt bezocht, dan kun je met je linkermuisknop op de knop klikken met het pijltje naar rechts (vlak naast de vorige knop).

In het grote vak voor je – het vak dat het grootste gebied van het scherm opvult – is het echte internet te zien. Dit is de pagina of website die je op dat ogenblik hebt opgevraagd. Als je naar een andere pagina of website surft, zal hier altijd de nieuwe pagina zichtbaar zijn.
Op deze plek zullen alle tekst, informatie, figuren en videobeelden worden getoond. Dit is het gedeelte waar je het meeste naar zult kijken, dat je zult lezen en waar je mee bezig zult zijn.

Surfen naar een website

We zullen nu voor de eerste keer naar een website 'surfen'. Je hoort mensen op de tv, radio of in reclamespots enzovoort geregeld zeggen 'surf naar www...' Maar hoe doe je dat?

Het surfen naar een website is heel eenvoudig en doe je met Internet Explorer. Aangezien dit boek voor 50-plussers is, gaan we de enige en echt goede seniorenwebsite gebruiken om zo de weg te leren kennen op het internet. We gaan de website SeniorenNet gebruiken. SeniorenNet is gebruiksvriendelijk, gratis, overzichtelijk, eenvoudig en bezit alle mogelijkheden die je nodig hebt.

We surfen dus naar SeniorenNet. Het adres van SeniorenNet is *http://www.SeniorenNet.be* of *www.SeniorenNet.nl*

Het adres met achteraan .be is de Belgische website, dat met .nl is de Nederlandse website. Voor Franstalig België is het adres www.canal50.be.

Open de browser Internet Explorer indien dit nog niet gedaan is. Klik vervolgens met je linkermuisknop in de witte adresbalk bovenaan in je scherm. Wat er nu instaat, zal blauw worden gekleurd, dit betekent dat het 'geselecteerd' is.

Nu tikken we het adres. Het leuke is dat je de http:// helemaal niet hoeft in te geven; dit zal de computer er voor jou bijzetten, omdat alle websites met http:// beginnen. Ook 'www' moet je niet typen!

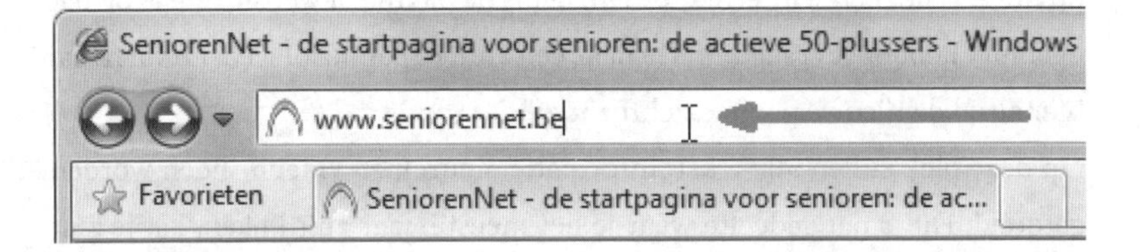

Tik dus in de witte adresbalk 'www.seniorennet.be' voor België of 'www.seniorennet.nl' voor Nederland. Als je klaar bent, druk je op de Entertoets op je toetsenbord of klik je met je linkermuisknop op 'Ga naar', dat zich juist naast de witte adresbalk bevindt.

De computer zal naar de website SeniorenNet surfen. Je zult de website nu op je scherm zien verschijnen.

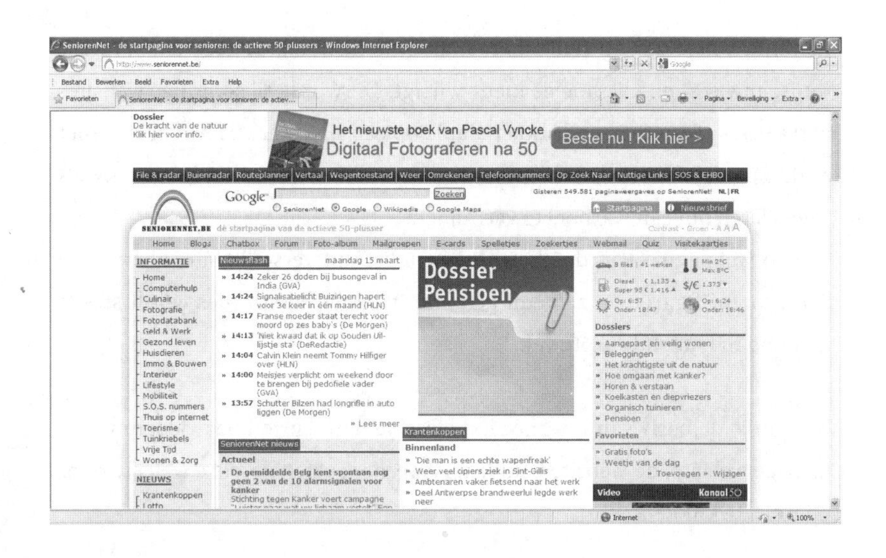

Rechts van het scherm zie je een balk met bovenaan een pijltje naar boven en onderaan een pijltje naar onderen. Dit zorgt ervoor dat je op de pagina naar boven en naar beneden kunt bewegen. Dit is nodig omdat de meeste webpagina's groter zijn dan de grootte van je scherm. Door rechts onderaan met je linkermuisknop op het pijltje naar beneden te klikken, zie je de rest van de webpagina die daarvoor niet zichtbaar was.

Een 'link', 'hyperlink' of 'koppeling' is een stukje tekst of figuur dat ervoor zorgt dat wanneer je er met je linkermuisknop op klikt, je naar een andere pagina gaat.

Als er op een webpagina vermeld wordt 'klik hier voor de inhoudsopgave', dan zal de computer de inhoudspagina laten zien indien je met je linkermuisknop op het onderstreepte 'hier' klikt.

Met dergelijke links is het gemakkelijk om op het internet echt te 'surfen'. Je start op de beginpagina van de website en kunt vervolgens verder gaan naar de rest van de website door op deze links te klikken. Meestal vind je een hele reeks links in het menu dat je links op het scherm kunt terugvinden.

Je zult ook zien dat het pijltje dat je muisaanwijzer voorstelt, verandert in een handje als je boven op een link staat.

Een link kun je ook op een andere manier herkennen. Ga erop staan met je muisaanwijzer en kijk hoe de kleur wijzigt. Dit wordt bij sommige websites extra gedaan om te benadrukken dat je op een link staat. Het is echter niet altijd zo dat links onderstreept staan. Vooral in menu's wordt dit dikwijls weggelaten om een warboel te vermijden.

Een webpagina kan dus bestaan uit tekst, uit verschillende kleuren en vlakken, uit figuren en zelfs uit geluid of videobeelden. Alles wordt steeds getoond in hetzelfde grote vak.

Nu ken je de basis van Internet Explorer. Je kunt surfen naar iedere willekeurige website, de website bekijken en verder surfen op deze website door op links te klikken.

Alle verdere functies, mogelijkheden en tips om het je aangenamer en makkelijker te maken, lees je verder in dit boek.

II •• INTERNET: EEN GIGANTISCHE INFORMATIEBRON

Efficiënt informatie zoeken op het internet

Op het internet staan miljarden websites, je kunt er alles op vinden en zoveel mee doen. Ja, dat weten we. Maar hoe vinden we al deze gegevens?

Als we in het echte leven iets zoeken, dan beschikken we ook over bepaalde mogelijkheden. We gaan naar de bibliotheek of zoeken iets op via het telefoon- of adresboek. We kunnen een wilde gok wagen en bijvoorbeeld denken dat een bepaald soort winkel (bv. een juwelierszaak) in een bepaald soort winkelcentrum te vinden zal zijn. Of we stappen een winkel binnen en worden voor een bepaald product doorgestuurd naar een andere winkel. Op het internet vindt iets soortgelijks plaats.

De zoekmachine

De belangrijkste en meest gebruikte manier om iets te zoeken is via een 'zoekmachine'. Dat is geen machine die je ergens in de stad kunt vinden. Het is een instrument dat met websites op het internet werkt. Eigenlijk is het een soort computer met een zoekprogramma en hij werkt als volgt.

De zoekmachine start bij een aantal websites die helemaal worden doorgenomen. Elk link op elke pagina wordt geopend. Elke geopende pagina leidt weer tot het openen van alle nieuw aanwezige links enzovoort. Op deze manier neemt de zoekmachine vele miljoenen tot miljarden webpagina's door. Bij het openen van al deze pagina's slaat ze alle informatie op. Alle tekstinformatie wordt bijgehouden, samen met het unieke internetadres van die webpagina. Zoekmachines werken permanent aan het vergaren van informatie. Ze zoeken niet alleen nieuwe websites, maar keren regelmatig terug naar de reeds bekende sites omdat bijna alle webpagina's veranderen, verdwijnen of uitbreiden. Hierdoor blijft de zoekmachine actuele informatie aanbieden.

Wij gaan zo'n zoekmachine gebruiken om aan de hand van een of meerdere woorden een webpagina op te zoeken die aan onze eisen voldoet. Het eerste wat je moet doen, is enkele woorden opgeven. Vervolgens begint de zoekmachine tussen de vele miljoenen of miljarden webpagina's te zoeken. Wanneer ze daarmee klaar is, toont ze je alle webpagina's waarin de opgegeven woorden voorkomen.

Je begrijpt al onmiddellijk dat je soms erg veel resultaten kunt krijgen. Om maar even een idee te geven: indien je 'gratis' opgeeft als zoekwoord, dan vind je in één klap meer dan 10 miljoen webpagina's!

Maar welke van die 10 miljoen gaat de zoekmachine eerst tonen in de lijst? Alfabetisch? Neen, zo zouden zeer interessante pagina's altijd helemaal achteraan staan in de lijst en zouden webpagina's belachelijke namen krijgen als 'AAAAAAAAAAAAA'.

Daarom gaan de zoekmachines extra methodes gebruiken om voor jou de juiste webpagina te vinden die hopelijk zo veel mogelijk aan je eisen voldoet.

De zoekmachine kijkt hoe dicht jouw opgegeven woorden bij elkaar staan op de gevonden webpagina's. Stel, we geven de zoekterm 'gratis cd-spelletje' in. Er zullen websites worden gevonden waarbij ergens in het begin een zin met het woord 'cd' voorkomt, ergens halverwege de webpagina 'spelletje' en ergens op het einde in een zin 'gratis'. Het is duidelijk dat zo'n webpagina waarschijnlijk totaal oninteressant zal zijn. Zo kan er ook een pagina worden gevonden waar 'cd-spelletje' ergens op de pagina staat, bijvoorbeeld om deze cd te bestellen en ervoor te betalen, maar onderaan kan er ook nog 'gratis verzendingskosten' bij staan, waardoor deze pagina ook zal worden getoond.

Een webpagina waar in het begin een zin staat als 'Bestel hier een gratis cd met spelletjes' is zeer waarschijnlijk wel interessant. Daarom zal de zoekmachine deze webpagina hoger in de lijst plaatsen.

Nog iets waarmee rekening wordt gehouden, is de populariteit van de website. Als een website op 200 andere webpagina's wordt vermeld (bv. als nuttig adres), dan is de kans veel groter dat deze webpagina interessanter zal zijn dan een andere waar mogelijk dezelfde zin in voorkomt, maar waar maar één andere website naar verwijst.

Sommige zoekmachines houden ook nog rekening met andere zaken, zoals het aantal mensen dat een bepaalde website bezoekt via de zoekmachine zelf. Als bepaalde pagina's enorm veel worden bezocht, dan komen ze hoger in de lijst te staan.

Op die manier kun je snel iets vinden met een zoekmachine. De grootste kunst is echter om goed uit te drukken wat je zoekt en om steeds zo nauwkeurig mogelijk te zijn. Als je als zoekwoord 'gratis' ingeeft, terwijl je eigenlijk enkel maar geïnteresseerd bent in een gratis T-shirt, dan krijg je veel te veel resultaten. Je geeft dan beter 'gratis T-shirt' in. Dit scheelt heel wat overbodig zoekwerk en tijd.

Je moet niet denken dat de zoekmachine verstaat wat je vraagt. Zo'n machine spreekt geen enkele taal, en al zeker geen Nederlands. Bovendien moet je onthouden dat woorden als 'en', 'de', 'of', 'het', 'is', 'een' enzovoort niet nuttig zijn om in te geven. Bijna alle webpagina's bevatten wel zo'n woord. Ter illustratie: je kunt via de zoekmachine Google zo'n 3,8 miljard webpagina's met het woordje 'of' vinden...

Als je bijvoorbeeld wilt weten hoe oud een olifant kan worden, dan kun je 'hoe oud wordt een olifant' ingeven bij een zoekmachine. Je zult echter sneller je antwoord vinden door 'gemiddelde leeftijd olifant' in te tikken. Je moet dus niet denken in je eigen taal, maar in de taal zoals die op de website zou kunnen staan. Vermijd daarom zo veel mogelijk spreektaal en probeer schrijftaal te gebruiken. Laat de woordjes en, of, de, het, is, na, er, door, voor enzovoort beter weg, deze hebben zogoed als geen nut. Sommige zoekmachines doen zelfs de moeite niet om op deze woorden te zoeken en laten ze al automatisch weg.

Extra mogelijkheden heb je door nog enkele goede trucs te gebruiken. Het zoeken kan namelijk nauwkeuriger en sneller gebeuren wanneer je met het volgende rekening houdt.

Indien je iets letterlijk wilt hebben op een zoekmachine, plaats je de woorden tussen aanhalingstekens. Indien je zeker weet dat de woorden in die volgorde en achter elkaar moeten voorkomen, dan schakel je zo enorm veel onbruikbare mogelijkheden uit.

Een eenvoudig voorbeeld. Geef je de zoekmachine de tekst Windows 2003 of 'Windows 2003' (tussen haakjes dus), dan vind je in het tweede geval tien keer minder resultaten. Dit betekent dat je dan tien keer minder pagina's zult moeten doornemen en bijgevolg tien keer minder tijd nodig hebt om te vinden wat je zoekt.

Een extra weetje is dat je ook nog de + en – kunt gebruiken. De + is meestal niet nuttig omdat de meeste zoekmachines automatisch veronderstellen dat er een + tussen de ingegeven woorden staat. Maar wat is dat plusteken? Het plusteken betekent dat het woord er wél in moet staan. Indien je een minteken gebruikt, wil je tegen de zoekmachine zeggen dat het woord er níét in mág staan.

En dit zorgt voor heel wat voordelen. Als je namelijk zoekt naar iets wat twee betekenissen kan hebben, dan kun je al de foutieve zoekresultaten vermijden door een of meerdere woorden aan te geven die er zeker niet in mogen staan.

Je zoekt bijvoorbeeld iets van het merk Sony. Geef je enkel 'Sony' in, dan krijg je talloze sites om iets te kopen. Maar dat interesseert je niet. Geef daarom 'Sony – buy' in (buy is het Engelse woord voor kopen). In één klap houd je nog slechts één vijfde van de sites over en dat bespaart je veel werk, tijd en energie.

Sommige zoekmachines laten nog meer zaken toe. Omdat Google wereldwijd de bekendste en meest gebruikte zoekmachine is, zal ik deze hier uitgebreid bespreken.

Surf met je browser Internet Explorer naar het volgende adres: voor België www.google.be; voor Nederland www.google.nl. Je krijgt nu Google te zien.

◂◂ *Gewoon zoeken*

In het witte tekstvak kun je de zoekwoorden intikken. Door met je linkermuisknop op de knop 'Google zoeken' te klikken, gaat Google zoeken op het internet en je de resultaten weergeven.

Standaard laat je de machine altijd zoeken op het hele internet. Maar heel vaak zul je enkel in Nederlandstalige webpagina's willen zoeken. Dit zorgt ervoor dat je alle andere talen uitsluit en zo veel sneller de gewenste informatie kunt vinden.

Om enkel in Nederlandstalige pagina's te zoeken, klik je met je linkermuisknop op het rondje voor 'pagina's in het Nederlands'.

Indien je nog specifieker wilt zijn en enkel wilt zoeken in pagina's uit België (of Nederland), dan kun je klikken op het rondje dat staat voor 'pagina's uit België' (of Nederland).

Als je hebt aangeduid of Google het hele internet, enkel Nederlandstalige pagina's of enkel pagina's uit België moet afzoeken, kun je met je linkermuisknop op 'Google zoeken' klikken.

In ons voorbeeld zoeken we naar 'senioren'.

Het internet Afbeeldingen Maps Nieuws Boeken Vertaling Gmail meer ▼
Zoekinstellingen | Aanmelden

Google senioren Zoeken Geavanceerd zoeken
Doorzoek: het internet pagina's in het Nederlands pagina's uit België

Web Opties weergeven...
Resultaten 1 - 10 van circa 11.600.000 voor **senioren** (0,18 seconden)

SeniorenNet - de startpagina voor **senioren**: de actieve 50-plussers
Senioren, de actieve 50-plussers vinden hier informatie speciaal voor **senioren**: mailgroepen, forum, nieuws, gezondheid, contact, pc hulp, reizen, **senioren** ...
www.**seniorennet**.be/ - In cache - Vergelijkbaar
Spelletjes E-cards
Zoekertjes Nuttige Links
Krantenkoppen Forum
Chatbox Blogs
Meer resultaten van seniorennet.be »

Spelletjes - SeniorenNet - de startpagina voor **senioren**: de ...
Senioren, de actieve 50-plussers vinden hier informatie speciaal voor **senioren**: mailgroepen, forum, nieuws, gezondheid, contact, pc hulp, reizen, **senioren** ...
www.**seniorennet**.be/Pages/Vrije .../spelletjes.php - In cache - Vergelijkbaar

Gezondheid voor **senioren**: Tips voor **senioren** om gezond te blijven ...
Voor veel **senioren** gaat het niet meer allemaal vanzelf . De gezondheid van **senioren** gaat erop achteruit. **Senioren** worden hulpbehoevend en herinrichtingen ...
www.e-gezondheid.be/ ... **senioren**/gezondheid-de-plussers-10-474 - In cache - Vergelijkbaar

Gent.be - Algemene site NL - **Senioren**
Onder 'Aanverwante info' vindt u de link naar de gids 'Wegwijs - **Senioren** in Gent', met het ruime aanbod van voorzieningen, diensten in Gent. ...
www.gent.be › Stad Gent › Leven › Welzijn - In cache - Vergelijkbaar

Blogs - SeniorenNet Blogs - Gratis bloggen en weblogs. SeniorenNet ...
Senioren, de actieve 50-plussers vinden hier informatie speciaal voor **senioren**: mailgroepen, forum, nieuws, gezondheid, contact, pc hulp, reizen, **senioren** ...

Gesponsorde links

Dating voor 50-plussers
50plusmatch - Grootste datingsite voor actieve 50-plussers in België!
www.50plusmatch.be
Brussel

(Mid)week of weekend weg?
Uitrusten + genieten met familie en vrienden in Center Parcs: boek nu!
www.CenterParcs.be

Prachtige Serviceflats
Centrum Hasselt
Ruim terras - 65m² - Service
www.serviceresidentieinvest.be

Contactsite voor **senioren**
Op zoek naar contact met **senioren**?
PARSHIP.be is de ideale partner.
www.PARSHIP.be/**senioren**

Senioren
Ongekend Ligcomfort & Optimale Ondersteuning vanaf €249
www.Medi-Active.nl/**Senioren**

Uw advertentie hier »

Je krijgt de resultaten onder elkaar te zien, steeds met de titel van de website en daaronder twee regels tekst waarin je zoekwoord in het vet staat aangeduid. Op die manier krijg je het zoekwoord in de zin/context te zien nog voor je de website hebt bezocht en kun je op dat ogenblik al uitmaken of de site interessant zal zijn of niet.

Onder de enkele regels tekst zie je ook nog in groen het echte internetadres van de gevonden website.

Om een bepaalde website te bezoeken, klik je op de titel.

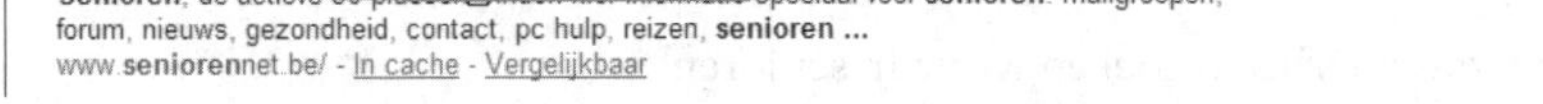

Het internet Afbeeldingen Maps Nieuws Boeken Vertaling Gmail meer ▼

Google senioren Zoeken Geavanceerd zoeken
Doorzoek: het internet pagina's in het Nederlands pagina's uit België

Web Opties weergeven...
Resultater

SeniorenNet - de startpagina voor **senioren**: de actieve 50-plussers
Senioren, de actieve 50-plussers vinden hier informatie speciaal voor **senioren**: mailgroepen, forum, nieuws, gezondheid, contact, pc hulp, reizen, **senioren** ...
www.**seniorennet**.be/ - In cache - Vergelijkbaar

Indien je de zoekwoorden nauwkeuriger wilt maken of op iets totaal anders wilt zoeken, dan kun je bovenaan in het tekstvak je zoekwoorden aanpassen.

Vervolgens klik je ernaast met je linkermuisknop op de knop 'Zoeken'.

Het aantal zoekresultaten dat Google gevonden heeft, zie je rechtsboven op het scherm. In het voorbeeld met de zoekterm 'senioren' zie je dat de machine op 11,6 miljoen pagina's het woord senioren is tegengekomen.

Je ziet op deze pagina echter slechts tien websites. Ga naar onderaan op de pagina, waar je met je linkermuisknop kunt klikken op 'Volgende' of zelf een nummer van een volgende pagina kunt kiezen.

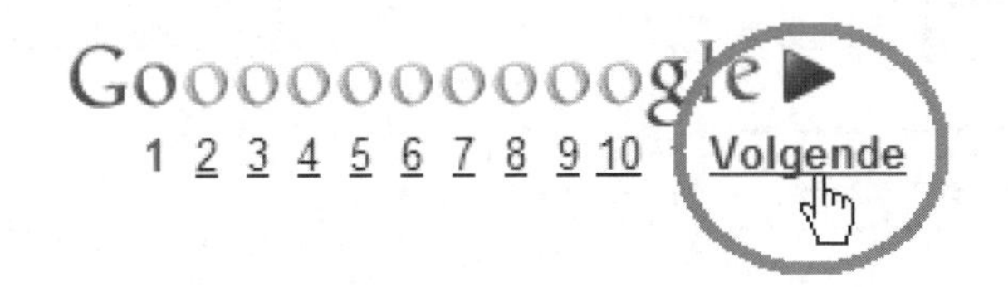

De pagina bestaat niet meer?

Wat soms kan voorkomen is dat de pagina niet meer bestaat: omdat de website tijdelijk plat ligt (te veel bezoekers), aan het verhuizen is of omdat de website niet meer bestaat.

Heel handig van de zoekmachine Google is dat zij de hele pagina opslaat. Je kunt deze pagina bekijken zónder dat de pagina nog bestaat!

Om dit te doen klik je naast het (groene) internetadres met je linkermuisknop op 'In cache'.

GEAVANCEERD ZOEKEN

We kunnen echter nog veel meer met Google om het zoeken te vereenvoudigen en sneller te vinden wat we zoeken. Klik rechts van het tekstvak om te werken met 'Geavanceerd zoeken'.

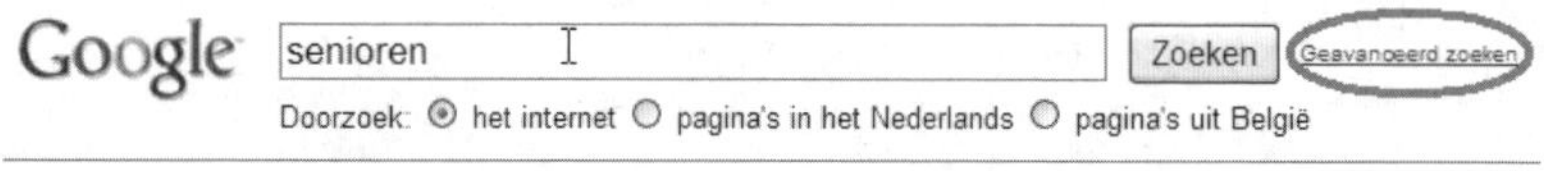

Google senioren Zoeken Geavanceerd zoeken
Doorzoek: het internet pagina's in het Nederlands pagina's uit België

We komen nu op een nieuwe pagina terecht waarbij we heel wat gegevens kunnen invullen.

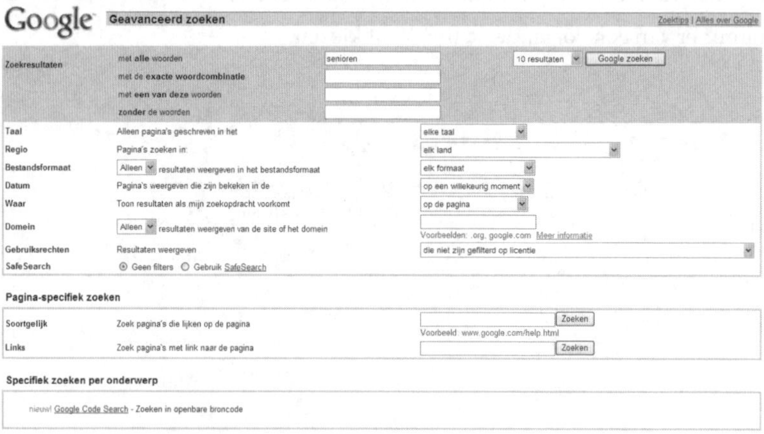

Google Geavanceerd zoeken — Zoektips | Alles over Google

Zoekresultaten	met alle woorden	senioren	10 resultaten / Google zoeken
	met de exacte woordcombinatie		
	met een van deze woorden		
	zonder de woorden		
Taal	Alleen pagina's geschreven in het	elke taal	
Regio	Pagina's zoeken in:	elk land	
Bestandsformaat	Alleen resultaten weergeven in het bestandsformaat	elk formaat	
Datum	Pagina's weergeven die zijn bekeken in de	op een willekeurig moment	
Waar	Toon resultaten als mijn zoekopdracht voorkomt	op de pagina	
Domein	Alleen resultaten weergeven van de site of het domein	Voorbeelden: .org, google.com Meer informatie	
Gebruiksrechten	Resultaten weergeven	die niet zijn gefilterd op licentie	
SafeSearch	Geen filters / Gebruik SafeSearch		

Pagina-specifiek zoeken

Soortgelijk	Zoek pagina's die lijken op de pagina	Zoeken — Voorbeeld: www.google.com/help.html
Links	Zoek pagina's met link naar de pagina	Zoeken

Specifiek zoeken per onderwerp

nieuw! Google Code Search - Zoeken in openbare broncode

Ik overloop wat er allemaal mogelijk is.

'Met alle woorden': in dit tekstveld geef je de woorden op die allemaal moeten voorkomen op de pagina, in een willekeurige volgorde of met een willekeurig aantal (minstens 1 keer).

'Met de exacte woordcombinatie': dit is hetzelfde als de woorden te plaatsen tussen aanhalingstekens. De woordencombinatie die je hier ingeeft, moet exact overeenvoorkomen met deze op de website.

'Met een van deze woorden': als een van de woorden voorkomt, mag de pagina gevonden worden, maar ook als er meerdere woorden gevonden zijn. Meestal handig als je aan het zoeken bent naar een specifiek onderwerp en er een aantal synoniemen van bestaat, om ineens alle webpagina's hiervan te vinden.

'Zonder de woorden': de woorden die je in dit tekstvak ingeeft mogen NIET voorkomen op de pagina.

'Taal': hier kun je de taal opgeven waarin de webpagina moet zijn geschreven. Je hebt de keuze tussen tientallen talen.

'Regio': hier kun je zoeken naar pagina's in een bepaald land.

'Bestandsformaat': indien je een bepaald document aan het zoeken bent in een bepaald bestandsformaat, dan kun je dit hier opgeven. Je hebt keuze tussen Word, Excel, Powerpoint, PDF enzovoort.

'Datum': dit maakt het mogelijk om webpagina's te zoeken die regelmatig worden bijgewerkt en dus niet al vele jaren ongewijzigd op het internet staan. Zo kun je snel recente informatie vinden.

'Waar': hier duid je aan waar de opgegeven zoekwoorden moeten staan. Normaal zoekt Google in de pagina, maar als je uitsluitend in de titel of het internetadres wilt zoeken, dan kun je dit hier instellen. Op die manier vind je snel een website terug waarvan je bijvoorbeeld het internetadres maar gedeeltelijk kent.

'Domein': dit is een heel krachtige functie om in een bepaalde website te zoeken. De opgegeven zoekwoorden worden dan enkel gezocht in het domein van de website. Als je hier bijvoorbeeld 'seniorennet.be' opgeeft, gaat Google uitsluitend zoeken in SeniorenNet.

'Gebruiksrechten': deze optie bied je de gelegenheid om de resultaten te filteren zodat je de informatie bijvoorbeeld vrij mag gebruiken of enkel voor commerciële doeleinden.

'Safe search': resultaten met pornografische inhoud worden zo veel mogelijk eruit gefilterd; vooral handig als ook de (klein)kinderen de computer gebruiken.

Als je de gewenste gegevens hebt ingegeven, klik je met je linkermuisknop rechtsboven op de knop 'Google zoeken'.

Op de vorige pagina staan nog twee functies, die echter weinig nuttig hebben, behalve voor webmasters van een website ('Soortgelijk' en 'Links').

Foto's en figuren zoeken

Het is mogelijk dat je een bepaalde foto of afbeelding wilt vinden. Met Google is dit heel eenvoudig door op de pagina waarop je hebt gezocht met je linkermuisknop op de link 'Afbeeldingen' te klikken.

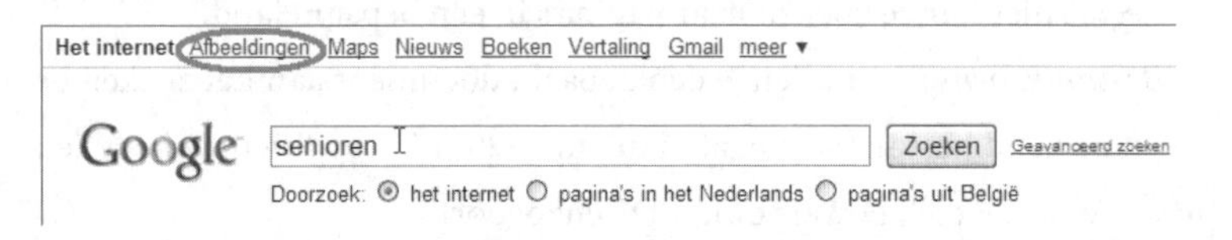

De computer geeft nu de resultaten weer, niet als tekst, maar in de vorm van foto's.

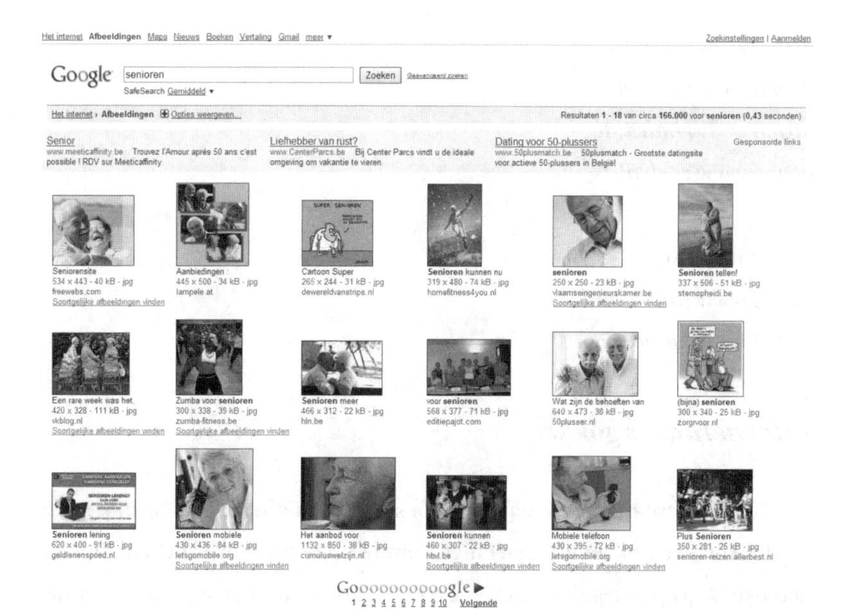

Om een foto op origineel formaat te zien, klik je erop met je linkermuisknop.

◂◂ *Zoeken in discussiegroepen*

Het is verder ook mogelijk in bepaalde discussiegroepen of gidsen te zoeken. Dit doe je door in plaats van op 'Afbeeldingen', op 'Discussiegroepen' of 'Gids' te klikken.

◂◂ *De betere zoekmachines*

België

http://www.google.be

http://www.bing.be

http://www.altavista.be

Nederland

http://www.google.nl

http://www.bing.nl

http://www.vinden.nl

http://www.ilse.nl

http://www.altavista.nl
http://www.lycos.nl
http://www.vindex.nl
http://www.zoek.nl

Internationaal
http://www.yahoo.com
http://www.hotbot.com

Internetadres gokken

Een heel andere manier is gokken. We stappen niet naar een casino, maar we denken even na en wagen een gok om te vinden wat we zoeken. Om dit beter te begrijpen leg ik nog even extra uit hoe zo'n internetadres eigenlijk is opgebouwd. Neem als voorbeeld *http://www.SeniorenNet.be.* Wat we als eerste in dit internetadres zien, is de 'http://'. Dit is het zogenaamde protocol dat elke computer zal gebruiken die op het internet is aangesloten. Hierdoor kun je eenvoudig met eender welke computer ter wereld communiceren. Je hoeft daar verder niet meer op te letten.

Als tweede element zien we de 'www' of voluit World Wide Web, in het Nederlands Wereld Wijde Web. De www maakt je duidelijk dat het om een website gaat. De www wijzigt nooit en is altijd zichtbaar bij websites.

Het derde element is een heel belangrijk stuk: 'seniorennet'. Dit is de naam van de website. Het is meestal een naam, maar kan soms ook een afkorting zijn.

Het laatste element is de '.be'. Dit laatste stukje geeft aan wat voor soort website het is of uit welk land het komt. '.be' betekent dat het een Belgische website is. Als er '.nl' staat, dan komt de website uit Nederland. Er bestaat zo voor elk land een einde: voor Frankrijk is dit '.fr', voor Duitsland '.de', voor Spanje '.es' enzovoort. We hebben ook '.com'. Dit is voor Amerikaanse en internationale websites.

Als we dus ergens hebben gehoord dat er een website 'seniorennet' bestaat, dan kunnen we gaan gokken. De 'http://www.' is al standaard. Naar de rest raden we. Aangezien de naam 'seniorennet' is, maken we er 'http://

www.seniorennet' van. Vervolgens proberen we ook uit of het een Belgische website is. We gokken dus op 'http://www.seniorennet.be', tikken dit adres in onze browser in en vinden inderdaad de website. Als we geïnteresseerd zijn in de Nederlandse SeniorenNet-website, dan proberen we met '.nl' en tikken we dus 'http://www.seniorennet.nl' in. Ook dit levert resultaat op en brengt je op het Nederlandse SeniorenNet.

Een ander voorbeeld. Laat ons de openingsuren van de Zoo van Antwerpen zoeken. Omdat in een naam van een website géén 'spatie' mag voorkomen, moeten we de naam aan elkaar schrijven. Bovendien is de Zoo van Antwerpen natuurlijk in België. We gokken dus op http://www.zoovanantwerpen.be. En inderdaad, als we dit adres proberen, dan krijgen we de juiste website te zien.

Laat ons dit nog eens proberen. We weten dat het bedrijf Microsoft bestaat en dat het zorgt voor het besturingssysteem van onze computer. Om de website van Microsoft te vinden, kun je www.microsoft.nl of www.microsoft.be proberen. En inderdaad, dit is de website die we zoeken...

Toch zal dit systeem niet altijd lukken. Je weet niet altijd de naam van een website, je weet niet altijd hoe je de naam van een bedrijf moet schrijven enzovoort. Maar indien je gokt en het is juist, dan is dit de snélste manier om op de juiste website terecht te komen, meestal sneller dan via een zoekmachine.

Zoeken van linkpagina's

Het zoeken van een bedrijf, informatie of onderwerp kan ook nog op een andere manier. Er zijn namelijk websites die 'nuttige links' aanbieden. Dit zijn meestal een of meerdere pagina's met een hele hoop doorverwijzingen naar andere websites, mooi onderverdeeld in verschillende categorieën zoals humor, politiek, musea enzovoort.

De website SeniorenNet heeft ook zo'n rubriek 'Nuttige Links'. Surf je naar deze pagina, dan krijg je daar veel nuttige webpagina's te zien. Deze lijst is allesbehalve volledig, maar je treft er wel de meest gebruikte en interessantste websites op aan. Zo word je niet geconfronteerd met een overdaad aan informatie waardoor je door het bos de bomen niet meer kunt zien. Op onderstaande foto zie je zo'n pagina.

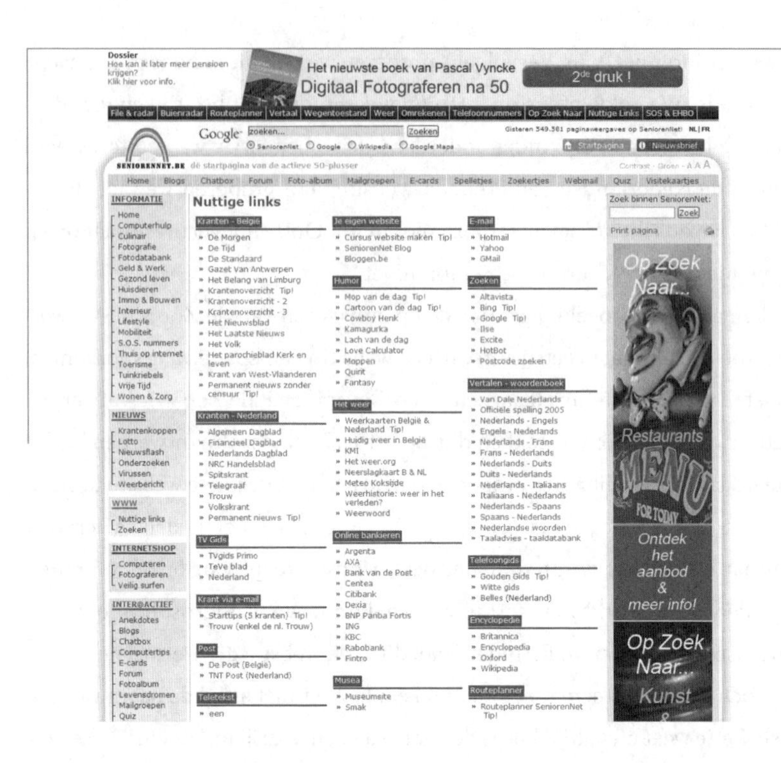

Nuttige webpagina's met links:

http://www.SeniorenNet.be

http://www.SeniorenNet.nl

http://www.pagina.nl

http://www.go2.be/

http://www.2link.be

http://www.startkabel.nl

Zoeken in een website

Sommige websites hebben een eigen zoekmachine, waardoor je kunt zoeken op hun website, of zij bieden je de mogelijkheid om op de website zelf je zoekwoorden in te geven en zo rechtstreeks verder te gaan naar de zoekmachine.

Een voorbeeld van zo'n website is SeniorenNet.

Surf in je browser Internet Explorer naar de website

http://www.SeniorenNet.be (of www.SeniorenNet.nl).

Ga vervolgens in het menu links van het scherm onder het kopje 'WWW' met je muis op 'Zoeken' staan.

Op deze pagina zie je de mogelijkheid om in het tekstvak je zoekwoorden in te geven en dan te zoeken. Je hebt de keuze tussen zoeken in de website SeniorenNet of op het hele internet (WWW). Klik op het bolletje 'Zoeken WWW' om wereldwijd te zoeken, klik op het bolletje 'Zoeken in seniorennet' om enkel in SeniorenNet.be te zoeken.

Klik vervolgens op de knop 'Zoeken' om te zoeken via de zoekmachine Google.

Op deze pagina zie je bovendien nog een aantal nuttige zaken om te zoeken. Zo kun je bijvoorbeeld ook een Belgische of Nederlandse postcode opzoeken (of een gemeente die hoort bij een postcode) of een Nederlandstalig woord in het woordenboek Van Dale.

Het is soms niet duidelijk of er nu wel of geen hoofdletters in een internetadres moeten staan. Soms wordt hetzelfde adres mét hoofdletters gegeven, soms zonder. Hoe zit dat nu?

Het antwoord is dat het niet uitmaakt. Het internetadres *http://www.seniorennet.be* en *http://www.SeniorenNet.be* zijn exact hetzelfde, behalve dat de tweede versie duidelijker leesbaar is.

Er is WEL een verschil NA het internetadres. Het internetadres *http://www.seniorennet.nl/forum/* bijvoorbeeld: wat achter de '.be' komt – 'forum/' – is wel gevoelig voor hoofdletters. Het adres *http://www.seniorennet.nl/Forum/*, met hoofdletter werkt niet. Maar *http://www.seniorennet.nl/forum/* en *http://www.SeniorenNet.nl/forum/* zijn dus wel hetzelfde (hoofdletters in de domeinnaam hebben geen belang, maar wél in wat erachter staat).

Actualiteit en nieuws

Het leuke aan internet is dat elke wijziging op een website onmiddellijk door iedereen overal ter wereld kan worden gezien. Dit betekent dat je razendsnel op de hoogte kunt zijn van de actualiteit. Nieuws is per definitie 'verouderd'. Wat je in de krant leest, is nieuws van de vorige dag, wat je 's avonds op het tv-nieuws ziet, kan al van de vorige dag zijn.

Met internet ligt dit anders. Er hoeft maar iets te gebeuren en enkele minuten later kun je het al lezen op een van de vele nieuwswebsites. Hierdoor krijgt 'nieuws' een nieuwe dimensie.

Alle gewone media (radio, tv, kranten) hebben een website. De meeste zorgen er niet alleen voor dat je op hun website informatie krijgt over het bedrijf zelf, maar houden je ook op de hoogte van de laatste nieuwtjes. Vooral de websites van kranten zijn hiervoor goed uitgerust. Een aantal van hen zet niet alleen de hele krant (de krant die in de krantenwinkel ligt) op het internet, maar zorgt er ook voor dat je al de artikels van de volgende dag al (gedeeltelijk) kunt lezen.

Spijtig genoeg is niet al deze informatie gratis. Vroeger was dit wel zo, maar meer en meer maken de kranten en andere media hun website (gedeeltelijk) betalend.

De reden hiervoor is dat ze meestal toch wel wat extra personeel nodig hebben om de website te onderhouden, dit terwijl ze er geen cent voor terugkrijgen, wat dus verliesgevend is.

◂◂ *Vlaanderen*

Ik geef hieronder een overzicht van de situatie van de Vlaamse media op internet.

De Morgen

Op de website van deze krant krijg je maar weinig gratis nieuws. Je kunt enkel de voorpagina lezen en de 'telex', die rechtstreeks de informatie weergeeft van het persagentschap Belga. De rest is betalend, behalve voor abonnees van de krant.

De website: *http://www.demorgen.be*

De Standaard

Ook de website van de krant *De Standaard* is grotendeels betalend. Je kunt de laatste nieuwtjes ('snelnieuws') gratis lezen en een aantal korte bijdragen uit de dagkrant. Dankzij het snelnieuws weet je enkele minuten na het gebeuren er al het fijne van. Voor de andere diensten (archief, integrale artikels, hele dagkrant enzovoort) moet je ofwel betalend lid zijn, ofwel een abonnement hebben op de krant.

De website: *http://www.standaard.be*

Gazet van Antwerpen

De website van *Gazet van Antwerpen* functioneert al sinds 1996 en is helemaal gratis. Je kunt vrij artikelen, snelnieuws, dossiers en andere zaken lezen. Zelfs de raadpleging van het archief is volledig gratis en zonder registratie toegankelijk.

De website: *http://www.gva.be*

Het Belang van Limburg

De website van *Het Belang van Limburg* is sinds 1995 op het internet aanwezig en heeft dezelfde lay-out en diensten als deze van *Gazet van Antwerpen*, uiteraard met (gedeeltelijk) ander nieuws.

De website: *http://www.hbvl.be*

Het Laatste Nieuws

De website van *Het Laatste Nieuws* biedt een ruime hoeveelheid aan nieuws en snelnieuws, gratis toegankelijk voor iedereen. Een nogal rommelige website, maar met veel nieuws.

De website: *http://www.hln.be*

Het Nieuwsblad

Het Nieuwsblad heeft een relatief kleine website die momenteel geen betalende diensten voorziet. Je kunt er de hoofdartikels van de dagkrant lezen en ook het 'snelnieuws'.

De website: *http://www.nieuwsblad.be*

Metro

Metro, het enige gratis dagblad dat verkrijgbaar is in de trein- en metrostations, heeft ook een gratis website sinds 2003. Je kunt er gratis elk nummer volledig lezen.

De website: *http://www.metrotime.be/*

Tijdnet

Tijdnet is al online sinds 1995 en was als eerste Vlaamse krant op het internet aanwezig. In het begin was alles gratis, nu moet je voor extra diensten betalen.

Bij Tijdnet heb je drie mogelijkheden.

Als gewone bezoeker kun je enkel een kleine selectie van het nieuws zien.

Als (gratis) geregistreerde bezoeker kun je ook het archief raadplegen en je inschrijven op de gratis nieuwsbrief.

Als betalende gebruiker of abonnee van de krant heb je toegang tot alle andere diensten.

De website: *http://www.tijd.be*

VTM

De website van VTM, en meer bepaald die van het VTM nieuws, biedt een klein overzicht van de hoofdpunten. Pluspunt is dat je de volledige nieuwsuitzending van de dag of de voorbije dagen op je computer kunt bekijken. Handig indien je een uitzending hebt gemist of in het buitenland bent. Alles is gratis toegankelijk.

De website: *http://www.vtm.be/nieuws/*

VRT

De openbare omroep heeft een volwassen website voor het nieuws. Je leest er het laatste nieuws, maar kunt ook de reportages bekijken die op het journaal verschijnen.

De website: *http://www.deredactie.be*

De website SeniorenNet – met het adres *http://www.SeniorenNet.be (of .nl)* – biedt in de rubriek Krantenkoppen of 'Nieuwsflash' (links in het menu, onder 'NIEUWS') een overzicht van al het nieuws aan. Indien je het hele artikel wilt lezen, word je doorgestuurd naar de website van de krant.

◂◂ *Nederland*

Hieronder een overzicht van de websites van de Nederlandse kranten.

De Telegraaf

Een van de uitgebreidste nieuwssites van Nederland. De site zit eigenlijk net zo in elkaar als een krant: een voorpagina met veel foto's en daarnaast nog aparte deelkranten met onder andere de Telesport, Reiskrant, Autotelegraaf, Vacaturekrant en de Woonkrant. De site is heel erg interactief, je kunt reageren op de nieuwsberichten en zelfs beeldfragmenten bekijken.

De website: ***http://www.telegraaf.nl***

De Volkskrant

Een beetje een saaie site. De hoofdpagina geeft wel een duidelijk overzicht van het laatste nieuws maar bestaat vooral uit tekst. Met een eenvoudige verdeling van binnen- en buitenland, economie, sport, kunst en technologie kun je direct een selectie maken van de nieuwsfeiten die je interesseren.

De website: ***http://www.volkskrant.nl***

NRC

Deze website heeft een eenvoudige indeling: binnen- en buitenland, economie, kunst en sport, media en wetenschap. Daarnaast krijg je via de website ook toegang tot speciale diensten zoals reizen en carrière.

De website: ***http://www.nrc.nl***

Het Algemeen Dagblad

Een zeer overzichtelijke site met de laatste nieuwsfeiten, een standaardindeling van binnen- en buitenland, sport, economie en cultuur, en een grote sectie met spelletjes, horoscoop en recepten.

De website: *http://www.ad.nl*

Nu.nl

Zoals de naam van de site al aangeeft, valt hier het actuele nieuws van dit moment te lezen. Uitgebreid nieuws met koppelingen naar gelijksoortig nieuws. Van deze nieuwssite bestaat geen papieren versie.

De website: *http://www.nu.nl*

Het Parool

Deze site laat het laatste nieuws zien en geeft verder een uitgebreide keuze aan deelonderwerpen. Naast de gebruikelijke indeling wordt er veel aandacht besteed aan kunst, muziek, theater en boeken.

De website: *http://www.parool.nl*

Spits

Dit is de elektronische versie van de krant die bij veel stations gratis wordt aangeboden. Niet erg uitgebreid en vol reclame.

De website: *http://spitsnieuws.nl/*

Metro

Dit is de site van de andere gratis krant en geeft een duidelijk overzicht van de laatste nieuwsfeiten. Meld je je aan bij clubmetro, dan krijg je een korting bij veel winkels en evenementen.

De website: *http://www.metronieuws.nl*

Het NOS-journaal

Dit is de site van het NOS-journaal. Hier vind je de beelden van het NOS-journaal. Voorts kun je ook grasduinen in het archief en zijn er verschillende actualiteitendossiers.

De website: *http://www.nosjournaal.nl*

◂◂ *Wereld*

Uiteraard zijn ook heel wat buitenlandse nieuwswebsites op het internet aanwezig. De bekendste bespreek ik hieronder kort.

BBC

De zender BBC heeft ook zijn nieuwswebsite. Je kunt er in het Engels de belangrijkste nieuwspunten of uitgebreide bijdragen lezen en zoeken in het archief. Het is bovendien mogelijk om het nieuws te beluisteren of te zien.

De website: *http://news.bbc.co.uk*

En verder...

Je kunt ook op een zogenaamde portaalwebsite het nieuws kort samengevat lezen. Indien je het hele artikel wilt lezen, kun je vervolgens doorklikken naar de website van de krant of het televisiestation.

CNN

De website van CNN is zoals de zender zelf: nieuws, nieuws en nog eens nieuws. Hier vind je uitgebreide artikels van het belangrijkste nieuws van overal ter wereld, soms met geluids- en zelfs beeldfragmenten. Snel nadat er iets belangrijks gebeurd is, zul je op deze website (in het Engels) er het fijne van weten.

De website: *http://www.cnn.com/*

MSNBC

De grote nieuwszender NBC maakt zijn website samen met MSN, vandaar de samengetrokken naam. Op de website vind je het laatste nieuws, foto's, uitgebreide artikels en nog veel meer.

De website: *http://www.msnbc.msn.com/*

Digitale nieuwsbrieven

Wat?

Internet is supersnel, alles kan onmiddellijk verstuurd worden, en bovendien is het versturen van een digitale nieuwsbrief (als uitgever) zeer goedkoop. Hierdoor zijn vrijwel alle digitale nieuwsbrieven gratis.

Je kunt op een digitale nieuwsbrief, ook e-zine of e-nieuwsbrief genoemd, inschrijven om verschillende redenen. Er zijn nieuwsbrieven die je inlichten over de vooruitgang van de website. Wat de vernieuwingen zijn, wat werd toegevoegd enzovoort. Zo weet je steeds wat je favoriete website allemaal extra heeft voorzien voor zijn bezoekers.

Een andere reden voor een digitale nieuwsbrief is om op de hoogte te blijven van een bepaald onderwerp. Er zijn digitale nieuwsbrieven die je inlichten over computers, tuinieren, geld, fotografie enzovoort. Meestal krijg je één keer per week of per maand een nieuwsbrief per e-mail. Daarin staan dan allerlei onderwerpen en nieuwtjes uitgelegd. Het is net alsof je een abonnement zou nemen op een dergelijk tijdschrift en zo op de hoogte blijft.

Een laatste soort nieuwsbrief is om op de hoogte te blijven van de actualiteit. Zo zijn er nieuwsbrieven van kranten, van meldingsbureaus voor computervirussen enzovoort. Zij versturen meestal een nieuwsbrief als er echt iets gebeurt. Een uurtje na het opduiken van een nieuw gevaarlijk computervirus word je er al voor gewaarschuwd, iets wat uiteraard niet mogelijk is met de klassieke tijdschriften of kranten.

Een reeds vernoemd voordeel van de digitale nieuwsbrieven is dat ze gratis zijn, vooral omdat het voor de websites weinig kost om ze te versturen. Het versturen van een e-mail kost niets ten opzichte van het drukken van een krant of brief en de verzendingskosten via de post.

Bij het inschrijven moet je steeds je e-mailadres opgeven en soms ook nog extra zaken zoals je naam.

Bij een nieuwsbrief moet je jezelf ook steeds weer kunnen uitschrijven. Het kan zijn dat de nieuwsbrief niet is wat je ervan verwachtte of dat je mailbox echt te vol raakt en je van een aantal minder interessante nieuwsbrieven af wilt.

Om je uit te schrijven ga je gewoon naar de laatst ontvangen nieuwsbrief waarop je wilt uitschrijven. Onderaan moet er een vermelding staan hoe je jezelf kunt uitschrijven, meestal staat er een internetadres om je snel en eenvoudig uit te schrijven.

Eenmaal uitgeschreven krijg je meestal nog een e-mail om te bevestigen dat je bent uitgeschreven. In de toekomst zul je dan de nieuwsbrief niet meer ontvangen.

Aan de slag

We gaan in dit voorbeeld ons inschrijven op een nieuwsbrief. Het is heel eenvoudig en je zult dus snel klaar zijn.

Surf met je browser Internet Explorer naar het internetadres *http://www.SeniorenNet.be* of *http://www.SeniorenNet.nl*

Klik vervolgens met je linkermuisknop links in het menu op 'Nieuwsbrief', dat staat onder 'VARIA', helemaal onderaan in het menu.

Je komt nu op de pagina van de gratis nieuwsbrief van SeniorenNet.

Klik met je linkermuisknop in het tekstvak, tik vervolgens je e-mailadres in. Zorg ervoor dat dit adres goed is ingegeven, anders kun je de nieuwsbrief niet ontvangen.

Klik vervolgens met je linkermuisknop op de knop 'Inschrijven'.

Je krijgt nu een bevestigingspagina om te laten zien dat je ingeschreven bent op de nieuwsbrief en je zult er per e-mail ook een bevestiging van ontvangen.

Hieronder vermeld ik een aantal websites waar je jezelf gratis kunt inschrijven op een digitale nieuwsbrief over het betreffende onderwerp.

Computer

http://www.6minutes.be/
http://www.zdnet.be

Senioren

http://www.seniorennet.be/nieuwsbrief
http://www.seniorennet.nl/nieuwsbrief

Nieuws

http://www.kranten.com/
http://www.standaard.be ('Diensten' en vervolgens 'De Standaard in uw mailbox')
http://www.tijd.be/ (T-zine)

Wonen

http://www.vtwonen.nl/

Financieel

http://www.belegger.nl

III •• INTERNET: JE EIGEN POSTKANTOOR

Windows XP en Windows Vista

Staat Windows XP of Windows Vista op je computer? Lees dan dit eerste deel van hoofdstuk III. Beschik je over Windows 7, blader dan alvast door naar p. 175 waar deel 2 van dit hoofdstuk begint.

De inhoud van beide delen is identiek, enkel de werking van de programma's zijn zeer verschillend als gevolg van de wijzigingen in de besturingssystemen.

Wat is e-mail?

Van e-mail heb je hoogstwaarschijnlijk al gehoord. Maar wat is het eigenlijk? E-mail is eigenlijk bijna het meest gebruikte onderdeel van internet. Naast het gewone surfen wordt er enorm veel gemaild, door vrijwel iedereen die internet heeft.

Een e-mail is een berichtje dat je verstuurt via de computer. In plaats van een brief in te tikken op een tikmachine of een brief te schrijven op papier, geef je het in op je computer, dus met je toetsenbord, gewoon door de letters in te drukken.

De voordelen zijn enorm groot. Je hebt geen papier nodig, je hoeft het niet in een envelop te steken en je hoeft er ook geen postzegel op te kleven. Het versturen gaat via internet en je bericht komt aan op de computer van de geadresseerde: je hoeft het berichtje dus niet in de brievenbus te steken waar de postbode het moet komen ophalen, naar het sorteercentrum moet brengen en ervoor moet zorgen dat het vervolgens aankomt bij de ontvanger in zijn brievenbus. Een e-mail komt dus niet aan in de brievenbus waar de postbode langskomt, maar in een elektronische brievenbus.

Een tweede voordeel is dat het razendsnel gaat, eigenlijk onmiddellijk. Tussen het versturen en het aankomen op de plaats van bestemming zit een seconde, hoogstens een halve minuut, onafhankelijk naar waar je die e-mail stuurt. Of die naar je buurman gaat, naar Frankrijk, Amerika, Nieuw-Zeeland of Australië, het gaat allemaal razendsnel en gratis! Een ander voordeel is ook nog dat je niet enkel gewone tekst kunt meesturen. Je kunt de tekst een kleurtje geven, onderstrepen, in het vet zetten... Je kunt lange documenten van tientallen of honderden pagina's doorsturen. Maar je kunt ook foto's opsturen, zelfs videobeelden, geluid of muziek!

De voordelen van e-mail

Het is supersnel.
Er is geen papier nodig.
Je moet niets met de hand schrijven, iets dat je fout schrijft, moet je niet doorstrepen, je kunt geen vegen maken.
Het is efficiënter dan telefoon.
Je hebt geen problemen om iemand te bereiken. Als de persoon er op dat ogenblik niet is, zal hij het zien zo gauw hij wel aanwezig is, zonder dat je telkens opnieuw moet proberen.
Belangrijke zaken kunnen snel afgehandeld worden.
Je kunt het bericht eenvoudig naar meerdere mensen sturen zonder veel werk.
Je kunt foto's, documenten, tekeningen, teksten, muziek, videobeelden, geluid en andere zaken meesturen.
Het is gratis, je hoeft niet te betalen per bericht, je hebt geen postzegels nodig.
Het is wereldwijd. Het maakt niet uit of je naar je buren mailt of naar de andere kant van de wereld.

Aan de slag: het e-mailadres aanmaken

We weten nu wat e-mail is en wat de mogelijkheden zijn. Nu gaan we aan de slag: we gaan ervoor zorgen dat we ons e-mailadres kunnen aanmaken en instellen.

Wat we nodig hebben, is relatief eenvoudig. Behalve een computer en internet, heb je een zogenaamd e-mailadres nodig.

Zo'n adres krijg je normaal altijd gratis van je provider (het bedrijf dat jouw internetverbinding verzorgt). Zo'n adres ziet er steeds als volgt uit: JouwNaam@provider.be (of .nl).

Wat 'JouwNaam' is, mag je meestal zelf kiezen. Het kan je echte naam zijn, maar ook een afkorting of iets anders (bv. firmanaam...).

Wat achter het @-teken staat, is de naam van je provider. Zoals met gewone internetadressen komt er achter die naam nog een .be of iets anders (.nl, .com...). Dit is afhankelijk van het land waar de provider gevestigd is.

Het @-teken spreek je uit als 'ad'. Als iemand je e-mailadres vraagt, moet je het volgende zeggen: 'MijnNaam ad mijnprovider punt b e' (of punt n l).

Om dit e-mailadres te krijgen, moet je contact opnemen met je provider. Iedereen heeft een adres, maar je krijgt het niet altijd onmiddellijk. Indien je internet thuis door je provider werd geïnstalleerd, zul je het waarschijnlijk onmiddellijk hebben gekregen. Anders moet je er meestal voor bellen naar je provider.

Je hebt enkele gegevens van je provider nodig om het helemaal af te kunnen maken, namelijk de gebruikersnaam en het wachtwoord (of password) van je e-mailadres.

Meestal is de gebruikersnaam hetzelfde als wat voor het @-teken staat, maar ook hier bevestigen uitzonderingen de regel.

Het wachtwoord is nodig om ervoor te zorgen dat enkel JIJ je e-mails kunt zien en niemand anders. Als je gevraagd wordt om een wachtwoord op te geven, geef dan een wachtwoord op dat enkel jij kunt onthouden en dat niemand anders kan achterhalen.

Vervolgens heb je nog twee gegevens nodig van je provider: het adres voor 'inkomende e-mail' en het adres voor 'uitgaande e-mail'. Ik geef je de vaktermen ook mee voor het geval de medewerker van je provider de normale Nederlandse termen niet verstaat: in vaktermen noemt men dit het POP3-adres en het SMTP-adres.

Indien je de gegevens niet hebt gekregen bij de installatie van je internetverbinding, bel dan nu naar je provider en vraag naar bovenstaande gegevens. Ik zet ze nog even op een rijtje:

Je volledige e-mailadres (in de vorm van JouwNaam@provider.be)

Je gebruikersnaam

Je wachtwoord

Het adres voor inkomende e-mail (POP3-adres)

Het adres voor uitgaande e-mail (SMTP-adres)

Zo, dan gaan we nu ervoor zorgen dat we met deze gegevens alles in orde kunnen maken. We hebben nu ons e-mailadres, maar we kunnen het nog niet gebruiken. Daarvoor hebben we voorgaande gegevens nodig om onze computer te zeggen wat hij moet gebruiken om te kunnen werken met je e-mail. Als je ergens gaat wonen, moet je ook bij de gemeente aangeven wat je adres is en wie er woont, zodat men latere briefwisseling naar het juiste adres kan sturen.

BELANGRIJK!!
In de rest van dit hoofdstuk maken we soms een onderscheid tussen Windows XP en Windows Vista. De werking van beide systemen is bijna identiek, maar toch niet helemaal. Daarom zal ik regelmatig een onderscheid maken tussen beide. Lees enkel het stuk dat voor jou van toepassing is. Zo kun je gemakkelijk in deze doorlopende tekst leren en oefenen!

Als de schermen op je computer er vrijwel identiek uitzien, worden enkel de schermen van Windows XP afgebeeld. Op je Windows Vista computer ziet het er dan hetzelfde uit, op een kleurtje, lijntje of achtergrondkleur na.

Wanneer ik een onderscheid maak tussen Windows XP en Vista, zal XP altijd de linkse kolom of figuur voorstellen en Vista altijd de rechtse.

Net zoals onze computer wordt bestuurd door een besturingssysteem, genaamd Windows, en net zoals we om op het internet te gaan het programma Internet Explorer nodig hebben, hebben we ook een programma nodig voor onze e-mail.

Windows XP	**Windows Vista**
Het programma heet Outlook Express en staat gratis en standaard op je computer geïnstalleerd.	Het programma heet Windows Mail en staat gratis en standaard op je computer geïnstalleerd.

Het e-mailprogramma is een eenvoudig programma dat speciaal gemaakt werd voor het werken met e-mail. Het programma heeft niet te veel toeters en bellen, met als voordeel dat je relatief eenvoudig kunt werken met dit programma en dat je het snel onder de knie zult hebben.

Ga via het startmenu naar het programma 'Outlook Express' (Windows XP) of 'Windows Mail' (Windows Vista).

Let erop dat je NIET 'Outlook' neemt en dat er 'Express' achter staat.

Windows XP

MSN Explorer
Outlook Express
Windows Journal Viewer
Windows Media Player

Windows Vista

Google
senioren
Zoeken

We krijgen nu een scherm te zien waar de computer vraagt naar een naam. Tik in het tekstvak je volledige naam in. In mijn geval is dat dus 'Pascal Vyncke'.

Klik dan op de knop 'Volgende'.

Wizard Internet-verbinding

Naam

Als u een e-mail verstuurt, verschijnt uw naam in het veld met de aanduiding Van van het uitgaande bericht. Typ uw naam zoals u deze wilt hebben weergegeven.

Weergegeven naam: Pascal Vyncke

Bijvoorbeeld: Jan Smit

< Vorige | Volgende > | Annuleren

Krijg je bovenstaand scherm niet te zien? Dan heb je het e-mailprogramma al eens opgestart. Het programma toont het namelijk maar één keer.

Doe dan het volgende.

Ga naar het menu 'Extra' en klik vervolgens op 'Accounts...'

Klik nu rechts op de knop 'Toevoegen', er verschijnt een klein submenuutje, waar je 'E-mail...' aanduidt.

Nu heb je hetzelfde scherm en kun je verder gaan.

Nu vraagt de computer je e-mailadres. Tik je adres in het tekstvak, zoals het gegeven is door je provider. In mijn geval is dat 'pascal.vyncke@seniorennet.be'.

Klik vervolgens op 'Volgende'.

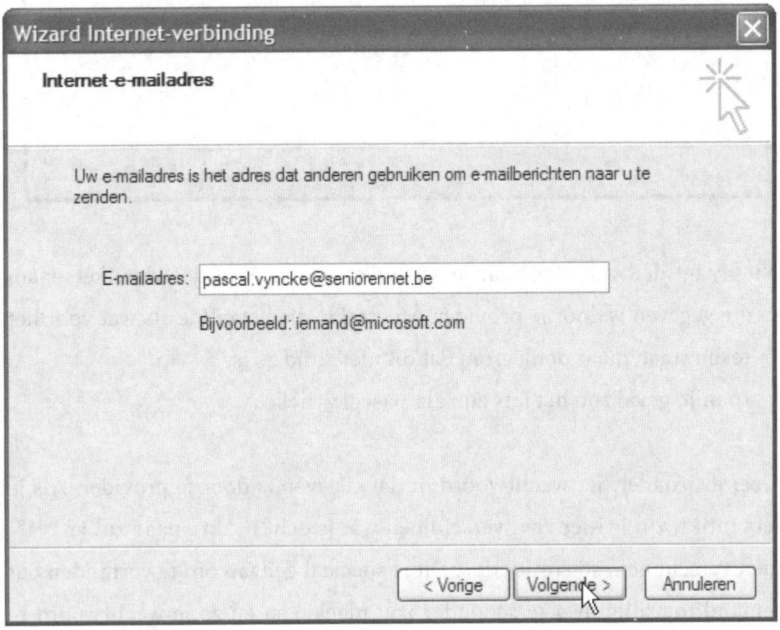

Wizard Internet-verbinding

Internet-e-mailadres

Uw e-mailadres is het adres dat anderen gebruiken om e-mailberichten naar u te zenden.

E-mailadres: pascal.vyncke@seniorennet.be

Bijvoorbeeld: iemand@microsoft.com

< Vorige | Volgende > | Annuleren

Nu vraagt de computer het adres voor inkomende e-mail, je ziet hier ook de POP3 terugkomen. Geef het adres in dat jouw provider je heeft gegeven. In mijn geval zou het iets zijn als 'mail-in.seniorennet.be'.

Geef daaronder dan het adres in voor uitgaande e-mail, het SMTP-adres. In mijn geval zou het iets zijn als 'mail-uit.seniorennet.be'. Klik als je alles hebt ingegeven op 'Volgende'.

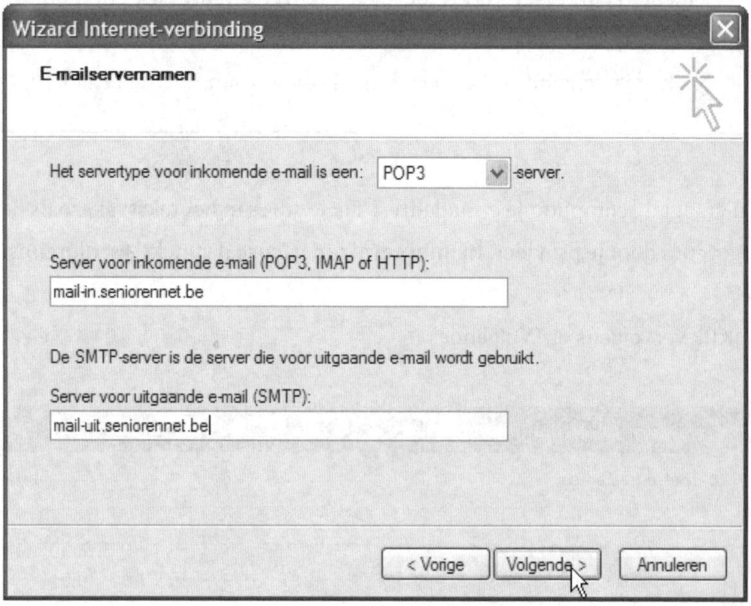

Nu vraagt de computer naar je gebruikersnaam. Geef de gebruikersnaam in die gegeven is door je provider. Meestal is die hetzelfde als wat voor het @-teken staat, maar denk erom dat dit niet altijd zo is.

In mijn geval zou het iets zijn als 'pascal.vyncke'.

Geef daaronder het wachtwoord in dat gegeven is door je provider. Als je iets intikt, zul je niet zien verschijnen wat je echt intikt, maar zul je ****** zien verschijnen, sterretjes dus. Dit is speciaal gedaan om te vermijden dat iemand toevallig over je schouder zou meekijken en zo je wachtwoord te weten zou komen.

Dat mag niet omdat iedereen die je wachtwoord kent, ook je e-mail kan nakijken en zelfs in jouw naam e-mails kan rondsturen en dat is toch niet de bedoeling?

Als je het wachtwoord hebt ingegeven, klik dan nog een laatste keer op 'Volgende'.

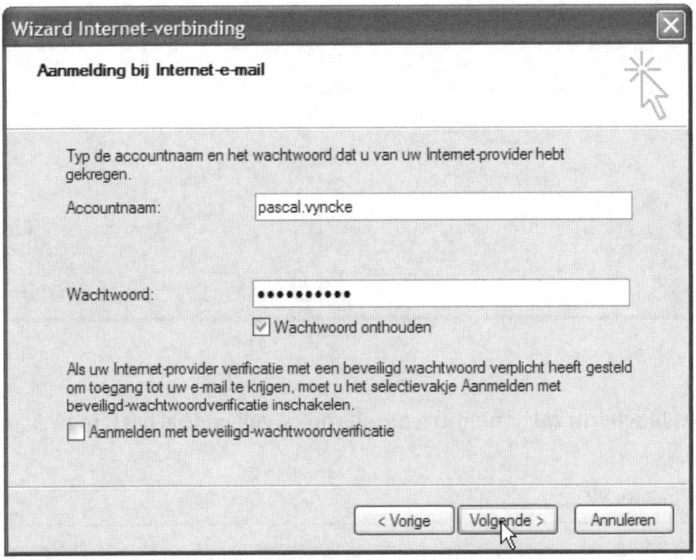

Wizard Internet-verbinding

Aanmelding bij Internet-e-mail

Typ de accountnaam en het wachtwoord dat u van uw Internet-provider hebt gekregen.

Accountnaam: pascal.vyncke

Wachtwoord: ●●●●●●●●●●●

☑ Wachtwoord onthouden

Als uw Internet-provider verificatie met een beveiligd wachtwoord verplicht heeft gesteld om toegang tot uw e-mail te krijgen, moet u het selectievakje Aanmelden met beveiligd-wachtwoordverificatie inschakelen.

☐ Aanmelden met beveiligd-wachtwoordverificatie

< Vorige | Volgende > | Annuleren

Je krijgt nu van de computer de mededeling dat het afgelopen is. Klik op de knop 'Voltooien'.

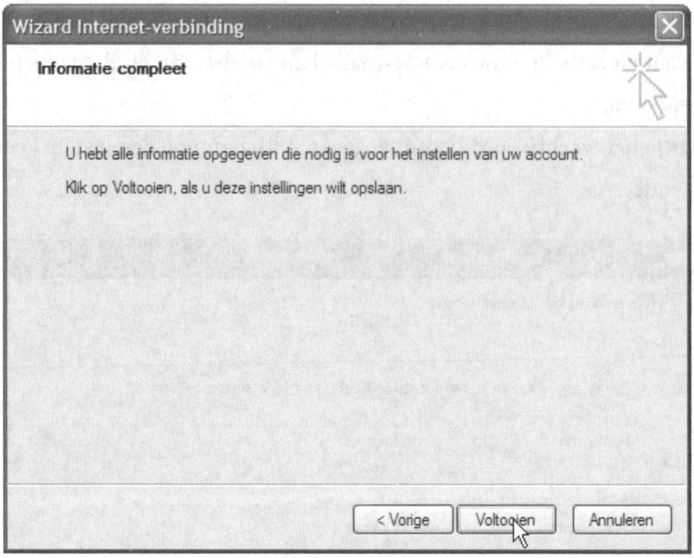

Wizard Internet-verbinding

Informatie compleet

U hebt alle informatie opgegeven die nodig is voor het instellen van uw account.

Klik op Voltooien, als u deze instellingen wilt opslaan.

< Vorige | Voltooien | Annuleren

Klaar! Je scherm zal er nu uitzien zoals op de volgende afbeelding:

Windows XP

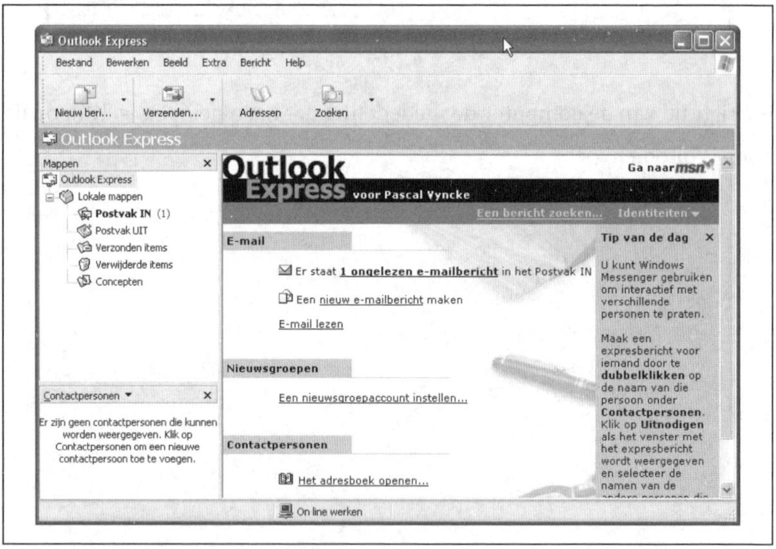

Outlook Express
Bestand Bewerken Beeld Extra Bericht Help
Nieuw beri... Verzenden... Adressen Zoeken
Outlook Express
Mappen
Outlook Express
Lokale mappen
Postvak IN (1)
Postvak UIT
Verzonden items
Verwijderde items
Concepten
Outlook Express voor Pascal Vyncke
Ga naar msn
Een bericht zoeken... Identiteiten
E-mail
Er staat **1 ongelezen e-mailbericht** in het Postvak IN
Een nieuw e-mailbericht maken
E-mail lezen
Nieuwsgroepen
Een nieuwsgroepaccount instellen...
Contactpersonen
Het adresboek openen...
Tip van de dag
U kunt Windows Messenger gebruiken om interactief met verschillende personen te praten.
Maak een expresbericht voor iemand door te **dubbelklikken** op de naam van die persoon onder **Contactpersonen**. Klik op **Uitnodigen** als het venster met het expresbericht wordt weergegeven en selecteer de namen van de
Contactpersonen
Er zijn geen contactpersonen die kunnen worden weergegeven. Klik op Contactpersonen om een nieuwe contactpersoon toe te voegen.
On line werken

Windows Vista

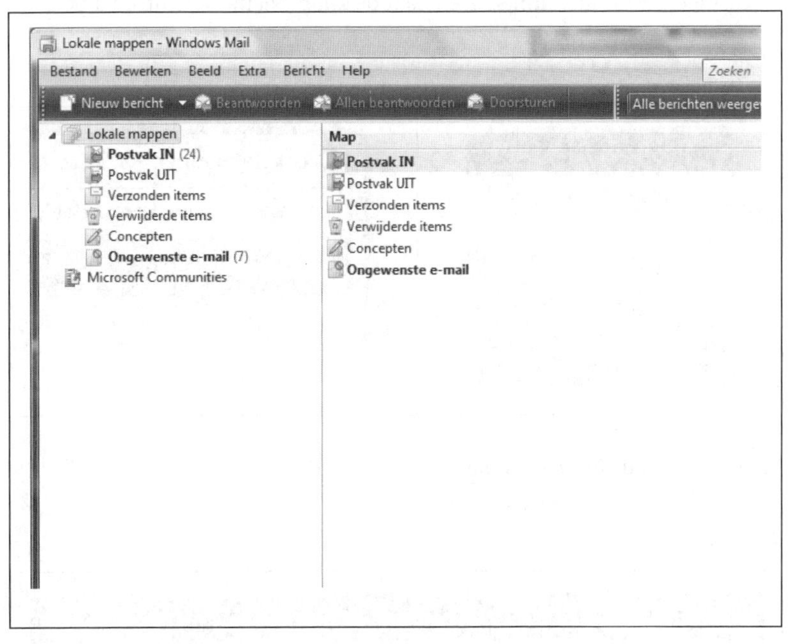

Je hebt nu je eigen e-mailadres aangemaakt bij je provider en het zelf ingesteld op je computer.

Nu kan iedereen, waar ook ter wereld, die je adres kent je een e-mail sturen. Je provider zal die e-mail herkennen en in jouw elektronische brievenbus stoppen.

Je hebt je computer ingesteld zodat je computer kan communiceren met je provider en de benodigde gegevens heeft om de e-mail op te halen.

Basiskennis e-mail

Nu we weten wat e-mail is en we ons eigen adres hebben aangemaakt, gaan we met het leukere werk beginnen. We gaan nu echte e-mails versturen, in eerste instantie naar onszelf. Hierdoor leren we de basis van ons e-mailprogramma en zo leren we ons e-mailprogramma beter kennen.

Zorg ervoor dat je e-mailprogramma openstaat. Dat is Outlook Express voor Windows XP of Windows Mail voor Windows Vista.

Ga met je muis naar linksboven naar de knop 'Nieuw bericht' en klik erop.

Windows XP Windows Vista

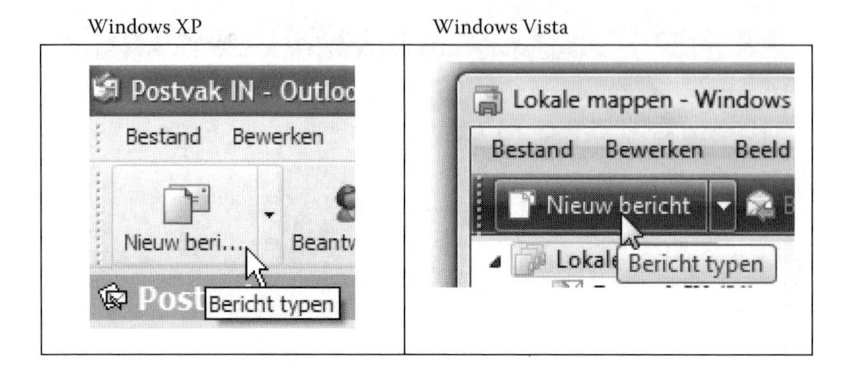

Er verschijnt nu een schermpje.

Windows XP

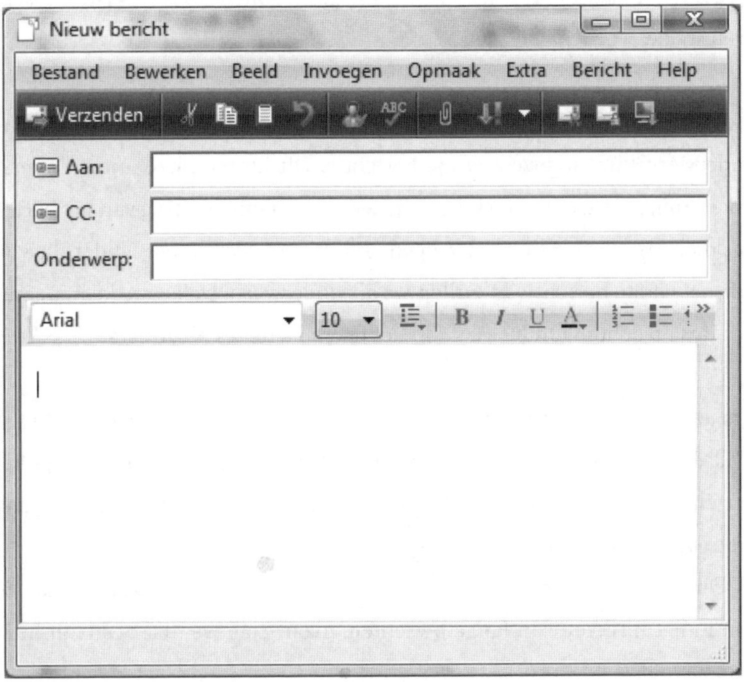

Het ziet er allemaal leeg uit, en dat is de bedoeling. Het is namelijk een leeg e-mailbericht. Als we alles invullen, dan kunnen we het versturen en komt het aan. Het ziet er dus anders uit dan het systeem dat we gewend zijn met de gewone post. We moeten de ontvanger, het onderwerp, de afzender en de brief zelf allemaal op eenzelfde scherm ingeven.

We gaan dus nu alles ingeven. De afzender weet de computer al uit zichzelf. Je moet dus niet telkens ingeven dat jij het bent, de computer gaat hiervan uit.

Het tweede wat we moeten weten is naar wie we het bericht zullen versturen. Het e-mailadres van de ontvanger geven we in achter 'Aan:'. Standaard staat daar de cursor (het flikkerende verticale streepje).

We gaan een e-mail naar onszelf sturen. Hiermee leren we hoe we een e-mail moeten sturen en kunnen we in één klap ook zien hoe we een berichtje binnen krijgen en hoe we dat kunnen lezen. Later in de praktijk vul je uiteraard het adres van een andere persoon in en niet dat van jezelf.

Geef in het witte tekstvak dat staat achter 'Aan:' je eigen e-mailadres in, want we gaan het naar onszelf sturen. In mijn geval zou het 'pascal.vyncke@seniorennet.be' worden.

Twee vakken eronder zie je 'Onderwerp:' staan. Dit is de plaats waar je het onderwerp kunt ingeven van je berichtje. Dit kunnen heel uiteenlopende zaken zijn, normaal gezien is het een heel korte samenvatting van het bericht dat men eronder te zien zal krijgen, enkele woorden lang. Omdat dit voor ons het eerste berichtje is, zullen we als onderwerp 'De eerste keer' nemen. Tik dus nu achter 'Onderwerp:' in het tekstvak de tekst 'De eerste keer'.

Als je het onderwerp hebt ingegeven, gaan we nu naar het grote witte vak. Klik daarin met je muis en nu kun je beginnen. Dit is het vak om je hele bericht in te tikken. Je berichtje kan heel kort zijn (enkele woorden), maar mag evengoed een lange brief van meerdere bladzijden zijn.

Omdat we alles nog maar aan het uitproberen zijn, gaan we geen tijd steken in het intikken van lange berichten, maar gaan we maar één zin intikken, bijvoorbeeld:

'Dit is mijn eerste e-mailbericht.

Groetjes,
Pascal Vyncke'

Tik een bericht zoals hierboven in, met uiteraard je eigen naam ingevuld. De e-mail zou er dan moeten uitzien zoals op de afbeelding op de volgende pagina.

Dit is het dan. We hebben ingegeven naar wie het moet, we hebben een onderwerp opgegeven en we hebben het eigenlijke bericht ingetikt. We zijn nu klaar om de e-mail te verzenden.

Om de e-mail te verzenden, klik je linksboven op de grote knop 'Verzenden'.

Windows XP

De eerste keer

Bestand Bewerken Beeld Invoegen Opmaak Extra B

Verzenden Knippen Kopiëren Plakken

Aan: pascal.vyncke@seniorennet.be

CC:

Onderwerp: De eerste keer

Arial 10 B I U A

Dit is mijn eerste e-mailbericht.

Groetjes,
Pascal Vyncke

Windows Vista

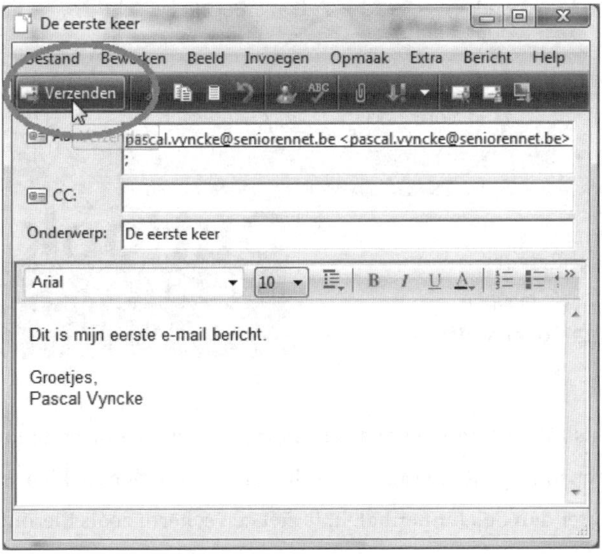

De eerste keer

Bestand Bewerken Beeld Invoegen Opmaak Extra Bericht Help

Verzenden

Aan: pascal.vyncke@seniorennet.be <pascal.vyncke@seniorennet.be>;

CC:

Onderwerp: De eerste keer

Arial 10 B I U A

Dit is mijn eerste e-mail bericht.

Groetjes,
Pascal Vyncke

Het bericht verdwijnt en de computer gaat vervolgens het e-mailbericht versturen. Nu wordt je e-mail, je eerste elektronisch berichtje, verstuurd via de digitale snelweg.

Wat de computer niet weet, is dat hij het eigenlijk naar zichzelf heeft gestuurd. Het berichtje legt nu een hele weg af. Eerst wordt het doorgestuurd naar je provider, de provider gaat het vervolgens versturen naar de plaats waar het moet terechtkomen, bij je provider zelf dus, en dan komt het berichtje in je elektronische brievenbus terecht.

Je berichtje legt honderden of zelfs duizenden kilometers af, dit is afhankelijk van je provider. Sommige providers zijn gevestigd in een ander land en dan wordt eerst alles daarnaartoe doorgestuurd. Zo kan het gebeuren dat je berichtje eerst even naar Frankrijk gaat, vervolgens naar Engeland gaat en dan weer in België aankomt om dan naar jou terug te worden gestuurd.

Nu klikken we in ons e-mailprogramma op de grote knop met 'Verzenden...' (Windows XP) of 'Verzenden/ontvangen' (Windows Vista). Deze knop bevindt zich bovenaan in het venster van je mailprogramma.

Vervolgens zal de computer een verbinding maken met de computer van je provider en jouw post opvragen. Je zult één e-mailbericht hebben en dat zal de computer dan ook binnenhalen. Je ziet een scherm zoals hieronder:

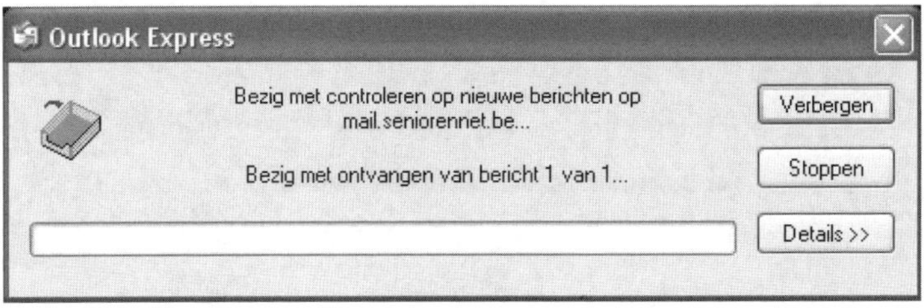

Nu willen we natuurlijk dit e-mailbericht lezen. Je ziet ongeveer midden in het venster de tekst 'Er staan 2 ongelezen e-mailberichten in het Postvak IN'. Klik daar nu op.

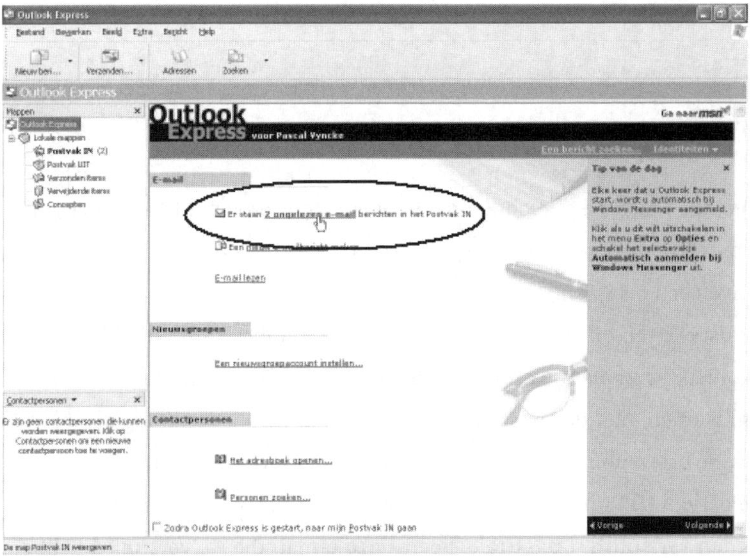

We komen nu in onze brievenbus. Dit is de plaats waar al onze berichtjes worden verzameld die we binnen hebben gekregen. Ondanks het feit dat we maar één berichtje hebben verstuurd, staan er inderdaad twee berichten.

De reden hiervoor is dat Microsoft, de maker van het e-mailprogramma, er altijd een berichtje in zet om ons te verwelkomen in hun programma.

Ons eigen verzonden berichtje zien we nu ook staan. Het scherm is verdeeld in meerdere stukken, laat ons eens kijken wat er allemaal te zien is.

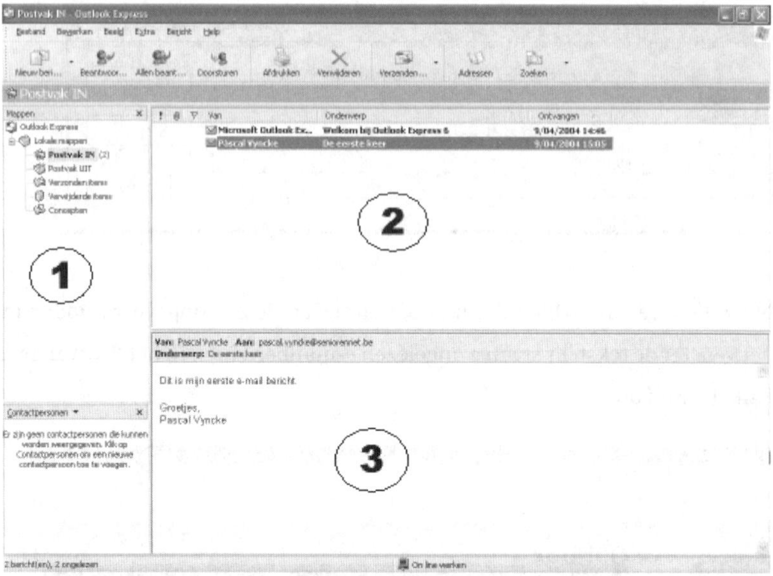

In gebied 1 zien we verschillende mappen. Door erop te klikken met je linkermuisknop, ga je naar die bepaalde map.

Even een overzichtje:

Postvak IN: dit is de ruimte waar al je e-mailberichten die binnen zijn gekomen, verzameld worden. Je ziet ze staan in de volgorde zoals ze binnenkwamen, met de laatste nieuwe onderaan. Bekijk deze map alsof het je gewone brievenbus is, waar de postbode al je brieven bezorgt.

Postvak UIT: dit is de ruimte waar alle e-mails in staan die nog moeten worden verstuurd. Daarstraks heeft onze e-mail die we verstuurd hebben, heel eventjes in deze map gestaan, maar na een fractie van een seconde was het bericht verstuurd. Deze map is vooral handig indien je e-mails maakt en intussen geen internetverbinding hebt, dit kan voorkomen doordat je met een modem werkt en per minuut voor internet moet betalen, omdat er een probleem is met je internetverbinding of omdat je bijvoorbeeld werkt op een draagbare computer en dat deze momenteel niet is aangesloten op het internet. Vanaf het moment dat je aangesloten bent op het internet, zullen alle berichten in deze map worden verstuurd. Je moet deze map bekijken alsof dit de berichten zijn die je nog in de brievenbus van de post moet gaan steken of die je nog naar het postkantoor moet brengen.

Verzonden items: in deze map staan alle berichten die je hebt verstuurd. Elk berichtje dat je dus verstuurt, heb je zelf ook nog. Dat is dus hetzelfde alsof je van élke brief die je anders zou schrijven, eerst een kopie maakt of hem twee keer schrijft. Dit is zeer handig om achteraf een berichtje terug te vinden om te bewijzen dat je het hebt verstuurd, om je geheugen op te frissen wat je die ene persoon had toegestuurd enzovoort.

Verwijderde items: in deze map staan alle verwijderde berichten. Als je een e-mail niet meer nodig hebt, en je gaat deze verwijderen, komt dat bericht in deze map terecht. Het is dus je prullenbak, waar je indien nodig een bericht weer uit kunt halen dat je per ongeluk hebt verwijderd.

Concepten: de laatste map, concepten, bevat alle e-mails waarmee je nog bezig was en die nog niet verstuurd zijn. We zien later hoe we van dit systeem gebruik kunnen maken om tijdens het schrijven van een e-mail te stoppen en een andere keer verder te gaan, zonder alles opnieuw te moeten intikken. Dit is vooral handig indien je een belangrijke e-mail moet versturen waar je eerst nog even over moet nadenken. Het is dus alsof je je geschreven brief even terug in de la legt voor hem in de brievenbus te gaan steken: om er nog even over na te denken of omdat je geen tijd had.

In het tweede gebied staat de lijst van de berichten. Het is steeds de hele lijst van berichten uit de map die je in gebied 1 hebt aangeduid. Indien je dus 'Postvak IN' hebt aangeklikt, dan zal in gebied 2 de hele lijst van je binnengekomen berichten verschijnen. Indien je 'Verzonden items' aanklikt, dan zullen in gebied 2 al je verstuurde e-mailberichten verschijnen.

Het derde gebied is de inhoud van het e-mailbericht. Van het bericht dat is aangeduid in gebied 2, wordt de inhoud getoond in gebied 3.

Alles hangt dus samen. Indien je in gebied 1 op 'Postvak IN' klikt, dan verschijnt in gebied 2 het hele overzicht van alle berichten die je hebt binnengekregen.

Van het bericht dat je met je linkermuisknop aanklikt in gebied 2, wordt de inhoud, het eigenlijke bericht dus, weergegeven in gebied 3.

Deze samenhang maakt veel mogelijk terwijl het erg eenvoudig, overzichtelijk en snel kan gebeuren.

We gaan nu dus onze eigen eerste e-mail lezen. Eerst moeten we ons ervan verzekeren dat links, in gebied 1, 'Postvak IN' aangeduid is. Dit weten we doordat het in het vet staat en doordat de letters op een donkerblauwe of lichtgrijze achtergrond staan.

In gebied 2 zien we dan alle e-mails, waaronder onze eigen eerste e-mail. Je klikt met je linkermuisknop nog eens op je e-mailbericht (op je eigen naam of op het onderwerp).

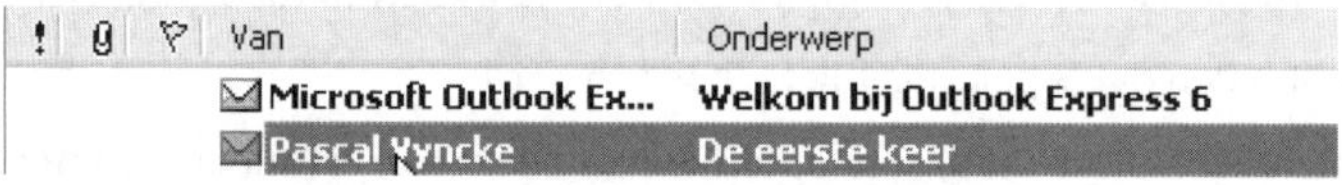

!	0	⚐	Van	Onderwerp
			Microsoft Outlook Ex...	Welkom bij Outlook Express 6
			Pascal Vyncke	De eerste keer

We zien dan onderaan, in gebied 3, ons berichtje staan. En inderdaad, er staat juist hetzelfde als wat we ervoor zelf hebben ingetikt!

Nu gaan we een bericht verwijderen. Klik met je linkermuisknop op het eerste bericht, dit van Microsoft. Druk vervolgens op je toetsenbord op de 'Delete'-toets. Deze herken je doordat er 'Delete' op staat; de toets staat normaal rechts van de Enter-toets.

Als je erop hebt gedrukt, dan zal het berichtje verdwijnen. We hebben het berichtje nu in de prullenbak gegooid.

Laat ons nu naar de map 'Verwijderde items' gaan om te kijken of het verwijderde bericht in de prullenbak zit. Dit doe je door met je linkermuisknop links (gebied 1) op 'Verwijderde items' te klikken.

Mappen ×
Outlook Express
Lokale mappen
Postvak IN
Postvak UIT
Verzonden items
Verwijderde items (1)
Concepten

We krijgen nu rechts in gebied 2 het verwijderde bericht te zien.

Stel, we hebben het bericht per ongeluk verwijderd en willen het terugzetten. We doen dit als volgt.

Klik met je linkermuisknop op het bericht (op de afzender of het onderwerp) en hou de linkermuisknop ingedrukt. Versleep vervolgens je muis totdat je pijltje boven 'Postvak IN' staat, in gebied 1 dus. Pas als dit gebeurd is (het ziet er dan uit zoals op onderstaande afbeelding), laat je de linkermuisknop weer los.

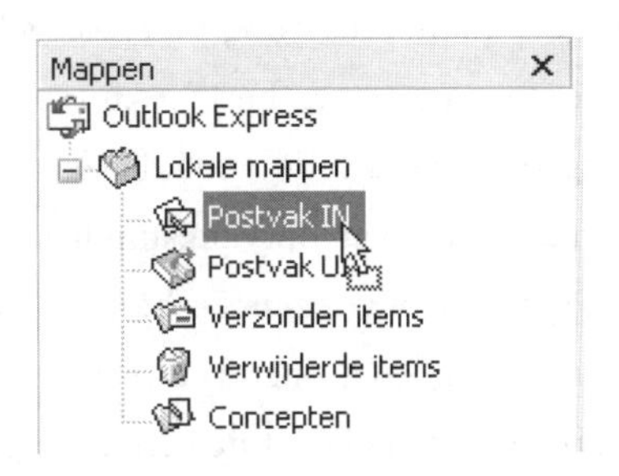

Het berichtje verdwijnt uit de 'Verwijderde items', je hebt het dus uit je prullenbak gehaald en teruggezet. Laten we dit even controleren in 'Postvak IN'. Dit doe je weer door met je linkermuisknop op 'Postvak IN' in gebied 1 te klikken. Vervolgens zullen in gebied 2, rechts op je scherm, dus weer twee berichtjes verschijnen, waaronder het berichtje dat we net uit de prullenbak hebben gehaald.

Nu gaan we naar de map 'Verzonden items' om te kijken naar ons eerste zelfverstuurde berichtje. Dit doe je door met je linkermuisknop links (gebied 1) op 'Verzonden items' te klikken.

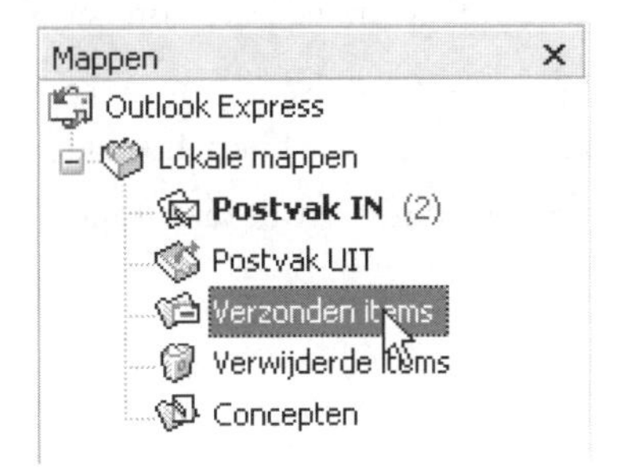

Vervolgens zien we rechts maar één berichtje, namelijk het berichtje dat we zelf hebben verstuurd. Hier zul je dus in de toekomst de hele lijst van al je berichtjes te zien krijgen die je in het verleden hebt verstuurd.

Om te zien of je een e-mail al hebt gelezen of niet, heeft men in het e-mailprogramma een bepaald systeem bedacht. Indien een e-mail gedurende minstens vijf seconden werd geopend, dan wordt de e-mail als 'gelezen' beschouwd, indien het minder dan vijf seconden geopend is geweest, of helemaal niet, dan is het e-mailbericht nog 'niet gelezen'.

Het wel of niet gelezen zijn van een bericht kun je in het overzicht in je Postvak IN eenvoudig zien doordat de e-mailberichten waarbij de afzender, het onderwerp en de datum van ontvangst in het vet gedrukt staan, de berichten zijn die je nog niet hebt gelezen. De berichten die niet vet gedrukt staan, zijn minimaal vijf seconden geopend geweest.

In onderstaande afbeelding zie je dat de eerste twee berichten nog niet werden gelezen, terwijl de onderste twee berichten wel zijn gelezen. Je ziet het trouwens ook aan het figuurtje dat steeds voor de afzender staat. Bij de ongelezen berichten staat er een gele en gesloten envelop afgebeeld, bij de gelezen berichten staat er een witte, geopende envelop getekend.

!	0	⚐	Van	Onderwerp	Ontvangen
			Microsoft Outlook Ex...	**Welkom bij Outlook Express 6**	**9/04/2004 14:46**
			Pascal Vyncke	**De eerste keer**	**9/04/2004 15:05**
		⚑	Pascal Vyncke	Gelukkige verjaardag!	11/04/2004 12:18
	0		Pascal Vyncke	Bijlage	12/04/2004 12:00

Is er een e-mailbericht dat aangeduid is als 'gelezen', maar wil je dit ongedaan maken omdat je het wilt laten opvallen omdat je het een andere keer nog eens opnieuw moet lezen (omdat je bijvoorbeeld nu geen tijd hebt)? Doe dan het volgende:

Klik met je rechtermuisknop op het bericht en klik vervolgens in het submenu dat verschijnt op 'Markeren als ongelezen'.

Het bericht zal vervolgens weer vet gedrukt staan, zodat het lijkt alsof je het bericht nog niet hebt gelezen.

Dit is nu het hele principe van e-mail. Dit is uiteraard de basis. We kunnen er namelijk véél meer mee doen. Probeer eerst de basis te beheersen. Stuur eventueel nog enkele berichtjes naar jezelf, probeer een berichtje te versturen naar iemand die je kent (kinderen, kleinkinderen, collega's...). Vraag ook eens aan hen om een berichtje naar jou te sturen. Als je het goed onder de knie hebt, kun je de volgende dingen lezen en uitproberen.

Nu kennen we de basis van ons e-mailprogramma. Een bericht versturen en ontvangen, een bericht verwijderen, een bericht uit de prullenbak halen en onze verzonden berichten bekijken.

Het echte werk

We weten nu hoe we een e-mail kunnen versturen en ontvangen. Er is echter veel meer mogelijk. We kunnen onze e-mail mooi opmaken, we kunnen er een kleurtje aan geven, we kunnen bijlagen meesturen, we kunnen ons bericht naar meerdere ontvangers tegelijk sturen, we kunnen er een prioriteit aan geven enzovoort.

Je e-mail mooi maken

We gaan nu een e-mail sturen met enige 'opmaak'. We gaan in ons bericht delen onderstrepen, in vet zetten en er een kleurtje aan geven. Zo kunnen we een bericht versturen dat echt aan onze smaak voldoet en waar op de belangrijkste punten extra aandacht wordt gevestigd.

Voor de opmaak van een e-mail moet je eerst een e-mail aanmaken. Ga in het e-mailprogramma naar 'Nieuw bericht' en zorg er dus voor dat je een lege e-mail voor je hebt staan.

Het handigste is om eerst het hele bericht in te tikken en vervolgens het bericht te gaan opmaken en er kleurtjes aan te geven, dit is veel handiger en eenvoudiger dan tijdens het tikken zelf.

Vul voor de ontvanger weer je eigen e-mailadres in, in mijn geval is dat weer 'pascal.vyncke@seniorennet.be'. Vervolgens typ je een onderwerp, bijvoorbeeld 'Gelukkige verjaardag!'. Dan gaan we eerst het bericht intikken, in het grote witte tekstvak.

Ik tik in dit voorbeeld volgend berichtje:

'Hallo mijn kindje,

Gelukkige 16de verjaardag gewenst!

Ik hoop dat je een hele fijne dag tegemoet gaat en dat je een heel tof 16de jaar ingaat!

Je cadeautje krijg je natuurlijk ook wanneer je nog eens langskomt.

Groetjes!
Pascal'

De e-mail ziet er dan ongeveer als volgt uit:

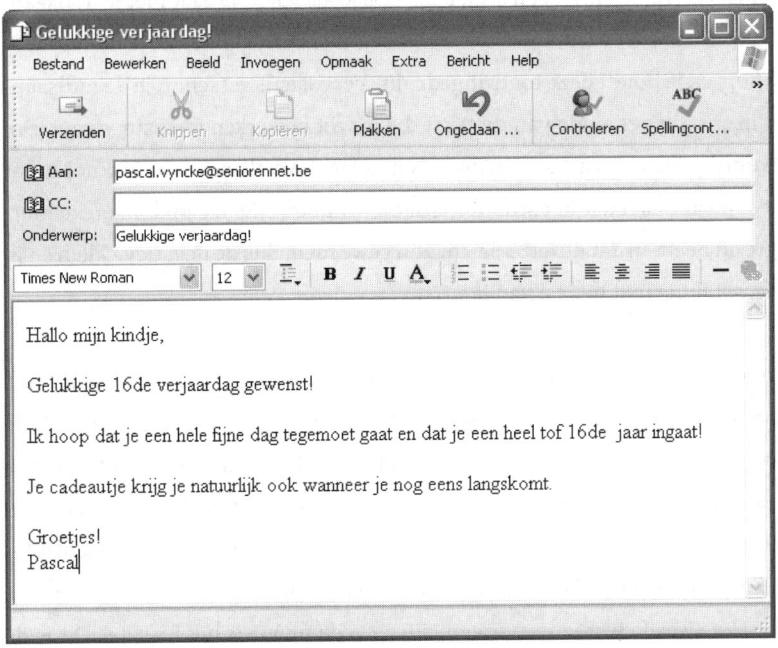

Nu we het bericht hebben getikt, gaan we het opmaken. Net boven het grote tekstveld waarin je aan het tikken bent (en onder het onderwerp), zie je een reeks knoppen. Een cijfer, een 'B', 'I', en een 'U' zie je onder andere staan. Dit zijn de knoppen waarmee je de opmaak kunt wijzigen. Wanneer je al ervaring hebt met het werken in een tekstverwerker (zoals Word, Wordpad...), dan zal het volgende stukje kinderspel zijn. Voor degenen die het nog nooit hebben gedaan, leggen we het nu uit.

Je ziet dus volgende balk:

Times New Roman 12 B I U A

Het principe is als volgt. Als je een stuk tekst selecteert met je muis in het e-mailbericht en je gaat vervolgens iets wijzigen in die opmaakbalk, dan zal de aangeduide tekst worden aangepast. Op deze manier kun je het hele bericht bewerken, maar kun je ook een klein stukje, of zelfs maar één letter bewerken.

Het selecteren van een stuk tekst doe je als volgt. Je gaat met je muisaanwijzer naar het stuk tekst waar je wilt beginnen en je klikt met je linkermuisknop, en je houdt deze toets ingedrukt. Vervolgens verschuif je de muisaanwijzer naar het einde van de tekst die je wilt bewerken (een zin verder, een woord verder, paragraaf verder...) en je laat vervolgens de muisknop weer los. Je zult zien dat het stuk tekst dat je wilt bewerken, een donkere achtergrond heeft en dat de letters licht zijn geworden, dus de negatieve kleuren in vergelijking met de rest van je tekst.

We bekijken de balk. Het eerste wat je ziet, is een naam van een lettertype, op de figuur 'Times New Roman'. Dit is de naam van het lettertype. Op je computer staan tientallen verschillende lettertypen en je moet dit eigenlijk zien alsof het een ander handschrift is. Elk lettertype heeft een ander soort van letters. Het ene lettertype zijn gewone letters, het andere hele dikke, andere weer precies handgeschreven tekst enzovoort.

Het tweede wat je ziet, is een cijfer, op de figuur is het hier '12'. Dit is de grootte van de letters. Indien je dit cijfer verlaagt, dan worden de letters kleiner, indien je het cijfer verhoogt, dan worden de letters groter.

Daarnaast zie je de '**B**' staan. Dit is om het stuk geselecteerde tekst in het vet te drukken, de letters zijn dan dikker en dus opvallender.

Rechts daarvan staat een '*I*', dit is om *cursief* te drukken, de letters staan dan schuin.

De 'U' ernaast dient om de tekst te onderstrepen.

Daarnaast staat een 'A': indien je erop klikt, zul je een hele reeks kleuren zien. Hiermee kun je de letterkleur aanpassen. In plaats van zwart maken we er bijvoorbeeld blauw, geel, groen… van.

Dan zie je in het klein 1, 2, 3 onder elkaar staan. Indien je dit aanklikt, maak je een opsomming. Elke keer dat je op Enter drukt (en dus een nieuwe regel begint), zal de computer er eentje bijtellen. Dit is handig om een lijstje te maken.

Ernaast staan drie vierkantjes onder elkaar, dit is juist hetzelfde als het voorgaande, maar in plaats van een opsomming met cijfers, wordt het een opsomming met een teken, een streepje of bolletje.

Op de twee knoppen ernaast staan pijltjes. Het eerste pijltje wijst naar links, het tweede naar rechts. Die kun je gebruiken om ervoor te zorgen dat de tekst 'inspringt': de tekst verschuift dan een stuk naar rechts of naar links. Je verschuift dus de alinea of de kantlijn.

De volgende vier figuren zijn allemaal streepjes. Deze dienen voor de plaatsing van de tekst, de 'uitlijning' genoemd. Hiermee kun je de volledige tekst in het midden van het 'blad' plaatsen (centreren) of rechts plaatsen.

De eerste figuur van de vier is standaard, de tekst verschijnt gewoon zoals je die intikt. De tweede zorgt ervoor dat de tekst gecentreerd wordt, dus steeds helemaal in het midden wordt geplaatst. De derde zorgt ervoor dat alles rechts wordt geplaatst en de laatste zorgt ervoor dat alles tegen de linkse kantlijn komt en dat de tekst in blokvorm verschijnt. Dit is de methode zoals die in vele brieven en boeken wordt gebruikt, om een echt tekstblok te verkrijgen. De computer doet dit door de spatie tussen de woorden een heel klein beetje te vergroten of te verkleinen zodat steeds de regel helemaal 'opgevuld' is.

De voorlaatste knop is een horizontale lijn en geeft goed aan wat de knop zal doen. Het zal een horizontale lijn plaatsen in je e-mailbericht; dit is leuk voor extra opmaak, om bepaalde delen van je bericht van elkaar te scheiden enzovoort.

De laatste knop is om een link te maken in je e-mail. Als je erop klikt, krijg je een scherm te zien waar de computer vraagt naar de 'URL', het internetadres.

Hiermee kun je in je tekst een verwijzing maken naar een website, zodat de lezer snel ernaartoe kan surfen, gewoon door erop te klikken.

Ten slotte kunnen we ook nog de achtergrondkleur van ons e-mailberichtje wijzigen. Dit gaat spijtig genoeg niet via een gewone knop, maar moeten we via het menu doen.

Daarvoor moet je bovenaan in het menu klikken op 'Opmaak' en dan vervolgens klikken op 'Achtergrond'. Daarna klik je op 'Kleur' en dan krijg je opnieuw dezelfde kleurlijst als voor de tekst. Je kunt eventueel als achtergrond ook een afbeelding gebruiken die je ergens op je harde schijf hebt staan door in plaats van op 'Kleur' op 'Afbeelding...' te klikken.

Nu we weten wat de mogelijkheden zijn, gaan we die eens toepassen. We zetten de tweede regel ('Gelukkige 16de verjaardag gewenst!') in het vet en we geven er een rood kleurtje aan, bovendien maken we de letters groter.

We zetten de derde regel ('Ik hoop...') onderstreept en de vierde regel ('Je cadeautje...') schuin gedrukt (cursief).

De afsluiting ('Groetjes Pascal'), laten we rechts uitlijnen.

Je e-mailbericht ziet er nu uit als volgt:

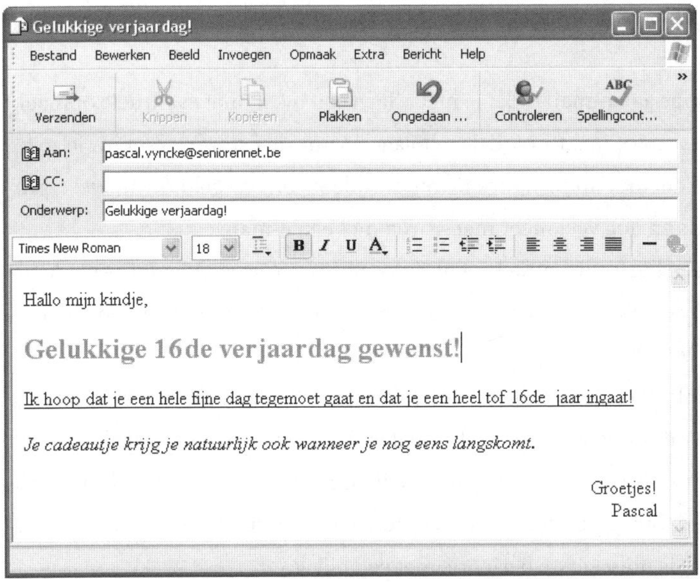

Verstuur vervolgens het bericht door linksboven op 'Verzenden' te klikken. Klik even erna bovenaan in het e-mailprogramma op de grote knop 'Verzenden...' en dan zul je normaal gezien je eigen e-mail moeten binnenkrijgen. Vervolgens kun je bekijken hoe het aankomt bij de ontvanger, precies hetzelfde zoals jij die hebt ingegeven.

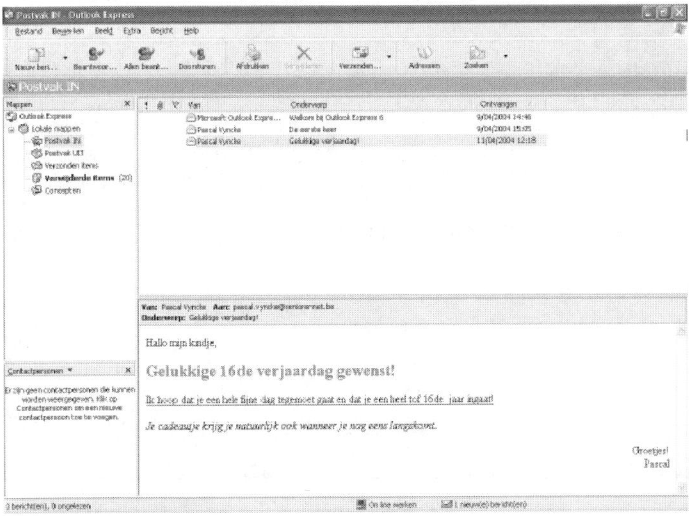

Een bijlage versturen met je e-mail

Het knappe aan e-mail is dat je niet alleen een tekst (met eventuele opmaak) kunt versturen, maar ook dat je bijlagen kunt meesturen. Zo kun je extra teksten, documenten, figuren, foto's, videobeelden, geluid, muziek, programma's en nog veel meer meesturen met een e-mail.

Om een bijlage (of 'attachment') mee te sturen, ga je als volgt te werk:

Open een nieuw bericht door bovenaan in je mailprogramma op 'Nieuw bericht' te klikken.

Je kunt vervolgens je hele e-mail weer invullen zoals je wenst. Opnieuw sturen we de e-mail naar onszelf zodat we kunnen controleren of alles werkt.

Vul dus als afzender je eigen e-mailadres in, vul een onderwerp in, bijvoorbeeld 'Bijlage' en tik iets in het grote witte tekstvak als bericht, bijvoorbeeld 'Dit is mijn eerste berichtje met een bijlage'.

Je e-mail zal er dan ongeveer als volgt uitzien:

Klik vervolgens bovenaan in het menu op 'Invoegen'. Klik in het submenu dat verschijnt op 'Bijlage...'.

Vervolgens zie je een scherm waar je de bijlage kunt selecteren. Je kunt hier op je harde schijf zoeken naar een bijlage die je zelf wenst toe te voegen.

We gaan in dit voorbeeld iets zoeken op de harde schijf. Als je in de toekomst je eigen bijlage wilt toevoegen, moet je uiteraard naar de plaats gaan waar dat bestand zich bevindt. Voor ons voorbeeld willen we het bestand 'Blauw 16' in de map C:\WINDOWS meesturen als bijlage. We doen dit als volgt:

Klik bovenaan op het pijltje naar beneden dat staat achter 'Zoeken in:'

Klik vervolgens in het submenu dat verschijnt, op 'Lokaal station (C:)'.

We gaan dus nu onze harde schijf openen, die 'lokaal station' genoemd wordt.

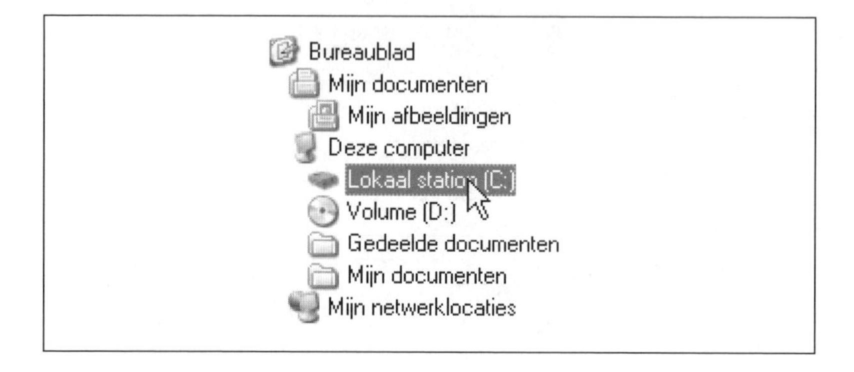

We zien nu de inhoud van onze harde schijf. We zien dus alles wat er eigenlijk op staat. Dubbelklik vervolgens op 'WINDOWS', dit zorgt ervoor dat je de map 'WINDOWS' opent.

Bijlage invoegen

Zoeken in: Lokaal station (C:)

DELL
Development
Documents and Settings
ETHOberon
Figuren_boek
Program Files
Temp
WINDOWS
WUTemp
HyperSnap-DX 5
nvlog

Bestandsnaam:
Bestandstypen: Alle bestanden (*.*)
Bijlage
Annuleren
Snelkoppeling naar dit bestand maken

De map 'WINDOWS' wordt geopend en we zien de inhoud ervan. Klik rechtsonder op het pijltje naar rechts, om zo de hele inhoud te kunnen zien van de harde schijf. Blijf dit doen totdat je een bestand 'Blauw 16' tegenkomt.

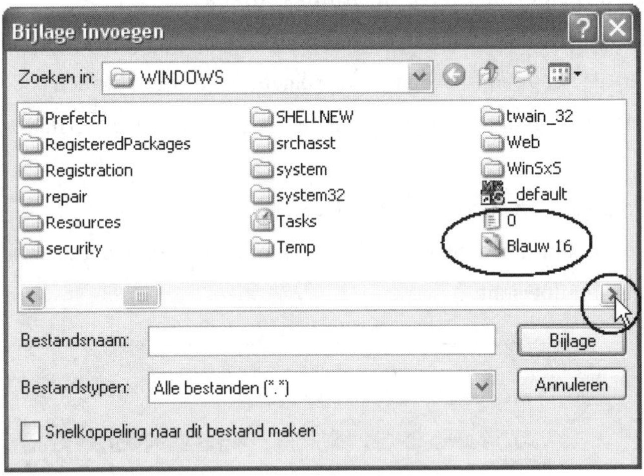

Door te dubbelklikken op dit bestand, hebben we ons bestand toegevoegd als bijlage.

Je ziet dit doordat in onze e-mail er een regel extra bij gekomen is, namelijk Bijlage: en daarachter de naam van het bestand.

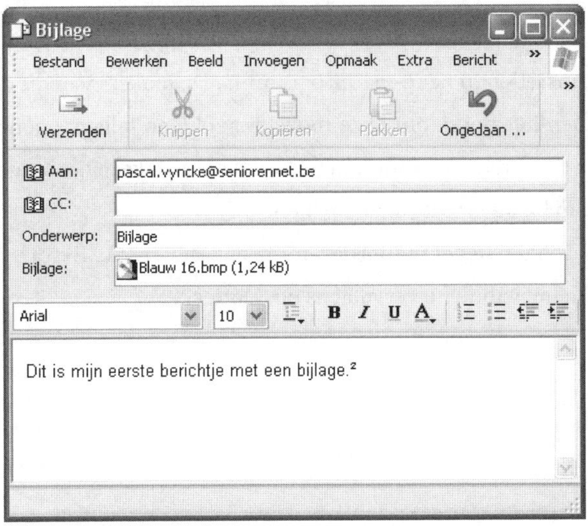

Indien je nog meer bijlagen wenst toe te voegen, doe je gewoon het bovenstaande opnieuw. Je kunt er zoveel meesturen als je zelf wilt.

We hebben nu een bijlage toegevoegd aan onze e-mail en gaan deze versturen. Klik op de knop 'Verzenden' links bovenaan.

Klik even erna bovenaan in je mailprogramma op de grote knop 'Verzenden...' en als het goed is, krijg je dan je eigen e-mail weer binnen.

Hoe je een e-mail moet openen met een bijlage, zien we hierna.

Een bijlage van een e-mail openen of opslaan

Een e-mail met een bijlage herken je doordat er een paperclip verschijnt voor het e-mailbericht:

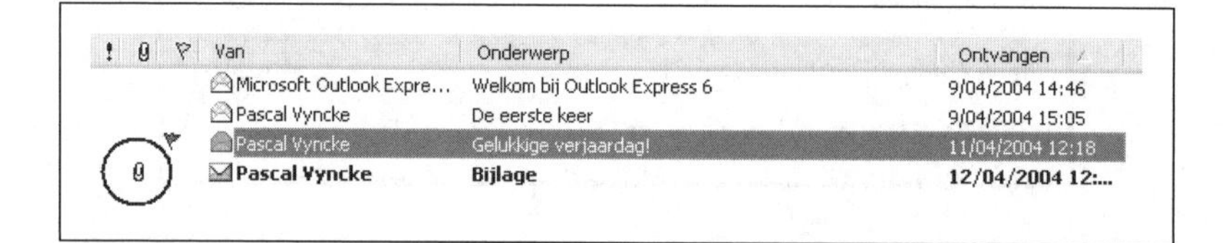

Als je in de toekomst van iemand een e-mail krijgt met een bijlage, dan moet je het volgende doen om de bijlage te openen of op te slaan.

Als het de eerste keer is dat je een bijlage wilt openen, dan moet je eerst nog iets instellen in het e-mailprogramma. De makers van dit programma vonden het nodig om deze mogelijkheid (een bijlage openen) standaard af te zetten. Daarom moeten we de eerste keer het volgende uitvoeren om bijlagen te kunnen openen.

Ga bovenaan in het mailprogramma naar het menu 'Extra'.

Klik in het submenu vervolgens op 'Opties...'.

Op het scherm dat nu verschijnt, moet je naar 'Beveiliging' gaan door er bovenaan op te klikken.

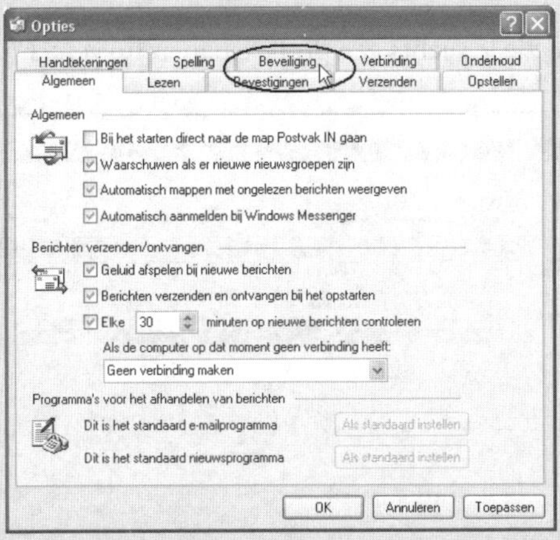

Klik vervolgens op het aangeduide vakje voor 'Opslaan of openen van bijlagen die mogelijk een virus bevatten niet toegestaan'. Als je erop hebt geklikt met je linkermuisknop, dan moet het vierkantje leeg zijn:

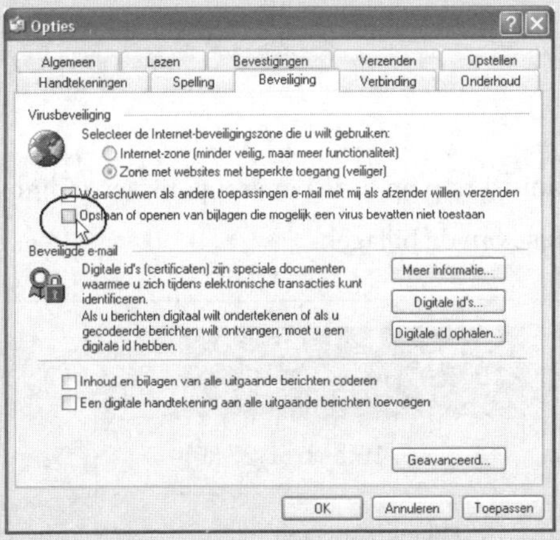

Klik vervolgens rechtsonder op de knop 'OK'.

Je e-mailprogramma kan dan vanaf nu wel bijlagen openen of opslaan, wat natuurlijk de bedoeling is.

Klik de e-mail aan met je linkermuisknop om deze te openen en te kunnen lezen. Indien je het voorgaande voorbeeld hebt gevolgd, dan heb je een e-mail binnengekregen met een bijlage, want die heb je net verstuurd naar jezelf.

Bij het openen zie je rechts een grotere paperclip verschijnen:

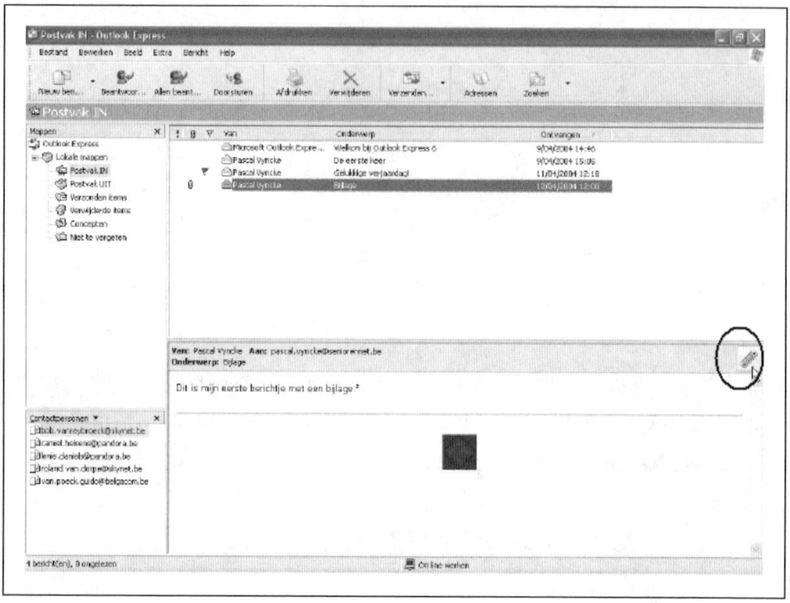

Klik met je linkermuisknop op deze paperclip. Er verschijnt vervolgens een submenu met de lijst van de bijlagen.

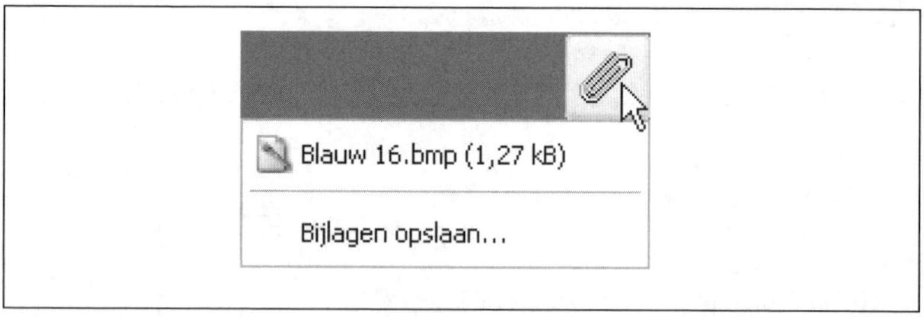

Om de bijlage te openen, kun je gewoon met je linkermuisknop op het bestand klikken, dus op 'Blauw 16' klikken.

Indien je het bestand wilt opslaan op de harde schijf, klik je op 'Bijlagen opslaan...'.

Indien je op 'Bijlagen opslaan...' klikt, dan moet je het volgende doen om het te kunnen opslaan op de harde schijf. Je krijgt dit scherm te zien:

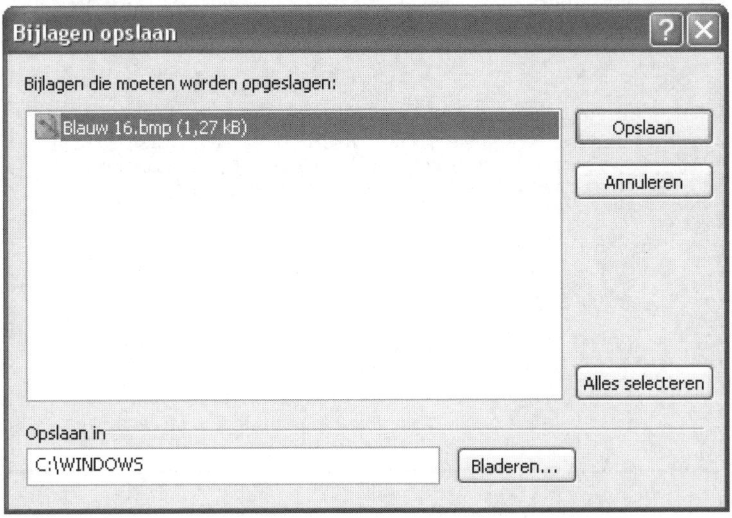

Bijlagen opslaan

Bijlagen die moeten worden opgeslagen:

Blauw 16.bmp (1,27 kB)

Opslaan

Annuleren

Alles selecteren

Opslaan in

C:\WINDOWS

Bladeren...

Je kunt het opslaan waar je wenst op de harde schijf. Dit kun je doen door rechtsonder op de knop 'Bladeren...' te klikken. Je krijgt dan opnieuw zo'n scherm te zien zoals we hadden om de bijlage te selecteren. Je gaat naar de gewenste plaats op je harde schijf en klikt dan op de knop 'OK'.

Klik vervolgens op de knop 'Opslaan'.

Als je de bijlage rechtstreeks wilt openen (zonder via 'Bijlagen opslaan...' te gaan) door deze rechtstreeks aan te klikken, kan het zijn dat de computer het bestand toch niet onmiddellijk opent. Hij zal dan een scherm laten zien zoals hieronder:

Waarschuwing bij openen van bijlage

U wilt de volgende bijlage open

In sommige bestanden kunnen virussen zijn verborgen die schade aan uw computer kunnen toebrengen. Het is belangrijk dat u zeker weet dat dit bestand van een betrouwbare bron afkomstig is.

Wat wilt u met dit bestand doen?

Openen

Opslaan op schijf

Altijd waarschuwen alvorens bestanden van dit type te openen

OK Annuleren

Klik dan met je linkermuisknop op het lege bolletje voor 'Openen' om het bestand toch te openen en klik vervolgens op de knop 'OK'.

Hierdoor zal de bijlage alsnog worden geopend.

Een bericht sturen naar meerdere mensen

Als je een bepaald e-mailbericht naar meerdere mensen wilt toesturen, dan kan dat heel eenvoudig, zonder dat je telkens naar iedereen apart dezelfde e-mail opnieuw moet intikken.

Er zijn verschillende mogelijkheden om dit te bereiken, afhankelijk van je wensen kun je er eentje uitkiezen.

De eerste mogelijkheid is de meest normale. Je wilt een berichtje sturen naar meerdere mensen, bijvoorbeeld een kerstwens of een nieuwjaarswens. Of bijvoorbeeld een mededeling dat je gaat verhuizen.

Open eerst een nieuw e-mailbericht in je mailprogramma door links bovenaan op de knop 'Nieuw bericht' te klikken.

In het vak waar we anders één ontvanger hebben ingetikt, achter 'Aan:' dus, gaan we nu gewoon meerdere ontvangers tikken, met telkens een komma tussen de e-mailadressen.

Als we dus naar pascal.vyncke@seniorennet.be, webmaster@

seniorennet.be en webmaster@seniorennet.nl eenzelfde e-mail willen sturen, dan tikken we het volgende in bij 'Aan:':

pascal.vyncke@seniorennet.be, webmaster@seniorennet.be, webmaster@ seniorennet.nl

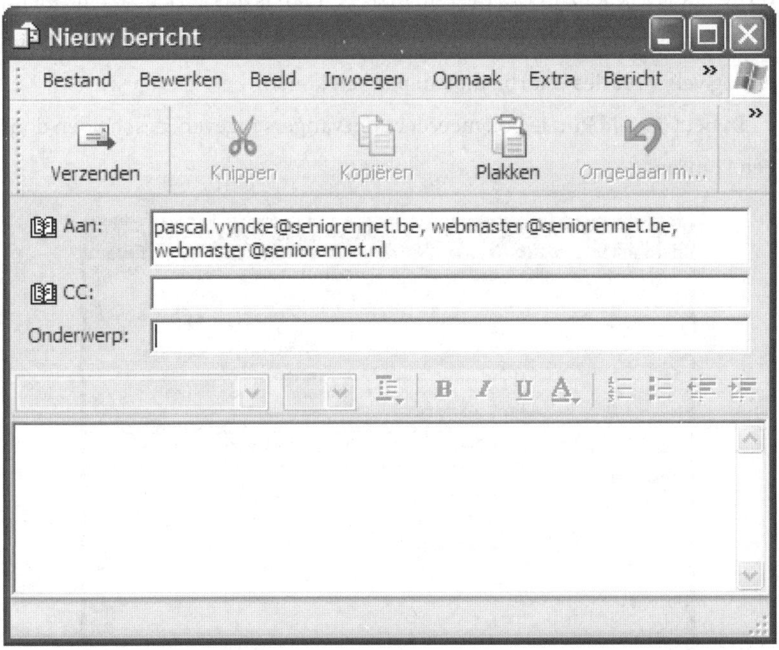

Je geeft de overige gegevens in, het onderwerp en je bericht, en je kunt het versturen. De computer zal vervolgens de e-mail naar alle adressen versturen, zonder dat jij er iets voor moet doen. De mensen zullen dan ook allemaal exact hetzelfde bericht ontvangen.

Een tweede mogelijkheid is gebruik te maken van 'CC'. De CC komt van 'Carbone Copy'. De e-mailadressen die je daar invult, krijgen een 'kopie' van je e-mail. Het is eigenlijk hetzelfde als de eerste mogelijkheid. Het verschil is dat bij de eerste mogelijkheid je het bericht werkelijk aan de drie mensen toestuurt, bij de CC-mogelijkheid is het eigenlijk enkel bedoeld voor de mensen die in het 'Aan:' vak staan. De mensen die in CC staan, krijgen een kopie: het bericht is niet aan hen gericht, maar krijgen het ter informatie toch toegestuurd.

Je gebruikt deze mogelijkheid bijvoorbeeld wanneer je iets stuurt naar een klant, maar je ook graag een kopie verstuurt naar je baas, omdat deze op de hoogte moet zijn van die e-mail. De e-mail is dus gericht aan de klant, maar ook je baas krijgt de e-mail en is er dan ook van op de hoogte. Zo zijn er nog vele situaties waarbij dit van pas kan komen.

In het CC veld kun je ook meerdere ontvangers ingeven, gescheiden door een komma.

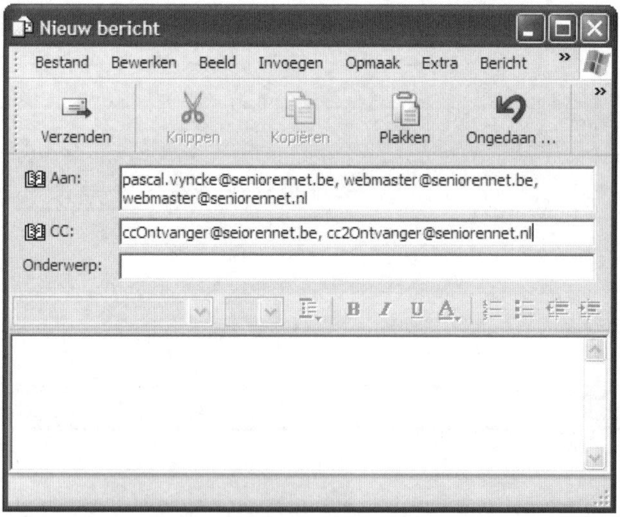

We hebben nog een derde mogelijkheid. Dat is de BCC of 'Blind Carbone Copy' en die zal ervoor zorgen dat de mensen die in BCC staan wél de e-mail krijgen, maar niet weten naar wie je het e-mailbericht nog allemaal hebt gestuurd. Zij kunnen enkel de adressen van 'Aan:' en CC zien, maar niet de adressen van BCC. Ook de andere mensen die de e-mail krijgen, zelfs de mensen die in 'Aan:' of CC staan kunnen NIET zien naar wie je het bericht hebt gestuurd als BCC, ze weten het zelfs niet.

Deze functie is enorm handig als je een e-mail naar meerdere mensen wilt versturen terwijl de ontvangers onderling niet hoeven te weten wie al je vrienden of kennissen zijn. Als je naar iedereen die je kent een e-mail stuurt dat je e-mailadres wijzigt, een kerstwens verstuurt of een mopje naar iedereen verstuurt, is het het beste om iedereen in het BCC veld te plaatsen. Zo krijgt iedereen wel de e-mail, maar niemand kan zien wie de e-mail ook heeft gekregen. Dit zorgt ervoor dat je de e-mailadressen van anderen niet zomaar begint rond te strooien om zo voor hen ongewenste reclame of vergissingen te voorkomen.

Om mensen in het BCC-veld te kunnen ingeven, moet je eerst met je linkermuisknop bovenaan op het menu 'Beeld' klikken en vervolgens in het submenu klikken op 'Alle koppen'.

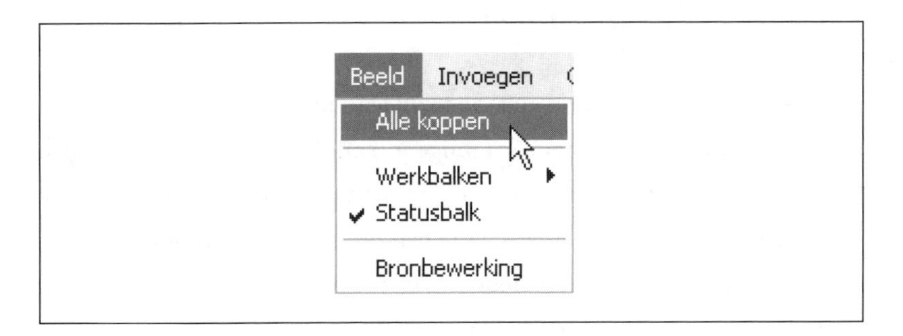

Je ziet nu onder CC ook BCC verschijnen zodat je daar de adressen kunt intikken. Ook hier is het zo dat je meerdere e-mailadressen kunt intikken, gescheiden door een komma.

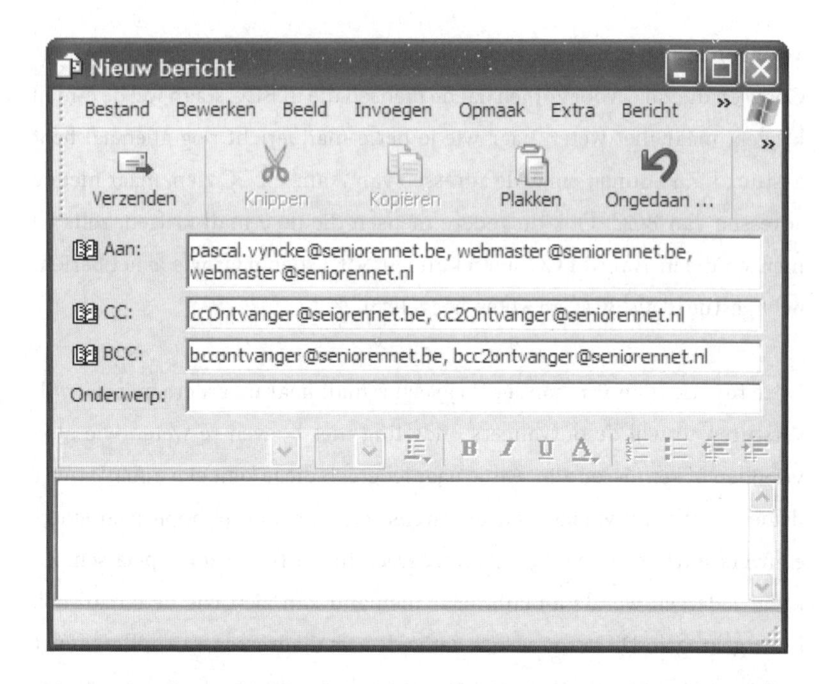

Als je alles hebt ingegeven, dan kun je klikken op 'Verzenden'. De computer zal dan voor jou de e-mails sturen naar de juiste personen. Wanneer je een bijlage meestuurt met je e-mailbericht, dan zal de bijlage naar al deze mensen worden gestuurd.

Een bericht beantwoorden

Als je een e-mailbericht ontvangt, dan zul je in de meeste gevallen wel een antwoord willen terugsturen. Sommige e-mails zullen waarschijnlijk een vraag bevatten of een mededeling. Je wilt dan de e-mail beantwoorden of even laten weten dat je de mededeling hebt ontvangen. Je kunt dit natuurlijk doen door een nieuw e-mailbericht te openen, de ontvanger in te geven enzovoort. Maar er is een veel betere en efficiëntere manier voor. Zorg eerst dat je in je mailprogramma een e-mail hebt aangeduid met je linkermuisknop zodat je deze e-mail kunt lezen. Indien je deze wilt beantwoorden, dan klik je linksboven op de knop 'Beantwoorden', die zich rechts bevindt van de knop 'Nieuw bericht'.

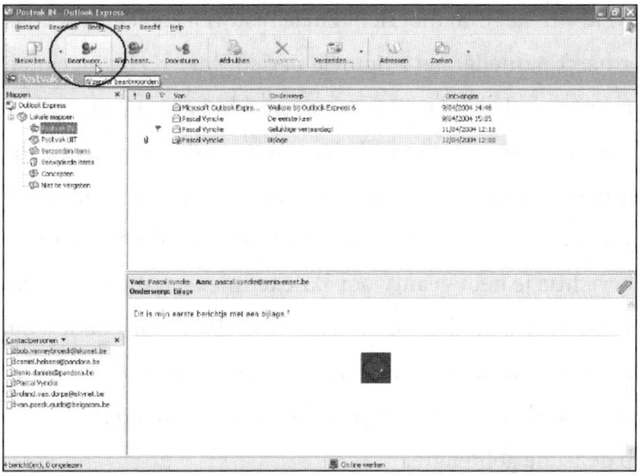

Het computerprogramma opent vervolgens een lege e-mail, maar vult al een aantal velden in.

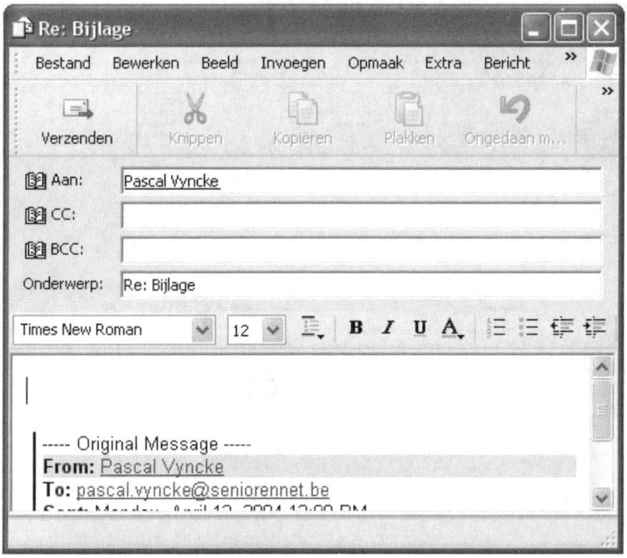

De ontvanger is namelijk al ingevuld en het onderwerp is hetzelfde gebleven, maar de computer heeft er 'Re:' voorgezet. Deze 'Re' komt van 'Reply', wat 'antwoord' betekent. Zo laat je weten dat je op die persoon zijn e-mail reageert.

In het veld van het e-mailbericht zul je trouwens ook al gegevens zien, de computer heeft namelijk het originele bericht hier reeds ingevuld. Je kunt erboven je antwoord intikken en vervolgens klikken op 'Verzenden'.

Dit systeem is heel handig en efficiënt omdat je de ontvanger en het onderwerp niet meer hoeft in te vullen. Bovendien wordt het originele bericht waarop je antwoordt, ook meegestuurd zodat de ontvanger snel kan zien op welk berichtje je hebt geantwoord. Zeker mensen die nogal veel e-mails krijgen en versturen, kunnen onmogelijk nog blijven onthouden wat ze allemaal hebben verstuurd en als ze een antwoord krijgen, op welke e-mail dat dan een antwoord is. Op deze manier kun je vlug even terugkijken en zit je beiden op dezelfde golflengte.

Er is nog een tweede mogelijkheid om een e-mailbericht te beantwoorden. In je mailprogramma staat er naast de knop 'Beantwoorden' ook nog 'Allen beantwoorden'.

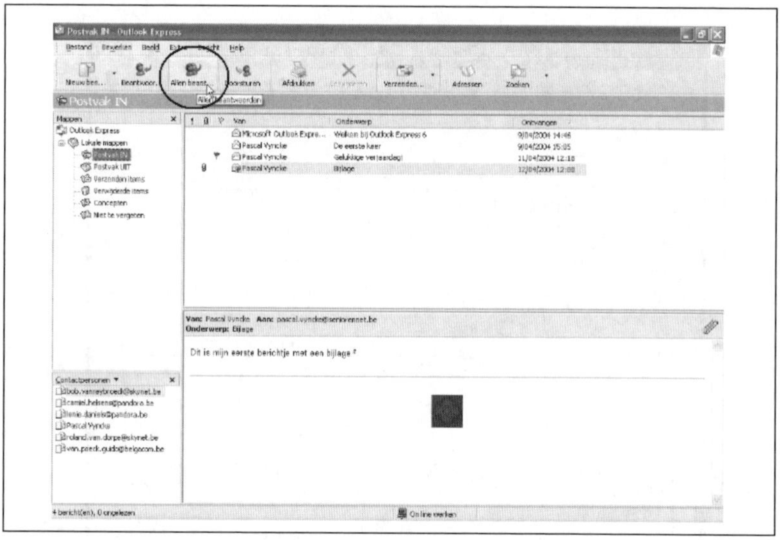

Dit is handig indien er een e-mail werd gestuurd naar meerdere mensen en om zo je antwoord ook naar de andere ontvangers terug te sturen, en niet alleen naar de afzender.

Bijvoorbeeld: je broer stuurt een e-mail naar de hele familie met de vraag of iemand hem kan helpen bij een bepaald probleem. Als jij je broer kunt helpen, dan kun je het beste niet enkel de zender van het bericht (je broer) informeren, maar ook de rest van de familie. Hierdoor moeten zij niet meer verder zoeken of nadenken om je broer te helpen.

Als je deze functie gebruikt, dan zul je zien dat in het veld 'Aan:' alle andere ontvangers zullen staan.

Een bericht doorsturen

Het kan voorkomen dat je een bericht dat je hebt binnengekregen, wilt doorsturen naar iemand anders. Dit kan zijn omdat je de persoon niet kunt helpen en dat mogelijk een vriend of collega die persoon kan helpen, maar het kan ook zijn dat je het zo'n goed mopje of interessant nieuws vindt dat je het wilt doorsturen naar je vrienden of familie.

Het doorsturen doe je als volgt. Als je de e-mail hebt geselecteerd (door er met je linkermuisknop op te klikken zodat je het bericht kunt lezen), kun je links bovenaan op de knop 'Doorsturen' klikken.

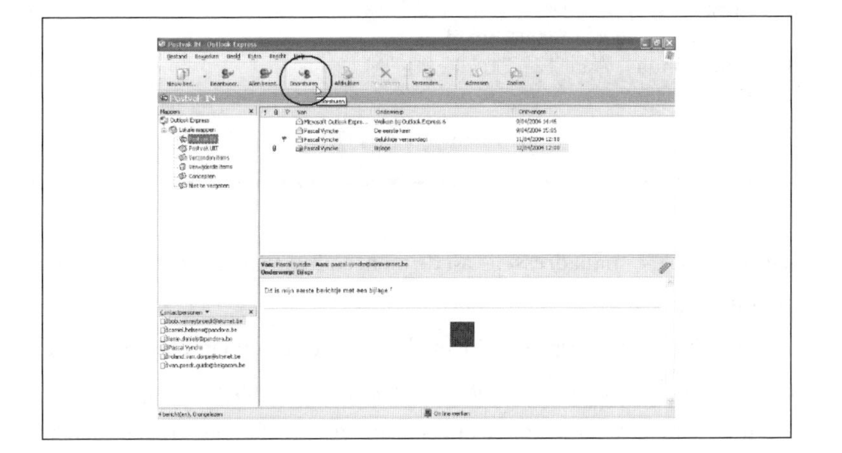

Er opent zich vervolgens een e-mailbericht waarbij de ontvangers nog NIET zijn ingegeven.

Fw: Bijlage
Bestand Bewerken Beeld Invoegen Opmaak Extra Bericht
Verzenden Knippen Kopiëren Plakken Ongedaan m...
Aan:
CC:
BCC:
Onderwerp: Fw: Bijlage
Bijlage: Blauw 16.bmp (1,27 kB)

----- Original Message -----
From: Pascal Vyncke
To: pascal.vyncke@seniorennet.be
Sent: Monday, April 12, 2004 12:00 PM
Subject: Bijlage

Je moet dus de e-mailadressen van de mensen ingeven die het bericht moeten ontvangen.

Het vakje onderwerp is al ingevuld met het originele onderwerp met 'FW:' ervoor. 'FW' komt van 'Forward', wat doorgestuurd betekent.

Dit is standaard altijd zo, maar als je om de een of andere reden toch het onderwerp wenst te wijzigen, is dit perfect mogelijk door met je muis op het witte tekstvak van het onderwerp te klikken en de tekst aan te passen naar je wensen.

Het bericht is ook al gedeeltelijk ingevuld. Het originele bericht werd er al in gezet maar je kunt uiteraard bovenaan ook nog zelf een bericht intikken.

Indien er bij het originele bericht ook een of meerdere bijlagen zaten, zal de computer deze ook al automatisch toevoegen.

Wanneer je klaar bent met het berichtje, kun je gewoon met je linkermuisknop linksboven op de knop 'Verzenden' klikken.

Een e-mail afdrukken

Het zal geregeld voorkomen dat je een e-mail wilt afdrukken. Als het een belangrijke e-mail is, een e-mail met een grote sentimentele waarde of een bevestiging van een bepaalde aankoop, dan zul je deze willen afdrukken. Om een e-mail af te drukken, moet je het volgende doen:

Klik eerst in het overzicht met je linkermuisknop de e-mail aan die je wilt afdrukken.

Klik op de toets 'Afdrukken' ongeveer midden bovenaan op je scherm. In Windows XP staat er 'afdrukken' bij, in Windows Vista zie je enkel een kleine printer.

Windows XP

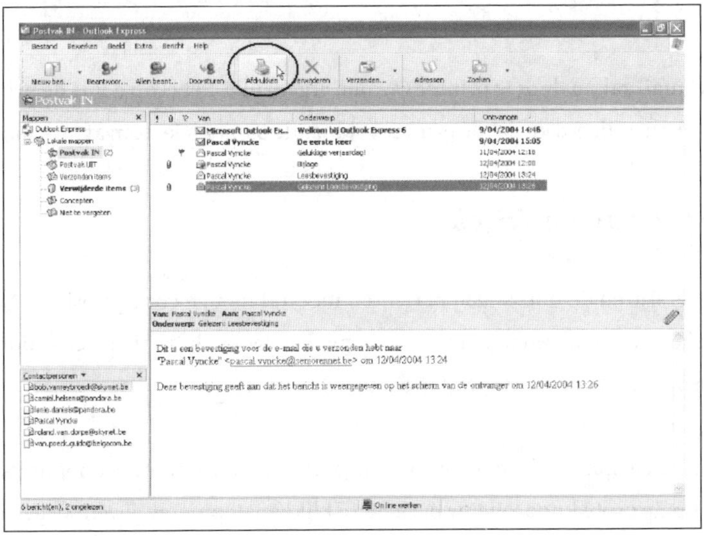

Windows Vista

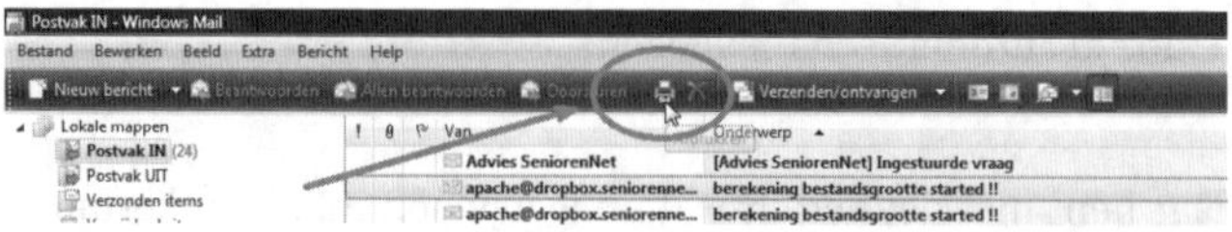

Er verschijnt nu een scherm om af te drukken. Hier kun je allerlei dingen instellen. Voor de meeste gevallen zijn de standaardinstellingen correct.

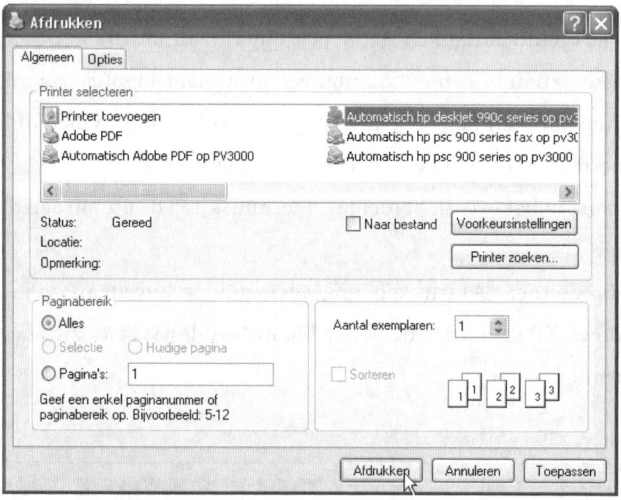

De e-mail zal nu door je printer worden afgedrukt. Let erop dat je de printer hebt geïnstalleerd en dat de printer voldoende papier heeft om af te drukken.

De prioriteit wijzigen

We versturen en ontvangen berichten meestal met gewone prioriteit. Niets speciaals en ze moeten niet speciaal opvallen. Maar het kan al eens voorkomen dat er iets heel dringend is dat je wilt melden.

We nemen opnieuw een nieuw berichtje in je mailprogramma door linksboven op de grote knop 'Nieuw bericht' te klikken. Opnieuw geven we gewoon ons eigen e-mailadres in als ontvanger, we geven in het onderwerp 'Dringend!' in en als berichtje tikken we bijvoorbeeld iets als dit:

'Hallo,

Wil je me zo snel mogelijk terugbellen? Het is heel dringend!

Bedankt!
Pascal'

Om ons bericht nog extra kracht bij te zetten, gaan we nu de prioriteit verhogen. Dit doen we door bovenaan in het menu 'Bericht' te klikken, vervolgens te klikken op 'Prioriteit instellen' en dan in het menuutje dat ernaast verschijnt 'Hoog' aan te klikken.

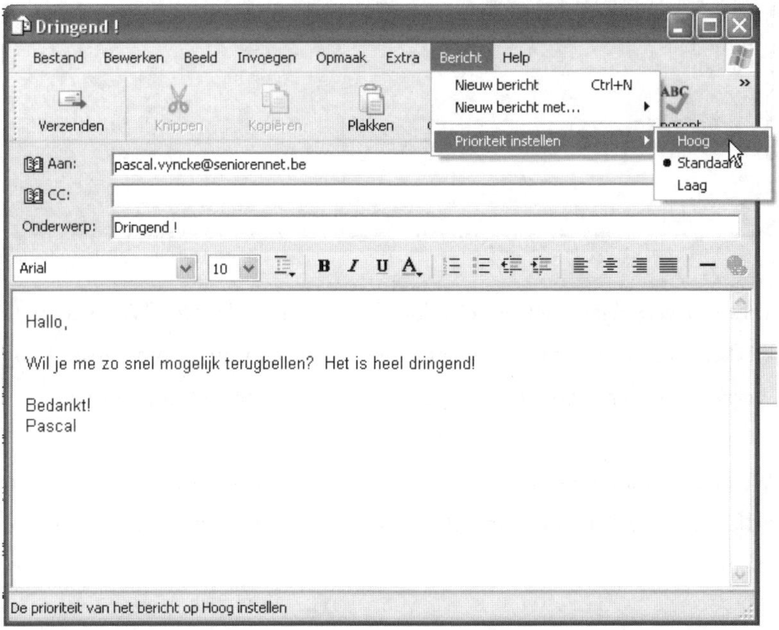

Er verschijnt daarna op het scherm ook nog 'Dit bericht heeft de prioriteit Hoog':

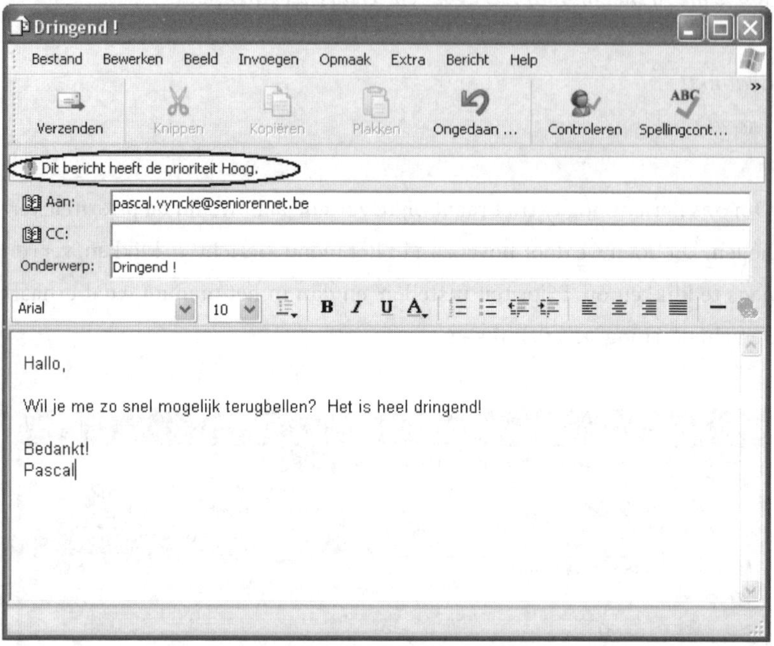

Verstuur vervolgens het bericht door bovenaan op de knop 'Verzenden' te klikken. Klik even erna bovenaan in je mailprogramma op de grote knop 'Verzenden...' en je zou dan je eigen e-mail weer moeten binnenkrijgen.

We hebben nu het e-mailbericht ontvangen. Het berichtje ziet er juist hetzelfde uit als de andere, met het verschil dat er een rood uitroepteken voor staat.

Het gebruiken van een hoge prioriteit moet wel tot een minimum beperkt worden. Als je al je berichten met hoge prioriteit verstuurt, dan valt dit na enkele berichten niet meer op. Als het dan toch eens dringend is, dan let de ontvanger er niet meer op. Gebruik deze functie dus enkel als het echt nodig is!

Berichten markeren of sorteren

Als je uit de brievenbus bij je thuis de post eruit haalt en je vindt een bepaalde brief belangrijk, dan kun je deze even apart leggen of er met een pen of dikke viltstift iets opschrijven om hem je aandacht te laten trekken, en je zorgt ervoor dat je hem daarna snel terugvindt omdat het iets belangrijks is. Je kunt de brieven ook sorteren: briefwisseling in verband met je werk, briefwisseling in verband met je hobby, briefwisseling voor je partner enzovoort. Dit kun je ook doen met je e-mails. Je kunt twee verschillende dingen doen om bepaalde berichten achteraf sneller terug te vinden zodat je ze zeker niet vergeet.

De eerste manier is een bericht *markeren*. Je gaat de computer aangeven dat je het bericht wilt markeren. Je schrijft niet met een dikke viltstift op je scherm, maar je doet gewoon het volgende:

Klik met je linkermuisknop het bericht aan op de afzender of het onderwerp, zodat het geselecteerd wordt.

!	Van	Onderwerp	Ontvangen
	Microsoft Outlook Expre...	Welkom bij Outlook Express 6	9/04/2004 14:46
	Pascal Vyncke	De eerste keer	9/04/2004 15:05
	Pascal Vyncke	Gelukkige verjaardag!	11/04/2004 12:18
!	Pascal Vyncke	Dringend !	11/04/2004 12:29

Ga vervolgens bovenaan naar het menu 'Bericht' en klik erop. Klik vervolgens in dit menu op 'Bericht markeren.'

Bericht Help
Nieuw bericht Ctrl+N
Nieuw bericht met...
Afzender beantwoorden Ctrl+R
Allen beantwoorden Ctrl+Shift+R
Doorsturen Ctrl+F
Doorsturen als bijlage
Regel maken op basis van bericht...
Afzender blokkeren...
Bericht markeren
Conversatie weergeven
Conversatie negeren
Combineren en decoderen...

Je zult nu zien dat voor het aangeduide bericht een rood vlaggetje zal komen te staan. Dit is een symbooltje om aan te geven dat dit bericht gemarkeerd is. De tweede manier is berichten sorteren. Je sorteert alle berichten die binnenkomen in je Postvak IN, in meerdere mappen. Zeker als je later wat meer e-mails per dag krijgt, is dit heel handig om het overzicht niet te verliezen. Het sorteren doe je als volgt:

Klik met je rechtermuisknop op het bericht dat je in een andere map wilt zetten, er verschijnt een klein submenu. Klik vervolgens in het submenu op 'Naar map verplaatsen...'.

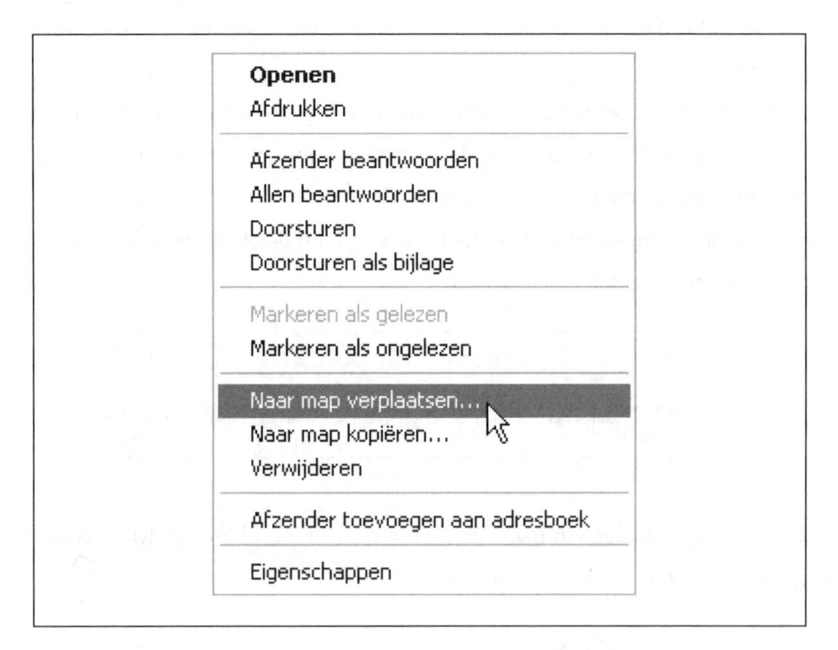

We krijgen nu volgend scherm te zien:

Windows XP

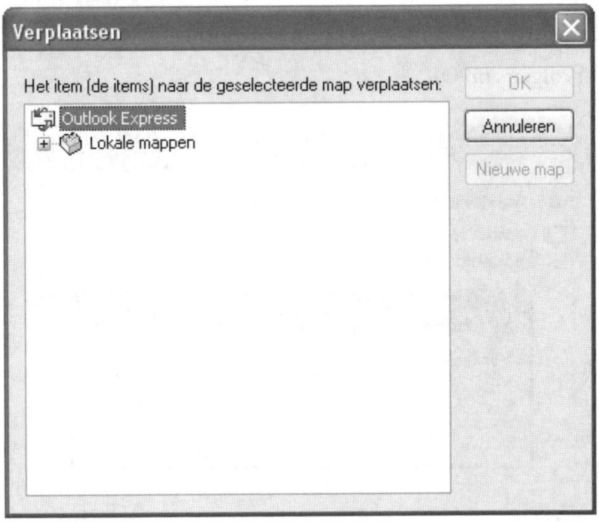

Verplaatsen

Het item (de items) naar de geselecteerde map verplaatsen:

Outlook Express
Lokale mappen

OK
Annuleren
Nieuwe map

Windows Vista

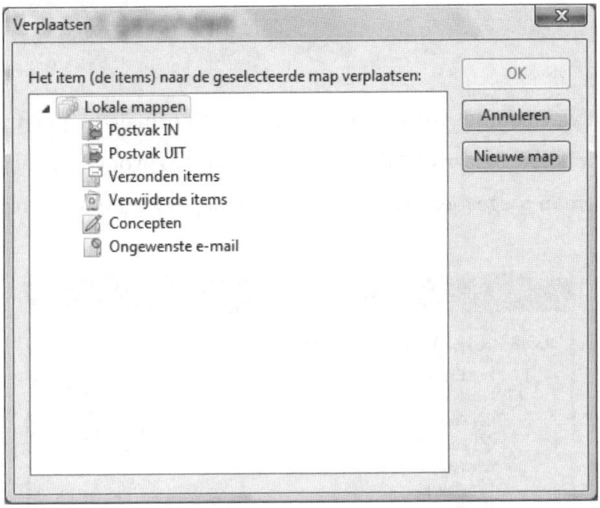

Verplaatsen

Het item (de items) naar de geselecteerde map verplaatsen:

Lokale mappen
Postvak IN
Postvak UIT
Verzonden items
Verwijderde items
Concepten
Ongewenste e-mail

OK
Annuleren
Nieuwe map

We moeten een nieuwe map aanmaken, want anders kunnen we het bericht uiteraard niet naar een andere map verplaatsen. Een nieuwe map aanmaken hoef je uiteraard niet altijd opnieuw te doen, maar alleen de eerste keer.

Klik eerst links op 'Lokale mappen'. Klik vervolgens op de knop 'Nieuwe map'.

Er verschijnt nu een nieuw scherm, waar je de mapnaam moet intikken. Geef in het witte tekstvak een naam in, bijvoorbeeld 'Niet te vergeten'.

Klik vervolgens op OK.

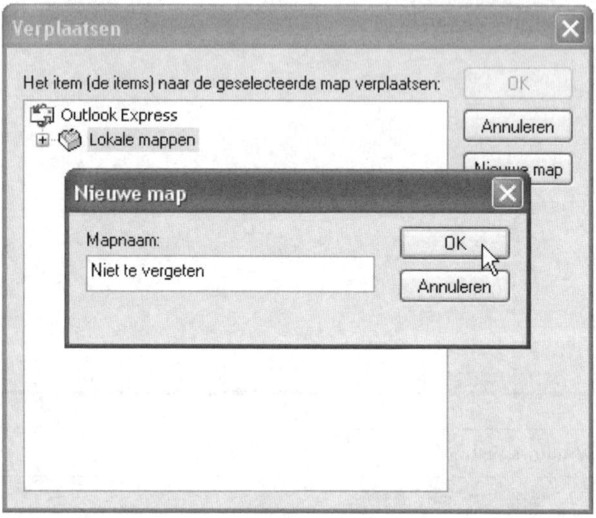

Je ziet nu weer op het vorige scherm dat al de normale mappen zichtbaar zijn (Postvak IN, Postvak UIT, Verzonden items enzovoort) en dat je nieuwe map onderaan toegevoegd werd. De nieuwe map is klaar voor gebruik.

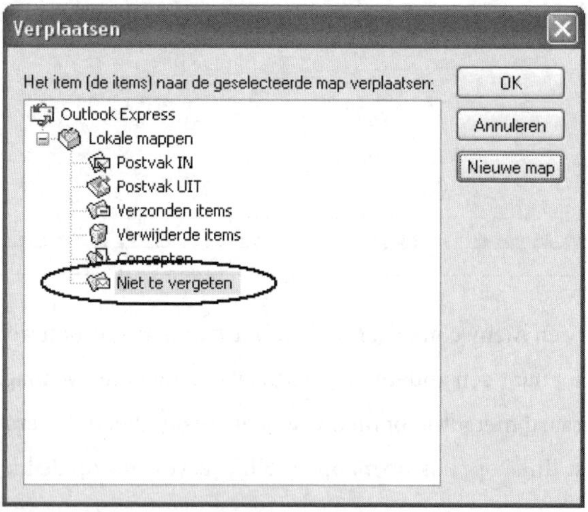

Nu klik je de gewenste map met je linkermuisknop aan – in ons voorbeeld is dat dus de map 'Niet te vergeten' – en vervolgens klik je op de knop 'OK'. Het bericht verdwijnt uit de map Postvak IN en is nu geplaatst in de map 'Niet te vergeten'. Dit kun je zien door links, in gebied 1, op de map 'Niet te vergeten' te klikken, je krijgt dan in gebied 2 alle e-mailberichten uit die ene map te zien.

Bovenstaande handeling voer je uit per bericht dat je wilt verplaatsen. Wanneer de nodige mappen al zijn aangemaakt, kun je ook nog een snellere manier gebruiken om vlug een bericht te verplaatsen:

Klik met je linkermuisknop op het te verplaatsen bericht en hou de knop ingedrukt.

Verschuif vervolgens je muisaanwijzer tot in gebied 1 totdat je op de gewenste map bent gekomen, en deze map aangeduid wordt met een blauwe achtergrond.

Laat vervolgens je linkermuisknop los. Het bericht is nu verplaatst.

Een bericht later afmaken

Het kan voorkomen dat je om een bepaalde reden een e-mailbericht waar je al mee begonnen bent, nu nog niet wilt versturen en er later nog aan wilt verder werken. Dit omdat het een belangrijke tekst is waar je nog eens een nachtje over wilt slapen of omdat je momenteel even geen tijd hebt om het bericht verder af te maken. Net alsof je een brief aan het schrijven bent en je hem even opzij legt om hem later verder af te werken.

Als je dus een e-mailbericht hebt openstaan, dan moet je het volgende doen:

Ga linksboven naar het menu 'Bestand' en klik erop met je linkermuisknop.

Ga vervolgens in het submenu naar 'Opslaan' en klik erop met je linkermuisknop.

Bestand Bewerken Beeld Invoegen
Nieuw
Bericht verzenden Alt+S
Later verzenden
Opslaan Ctrl+S
Opslaan als...
Bijlagen opslaan...
Opslaan als briefpapier...
Naar map verplaatsen...
Naar map kopiëren...
Bericht verwijderen Ctrl+D
Afdrukken... Ctrl+P
Eigenschappen Alt+Enter
Off line werken
Sluiten

Je krijgt nu een mededeling te zien van de computer dat het bericht is opgeslagen in de map 'Concepten'. Klik met je linkermuisknop op de toets 'OK'.

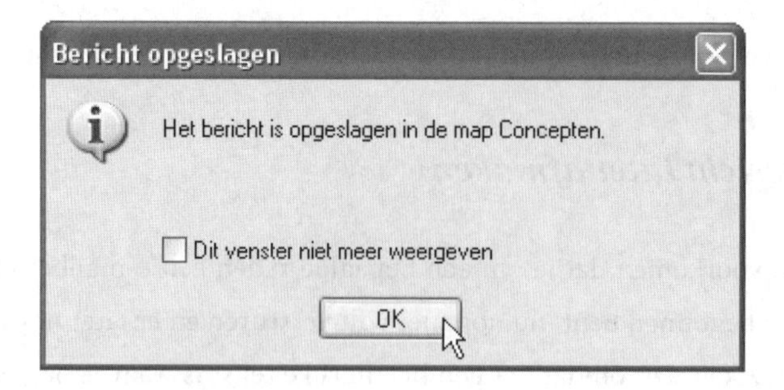

Je kunt nu het bericht sluiten door rechtsboven op het kruisje te klikken.

Om later je e-mail weer te openen en hem verder af te maken, moet je naar de map 'Concepten' gaan. Dit doe je door met je linkermuisknop in je mailprogramma links (gebied 1) op 'Concepten' te klikken. Rechts, in gebied 2, zullen dan alle e-mailberichten verschijnen die in de map Concepten staan. Dubbelklik op het gewenste e-mailbericht dat je verder wilt afmaken en het bericht zal geopend worden, exact hetzelfde zoals je het ervoor hebt opgeslagen.

Wanneer het bericht klaar is en je wilt het versturen, klik je zoals anders gewoon op 'Verzenden'. Wil je het bericht nog eens een ander keertje verder afwerken, dan doe je opnieuw wat hierboven beschreven staat: eerst opslaan en vervolgens sluiten.

Is de e-mail gelezen? De leesbevestiging

Indien je een e-mail verstuurt, dan wil je altijd graag weten of de ander je bericht heeft gelezen. Je kunt altijd in je berichtje vragen dat de ontvanger je iets laat weten, maar je kunt het ook gewoon de computer laten versturen. Hiervoor moet je in je bericht dat je gaat versturen, de volgende handelingen uitvoeren:

Ga in je e-mailbericht dat je wilt versturen en waar je een leesbevestiging van wilt ontvangen, naar boven in het menu 'Extra' en klik erop met je linkermuisknop.

Klik vervolgens met je linkermuisknop in het submenu op 'Leesbevestiging vragen'.

We gaan dit even uitproberen. We maken een nieuwe e-mail aan (klik linksboven in je mailprogramma op 'Nieuw bericht'), we geven bij de ontvanger ons eigen e-mailadres in, we geven een onderwerp in, bijvoorbeeld 'Leesbevestiging' en een kort berichtje, bijvoorbeeld 'Ik vraag een leesbevestiging...'.

Je e-mail ziet er dan ongeveer uit als volgt:

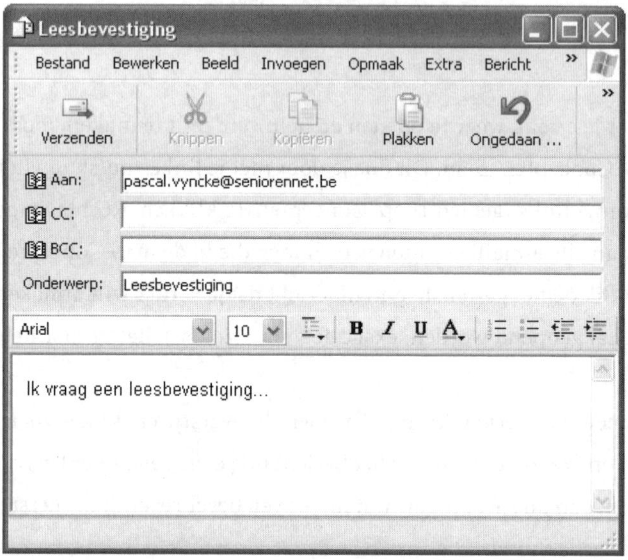

Vraag nu een leesbevestiging door te doen wat hierboven staat uitgelegd: dus menu 'Extra' en vervolgens 'Leesbevestiging' vragen.

Klik linksboven op 'Verzenden' om het berichtje te versturen naar jezelf.

Klik even hierna bovenaan in je mailprogramma op de grote knop 'Verzenden...' en je zou dan je eigen e-mail moeten binnenkrijgen.

Wanneer we de e-mail willen openen (door met de linkermuisknop erop te klikken), verschijnt er een kadertje met de vraag of we een leesbevestiging willen sturen.

Deze vraagt verschijnt eerst omdat niet iedereen een leesbevestiging zal willen versturen, sommige mensen en vooral bedrijven zullen dit nooit doen.

Als gewone gebruiker klik je gewoon op 'Ja'. Doe dit ook nu.

Nu kunnen we de e-mail lezen. De leesbevestiging werd intussen ook door de computer weer verstuurd naar de verzender. Maar omdat wij zelf de e-mail hebben gestuurd, zullen we dus de leesbevestiging binnenkrijgen. Klik bovenaan op de grote knop 'Verzenden...' en je zou dan een e-mail moeten binnenkrijgen.

In die e-mail staat het volgende:

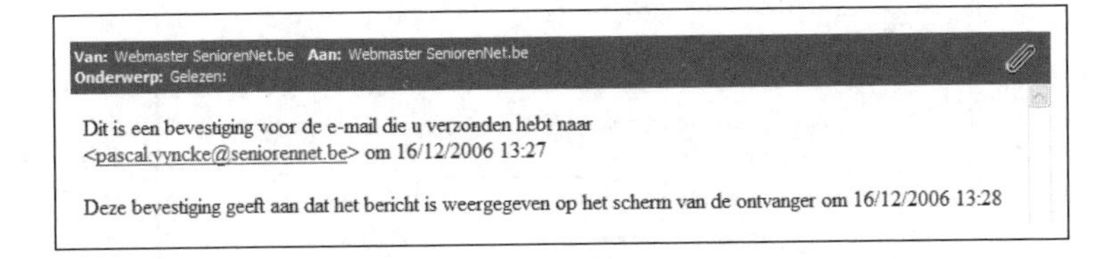

We zien dus dat de e-mail die we verstuurd hebben naar een bepaald e-mailadres op een bepaald tijdstip, werd gelezen door de ontvanger op een bepaald tijdstip.

Indien je deze leesbevestiging hebt gekregen, weet je dus zeker dat de ander jouw e-mailbericht heeft geopend. Indien je nooit een leesbevestiging ontvangt, betekent het echter niet dat de e-mail niet werd gelezen, maar mogelijk dat de ontvanger niet graag een leesbevestiging verstuurt.

Om automatisch al je berichten die je verstuurt een leesbevestiging te laten vragen zonder dat je dit steeds zelf moet ingeven, doe je het volgende:

Ga bovenaan in je mailprogramma naar het menu 'Extra' door er met de linkermuisknop op te klikken. Vervolgens klik je met je linkermuisknop in het submenu op 'Opties...'.

Daarna klik je met je linkermuisknop op het tabblad bovenaan op 'Bevestigingen'.

Opties

Handtekeningen | Spelling | Beveiliging | Verbinding | Onderhoud
Algemeen | Lezen | Bevestigingen | Verzenden | Opstellen

Algemeen
Bij het starten direct naar de map Postvak IN gaan
Waarschuwen als er nieuwe nieuwsgroepen zijn
Automatisch mappen met ongelezen berichten weergeven
Automatisch aanmelden bij Windows Messenger

Berichten verzenden/ontvangen
Geluid afspelen bij nieuwe berichten
Berichten verzenden en ontvangen bij het opstarten
Elke 30 minuten op nieuwe berichten controleren
Als de computer op dat moment geen verbinding heeft:
Geen verbinding maken

Programma's voor het afhandelen van berichten
Dit is het standaard e-mailprogramma — Als standaard instellen
Dit is het standaard nieuwsprogramma — Als standaard instellen

OK | Annuleren | Toepassen

Klik vervolgens met je linkermuisknop op het lege vierkantje voor 'Voor alle verzonden berichten om een leesbevestiging vragen'. Het vakje zal dan gevuld worden met een vinkje.

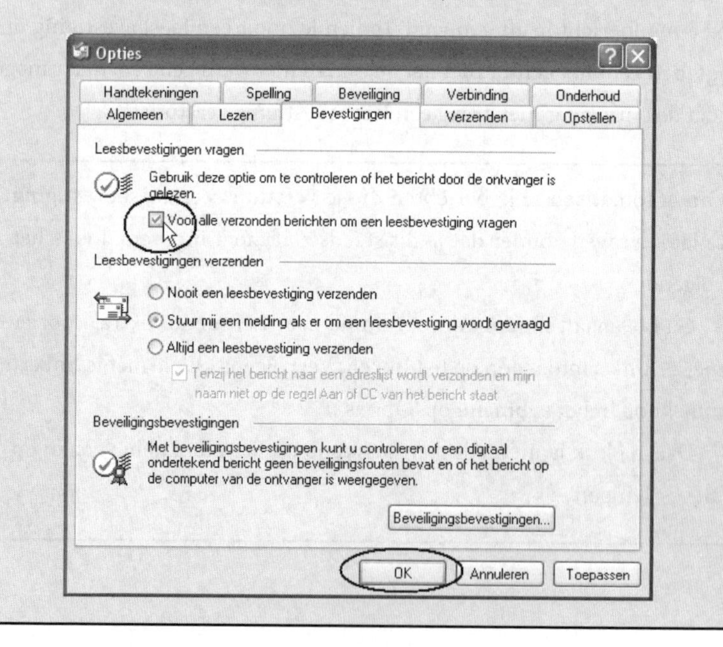

Klik vervolgens rechtsonder op de knop 'OK'.

De computer zal nu automatisch in de toekomst voor alle berichten die je verstuurt een leesbevestiging vragen. Om deze functie weer af te zetten, doe je exact hetzelfde opnieuw, maar bij het aanklikken van het vierkantje zal het vinkje weer verdwijnen.

Wil je dat bij alle berichten die bij jou binnenkomen en die vragen om een leesbevestiging, automatisch de leesbevestiging wordt gestuurd, zonder dat je steeds op een mededeling op 'Ja' moet klikken?

Of wil je die vraag om leesbevestiging nooit meer krijgen en ook nooit een leesbevestiging versturen? Doe dan het volgende:

Ga bovenaan in je mailprogramma naar het menu 'Extra' door er met de linkermuisknop op te klikken. Vervolgens klik je met je linkermuisknop in het submenu op 'Opties...'.

Daarna klik je met je linkermuisknop op het tabblad bovenaan op 'Bevestigingen'.

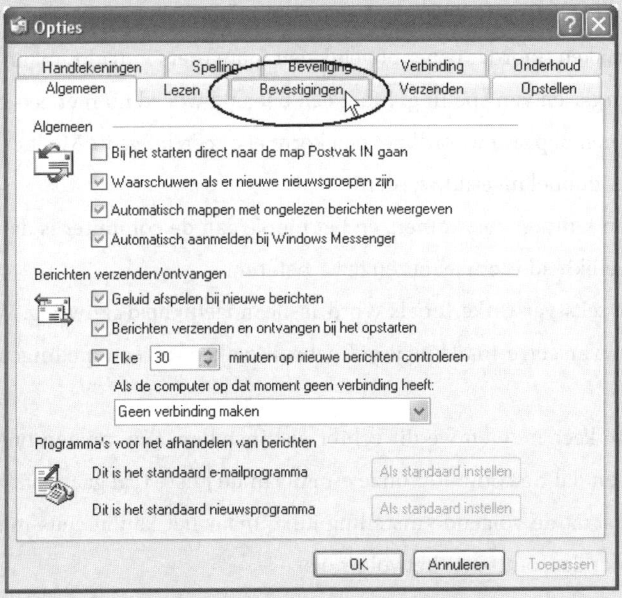

Wanneer je nooit een leesbevestiging wilt versturen, klik dan met je linkermuisknop op het rondje dat staat voor 'Nooit een leesbevestiging verzenden'.

Indien je altijd een leesbevestiging wilt versturen, klik dan met je linkermuisknop op het rondje dat staat voor 'Altijd een leesbevestiging verzenden'.

Klik vervolgens rechts onderaan op de knop 'OK'.

De computer zal nu altijd automatisch uitvoeren wat je hebt gevraagd. Indien je deze instelling ongedaan wilt maken, volg dan dezelfde stappen als hierboven, maar duid dan met je linkermuisknop het bolletje aan voor 'Stuur mij een mededeling als er om een leesbevestiging wordt gevraagd'.

Controle op spelfouten

Niemand is perfect en iedereen kan weleens spelfouten maken. Je kunt een tikfout maken doordat je per ongeluk een foute toets indrukt, maar je kunt je ook vergissen van spelling. Moet een bepaald woord nu met een c of een k? Moet een bepaald woord met een korte ei of een lange ij? Moet er ergens een letter dubbel ingetikt worden?

Fouten kunnen voorkomen, en het mooie aan de computer is dat er ook een mogelijkheid is om je fouten te verbeteren.

In een tekstverwerker, zoals Word, is die mogelijkheid aanwezig. Voor het versturen van een e-mail kun je ook gebruikmaken van een spellingcontrole.

De eerste keer moeten we dit echter wel instellen. We moeten ons ervan verzekeren dat de computer onze e-mails in de juiste taal gaat controleren. Meestal staat de volgende instelling juist, maar het kan al eens mislopen. Controleer daarom zeker het volgende:

Ga bovenaan in je mailprogramma naar het menu 'Extra' en klik erop met je linkermuisknop. Klik vervolgens op 'Opties...' in het menu.

Klik nu bovenaan op het tabblad 'Spelling'.

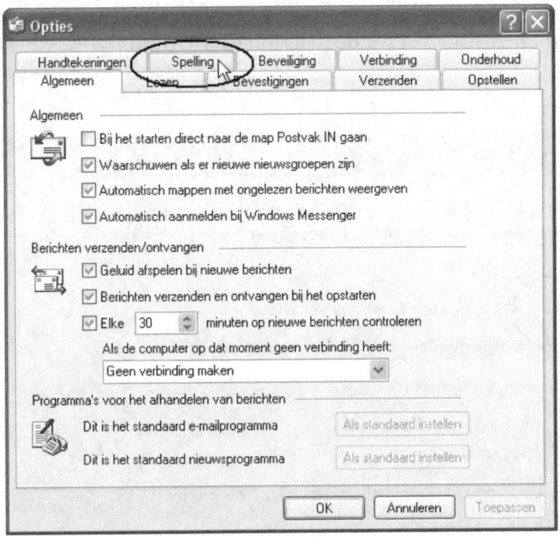

Kijk nu na of er onderaan bij Taal 'Nederlands' staat aangegeven. Indien dit niet zo is, klik dan met je linkermuisknop rechts ervan op het pijltje naar beneden. Er verschijnt nu een klein submenu, en hier moet je op 'Nederlands' klikken.

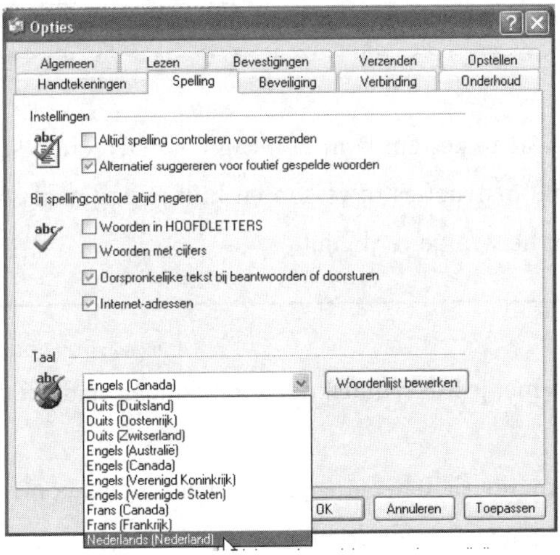

Als je wenst dat in de toekomst al je berichten gecontroleerd worden op spelling juist voor je gaat verzenden, dan kun je nu op dit scherm op het vierkantje met je linkermuisknop klikken waar staat 'Altijd spelling controleren voor verzenden', er zal een vinkje in het vierkant verschijnen.

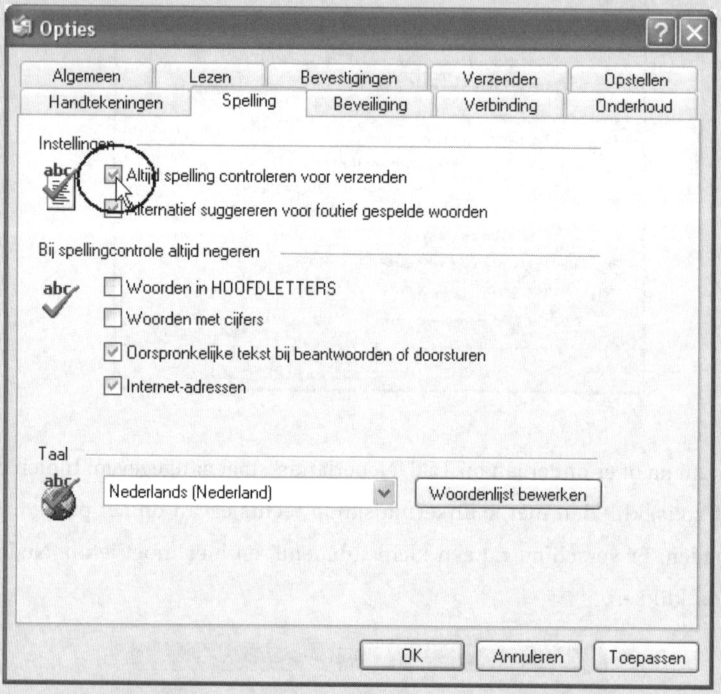

Om dit later af te zetten, kom je terug naar hetzelfde scherm door bovenstaande instructies te volgen en klik je nogmaals op dat vierkantje, zodat het vinkje verdwijnt.

Klik vervolgens met je linkermuisknop rechtsonder op de knop 'OK'.

Als je nu een e-mailbericht hebt ingegeven en je wilt het controleren op spelling, dan moet je het volgende doen:

Ga naar boven in het menu naar 'Extra' en klik erop met je linkermuisknop. Klik vervolgens op 'Spellingcontrole...'.

Bovenstaande hoef je niet te doen indien je automatisch al je berichten laat controleren op spelling. De computer start dan namelijk automatisch de spellingcontrole vanaf het ogenblik je op 'Verzenden' klikt.

Als het de eerste keer is dat je de spellingcontrole gebruikt, is het mogelijk dat de computer dit eerst nog moet installeren en moet instellen. Heb dan even geduld en laat de computer gewoon zijn gang gaan. Je zult een mededeling zien zoals op onderstaande foto:

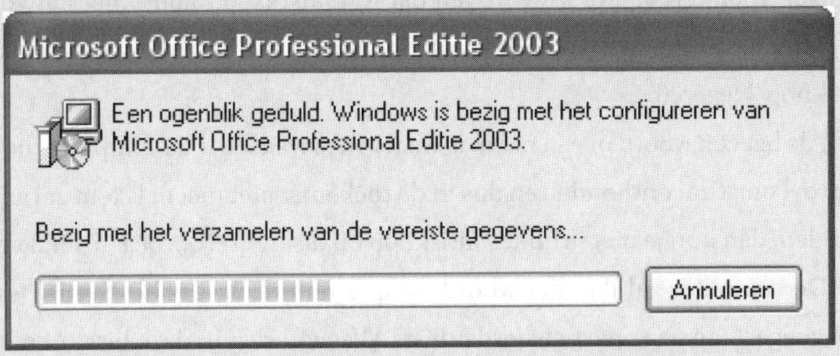

Microsoft Office Professional Editie 2003

Een ogenblik geduld. Windows is bezig met het configureren van Microsoft Office Professional Editie 2003.

Bezig met het verzamelen van de vereiste gegevens...

Annuleren

Wanneer er een spelfout gevonden is in je bericht, verschijnt er een schermpje:

Spelling

Niet in: electriciteit

Wijzigen in: elektriciteit

Suggesties: elektriciteit

Negeren | Alles negeren | Wijzigen | Alles wijzigen | Toevoegen | Suggereren

Opties... | Laatste ongedaan maken | Annuleren

Je ziet het woord achter 'Niet in' staan, dit is het originele woord zoals het in het bericht staat. De computer zet in het vak 'Wijzigen in:' het woord dat hij denkt dat het zou moeten zijn. Hij geeft ook indien mogelijk een of meerdere suggesties eronder. Indien een van de suggesties wel is wat je wenst, klik je met je linkermuisknop op die bepaalde suggestie, dan zal dat woord in het vakje 'Wijzigen in' worden geplaatst.

Je hebt een aantal mogelijkheden:

Als je akkoord gaat met de wijziging, klik je met je linkermuisknop op de knop 'Wijzigen'.

Als je totaal niet akkoord gaat met de computer omdat de computer foute dingen voorstelt of iets wil wijzigen dat wel juist is (dit komt meestal voor bij namen van mensen of bedrijven), dan klik je met je linkermuisknop op de knop 'Negeren'.

Als het een woord of een naam is waarvan je wenst dat de computer die in de toekomst zal onthouden en dus in de toekomst niet meer als fout zal aanduiden, dan kun je met je linkermuisknop op de knop 'Toevoegen' klikken.

De computer zal dan het woord waarvan hij dacht dat het foutief was, toevoegen aan een aparte woordenlijst. Alle woorden in deze lijst zullen in de toekomst als correct worden beschouwd.

Als het woord dat de computer aangeeft als fout meerdere keren in je tekst voorkomt en je het hoogstwaarschijnlijk meerdere keren ook fout hebt geschreven en je wilt ze allemaal laten wijzigen, dan klik je met je linkermuisknop op de knop 'Alles wijzigen'.

Als het woord dat de computer aangeeft als fout helemaal niet fout is en bovendien meerdere keren voorkomt in je bericht, kun je op de knop 'Alles negeren' klikken. Hetzelfde woord zal dan telkens worden genegeerd voor dit bericht.

Indien je de spellingcontrole wilt stoppen, zonder dat deze afgelopen is, klik je met je linkermuisknop op de knop 'Annuleren'.

Als de spellingcontrole afgelopen is, deelt de computer dit ook mee:

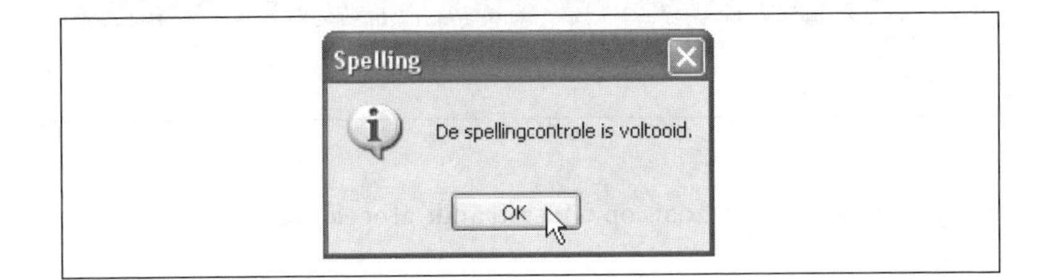

Een e-mail terugvinden

Als je thuis een brief van een hele tijd geleden moet zoeken, ben je waarschijnlijk wel eventjes bezig. De kast of lade helemaal leeghalen en alles één voor één aflopen voor je de betreffende brief hebt gevonden...

Met de computer kan dit veel eenvoudiger, efficiënter en sneller. Als je een aantal maanden of jaren met e-mail bezig bent, dan heb je een massa e-mail op je computer staan. Om daar juist die ene terug te vinden, zou ook een enorm werk zijn. Maar met een speciale zoekfunctie is dit kinderspel:

Ga naar het programma Outlook Express en klik in Windows XP bovenaan op de grote knop 'Zoeken'. In Windows Vista is de knop kleiner en met een vergrootglas op; het gaat om de tweede knop van rechts.

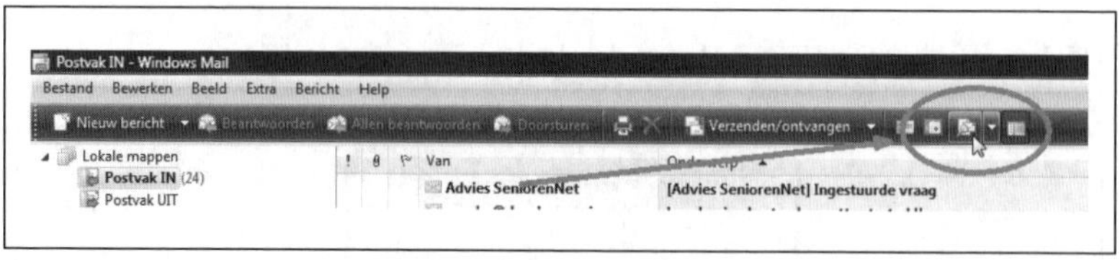

Je krijgt dan iets te zien zoals op onderstaande afbeelding:

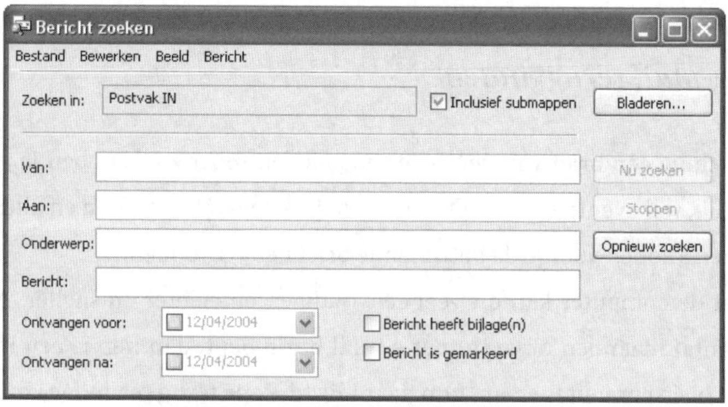

Eerst moeten we aangeven in welke map we willen zoeken. Standaard zal deze op de map 'Postvak IN' staan, maar het kan voorkomen dat we een bericht willen zoeken dat we zelf hebben verzonden (Verzonden items) of een bericht dat we in een bepaalde map hebben gesorteerd. Je ziet achter 'Zoeken in:' de map staan waar de computer zal gaan zoeken; als dit niet de juiste map is, klik je rechts ervan op 'Bladeren...'.

Je krijgt dan een scherm te zien zoals op onderstaande afbeelding. Je kunt daar de gewenste map aanduiden door er met je linkermuisknop op te klikken en vervolgens klik je op de knop 'OK'.

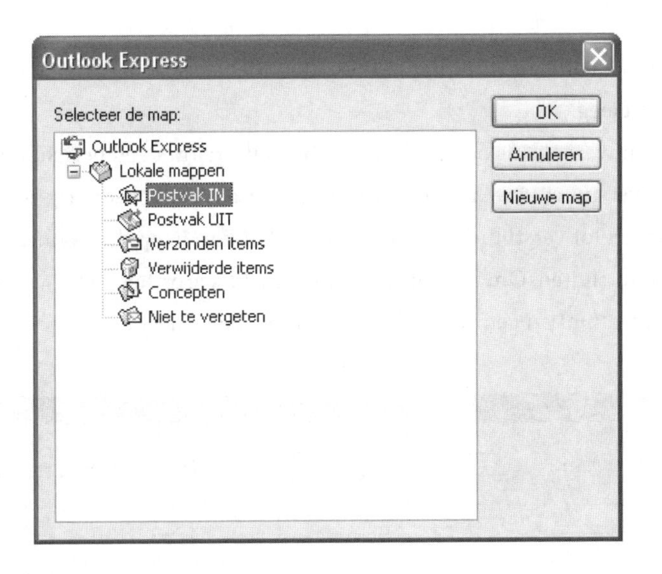

Nu kun je een aantal criteria ingeven om het bericht te vinden. Hoe nauwkeuriger deze zijn, hoe sneller je het bericht zult terugvinden.

Als eerste kunnen we achter 'Van:' ingeven van wie de e-mail kwam. Indien je de afzender kent, geef je dit in, indien je de afzender niet kent, laat je dit leeg.

Vervolgens kun je in het vak achter 'Aan:' invullen naar wie hij gestuurd werd. Dit kun je gebruiken indien het gaat om een bericht dat je zelf hebt verstuurd (daar is altijd het 'Van:' hetzelfde, maar de 'Aan:' niet), omdat in je e-mailprogramma meerdere e-mailadressen samenkomen (van jou, je partner, kinderen, kleinkinderen...) of omdat je weet dat er een kopie was gestuurd naar nog iemand anders.

Indien je de 'Aan:' niet weet, laat je dit vakje ook gewoon leeg.

Vervolgens kun je achter 'Onderwerp:' ingeven wat het onderwerp was. Indien je je hier nog een stuk van herinnert, tik dat dan in voor zover je het weet, indien je het niet meer weet, laat je dit veld leeg.

Achter 'Bericht:' kun je iets intikken dat in het bericht voorkwam. Als je zeker weet dat er een speciaal woord of een bepaalde naam in dat bericht voorkwam (en in de meeste andere berichten niet voorkomt), kun je dat hier ingeven. Ook hier geldt weer: indien je het niet weet of het onbelangrijk is, laat je dit leeg.

Je kunt vervolgens ook aangeven vóór welke datum een bericht ontvangen (of verstuurd) is. Als je bijvoorbeeld weet dat het zeker vorig jaar werd ontvangen (of verstuurd) en niet dit jaar, dan kun je op die manier al vele e-mails uitsluiten. Om een datum in te geven, klik je op het pijltje naar beneden achter 'Ontvangen voor:'. Er verschijnt nu een kalender:

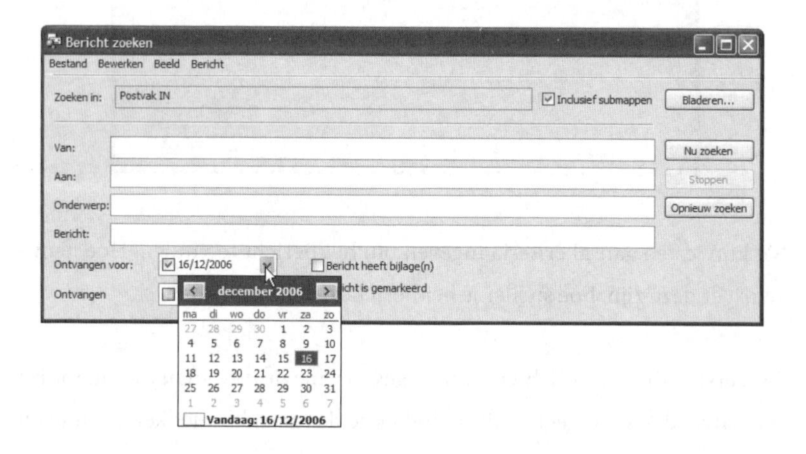

Je ziet in het blauwe vak de huidige maand. Klik op het pijltje naar links om een maand terug te gaan, op het pijltje naar rechts om een maand verder te gaan. Wanneer je in de juiste maand zit, kun je eronder de juiste dag aanduiden door met je linkermuisknop op de juiste dag te klikken.

Als je dit hebt gedaan, verdwijnt de kalender weer en wordt in het zoekscherm achter 'Ontvangen voor:' de datum ingevuld. Indien je de datum niet weet, doe je hier gewoon niets.

Wanneer je weet dat een bericht zeker en vast na een bepaalde datum is verstuurd geweest, dan kun je dat ingeven achter 'Ontvangen na:'. Dit is weer hetzelfde systeem als hierboven: op het pijltje naar beneden klikken en vervolgens in de kalender de juiste datum uitkiezen.

Als je de datum niet weet, doe je hier gewoon niets.

Indien je zeker weet dat het bericht een bijlage of verschillende bijlagen had, dan kun je met je linkermuisknop op het vierkantje voor 'Bericht heeft bijlage(n)' klikken. Hierdoor elimineer je alle berichten die geen bijlage hebben.

Indien je dit niet meer weet, kom je hier gewoon niet aan en dan houdt de computer hier geen rekening mee, hij zal dan zoeken in zowel de berichten met een bijlage als zonder een bijlage.

Als laatste kun je aangeven of het betreffende bericht dat je zoekt, ooit gemarkeerd is geweest. Indien dit het geval is, kun je met je linkermuisknop op het vierkantje voor 'Bericht is gemarkeerd' klikken.

Indien je niet meer weet of het bericht werd gemarkeerd, dan doe je hier gewoon niets.

Als je alle gegevens hebt ingegeven die je weet over het berichtje dat je zoekt, klik je met je linkermuisknop op de knop rechtsboven 'Nu zoeken'. Zelfs indien je geen criteria hebt ingegeven, gaat de computer zoeken, maar hij zal dan gewoon alle berichten weergeven, wat uiteraard weinig nuttig is.

Als je op de knop hebt geklikt om te zoeken, dan begint de computer te zoeken. Afhankelijk van je ingegeven criteria en afhankelijk van de hoeveelheid e-mails die de computer moet beginnen te doorzoeken, kan dit er op een fractie van een seconde op staan of enkele minuten duren.

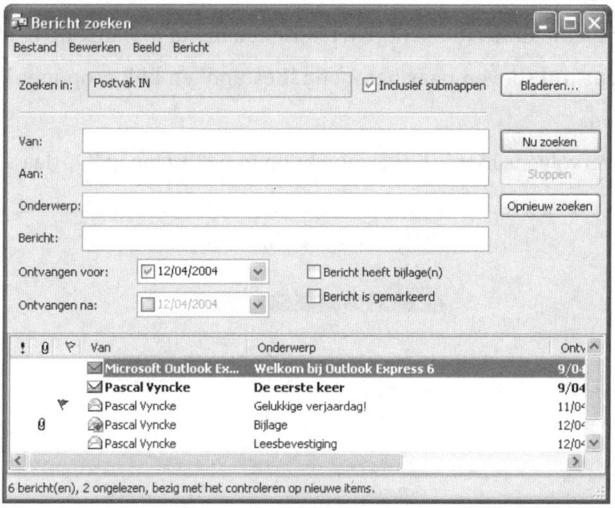

Je ziet onder je criteria vervolgens de gevonden berichten staan; door erop te dubbelklikken kun je het bericht openen.

Wanneer je toch nog iets wilt aanpassen aan je zoekcriteria, dan kun je dat gewoon doen en vervolgens opnieuw klikken met je linkermuisknop op de knop 'Nu zoeken'. Indien je helemaal opnieuw wilt beginnen, bijvoorbeeld omdat je gewoon een ander bericht wilt zoeken, klik je met je linkermuisknop op de knop 'Opnieuw zoeken'. Alle velden worden dan gewist, zodat je opnieuw kunt beginnen en nieuwe gegevens kunt intikken om te zoeken.

Een e-mail opslaan

Alle e-mailberichten die binnenkomen, staan opgeslagen op je harde schijf, allemaal samen. Het kan voorkomen dat je onder bepaalde omstandigheden toch een bepaald e-mailbericht apart op de harde schijf wilt opslaan. Bijvoorbeeld wanneer het een belangrijk bericht is met een wachtwoord dat je zeker niet wilt verliezen. Zo kun je ook van die enkele bestanden makkelijker een reservekopie maken om te voorkomen dat je ze kwijtraakt. Je doet dit als volgt:

Duid met je linkermuisknop het bericht aan dat je wenst op te slaan. Ga vervolgens linksboven naar het menu 'Bestand' en klik erop met je linkermuisknop.

Klik vervolgens met je linkermuisknop in het menu op 'Opslaan als...'.

Bestand Bewerken Beeld Extra Bericht
Nieuw
Openen Ctrl+O
Opslaan als...
Bijlagen opslaan...
Opslaan als briefpapier...
Map
Importeren
Exporteren
Afdrukken... Ctrl+P
Identiteit instellen...
Identiteiten
Eigenschappen Alt+Enter
Off line werken
Afsluiten en identiteit afmelden
Afsluiten

Je krijgt nu een scherm te zien waarbij je de plaats moet opgeven waar je het bestand wilt opslaan. Je kunt de plaats zoeken door op een map te dubbelklikken, door links bovenaan achter 'Opslaan in:' op het pijltje naar onderen te klikken of door met je linkermuisknop helemaal links op de knoppen 'Bureaublad', 'Mijn documenten'... te klikken.

Als je de locatie hebt gevonden waar je het bericht wilt opslaan, kun je vervolgens een naam kiezen. Dit doe je door onderaan achter 'Bestandsnaam:' de door jou gekozen naam van het bericht in te tikken.

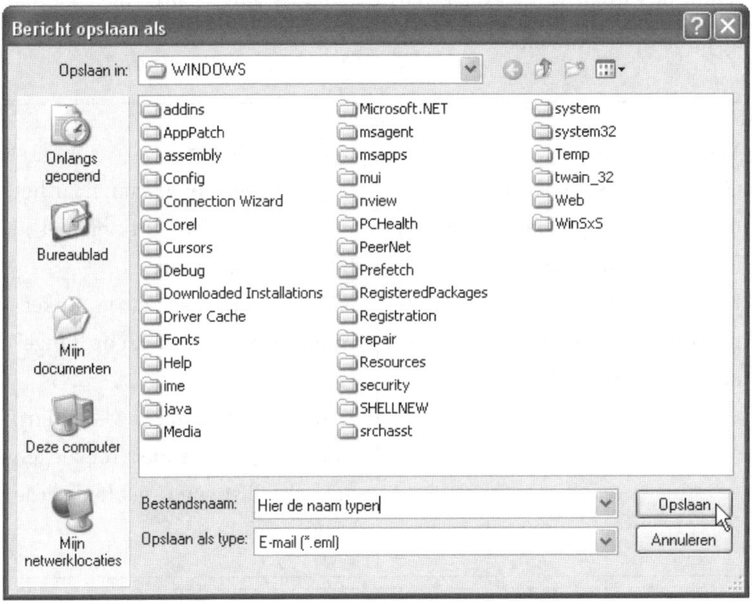

Klik vervolgens met je linkermuisknop op de knop 'Opslaan'.

Het bestand wordt nu door de computer op de gevraagde locatie en met de opgegeven naam weggeschreven.

Afzenders blokkeren

Zoals bij de gewone post kan het voorkomen dat je van een bepaalde persoon of een bepaald bedrijf geen e-mails meer wilt ontvangen. In het dagelijkse leven kun je behalve het plakken van een sticker 'geen reclame a.u.b.' op de brievenbus niet veel meer doen; geadresseerd reclamedrukwerk wordt toch bezorgd. En het is niet mogelijk een lijst aan je brievenbus te hangen met personen van wie je geen post wilt ontvangen. Daar gaat je postbode zich niet mee bezighouden.

Met de computer is dit echter wel mogelijk. Je kunt een lijst van afzenders opgeven die geblokkeerd worden. Als ze je dan toch een berichtje sturen, verdwijnt het onherroepelijk in de prullenbak (Verwijderde items). Als je een bepaalde afzender wilt blokkeren, doe je het volgende:

Duid de e-mail van de ongewenste afzender aan door er met je linkermuisknop op te klikken.

Windows XP	**Windows Vista**
Ga vervolgens bovenaan naar het menu 'Bericht' en klik er met je linkermuisknop op. Klik vervolgens met je linkermuisknop in het menu op 'Afzender blokkeren...'.	Ga vervolgens bovenaan naar het menu 'Bericht' en klik er met je linkermuisknop op. Klik vervolgens met je linkermuisknop in het menu op 'Ongewenste e-mail'. In het submenu dat nu verschijnt, klik je op 'Afzender toevoegen aan de lijst met geblokkeerde afzenders'.

Bericht Help
Nieuw bericht Ctrl+N
Nieuw bericht met...
Afzender beantwoorden Ctrl+R
Allen beantwoorden Ctrl+Shift+R
Doorsturen Ctrl+F
Doorsturen als bijlage
Regel maken op basis van bericht...
Afzender blokkeren...
Bericht markeren
Conversatie weergeven
Conversatie negeren
Combineren en decoderen...

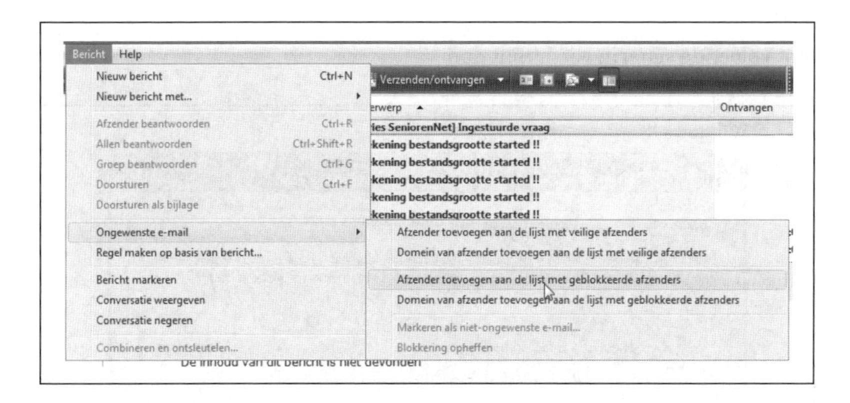

Je krijgt nu een mededeling van de computer. De computer deelt in eerste instantie mee dat het e-mailadres geblokkeerd werd en dat toekomstige berichten automatisch rechtstreeks in de prullenbak terecht zullen komen. In tweede instantie vraagt de computer je nog iets, namelijk of hij alle berichten van deze afzender die al in je mailbox zitten, moet verwijderen of niet. Meestal – wanneer het bijvoorbeeld om een lastige persoon gaat – klik je dan op 'Ja'. Indien je toch niet alle berichten van deze persoon wilt verwijderen, dan klik je met je linkermuisknop op 'Nee', de computer zal dan wel de toekomstige berichten meteen verwijderen, maar niet de berichten die al in je mailbox staan.

Indien je een geblokkeerde afzender weer wilt toelaten, omdat de ruzie is bijgelegd, omdat het een vergissing was... dan moet je het volgende doen.

Ga bovenaan in je mailprogramma naar het menu 'Extra' en klik erop met je linkermuisknop.

Windows XP	**Windows Vista**
Klik vervolgens met je linkermuisknop op 'Berichtregels'. Er verschijnt een submenu. Klik in het submenu met je linkermuisknop op 'Afzenders blokkeren...'.	Klik vervolgens met je linkermuisknop op 'Opties voor ongewenste e-mail...'. Op het scherm dat nu verschijnt, klik je met je linkermuisknop op het tabblad 'Geblokkeerde afzenders'.

Het volgende scherm verschijnt dan:

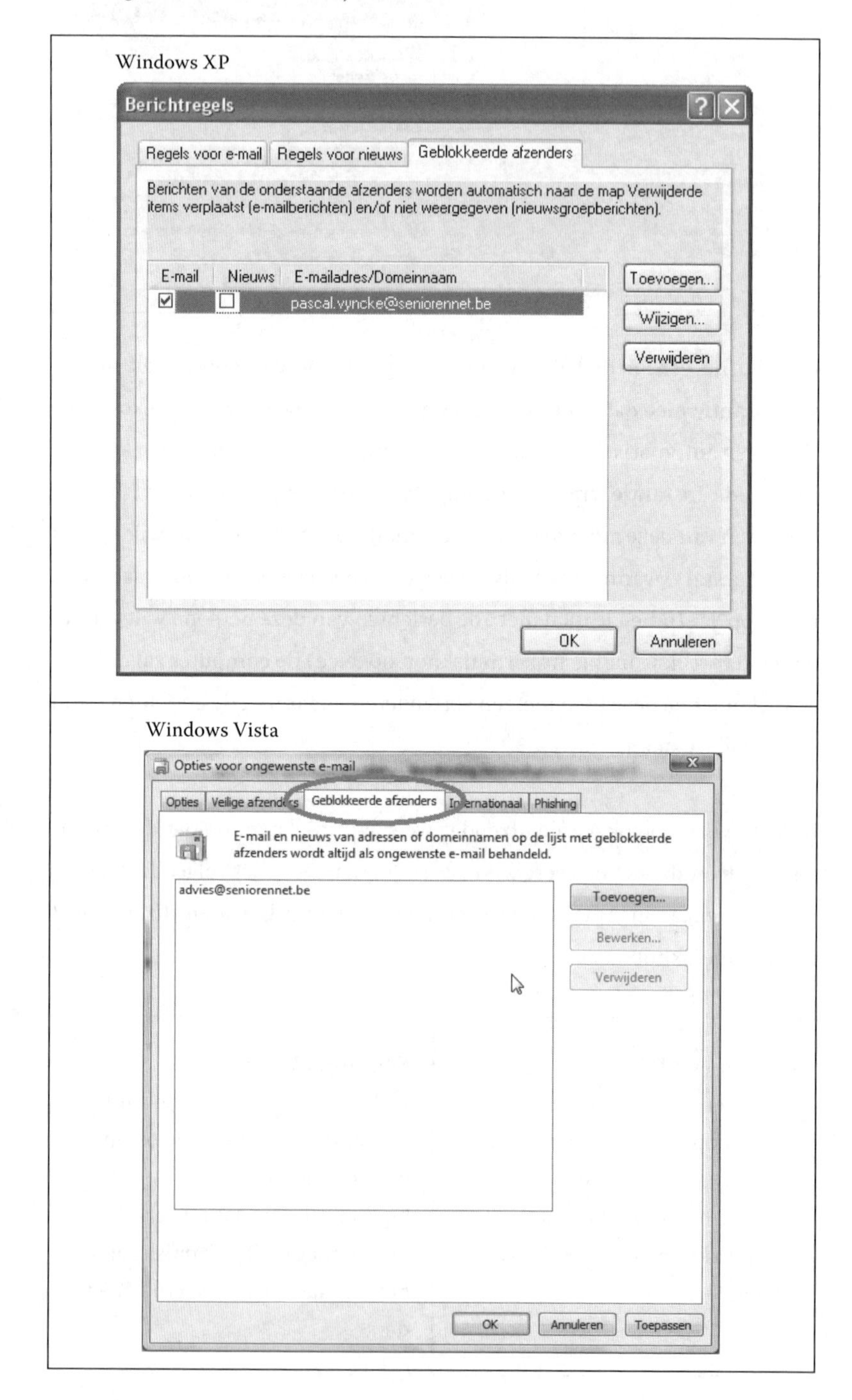

Om een geblokkeerd e-mailadres te deblokkeren, klik je met je linkermuisknop het e-mailadres aan. Klik vervolgens met je linkermuisknop op de knop 'Verwijderen'.

De computer stelt vervolgens een vraag of je echt zeker bent dat je dit wilt verwijderen. Klik op 'Ja'.

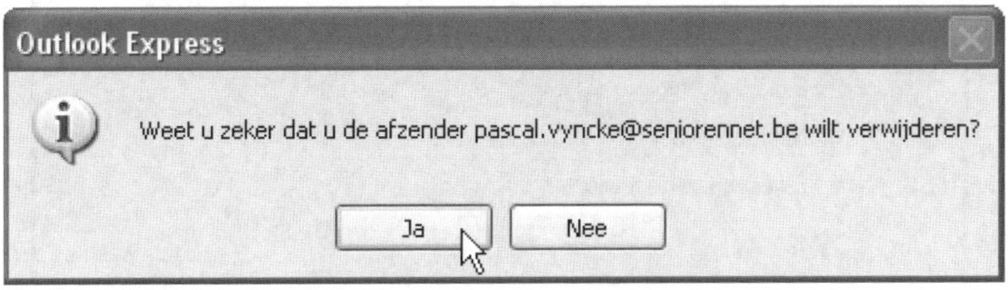

Outlook Express

Weet u zeker dat u de afzender pascal.vyncke@seniorennet.be wilt verwijderen?

Ja Nee

Klik vervolgens met je linkermuisknop rechts onderaan op 'OK'.

Wil je een bepaalde afzender blokkeren en je kent het e-mailadres, maar je hebt er geen berichtje meer van in je Postvak IN (omdat je het waarschijnlijk al kwaad hebt verwijderd)? Dan kun je het volgende doen om toch de afzender in de toekomst te blokkeren:

Ga bovenaan in je mailprogramma naar het menu 'Extra' en klik erop met je linkermuisknop.

Windows XP	**Windows Vista**
Klik vervolgens met je linkermuisknop op 'Berichtregels'. Er verschijnt een submenu. Klik met je linkermuisknop in het submenu op 'Afzenders blokkeren...'.	Klik vervolgens met je linkermuisknop op 'Opties voor ongewenste e-mail...'. Op het scherm dat nu verschijnt, klik je met je linkermuisknop op het tabblad 'Geblokkeerde afzenders'.

Klik vervolgens met je linkermuisknop op de knop 'Toevoegen...'.

Het volgende scherm verschijnt:

Windows XP

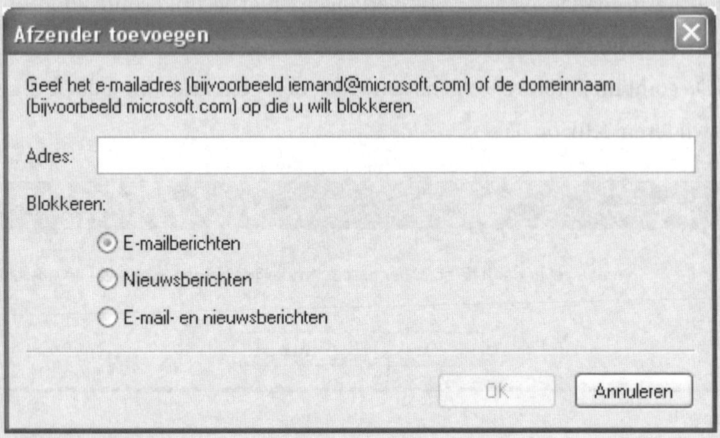

Afzender toevoegen

Geef het e-mailadres (bijvoorbeeld iemand@microsoft.com) of de domeinnaam (bijvoorbeeld microsoft.com) op die u wilt blokkeren.

Adres:

Blokkeren:

E-mailberichten

Nieuwsberichten

E-mail- en nieuwsberichten

OK Annuleren

Windows Vista

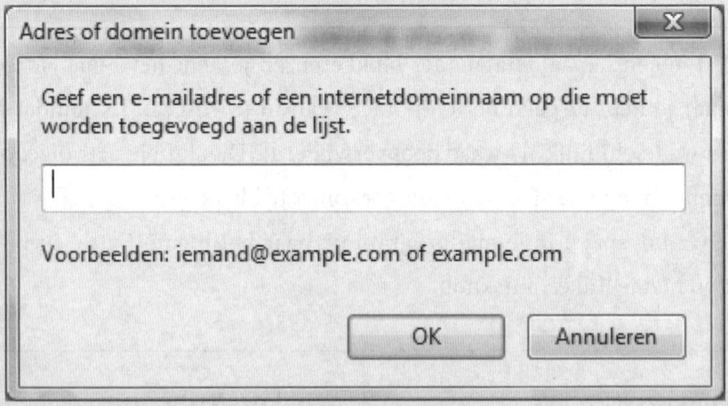

Adres of domein toevoegen

Geef een e-mailadres of een internetdomeinnaam op die moet worden toegevoegd aan de lijst.

Voorbeelden: iemand@example.com of example.com

OK Annuleren

Tik het e-mailadres in het witte vak en klik vervolgens met je linkermuisknop rechts onderaan op de knop ‘OK’.

Klik vervolgens met je linkermuisknop opnieuw rechtsonder op ‘OK’.

Wil je een bepaald domein helemaal blokkeren? Het kan voorkomen dat je iedereen van een bepaald bedrijf, een bepaalde website of een bepaalde provider wilt blokkeren. Alle e-mailadressen één voor één ingeven is dan meestal onbegonnen werk. Je kunt dit eenvoudig oplossen door enkel het te blokkeren domein in te geven.

Bijvoorbeeld: indien je het volgende e-mailadres hebt: naam@provider.nl, maar je hebt ook berichten gekregen van AndereNaam@provider.nl, NogAndereNaam@provider.nl enzovoort, dan kun je gewoon iedereen van 'provider.nl' blokkeren, 'provider.nl' is dan het domein. Uiteraard kan dit eveneens voor bijvoorbeeld een Belgische provider: 'provider.be' zou dan het domein zijn (en hetzelfde geldt voor een .com, .net...).

Ga bovenaan in je mailprogramma naar het menu 'Extra' en klik erop met je linkermuisknop.

Windows XP
Klik vervolgens met je linkermuisknop op 'Berichtregels'. Er verschijnt een submenu.
Klik met je linkermuisknop in het submenu op 'Afzenders blokkeren...'.

Windows Vista
Klik vervolgens met je linkermuisknop op 'Opties voor ongewenste e-mail...'.
Op het scherm dat nu verschijnt, klik je met je linkermuisknop op het tabblad 'Geblokkeerde afzenders'.

Klik vervolgens met je linkermuisknop op de knop 'Toevoegen...'.

Het volgende scherm verschijnt:

Windows XP

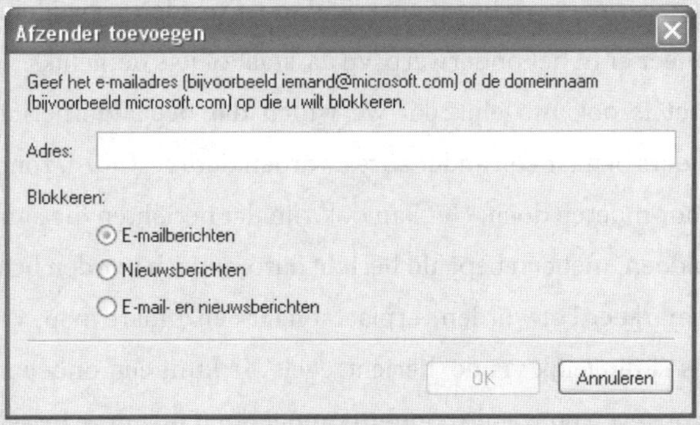

Afzender toevoegen

Geef het e-mailadres (bijvoorbeeld iemand@microsoft.com) of de domeinnaam (bijvoorbeeld microsoft.com) op die u wilt blokkeren.

Adres:

Blokkeren:

E-mailberichten

Nieuwsberichten

E-mail- en nieuwsberichten

OK Annuleren

Windows Vista

Adres of domein toevoegen

Geef een e-mailadres of een internetdomeinnaam op die moet worden toegevoegd aan de lijst.

Voorbeelden: iemand@example.com of example.com

OK Annuleren

Tik het domein (dus alles achter het @-teken) in het witte vak en klik vervolgens met je linkermuisknop rechts onderaan op de knop 'OK'.

Klik vervolgens met je linkermuisknop opnieuw rechtsonder op 'OK'.

Automatisch berichten verwijderen, doorsturen, markeren, beantwoorden of verplaatsen

Het automatisch verwijderen van berichten afkomstig van een bepaalde afzender hebben we reeds gezien. Het is echter mogelijk ook andere criteria aan te geven wanneer een bepaald bericht moet worden verwijderd. Bijvoorbeeld wanneer er in het onderwerp 'virus' staat of iets dergelijks.

Maar het is ook mogelijk dat we willen dat bepaalde berichten naar iemand anders of naar een ander adres worden doorgestuurd, zonder dat we hier iets voor moeten doen. Het kan ook zijn dat berichten die aan bepaalde criteria voldoen, met een bepaald bericht automatisch worden beantwoord, worden gemarkeerd of worden verplaatst naar een andere map.

Dit alles is mogelijk via de 'berichtregels'. Je kunt een onbeperkte reeks van regels opgeven en wat de computer moet doen met deze berichten.

Om naar het scherm te gaan om berichtregels in te stellen, doe je het volgende:

Ga bovenaan in je mailprogramma naar het menu 'Extra' en klik erop met je linkermuisknop.

Klik vervolgens met je linkermuisknop op 'Berichtregels'. Er verschijnt een submenu.

Klik met je linkermuisknop in het submenu op 'E-mail...'.

Volgend scherm verschijnt om een nieuwe regel toe te voegen:

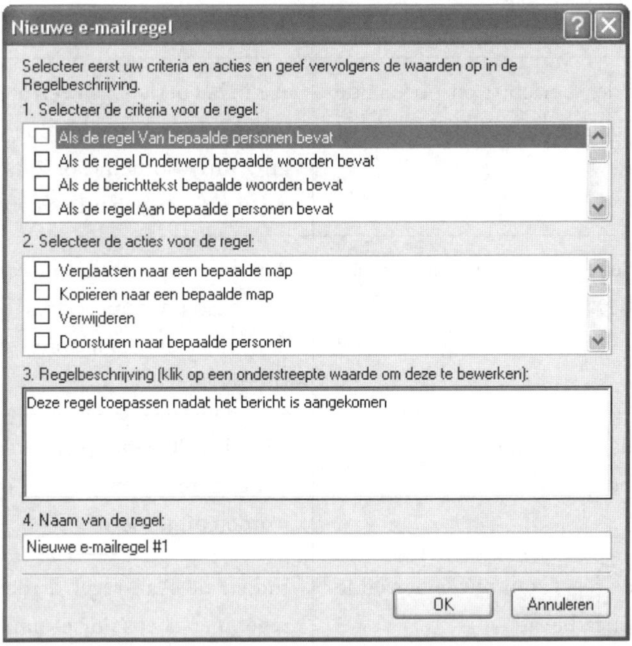

Nieuwe e-mailregel

Selecteer eerst uw criteria en acties en geef vervolgens de waarden op in de Regelbeschrijving.

1. Selecteer de criteria voor de regel:

- ☐ Als de regel Van bepaalde personen bevat
- ☐ Als de regel Onderwerp bepaalde woorden bevat
- ☐ Als de berichttekst bepaalde woorden bevat
- ☐ Als de regel Aan bepaalde personen bevat

2. Selecteer de acties voor de regel:

- ☐ Verplaatsen naar een bepaalde map
- ☐ Kopiëren naar een bepaalde map
- ☐ Verwijderen
- ☐ Doorsturen naar bepaalde personen

3. Regelbeschrijving (klik op een onderstreepte waarde om deze te bewerken):

Deze regel toepassen nadat het bericht is aangekomen

4. Naam van de regel:

Nieuwe e-mailregel #1

OK Annuleren

Verschijnt dit scherm niet? Dan heb je waarschijnlijk al minstens één e-mailregel ingegeven. Klik dan met je linkermuisknop op de knop 'Nieuw' op het scherm dat je te zien krijgt.

Je ziet in het eerste grote vak, onder '1. Selecteer de criteria voor de regel' een reeks met allemaal mogelijkheden waaraan een bericht kan voldoen.

Indien je een of meerdere wenst te gebruiken, kun je met je linkermuisknop op het vierkantje voor de gewenste regel klikken.

Hieronder een overzicht van alle regels:	
Als de regel Van bepaalde personen bevat	Als dus de afzender een bepaald e-mailadres heeft, dan moet er iets uitgevoerd worden.
Als de regel Onderwerp bepaalde woorden bevat	Als er in het onderwerp een bepaald woord of een bepaalde opeenvolging van woorden voorkomt, dan zal er iets worden uitgevoerd.
Als de berichttekst bepaalde woorden bevat	Als in het bericht zelf een bepaald woord of een bepaalde opeenvolging van woorden voorkomt, dan zal er iets worden uitgevoerd.
Als de regel Aan bepaalde personen bevat	Als de regel met de ontvangers een bepaald e-mailadres bevat, dan moet er iets worden uitgevoerd.
Als de regel CC bepaalde personen bevat	Als de CC-regel een bepaald e-mailadres bevat, dan zal er iets worden uitgevoerd.
Als de regel Aan of CC bepaalde personen bevat	Indien de Aan-regel of de CC-regel een bepaald e-mailadres bevat, dan zal er iets worden uitgevoerd. Dit is verschillend van de bovenstaande twee regels omdat bij de bovenstaande het uitsluitend geldt voor of de Aan-regel, of de CC-regel. Bij deze regel maakt het niet uit waar het e-mailadres zich bevindt.

Als het bericht met een bepaalde urgentie is gemarkeerd	Indien het bericht een bepaalde prioriteit heeft meegekregen, dan moet er iets speciaals gebeuren met dit bericht.
Als het bericht van de account met een bepaalde naam afkomstig is	Dit gebruik je indien er meerdere e-mailadressen in je mailprogramma worden opgehaald, meestal indien jij én je partner een e-mailadres hebben of wanneer je om een andere reden meerdere e-mailadressen hebt. Je kunt dan met alle e-mails van een bepaald e-mailadres iets laten uitvoeren.
Als het bericht groter is dan een bepaalde grootte	Indien een bericht groter is dan een opgegeven waarde. Dit kun je bijvoorbeeld gebruiken wanneer je wilt dat e-mails die groter zijn dan 5 MB, niet worden gedownload, of dat er iets anders mee moet gebeuren.
Als het bericht een bijlage heeft	Indien een bericht een bijlage (attachment) heeft, moet de computer een bepaalde actie ondernemen.
Als het bericht is beveiligd	Als het bericht beveiligd is, moet de computer iets uitvoeren. Deze functie gebruik je waarschijnlijk nooit omdat beveiligde berichten weinig tot nooit verstuurd worden door de kosten en de moeilijkheden die ze met zich meebrengen.

Voor alle berichten	Een regel maken die voor alle berichten geldt die binnenkomen.

Vervolgens kun je bij het volgende vak onder '2. Selecteer de acties voor de regel' alles opgeven wat de computer moet doen indien een bericht binnenkomt dat aan bovenstaande voorwaarden voldoet.

Ook hier kun je weer kiezen uit een hele reeks verschillende acties:

Verplaatsen naar een bepaalde map	Het e-mailbericht zal dan verplaatst worden naar een bepaalde map. Zo kun je automatisch alle berichten die bijvoorbeeld te maken hebben met je werk, in een aparte map houden, gescheiden van je privé-e-mailberichten.
Kopiëren naar een bepaalde map	Dit zorgt ervoor dat er een kopie wordt gemaakt in een bepaalde map, maar het bericht toch ook nog gewoon in je Postvak IN zal verschijnen. Meestal weinig nuttig.
Verwijderen	Dit zorgt ervoor dat het bericht zal worden verwijderd en in de map 'Verwijderde items' terechtkomt. Hierdoor kun je indien nodig later het bericht toch nog terugvinden in de prullenbak.

Doorsturen naar bepaalde personen	Het e-mailbericht zal worden doorgestuurd naar één of meerdere andere personen. Dit kan handig zijn indien je met meerdere mensen aan een bepaald project werkt en alle communicatie die aan bepaalde criteria voldoet, naar iedereen moet worden doorgestuurd.
Markeren met een bepaalde kleur	Dit zorgt ervoor dat het bericht wordt gemarkeerd met een bepaalde kleur. Je kunt hiermee heel wat verschillende regels aanmaken en elke soort (privé, werk, vrijwilligerswerk, reclame...) een ander kleurtje geven. Je hebt keuze uit 16 verschillende kleuren.
Markeren	Dit zorgt er gewoon voor dat het bericht wordt gemarkeerd, er zal dan in je Postvak IN een rood vlaggetje voor verschijnen.
Als gelezen markeren	Dit zorgt ervoor dat het e-mailbericht automatisch al aangeeft dat het gelezen is. Indien je automatisch toelaat om een leesbevestiging te sturen, zal deze dan ook onmiddellijk worden verstuurd.

Het bericht markeren als weergegeven of negeren	Dit zorgt ervoor dat je aangeeft dat het bericht weergegeven is, of dat je het bericht wilt negeren. Dit is uitbreiding en wordt weinig gebruikt. Het negeren zal ervoor zorgen dat het bericht in het lichtgrijs wordt aangegeven. Het markeren als weergegeven is enkel zichtbaar indien je een speciale kolom toevoegt op je schermoverzicht.
Beantwoorden met een bepaald bericht	Dit zorgt ervoor dat het e-mailbericht automatisch zal worden beantwoord door een ander e-mailbericht. Het berichtje kun je echter niet zomaar ingeven. Als je deze regel gebruikt, moet je een e-mail die als antwoord gaat dienen hebben opgeslagen op je harde schijf.
Stoppen met verwerken van andere regels	Indien de computer dit tegenkomt, stopt hij met alle andere regels toe te passen die hij moet uitvoeren. Je kunt namelijk vele e-mailregels opgeven, tientallen als je wilt. Maar als een bericht aan een bepaalde eis voldoet, dan kun je met deze actie ervoor zorgen dat hij het bericht niet gaat toetsen aan alle volgende e-mailregels.

Niet van de server downloaden	Indien het bericht aan de criteria voldoet, zal het niet van de server worden gedownload. Dit betekent dat het e-mailbericht nog wel toegankelijk is, maar dat je het niet binnenhaalt op je computer. Let wel dat het bericht dus niet verwijderd wordt en dat het gebruik van deze regel ervoor kan zorgen dat je mailbox vol raakt, omdat er na een lange tijd tientallen of honderden berichten staan die niet werden binnengehaald of verwijderd.
Verwijderen van de server	Indien je dit aangeeft, zal het bericht niet worden gedownload van de provider en zal het rechtstreeks worden verwijderd. Het e-mailbericht is ook niet meer toegankelijk via 'Verwijderde items' en is dus onmogelijk nog terug te vinden. Het voordeel is dat de berichten niet gedownload worden, wat minder downloadtijd betekent en ook minder belasting van je computer.

Je kunt meerdere acties naast elkaar laten uitvoeren, maar bepaalde acties kun je niet combineren. Je kunt bijvoorbeeld 'verwijderen van de server' met geen enkele andere regel combineren, omdat het dan verwijderd is en de computer er niets meer mee kan doen.

Als je de gewenste regels hebt geselecteerd, moet je nu nog opgeven wat de pc eigenlijk echt moet doen. Je hebt de algemene functies aangegeven, maar als je hebt gezegd dat indien er een bepaald woord in het onderwerp staat, hij iets moet doen, moet je nog opgeven welk woord dit is enzovoort.

Dit opgeven doe je in het onderste tekstvak, waarboven staat '3. Regelbeschrijving'. Je ziet een tekst die de hele regel beschrijft in een Nederlandstalige zin.

Je kunt deze regel dus lezen en overal waar het blauw onderstreept is, moet je op klikken. Vervolgens kun je de woorden, e-mailadressen, grootte of een andere waarde opgeven waarmee de computer rekening moet houden.

Als alles aangepast is, dan moet je als laatste nog een naam opgeven. Dit doe je onder '4. Naam van de regel:'. Je vervangt deze door een naam zodat je deze later snel kunt terugvinden indien je er nog iets aan wilt wijzigen of verwijderen.

Klik vervolgens rechtsonder met je linkermuisknop op de knop 'OK'.

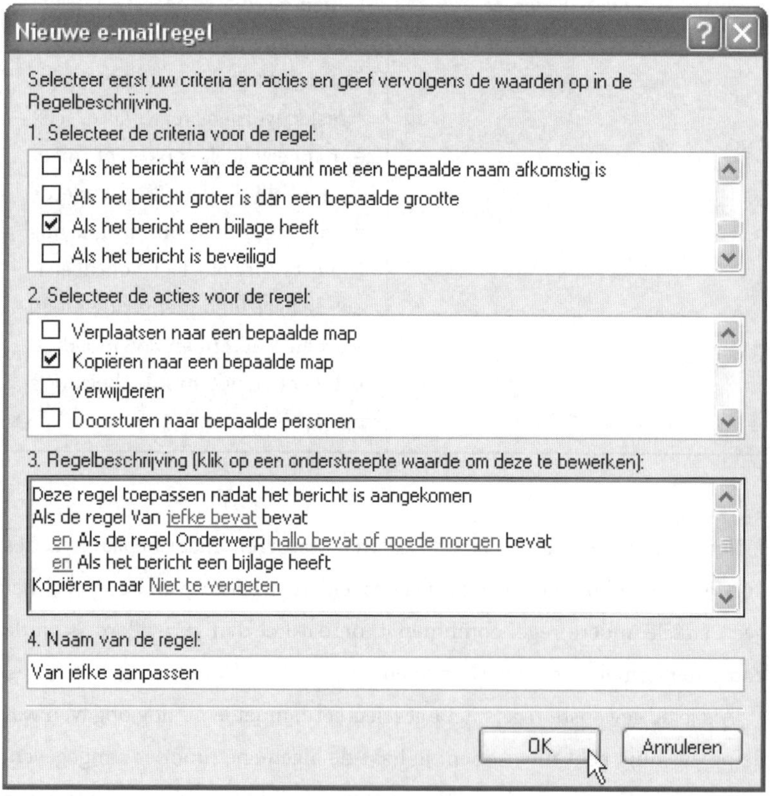

Nieuwe e-mailregel

Selecteer eerst uw criteria en acties en geef vervolgens de waarden op in de Regelbeschrijving.

1. Selecteer de criteria voor de regel:

- [ ] Als het bericht van de account met een bepaalde naam afkomstig is
- [ ] Als het bericht groter is dan een bepaalde grootte
- [x] Als het bericht een bijlage heeft
- [ ] Als het bericht is beveiligd

2. Selecteer de acties voor de regel:

- [ ] Verplaatsen naar een bepaalde map
- [x] Kopiëren naar een bepaalde map
- [ ] Verwijderen
- [ ] Doorsturen naar bepaalde personen

3. Regelbeschrijving (klik op een onderstreepte waarde om deze te bewerken):

Deze regel toepassen nadat het bericht is aangekomen
Als de regel Van jefke bevat bevat
en Als de regel Onderwerp hallo bevat of goede morgen bevat
en Als het bericht een bijlage heeft
Kopiëren naar Niet te vergeten

4. Naam van de regel:

Van jefke aanpassen

OK Annuleren

Nu krijg je een scherm te zien met een overzicht van alle regels. Als je met je linkermuisknop de regel aanklikt, zie je onderaan in het tekstvak de hele regel verschijnen.

Wat je nu kunt doen:

Als je klaar bent, klik je met je linkermuisknop rechtsonder op de knop 'OK'.

Als je nog een regel wilt toevoegen, klik dan met je linkermuisknop op 'Nieuw...'; opnieuw verschijnt het scherm om een nieuwe regel aan te maken. Indien je de huidige regel of een andere regel wilt aanpassen, dan klik je de aan te passen regel aan met je linkermuisknop. Vervolgens klik je met je linkermuisknop op de toets 'Wijzigen...'. Je krijgt nu hetzelfde scherm te zien dat ingevuld is, met alle voorwaarden erin. Je kunt nu voorwaarden toevoegen, uitklikken of wijzigen.

Wanneer je een regel wilt verwijderen, klik je met je linkermuisknop de te verwijderen regel aan en klik je vervolgens op de knop 'Verwijderen'.

Indien je meerdere e-mailregels hebt ingegeven, dan kan het zijn dat je wilt dat een bepaalde regel wordt uitgevoerd vóór een andere. Dit kan nodig zijn omdat een bepaalde e-mail mogelijk ook nog aan volgende regels kan voldoen, terwijl je dat niet wilt. Je kunt de volgorde wijzigen door een e-mailregel met je linkermuisknop aan te klikken en vervolgens linksonder de knop 'Omhoog' of 'Omlaag' aan te klikken.

De berichtregels zijn erg krachtig en kunnen heel veel dingen voor jou afhandelen. Het spijtige is dat veel mensen dit ervaren als relatief moeilijk, terwijl het je juist heel veel tijd en moeite kan besparen. Let echter wel op bij het gebruik van de acties om berichten te verwijderen. Zorg ervoor dat je e-mailregel echt uitsluitend die berichten verwijdert en geen enkele andere.

Het adresboek

Net zoals je hoogstwaarschijnlijk in de buurt van de telefoon een boekje hebt liggen met de nummers van de mensen die je kent en net zoals je waarschijnlijk wel een agendaatje hebt met een overzicht van de adressen van familie of vrienden, zo bestaat dit ook op de computer.

Het zogenaamde adresboek in je mailprogramma wordt gebruikt om de gegevens van al je vrienden en familie bij elkaar te houden en zo ervoor te zorgen dat je snel met hen in contact kunt komen. Als iemand in je adresboek staat, kun je razendsnel een e-mail sturen naar hem of haar, zonder het hele adres uit het hoofd te moeten kennen en steeds opnieuw in te moeten tikken. Het voordeel is dat je in dit adresboek niet enkel het e-mailadres kunt bijhouden, maar ook het gewone adres, telefoonnummer, faxnummer, gsm, websiteadres, adres van het werk, en zelfs de namen van de kinderen, het geslacht en verjaardagen.

Hierdoor kun je het adresboek voor nog veel meer gebruiken dan enkel vlug een e-mail sturen.

Het adresboek openen

Het adresboek is toegankelijk via je mailprogramma. Je opent het door rechtsboven op de 'Adressen' te klikken. In Windows XP is dat een grote knop, in Windows Vista een kleine knop bovenaan op het scherm, net naast 'Verzenden/ontvangen'.

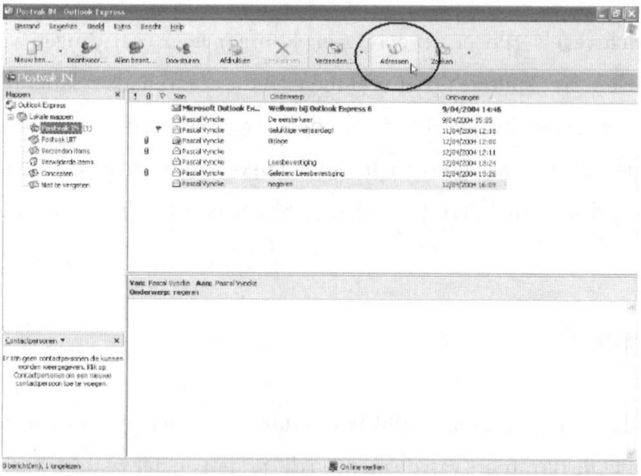

Verzenden/ontvangen

Onderwerp

iorenne... berekening bestandsgrootte started !!

Het volgende scherm verschijnt dan:

Windows XP

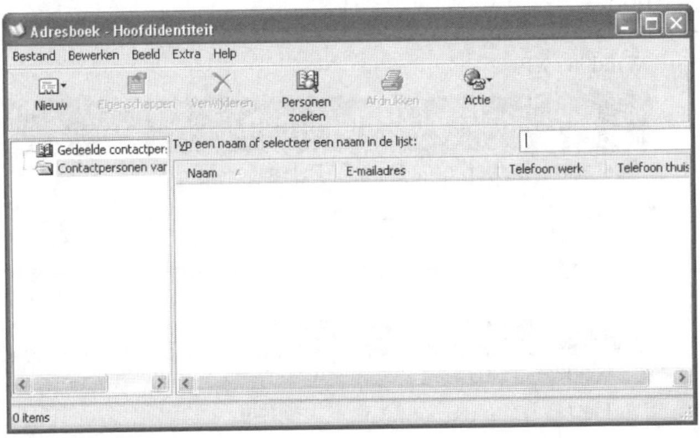

Adresboek - Hoofdidentiteit
Bestand Bewerken Beeld Extra Help
Nieuw Eigenschappen Verwijderen Personen zoeken Afdrukken Actie
Gedeelde contactper
Contactpersonen var
Typ een naam of selecteer een naam in de lijst:
Naam E-mailadres Telefoon werk Telefoon thuis
0 items

Windows Vista

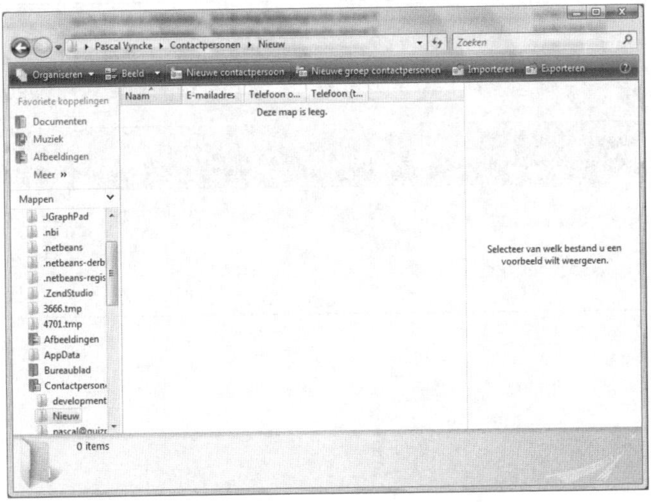

Pascal Vyncke ▸ Contactpersonen ▸ Nieuw
Zoeken
Organiseren Beeld Nieuwe contactpersoon Nieuwe groep contactpersonen Importeren Exporteren
Favoriete koppelingen
Documenten
Muziek
Afbeeldingen
Meer »
Mappen
.JGraphPad
.nbi
.netbeans
.netbeans-derb
.netbeans-regis
.ZendStudio
3666.tmp
4701.tmp
Afbeeldingen
AppData
Bureaublad
Contactperson
development
Nieuw
pascal@quizr
Naam E-mailadres Telefoon o... Telefoon (t...
Deze map is leeg.
Selecteer van welk bestand u een voorbeeld wilt weergeven.
0 items

Contactpersonen toevoegen

In eerste instantie moeten we onze contacten ingeven. Dit doen we als volgt:

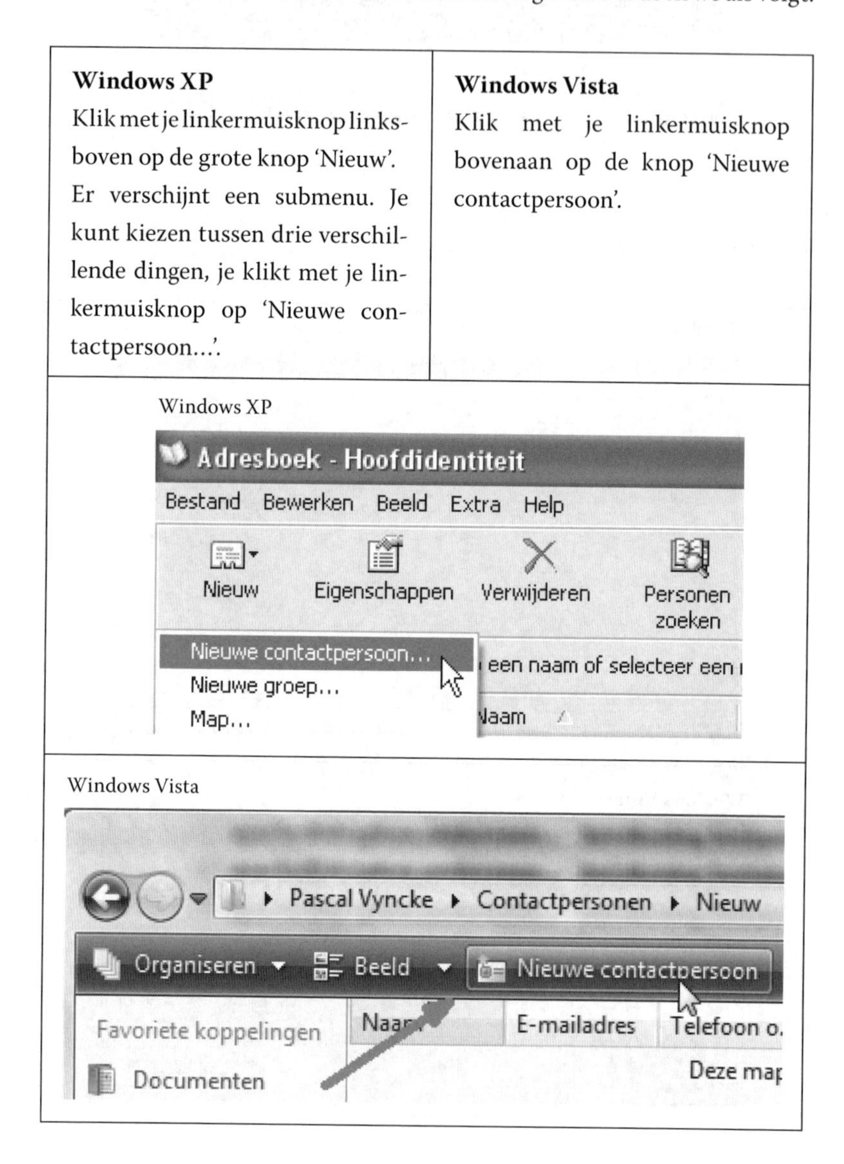

Windows XP	**Windows Vista**
Klik met je linkermuisknop linksboven op de grote knop 'Nieuw'. Er verschijnt een submenu. Je kunt kiezen tussen drie verschillende dingen, je klikt met je linkermuisknop op 'Nieuwe contactpersoon...'.	Klik met je linkermuisknop bovenaan op de knop 'Nieuwe contactpersoon'.

Windows XP

Windows Vista

Vervolgens verschijnt het volgende scherm:

Windows XP

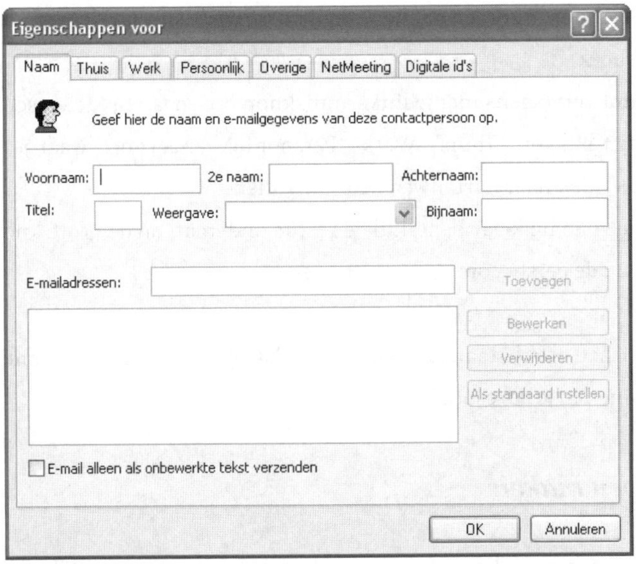

Windows Vista

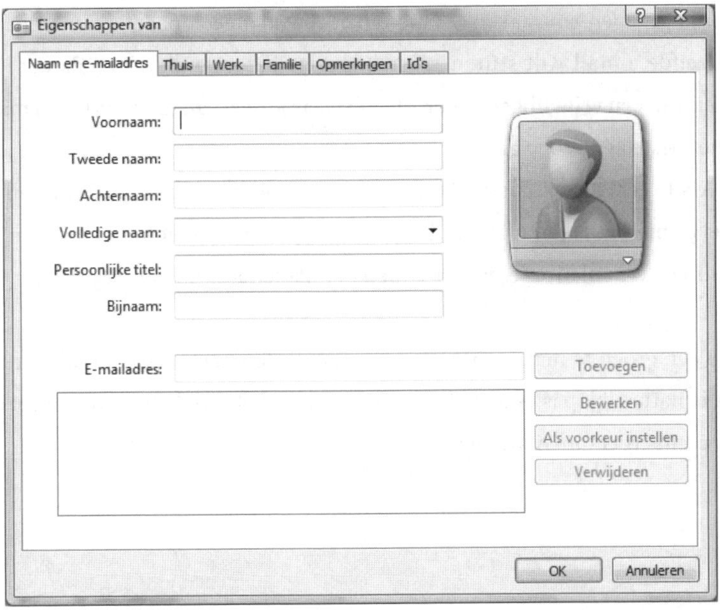

In dit scherm kun je alle gegevens invullen die je wenst te bewaren. Voornaam, achternaam en e-mailadres zullen waarschijnlijk de belangrijkste zijn. Als je het e-mailadres hebt ingevuld, klik je op de grote knop 'Toevoegen' om ervoor te zorgen dat het e-mailadres werkelijk wordt opgenomen in je adresboek.

Je kunt vervolgens met je linkermuisknop bovenaan op de verschillende tabbladen klikken: 'Thuis', 'Werk', 'Persoonlijk' enzovoort, waar je vervolgens de velden naar hartenwens kunt invullen.

Als je volledig klaar bent, klik je rechts onderaan op de grote knop 'OK'. Je hebt nu de eerste contactpersoon toegevoegd.

Herhaal het bovenstaande scenario totdat je al je contactpersonen hebt opgenomen in je adresboek.

Groepen maken

Wanneer een aantal mensen samen horen en je waarschijnlijk in de toekomst geregeld naar steeds dezelfde groep mensen een e-mail zult sturen, kun je groepen aanmaken. Als je bijvoorbeeld steeds naar je familieleden eenzelfde e-mail wilt sturen, of steeds naar je kinderen of steeds naar de leden van een vrijwilligersgroep of club waar je deel van uitmaakt, dan maak je het beste een groep aan.

Als je een groep aanmaakt, kun je later gewoon de groep selecteren en hoef je niet iedereen afzonderlijk in te geven, zodat je ook fouten vermijdt zoals een e-mailadres te veel invullen of juist iemand vergeten.

Om een groep te maken, heb je minimaal één contactpersoon nodig, maar het is natuurlijk pas zinvol als je er een aantal hebt. Ik heb in dit voorbeeld zes contactpersonen ingegeven:

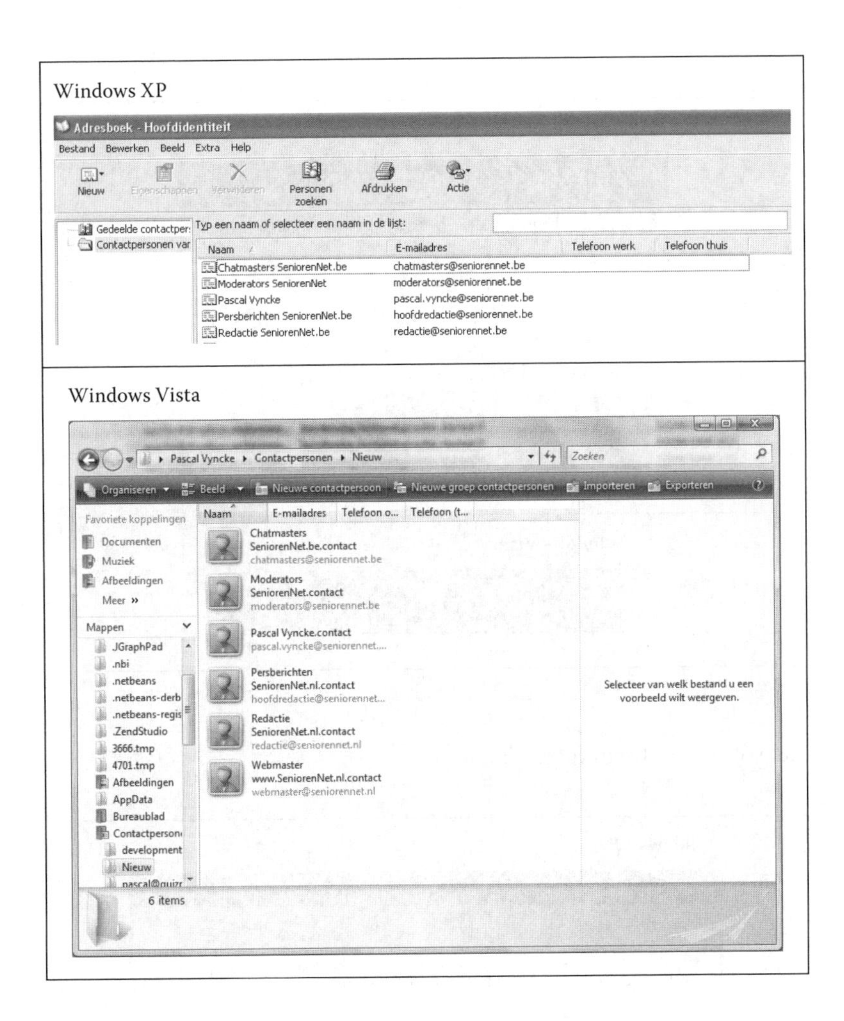

Om een groep aan te maken, open je eerst het adresboek (klik met je linkermuisknop in je mailprogramma in Windows XP bovenaan op 'Adressen' of in Vista op de knop net naast 'Verzenden/ontvangen').

Windows XP	**Windows Vista**
Vervolgens klik je met je linkermuisknop linksboven op de knop 'Nieuw' en vervolgens op 'Nieuwe groep...' in het submenu.	Klik met je linkermuisknop bovenaan op de knop 'Nieuwe groep contactpersonen'.

Windows XP

Adresboek - Hoofdidentiteit

Bestand Bewerken Beeld Extra Help

Nieuw Eigenschappen Verwijderen

Nieuwe contactpersoon...
Nieuwe groep...
Map...

een naam of sele
Naam
Chatmasters Ser

Windows Vista

Nieuwe groep contactpersonen

Het volgende scherm verschijnt:

Windows XP

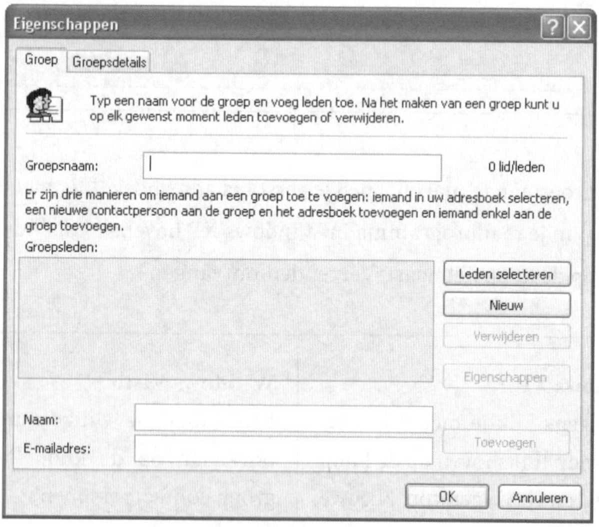

Eigenschappen

Groep Groepsdetails

Typ een naam voor de groep en voeg leden toe. Na het maken van een groep kunt u op elk gewenst moment leden toevoegen of verwijderen.

Groepsnaam: 0 lid/leden

Er zijn drie manieren om iemand aan een groep toe te voegen: iemand in uw adresboek selecteren, een nieuwe contactpersoon aan de groep en het adresboek toevoegen en iemand enkel aan de groep toevoegen.

Groepsleden:

Leden selecteren
Nieuw
Verwijderen
Eigenschappen

Naam:
E-mailadres:
Toevoegen

OK Annuleren

Windows Vista

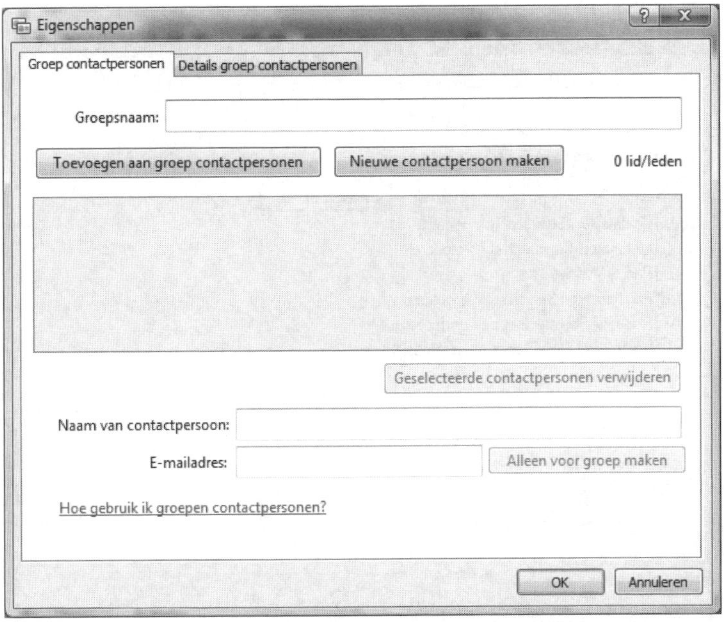

Je geeft een groepsnaam in achter 'Groepsnaam:'.

Windows XP Klik vervolgens met je linkermuisknop op de knop 'Leden selecteren'.	**Windows Vista** Klik vervolgens met je linkermuisknop op de knop 'Toevoegen aan groep contactpersonen'.

Je krijgt nu het volgende scherm te zien:

Windows XP

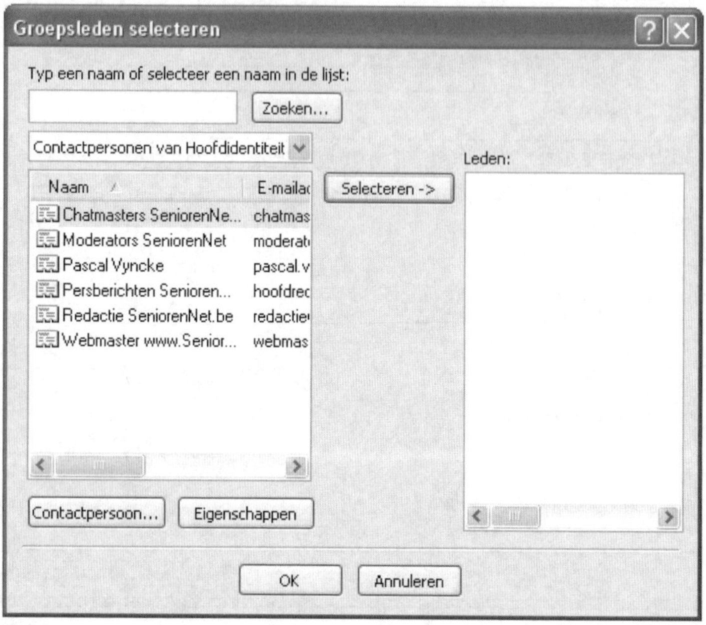

Groepsleden selecteren

Typ een naam of selecteer een naam in de lijst:

Zoeken...

Contactpersonen van Hoofdidentiteit

Leden:

Naam	E-mailad
Chatmasters SeniorenNe...	chatmas
Moderators SeniorenNet	moderat
Pascal Vyncke	pascal.v
Persberichten Senioren...	hoofdrec
Redactie SeniorenNet.be	redactie
Webmaster www.Senior...	webmas

Selecteren ->

Contactpersoon... Eigenschappen

OK Annuleren

Windows Vista

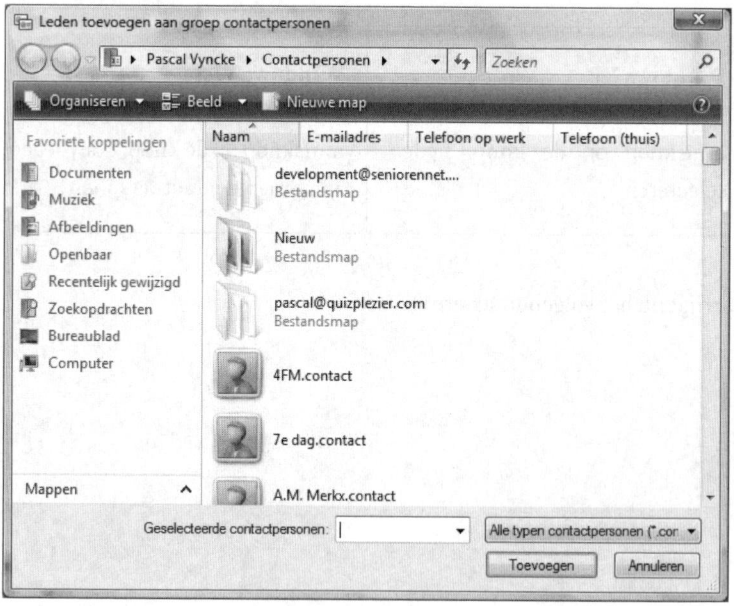

Leden toevoegen aan groep contactpersonen

Pascal Vyncke ▸ Contactpersonen ▸

Zoeken

Organiseren ▾ Beeld ▾ Nieuwe map

Favoriete koppelingen

- Documenten
- Muziek
- Afbeeldingen
- Openbaar
- Recentelijk gewijzigd
- Zoekopdrachten
- Bureaublad
- Computer

Mappen

Naam	E-mailadres	Telefoon op werk	Telefoon (thuis)
development@seniorennet.... Bestandsmap			
Nieuw Bestandsmap			
pascal@quizplezier.com Bestandsmap			
4FM.contact			
7e dag.contact			
A.M. Merkx.contact			

Geselecteerde contactpersonen:

Alle typen contactpersonen (*.con

Toevoegen Annuleren

Windows XP	**Windows Vista**
Dubbelklik met je linkermuisknop in de lijst links op het scherm op de namen van de mensen die je aan deze groep wilt toevoegen. Je ziet ze telkens rechts verschijnen. Als je klaar bent, klik je met je linkermuisknop onderaan op de knop 'OK'.	Dubbelklik met je linkermuisknop op de persoon die je wenst toe te voegen. Je komt vervolgens opnieuw op het vorige scherm terecht. Klik op de knop 'Toevoegen aan groep contactpersonen' om zo nog meer mensen toe te voegen. (Je kunt ook meerdere mensen selecteren door gebruik te maken van de Ctrl-toets. Houd die toets ingedrukt en klik dan meerdere personen aan, om daarna onderaan op 'OK' te klikken.)

Je komt nu terug in het vorige scherm terecht en je ziet de door jou geselecteerde namen onder elkaar staan. Als je nog iemand vergeten bent, klik je opnieuw met je linkermuisknop op de knop om mensen toe te voegen en selecteer alsnog degenen die je vergeten bent.

Windows XP	**Windows Vista**
Indien je per ongeluk iemand te veel hebt toegevoegd, kun je de naam selecteren en vervolgens met je linkermuisknop op de knop 'Verwijderen' klikken. De naam zal dan worden verwijderd uit deze groep.	Indien je per ongeluk iemand te veel hebt toegevoegd, kun je de naam selecteren en vervolgens met je linkermuisknop op de knop 'Geselecteerde contactpersonen verwijderen' klikken. De naam zal dan verwijderd worden uit deze groep.

Klik vervolgens rechtsonder op de knop 'OK' om de groep aan te maken.

Windows XP

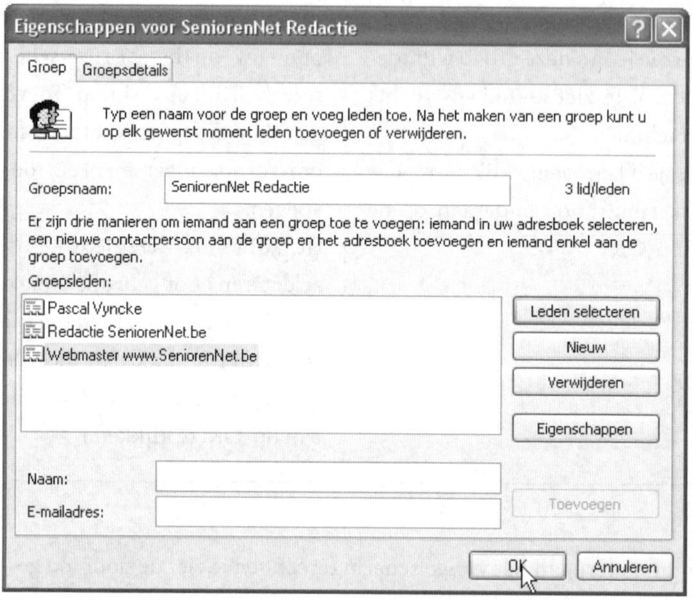

Eigenschappen voor SeniorenNet Redactie

Groep | Groepsdetails

Typ een naam voor de groep en voeg leden toe. Na het maken van een groep kunt u op elk gewenst moment leden toevoegen of verwijderen.

Groepsnaam: SeniorenNet Redactie   3 lid/leden

Er zijn drie manieren om iemand aan een groep toe te voegen: iemand in uw adresboek selecteren, een nieuwe contactpersoon aan de groep en het adresboek toevoegen en iemand enkel aan de groep toevoegen.

Groepsleden:

Pascal Vyncke
Redactie SeniorenNet.be
Webmaster www.SeniorenNet.be

Leden selecteren
Nieuw
Verwijderen
Eigenschappen

Naam:
E-mailadres:
Toevoegen

OK   Annuleren

Windows Vista

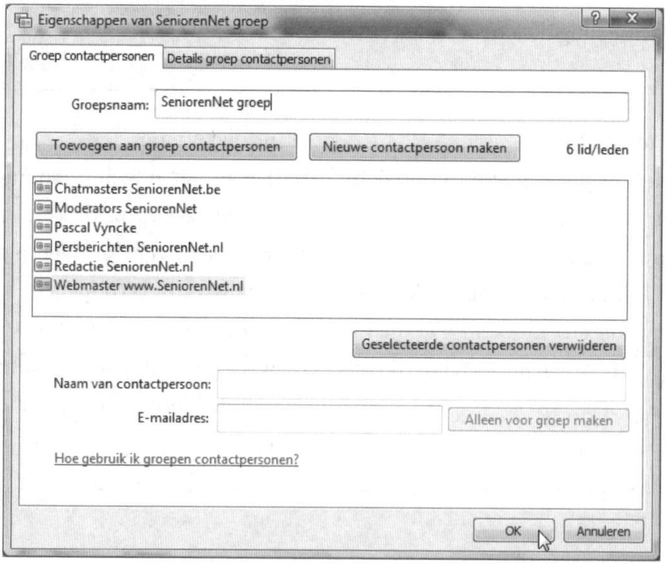

Eigenschappen van SeniorenNet groep

Groep contactpersonen | Details groep contactpersonen

Groepsnaam: SeniorenNet groep

Toevoegen aan groep contactpersonen   Nieuwe contactpersoon maken   6 lid/leden

Chatmasters SeniorenNet.be
Moderators SeniorenNet
Pascal Vyncke
Persberichten SeniorenNet.nl
Redactie SeniorenNet.nl
Webmaster www.SeniorenNet.nl

Geselecteerde contactpersonen verwijderen

Naam van contactpersoon:
E-mailadres: Alleen voor groep maken

Hoe gebruik ik groepen contactpersonen?

OK   Annuleren

Je ziet nu in je adresboek links de nieuwe groep verschijnen:

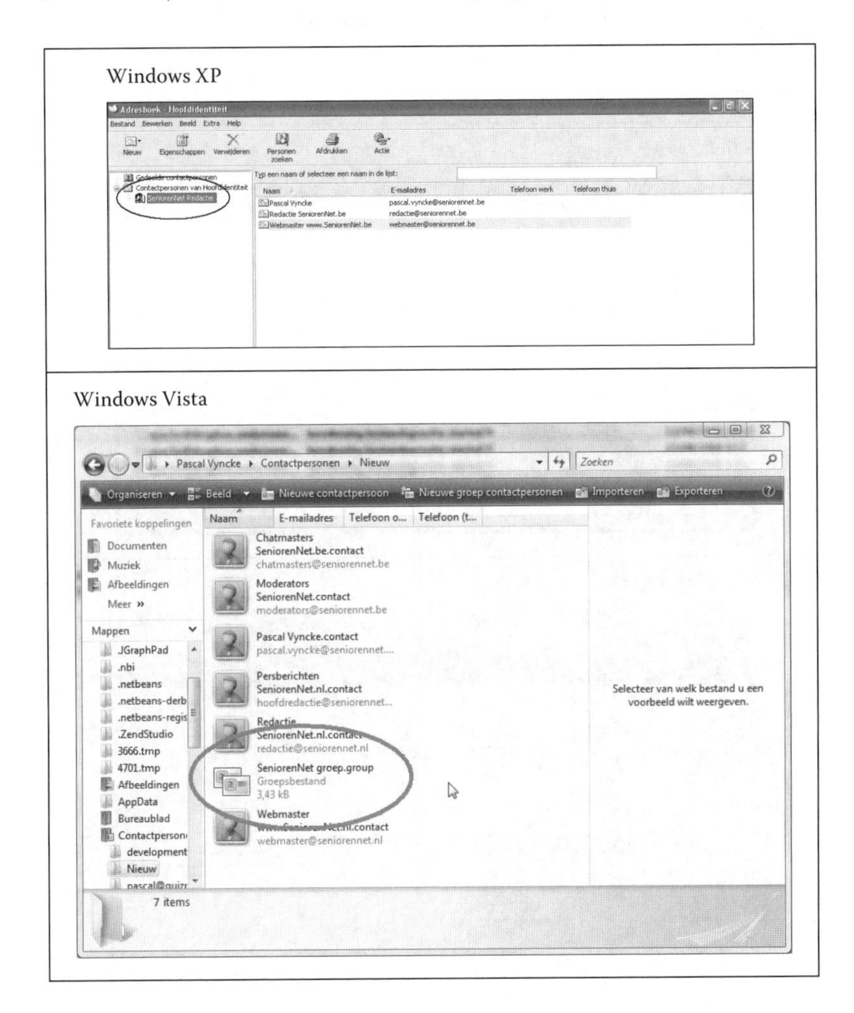

Iemand zoeken

Als je na verloop van tijd een lange lijst met contactpersonen krijgt, is het gewoon zoeken soms wat moeilijker. Het kan ook voorkomen dat je iemand zijn telefoonnummer hebt, maar er geen naam aan kunt verbinden. Dankzij de zoekfunctie kun je snel iemand terugvinden.

<table>
<tr><td>Windows XP
Klik in het adresboek bovenaan op de grote knop ‘Personen zoeken’. Dan krijg je het volgende scherm te zien:</td><td>Windows Vista
Rechtsboven heb je een vak met ‘Zoeken’ in.</td></tr>
<tr><td colspan="2">Windows XP

Personen zoeken
Zoeken in: Adresboek
Website...
Personen
Naam:
E-mailadres:
Adres:
Telefoon:
Overige:
Nu zoeken
Stoppen
Alles wissen
Sluiten</td></tr>
<tr><td colspan="2">Windows Vista

Pascal Vyncke ▸ Contactpersonen ▸ Nieuw
Zoeken
Organiseren
Beeld
Nieuwe contactpersoon
Nieuwe groep contactpersonen
Importeren
Exporteren
Favoriete koppelingen
Documenten
Muziek
Afbeeldingen
Meer »
Mappen
Nieuw
pascal@qu
Contacts
Documenter
Documents
Downloads
Favorieten
InstallAnywh
Koppelingen
Muziek
Opgeslagen
pref
temp
Tracing
Video's
Naam
E-mailadres
Telefoon op werk
Telefoon (thuis)
Chatmasters
SeniorenNet.be.contact
chatmasters@seniorennet.be
Moderators
SeniorenNet.contact
moderators@seniorennet.be
Pascal Vyncke.contact
pascal.vyncke@seniorennet....
Persberichten
SeniorenNet.nl.contact
hoofdredactie@seniorennet...
Redactie
SeniorenNet.nl.contact
redactie@seniorennet.nl
SeniorenNet groep.group
Groepsbestand
3,43 kB
Webmaster
www.SeniorenNet.nl.contact
webmaster@seniorennet.nl
Selecteer van welk bestand u een voorbeeld wilt weergeven.
7 items</td></tr>
</table>

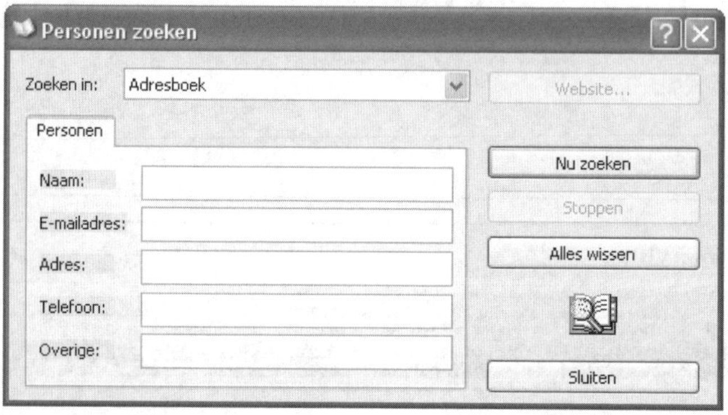

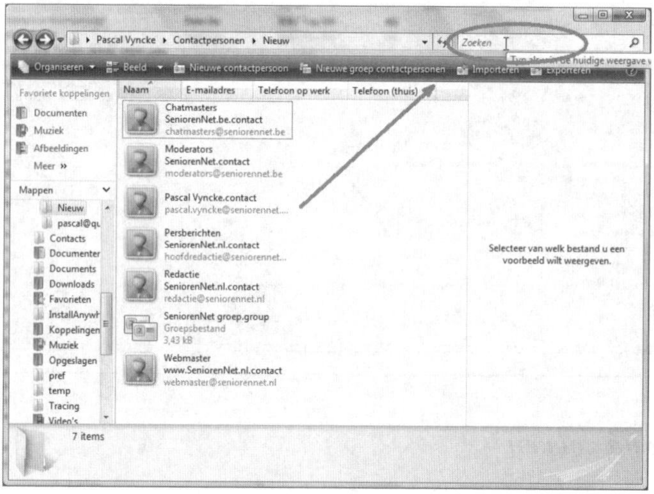

Je kunt hier de naam, het e-mailadres, het gewone adres, een telefoonnummer of iets anders opgeven wat je weet van de persoon die je zoekt.

Als je alles hebt ingevuld wat je weet, klik je met je linkermuisknop op de knop ‘Nu zoeken’ in Windows XP of druk je gewoon op de Enter-toets van je toetsenbord in Windows Vista.

Vervolgens begint de computer te zoeken in het adresboek. Afhankelijk van het aantal contactpersonen en afhankelijk van de criteria die je hebt opgegeven, kan dit een fractie van een seconde tot enkele minuten duren.

De resultaten die de computer vindt, geeft hij onderaan weer.

Windows XP

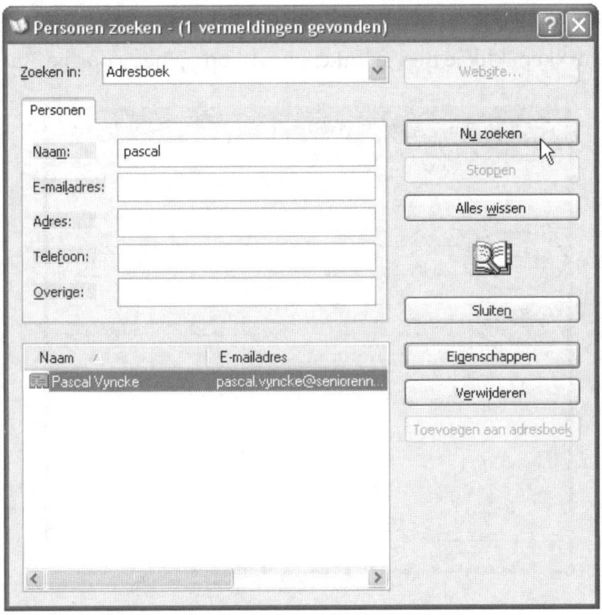

Windows Vista

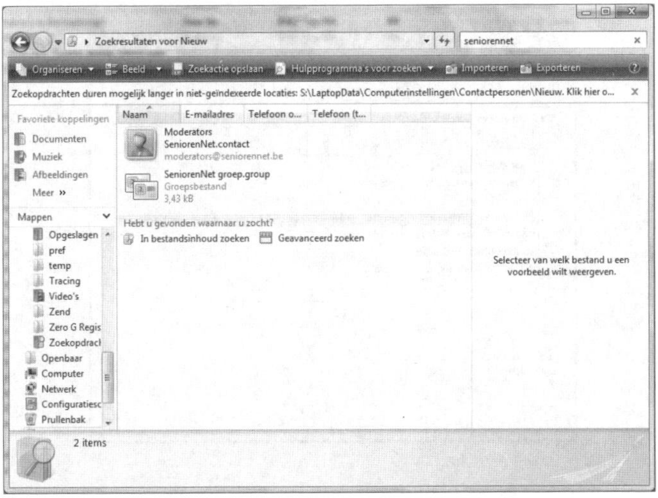

Een e-mail sturen naar een contactpersoon

Een e-mail sturen wordt nu nog eenvoudiger dankzij het adresboek. Verzeker je ervan dat het adresboek afgesloten is (rechts bovenaan op het kruisje klikken met je linkermuisknop) en klik dan linksboven in je mailprogramma op 'Nieuw bericht'.

In plaats van dat je nu in het tekstvak het hele e-mailadres van de ontvanger gaat intikken, klik je met je linkermuisknop op het woordje 'Aan:'.

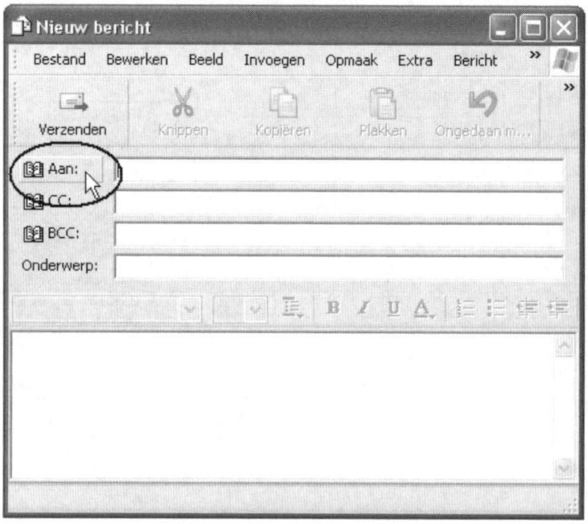

Vervolgens krijg je de lijst van al je contactpersonen te zien:

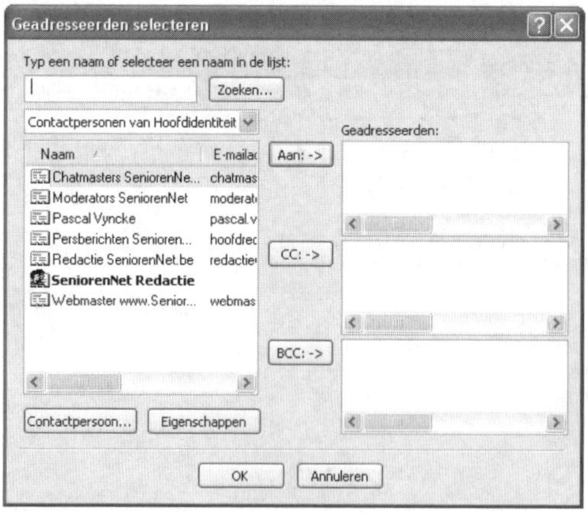

Je kunt nu met je linkermuisknop in het lijstje op de gewenste naam klikken en vervolgens op de knop 'Aan:' (ook met je linkermuisknop) om deze toe te voegen als ontvanger. Dit doe je zo voor alle mensen die je e-mail moeten ontvangen.

Het versturen naar een groep is nu ook kinderspel. Gewoon met je linkermuisknop klikken op de groep en vervolgens op de knop 'Aan'. Groepen herken je doordat ze in het vet gedrukt zijn.

Je kunt in dit scherm ook aangeven wie in het CC-veld moet komen door de contactpersoon of groep aan te klikken met de linkermuisknop en vervolgens op de knop 'CC:' te klikken in plaats van op 'Aan:'. Op dezelfde manier kun je ook de ontvangers ingeven voor het BCC-veld.

Het is ook mogelijk om snel iemand te zoeken. Tik voor de knop 'Zoeken...' in het witte tekstveld de naam en klik vervolgens met je linkermuisknop op de knop 'Zoeken...'. Je krijgt dan het scherm te zien om te zoeken, waardoor je de juiste persoon kunt terugvinden.

Als je klaar bent met de ontvangers in te geven, klik je met je linkermuisknop midden onderaan op de knop 'OK'.

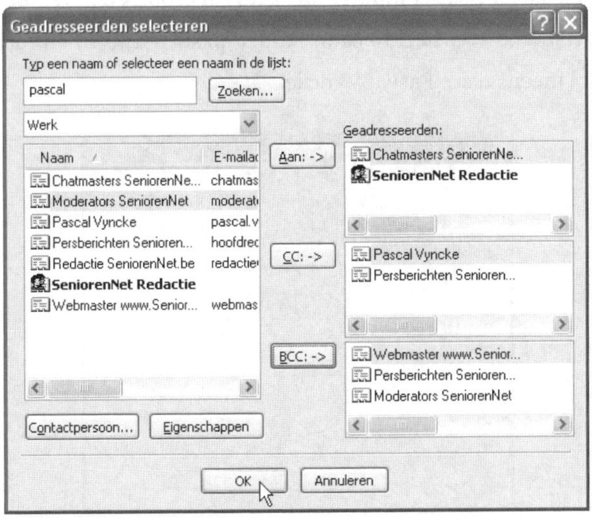

Je zult zien dat vervolgens alle velden, dus Aan, CC en BCC, door de computer werden ingevuld. Je kunt nu het onderwerp en het bericht intikken en gewoon versturen.

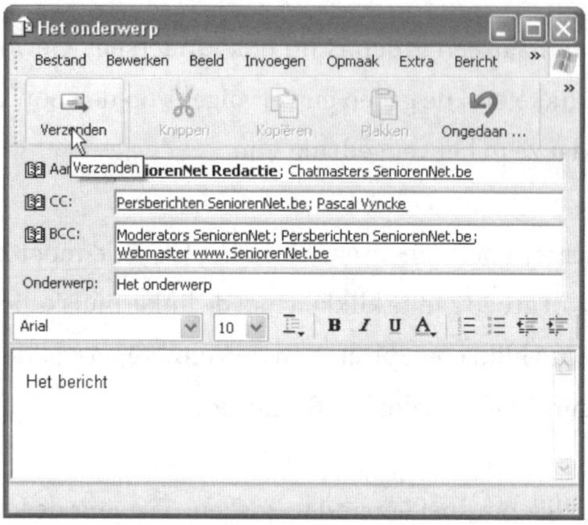

Er is nog een tweede manier om snel naar iemand een berichtje te sturen.

Om dit uit te proberen, open je een nieuw e-mailbericht (in je mailprogramma links bovenaan klikken op de knop 'Nieuw bericht').

Ga vervolgens staan in het Aan-vak (of in het CC- of BCC-veld) en tik de naam van de ontvanger, zoals deze is ingegeven in het adresboek. Je zult onmiddellijk zien dat de computer de naam zal proberen te vervolledigen.

In onderstaand voorbeeld begon ik met 'pasc' te tikken en hij vervolledigde dit al ineens naar 'Pascal Vyncke'.

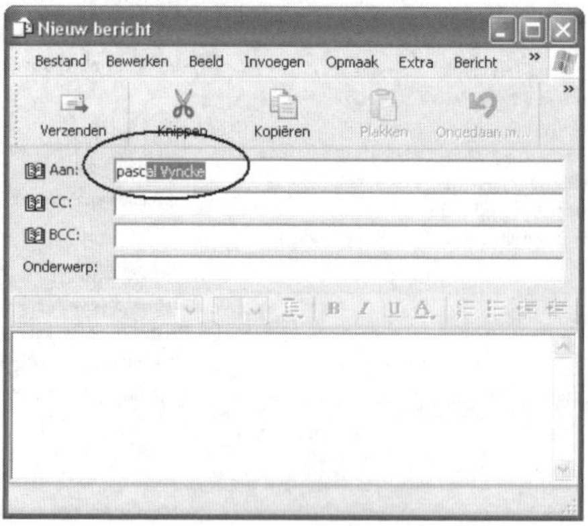

Indien het correct is, ga je of naar het volgende veld (CC, BCC of het onderwerp), of je tikt een komma en je geeft een nieuwe naam in. Indien de computer nog niet de juiste naam geeft (omdat de eerste beginletters voor meerdere mensen geldig kunnen zijn), tik dan de naam verder totdat de computer de juiste naam voorstelt.

Een laatste mogelijkheid is die wanneer je je het e-mailadres nog wel herinnert, maar niet de naam die in je adresboek staat opgeslagen. Je kunt dan het begin van het e-mailadres tikken, de computer gaat net zoals bij de naam het e-mailadres proberen te vervolledigen, zodat je het niet helemaal moet intikken.

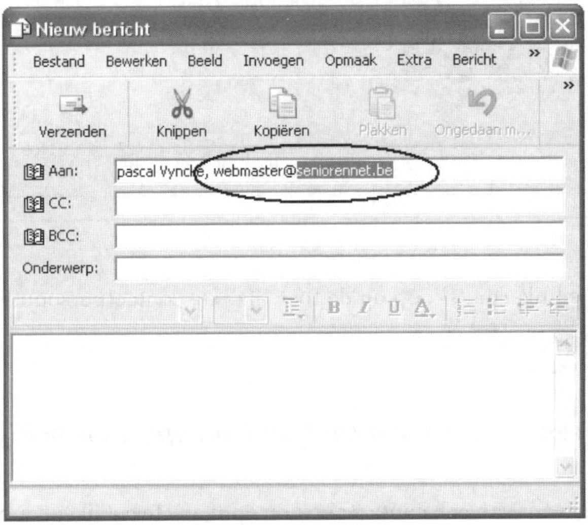

Een contactpersoon of groep verwijderen

Om een contactpersoon of groep te verwijderen, klik je met je rechtermuisknop op de te verwijderen contactpersoon. Er verschijnt een submenu waarin je met je linkermuisknop op 'Verwijderen' moet klikken.

Er verschijnt vervolgens een vraag: of je echt zeker bent dat je de contactpersoon definitief wilt verwijderen (dit kan niet ongedaan gemaakt worden en hij/zij kan niet uit de prullenbak gehaald worden!).

Windows XP

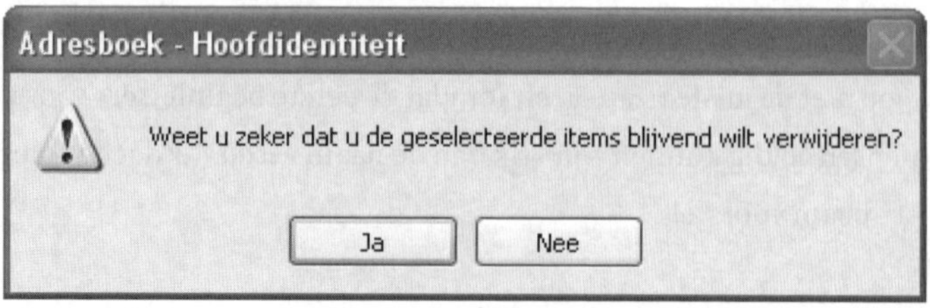

Adresboek - Hoofdidentiteit

Weet u zeker dat u de geselecteerde items blijvend wilt verwijderen?

Ja Nee

Windows Vista

Bestand verwijderen

Weet u zeker dat u dit bestand naar de Prullenbak wilt verplaatsen?

Redactie SeniorenNet.nl.contact
Redactie SeniorenNet.nl
redactie@seniorennet.nl

Ja Nee

Klik met je linkermuisknop op de toets 'Ja'. De contactpersoon wordt vervolgens verwijderd.

De gegevens van een contactpersoon opnieuw bekijken

Om de gegevens van een contactpersoon opnieuw te bekijken, dubbelklik je met je linkermuisknop gewoon op de naam. Je kunt nu alle gegevens bekijken en eventueel aanpassen. Let erop dat je bovenaan ook nog verschillende tabbladen hebt met informatie in (Naam, Thuis, Werk...).

Je adresboek afdrukken

Het handige is dat je het hele adresboek netjes kunt afdrukken op papier. Zo kun je het ook in de buurt van de telefoon leggen zodat je het daar ook altijd bij de hand hebt.

Windows XP	Windows Vista
Om de contactpersonen af te drukken, ga je in het adresboek naar linksboven in het menu en klik je met je linkermuisknop op 'Bestand'. Vervolgens klik je met je linkermuisknop op 'Afdrukken...'. Er zal een scherm verschijnen zoals op onderstaande afbeelding:	Selecteer de contactpersonen die je wenst af te drukken. Je kunt de Ctrl-toets ingedrukt houden en vervolgens met je linkermuisknop meerdere contactpersonen tegelijk selecteren. Als je alles wilt selecteren, kun je de sneltoets Ctrl + A gebruiken (Ctrl-toets indrukken en ingedrukt houden, en vervolgens de A-toets indrukken; nu alles loslaten). Klik vervolgens rechtsboven op de knop 'Afdrukken'.

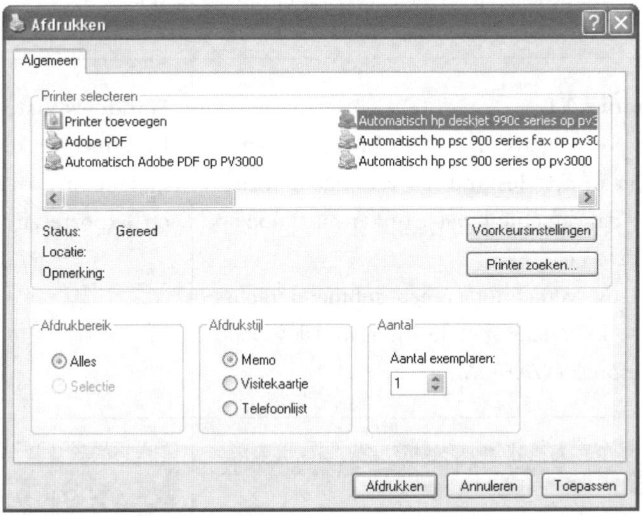

Je kunt bij 'Afdrukstijl' aangeven of je het in de stijl wilt hebben van een memo, van visitekaartjes of van een telefoonlijst. Duid je gewenste keuze aan door met je linkermuisknop op het bolletje voor je keuze te klikken.

Als je meerdere exemplaren wenst af te drukken, kun je onder 'Aantal exemplaren' het aantal verhogen.

Als je dat allemaal hebt gedaan, klik je met je linkermuisknop rechts onderaan op de knop 'Afdrukken'. De lijst zal nu worden afgedrukt. Verzeker je ervan dat je printer aanstaat en dat deze voldoende papier heeft om af te drukken.

Een reservekopie maken

Als je het adresboek echt goed hebt gemaakt, dan heb je er meestal heel veel tijd ingestoken. Het zou zonde zijn dit kwijt te raken. Maak daarom af en toe een veiligheidskopie zodat je het adresboek zeker niet kwijtraakt en er geen gegevens verloren kunnen gaan. Een veiligheidskopie maken doe je als volgt: Ga eerst naar het Adresboek (klik met je linkermuisknop in het mailprogramma van Windows XP bovenaan op 'Adressen' of in het mailprogramma van Vista op de knop net naast 'Verzenden/ontvangen').

<table>
<tr>
<td>Windows XP
Klik vervolgens met je linkermuisknop bovenaan op 'Bestand' en vervolgens in het menu dat verschijnt met je linkermuisknop op 'Exporteren'.
Opnieuw verschijnt er een submenu rechts ervan; klik daar met je linkermuisknop op 'Adresboek (WAB)...'.</td>
<td>Windows Vista
Klik met je linkermuisknop bovenaan op 'Exporteren'.</td>
</tr>
<tr>
<td>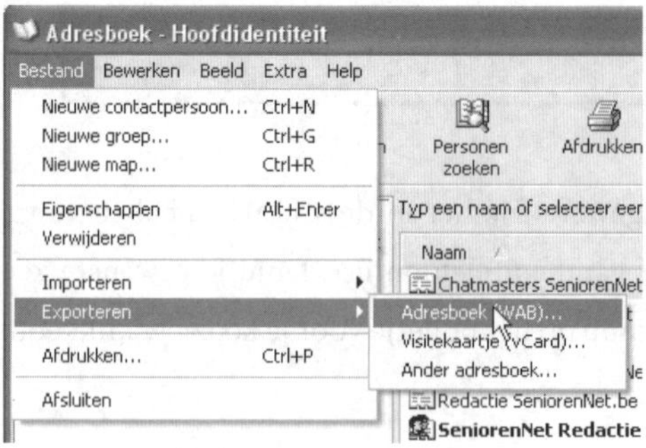
</td>
<td>
</td>
</tr>
</table>

Windows XP	**Windows Vista**
Vervolgens geeft de computer een scherm waarbij je moet aangeven waar op de harde schijf je het adresboek wilt opslaan.	Klik met je linkermuisknop in het scherm dat verschijnt op 'CSV (tekstbestand met door...'. Klik vervolgens op 'Exporteren'.

Windows XP

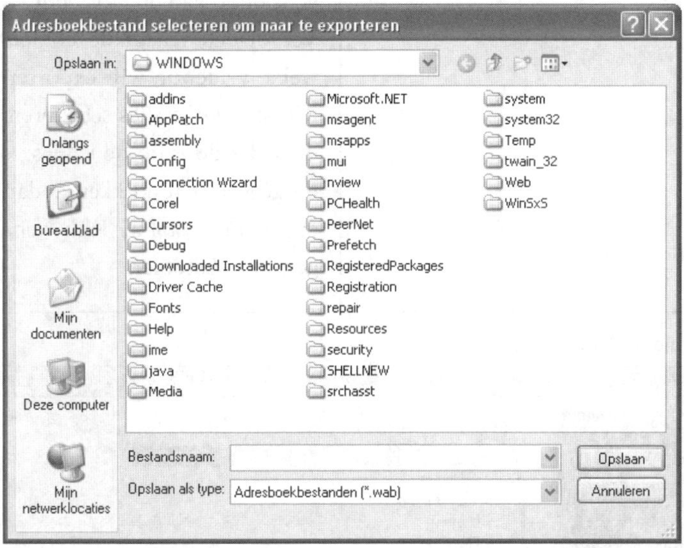

Windows Vista

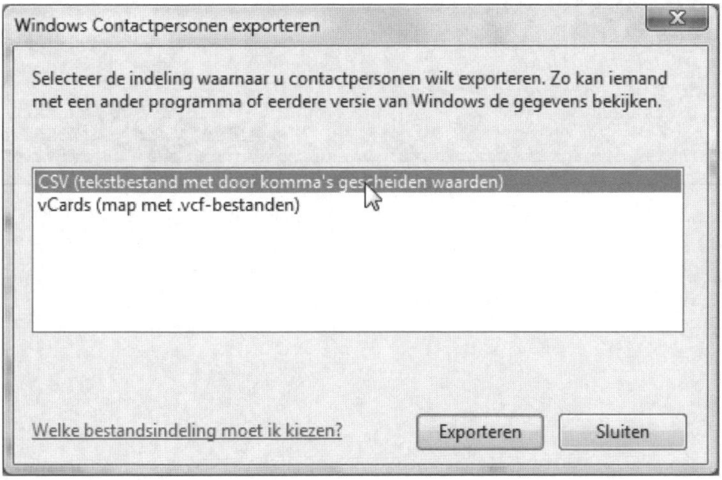

<table>
<tr>
<td>Ga naar de gewenste plaats en tik een naam voor de reservekopie in het veld achter 'Bestandsnaam:'. Klik vervolgens met de linkermuisknop op de knop 'Opslaan'.</td>
<td>Op het volgende scherm klik je met je linkermuisknop op de knop 'Browsen…' (Bladeren). Vervolgens selecteer je waar op de harde schijf je het adresboek wenst te plaatsen. Klik vervolgens onderaan op 'Volgende'.
Vervolgens vraagt de computer welke velden je wilt exporteren. Meestal wil je alles selecteren. Je doet dat door op de vakjes voor de gegevens te klikken zodat ze aangevinkt staan. Klik vervolgens op 'Voltooien'.</td>
</tr>
<tr>
<td colspan="2">Windows Vista</td>
</tr>
</table>

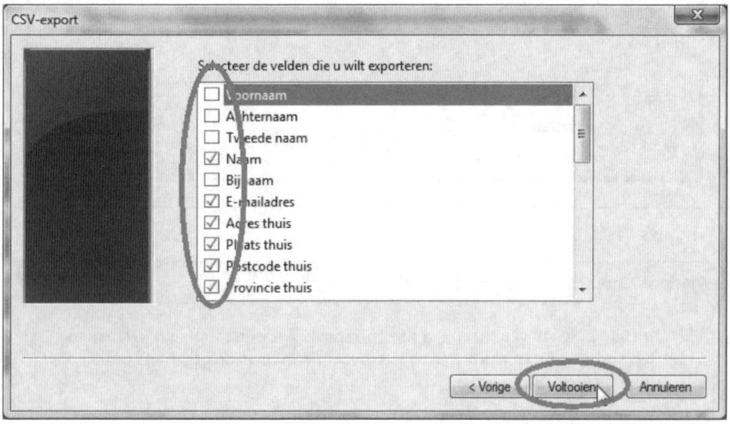

Het adresboek wordt vervolgens opgeslagen op de gevraagde locatie. Om dit nog eens te bevestigen, geeft de computer een mededeling:

Klik met je linkermuisknop op de knop 'OK'.

Je hebt nu een reservekopie van je adresboek op de gewenste plaats.

Adresboek kwijt?

Is je adresboek verloren gegaan? Is het om de een of andere reden beschadigd of heb je per ongeluk gebruikers, mappen of groepen verwijderd?

Indien je een reservekopie hebt gemaakt van je adresboek, kun je dit snel weer in orde maken. Je kunt namelijk de reservekopie nemen en deze invoegen in het huidige adresboek. Daarvoor doe je het volgende:

Ga eerst naar het Adresboek (klik met je linkermuisknop bovenaan in het mailprogramma van Windows XP op 'Adressen' of in het mailprogramma van Vista op de knop net naast 'Verzenden/ontvangen').

Windows XP	**Windows Vista**
Klik vervolgens met je linkermuisknop bovenaan op 'Bestand' en daarna in het menu dat verschijnt nog eens met je linkermuisknop op 'Importeren'. Er verschijnt een nieuw submenu rechts: klik daar met je linkermuisknop op 'Adresboek (WAB)...'.	Klik met je linkermuisknop bovenaan op 'Importeren'.

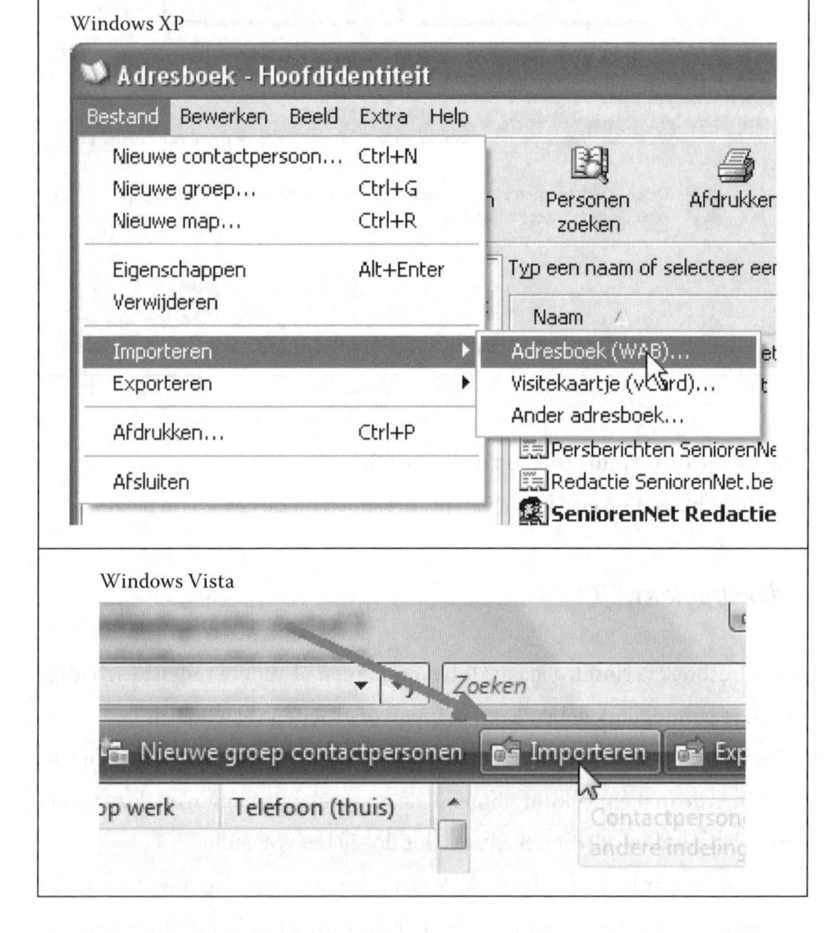

Vervolgens krijg je een scherm te zien waar je de reservekopie moet selecteren op de harde schijf. Ga op de harde schijf naar de plaats waar de reservekopie zich bevindt en dubbelklik erop.	Vervolgens krijg je een scherm te zien waarop je 'CSV (tekstbestand met door ...' gaat aanklikken met je linkermuisknop. Vervolgens onderaan op 'Importeren' klikken. Op het scherm dat nu verschijnt, klik je met je linkermuisknop op 'Browsen' (bladeren). Je zoekt vervolgens je reservekopie op de harde schijf en dubbelklikt deze aan. Klik vervolgens op 'Volgende'. Op het volgende scherm geef je aan welke velden je wilt importeren, vermoedelijk alle. Klik dus gewoon op 'Voltooien' onderaan.

Nu gaat de computer alle contactpersonen importeren.

Bezig met importeren...

Bezig met het verwerken van geïmporteerde vermelding
Een ogenblik geduld...

Annuleren

Als de computer klaar is met alles te verwerken en de gegevens weer in te voegen, meldt hij dit ook. Klik met je linkermuisknop op de knop 'OK'.

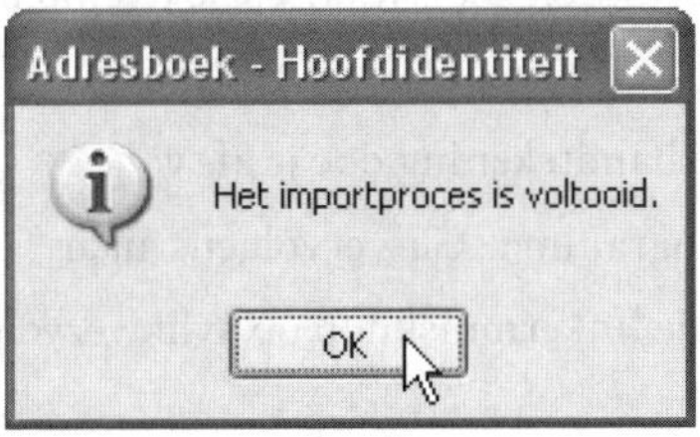

Adresboek - Hoofdidentiteit

Het importproces is voltooid.

OK

Alles is nu klaar en je adresboek is weer hersteld zoals het was toen je de reservekopie had gemaakt.

Meer mogelijkheden met het adresboek?

Het adresboek is niet uitsluitend van Outlook Express of Windows Mail. Indien je later ook met andere programma's werkt zoals Word of de gewone Outlook, kun je hiervan ook gewoon gebruikmaken. Ook andere programma's zoals faxprogramma's (een programma om met je computer een fax te versturen) kunnen het adresboek gebruiken en maken het dan mogelijk om heel eenvoudig enkele contactpersonen te selecteren en hen een fax toe te sturen.

Ook indien je later zou beslissen om een ander e-mailprogramma dan Outlook Express of Windows Mail te gebruiken, kunnen de meeste programma's je huidige adresboek gewoon gebruiken zodat je niet alles opnieuw moet intikken.

Handtekening in e-mail

Telkens als je iemand een e-mail stuurt, tik je waarschijnlijk altijd je naam erbij. Soms wil je ook nog je e-mailadres, je telefoonnummer of je persoonlijke homepage vermelden en dit moet je elke keer opnieuw intikken. Elke keer hetzelfde als je een berichtje verstuurt...

Gelukkig is het mogelijk om een 'handtekening' te laten verschijnen in elke e-mail die je verstuurt. Hier kun je inzetten wat je maar wenst en je hoeft dit niet altijd opnieuw in te tikken. Hierdoor kun je gemakkelijk interessante informatie invoegen zoals je adres, je telefoonnummer enzovoort.

Het instellen van een handtekening doe je als volgt:

Open je e-mailprogramma. Ga vervolgens naar boven naar het menu 'Extra' en klik er met je linkermuisknop op. Klik vervolgens op 'Opties'.

Nu verschijnt er een nieuw venster waarbij je duizend-en-een dingen kunt instellen. Voor wat we nu willen doen, moet je naar het tabblad 'Handtekeningen'. Klik er met je muis op, het bevindt zich links bovenaan.

Vervolgens moet je op de knop 'Nieuw' klikken.

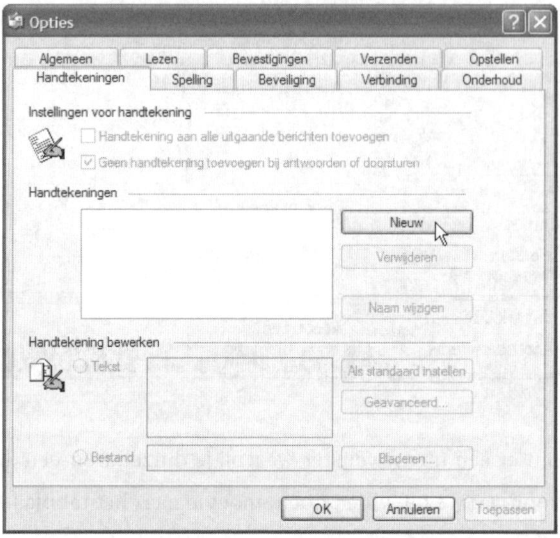

Nu kun je de handtekening in het onderste tekstvak ingeven. In dit voorbeeld geef ik een handtekening in die ik persoonlijk altijd gebruik.

Je moet vervolgens ook nog op het lege vakje klikken dat zich links bovenaan bevindt en waar achter staat: 'Handtekening aan alle uitgaande berichten toevoegen'.

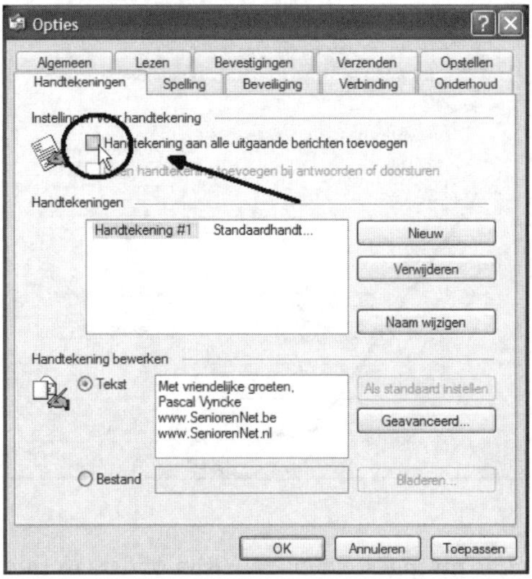

Vervolgens is het het beste te klikken op het vakje er net onder, dit is aangevinkt en dit moet je net uitklikken. We hebben namelijk het liefste dat onze handtekening altijd verschijnt.

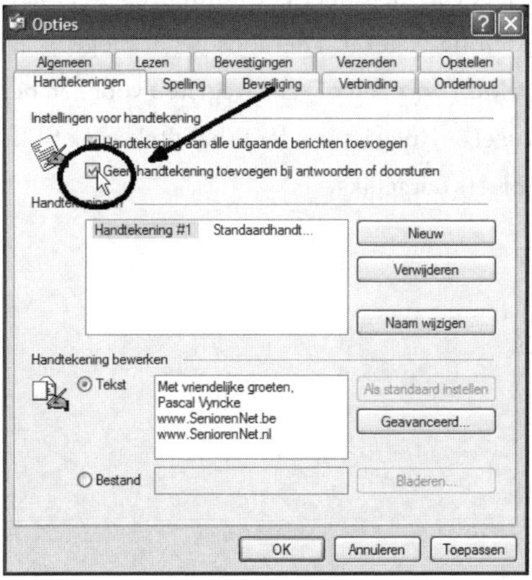

Klik vervolgens op 'OK'.

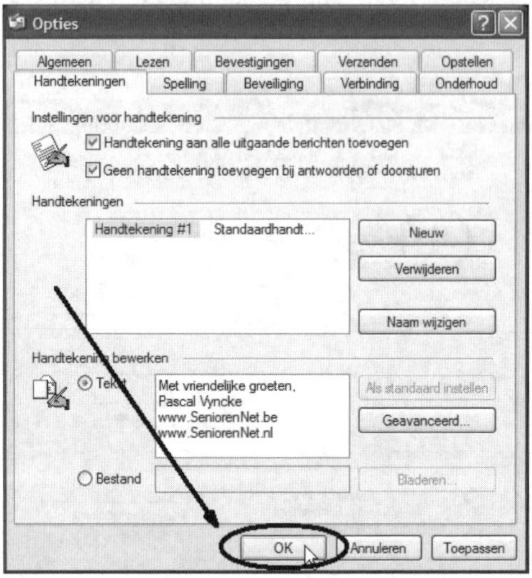

De handtekening is nu ingesteld en zal altijd onderaan in ons bericht verschijnen. We hoeven dat dus nu niet meer telkens opnieuw te tikken.

We testen dit even uit. Open gewoon een leeg nieuw e-mailbericht. Dit doe je door in je e-mailprogramma op de grote knop linksboven te klikken met 'Nieuw bericht' op.

Je zult zien dat er een nieuw bericht wordt geopend, waar in het tekstvak reeds je handtekening is gezet. Hierdoor is het mogelijk dat – indien nodig – je het eens kunt wijzigen of zelfs weglaten voor een bepaald berichtje. Zo kun je eventueel ook nog iets onder je handtekening tikken, bijvoorbeeld een PS-bericht of iets dergelijks.

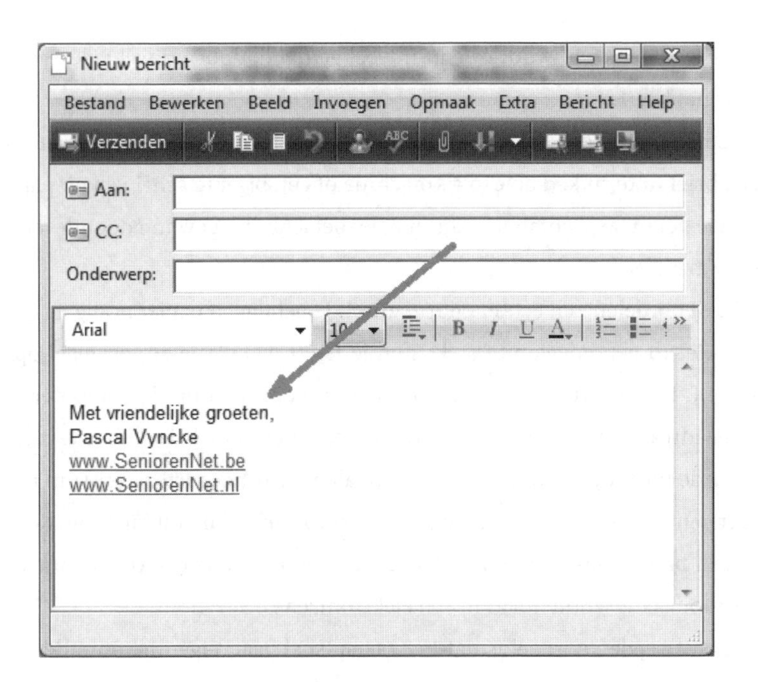

Windows 7

Staat Windows 7 op je computer? Lees dan dit tweede deel van hoofdstuk III. Beschik je over Windows XP en Windows Vista, blader dan alvast terug naar p. 55 waar deel 1 van dit hoofdstuk begint.

De inhoud van beide delen is identiek, enkel de werking van de programma's zijn zeer verschillend als gevolg van de wijzigingen in de besturingssystemen.

Wat is e-mail?

Van e-mail heb je hoogstwaarschijnlijk al gehoord. Maar wat is het eigenlijk? E-mail is eigenlijk bijna het meest gebruikte onderdeel van internet. Naast het gewone surfen wordt er enorm veel gemaild, door vrijwel iedereen die internet heeft.

Een e-mail is een berichtje dat je verstuurt via de computer. In plaats van een brief in te tikken op een tikmachine of een brief te schrijven op papier, geef je het in op je computer, dus met je toetsenbord, gewoon door de letters in te drukken.

De voordelen zijn echter enorm groot. Je hebt geen papier nodig, je hoeft het niet in een envelop te steken en je hoeft er ook geen postzegel op te kleven. Het versturen gaat via internet en komt aan op de computer van de geadresseerde: je hoeft het berichtje dus niet in de brievenbus te steken waar de postbode het moet komen ophalen, naar het sorteercentrum moet brengen en ervoor moet zorgen dat het vervolgens aankomt bij de ontvanger in zijn brievenbus. Een e-mail komt dus niet aan in de brievenbus waar de postbode langskomt, maar in een elektronische brievenbus.

Een tweede voordeel is dat het razendsnel gaat, eigenlijk onmiddellijk. Tussen het versturen en het aankomen op de plaats van bestemming zit een seconde, hoogstens een halve minuut, onafhankelijk naar waar je die e-mail stuurt. Of die naar je buurman gaat, naar Frankrijk, Amerika, Nieuw-Zeeland of Australië, het gaat allemaal razendsnel en gratis! Een ander voordeel is ook nog dat je niet enkel gewone tekst kunt meesturen. Je kunt de tekst een kleurtje geven, onderstrepen, in het vet zetten... Je kunt lange documenten van tientallen of honderden pagina's doorsturen. Maar je kunt ook foto's opsturen, zelfs videobeelden, geluid of muziek!

De voordelen van e-mail

Het is supersnel.

Er is geen papier nodig.

Je moet niets met de hand schrijven, iets dat je fout schrijft, moet je niet doorstrepen, je kunt geen vegen maken.

Het is efficiënter dan telefoon.

Je hebt geen probleem om iemand te bereiken, als de persoon er op dat ogenblik niet is, zal deze het zien zo gauw deze wel aanwezig is, zonder dat je telkens opnieuw moet proberen.

Belangrijke zaken kunnen snel afgehandeld worden.

Je kunt het bericht eenvoudig naar meerdere mensen sturen zonder veel werk.

Je kunt foto's, documenten, tekeningen, teksten, muziek, videobeelden, geluid en andere zaken meesturen.

Het is gratis, je moet niet betalen per bericht, je hebt geen postzegels nodig.

Het is wereldwijd. Het maakt niet uit of je naar je buren mailt of naar de andere kant van de wereld.

Aan de slag: het e-mailadres aanmaken

We weten nu wat e-mail is en wat de mogelijkheden zijn. Nu gaan we aan de slag: we gaan ervoor zorgen dat we ons e-mailadres kunnen aanmaken en instellen.

Wat we nodig hebben is relatief eenvoudig. Buiten een computer en internet, heb je een zogenaamd e-mailadres nodig.

Zo'n adres krijg je normaal altijd gratis van je provider (het bedrijf dat jouw internetverbinding verzorgt). Zo'n adres ziet er steeds als volgt uit: JouwNaam@provider.be (of .nl).

Wat 'JouwNaam' is, dat mag je meestal zelf kiezen. Het kan je echte naam zijn, maar ook een afkorting of iets anders (bv. firmanaam...).

Wat achter het @-teken staat, is de naam van je provider. Zoals met gewone internetadressen komt er achter die naam nog een .be of iets anders (.nl, .com...). Dit is afhankelijk van het land waar de provider gevestigd is. De .be is voor België, .nl voor Nederland.

Het @-teken spreek je uit als 'ad'. Als iemand je e-mailadres vraagt, moet je het volgende zeggen: 'MijnNaam ad mijnprovider punt b e' (of punt n l).

Om dit e-mailadres te krijgen, moet je contact opnemen met je provider. Iedereen heeft een adres, maar je krijgt het niet altijd onmiddellijk. Indien je internet thuis door je provider werd geïnstalleerd, zul je het waarschijnlijk onmiddellijk hebben gekregen. Anders moet je er meestal voor bellen naar je provider.

Je hebt nog enkele gegevens van je provider nodig om het helemaal af te kunnen maken, namelijk de gebruikersnaam en het wachtwoord (of paswoord) van je e-mailadres.

Meestal is de gebruikersnaam hetzelfde als wat voor het @-teken staat, maar ook hier bevestigen uitzonderingen de regel.

Het wachtwoord is nodig om ervoor te zorgen dat enkel JIJ de e-mail kunt zien en niemand anders. Indien je gevraagd wordt om een wachtwoord op te geven, geef dan een wachtwoord op dat enkel jij kunt onthouden en dat niemand anders kan achterhalen.

Vervolgens heb je nog twee gegevens nodig van je provider: het adres voor 'inkomende e-mail' en het adres voor 'uitgaande e-mail'. Ik geef je de vaktermen ook mee voor het geval de medewerker van je provider de normale Nederlandse termen niet verstaat: in vaktermen noemt men dit het POP3-adres en het SMTP-adres.

Indien je de gegevens niet hebt gekregen bij de installatie van je internetverbinding, bel dan nu naar je provider en vraag naar bovenstaande gegevens. Ik zet ze nog even op een rijtje:

Je volledige e-mailadres (in de vorm van JouwNaam@provider.be)
Je gebruikersnaam
Je wachtwoord
Het adres voor inkomende e-mail (POP3-adres)
Het adres voor uitgaande e-mail (SMTP-adres)

Zo, dan gaan we nu ervoor zorgen dat we met deze gegevens alles in orde kunnen maken. We hebben nu ons e-mailadres, maar we kunnen het nog niet gebruiken. Daarvoor hebben we voorgaande gegevens nodig om onze computer te zeggen wat hij moet gebruiken om te kunnen werken met je e-mail. Als je ergens gaat wonen, moet je ook bij de gemeente aangeven wat je adres is en wie er woont, zodat men latere briefwisseling naar het juiste adres kan sturen.

Net zoals onze computer wordt bestuurd door een besturingssysteem, genaamd Windows, en net zoals we om op het internet te gaan het programma Internet Explorer nodig hebben, hebben we ook een programma nodig voor onze e-mail.

Dat programma heet Windows Live Mail en staat reeds gratis en standaard geïnstalleerd op je Windows 7-computer.

Windows Live Mail is een zeer eenvoudig programma dat speciaal gemaakt werd voor het werken met e-mail. Het programma heeft niet te veel toeters en bellen, met als voordeel dat het werken met dit programma relatief eenvoudig is en dat je het snel onder de knie zult hebben. (Als je zoekt naar een programma met meer mogelijkheden, dan is het betalende programma van Microsoft een zeer goed alternatief, het heet Outlook.)

Ga in het startmenu naar het programma 'Windows Live Mail', je kunt deze vinden in de map 'Windows Live'. Klik dus op de startknop, vervolgens 'Alle programma's', zoek dan in de lijst 'Windows Live' en klik erop met je linkermuisknop. Klik vervolgens op 'Windows Live Mail'.

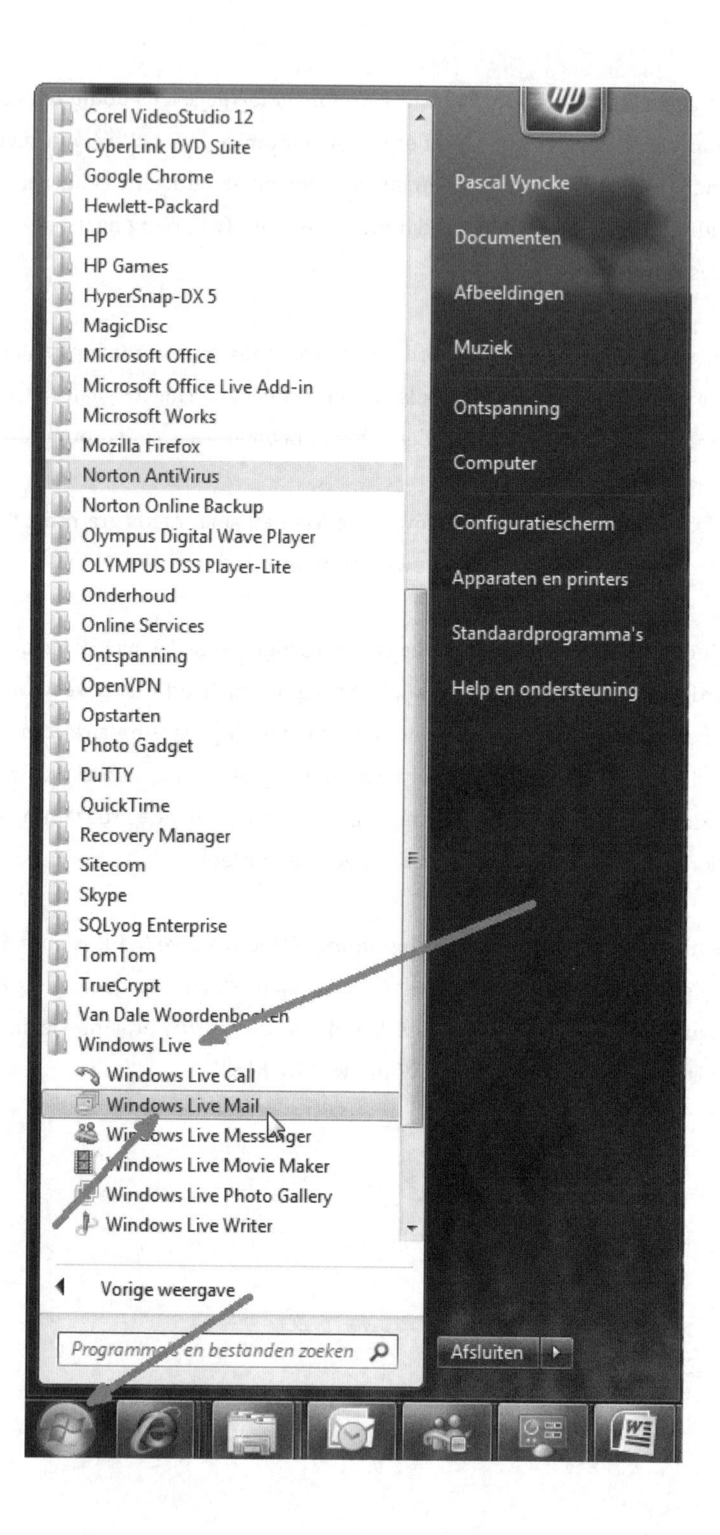
Corel VideoStudio 12
CyberLink DVD Suite
Google Chrome
Hewlett-Packard
HP
HP Games
HyperSnap-DX 5
MagicDisc
Microsoft Office
Microsoft Office Live Add-in
Microsoft Works
Mozilla Firefox
Norton AntiVirus
Norton Online Backup
Olympus Digital Wave Player
OLYMPUS DSS Player-Lite
Onderhoud
Online Services
Ontspanning
OpenVPN
Opstarten
Photo Gadget
PuTTY
QuickTime
Recovery Manager
Sitecom
Skype
SQLyog Enterprise
TomTom
TrueCrypt
Van Dale Woordenboeken
Windows Live
Windows Live Call
Windows Live Mail
Windows Live Messenger
Windows Live Movie Maker
Windows Live Photo Gallery
Windows Live Writer
Vorige weergave
Programma's en bestanden zoeken
Pascal Vyncke
Documenten
Afbeeldingen
Muziek
Ontspanning
Computer
Configuratiescherm
Apparaten en printers
Standaardprogramma's
Help en ondersteuning
Afsluiten

We krijgen nu een scherm te zien waar we een aantal gegevens zullen moeten ingeven. Als eerste geef je in het witte tekstvak achter 'E-mailadres' je e-mailadres in. Dit is het adres met het @-teken in. In mijn voorbeeld is dat pascal.vyncke@seniorennet.be.

Vervolgens geef je het wachtwoord in dat je van je provider gekregen hebt door in het witte tekstvak te klikken achter 'Wachtwoord' en het vervolgens in te geven. Zorg ervoor dat het vakje voor 'Wachtwoord onthouden' aangeduid is, zodat je dit niet elke keer moet ingeven.

Als je iets intikt, zul je niet zien verschijnen wat je werkelijk intikt, maar zul je ****** zien verschijnen, sterretjes dus. Dit is speciaal gedaan om te vermijden dat iemand toevallig over je schouder zou meekijken en zo je wachtwoord te weten zou komen.

Dit mag niet omdat iedereen die je wachtwoord kent, ook je e-mail kan nakijken en zelfs in jouw naam e-mail kan rondsturen en dat is toch niet de bedoeling?

Vervolgens vraagt je computer nog de 'schermnaam'. Klik in het witte tekstvak met je linkermuisknop achter 'Schermnaam' en geef daar je naam en voornaam in. Dit is de naam die andere mensen zullen zien als ze een e-mail van je ontvangen. Uiteraard mag je hier ook iets anders ingeven dan je naam (een schuilnaam bijvoorbeeld).

Klik vervolgens rechtsonder met je linkermuisknop op de knop 'Volgende'.

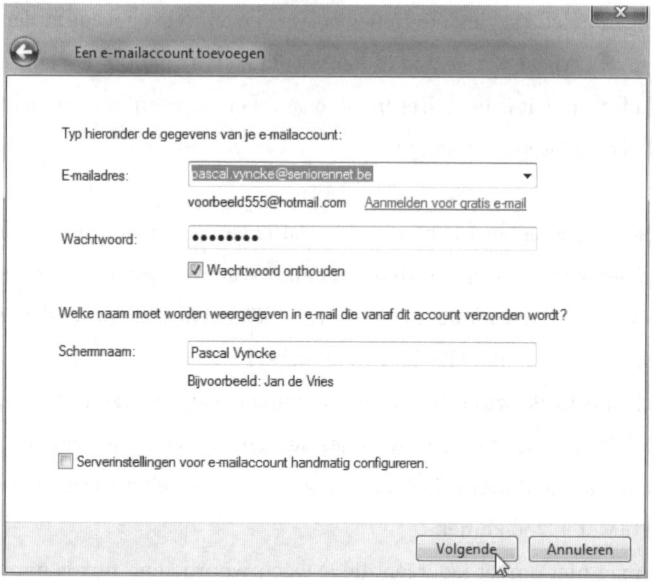

Krijg je bovenstaand scherm niet te zien? Dan heb je Windows Live Mail al eens opgestart; het programma toont het namelijk maar één keer. Doe dan het volgende.

Ga naar het menu Extra en klik vervolgens op 'Accounts...'.

Klik nu rechts op de knop 'Toevoegen', er verschijnt een klein submenuutje, waar je 'E-mailaccount' aanduidt met je linkermuisknop en vervolgens op 'Volgende' klikt.

Nu heb je hetzelfde scherm en kun je verder gaan.

Nu vraagt de computer het adres voor inkomende e-mail, je ziet hier ook de POP3 terugkomen. Geef het adres in dat jouw provider je heeft gegeven. In mijn geval zou het iets zijn als 'mail-in.seniorennet.be'.

Indien je van je provider een gebruikersnaam hebt gekregen die anders is dan je e-mailadres, dan moet je bij 'Aanmeldings-ID' je gebruikersnaam ingeven. Bij mij is dat gewoon 'pascal.vyncke'.

Geef daaronder dan het adres in voor uitgaande e-mail, het SMTP-adres. In mijn geval zou het iets zijn als 'mail-uit.seniorennet.be'. Klik als je alles hebt ingegeven op 'Volgende'.

Een e-mailaccount toevoegen

Waar vind ik informatie over mijn e-mailserver?

Informatie over de inkomende server

Het servertype voor inkomende e-mail is een POP3 -server.

Inkomende server: mail-in.seniorennet.be Poort: 110

Voor deze server is een beveiligde verbinding (SSL) nodig.

Aanmelden met: Leesbare tekstverificatie

Aanmeldings-ID (als deze niet gelijk is aan het e-mailadres):

pascal.vyncke

Informatie over de uitgaande server

Uitgaande server: mail-uit.seniorennet.be Poort: 25

Voor deze server is een beveiligde verbinding (SSL) nodig.

Voor de uitgaande server is verificatie vereist.

Volgende Annuleren

Nu ben je klaar! Klik op het volgende scherm gewoon op ‘Voltooien’.

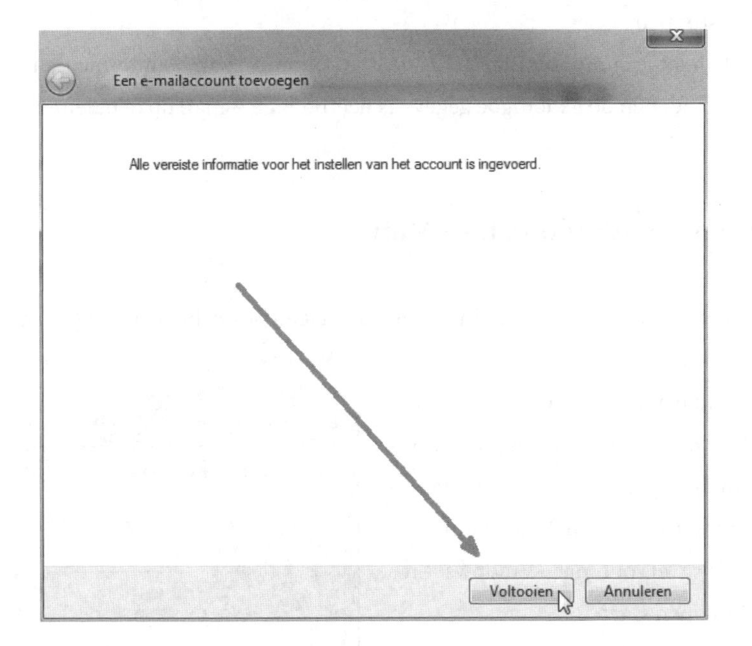

Klaar! Je scherm zal er nu uitzien zoals op de volgende afbeelding:

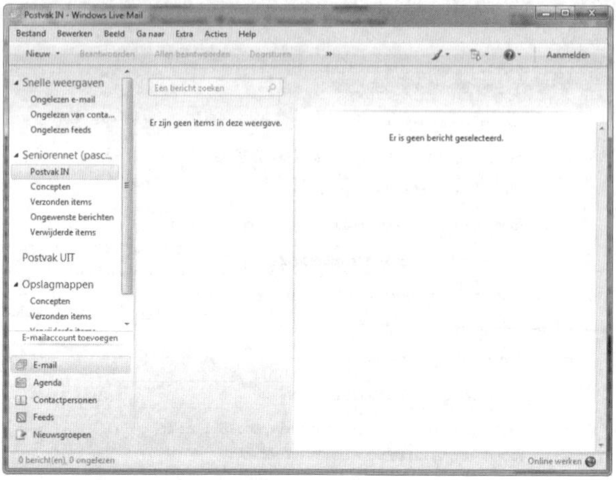

Je hebt nu je eigen e-mailadres aangemaakt bij je provider en het zelf ingesteld op je computer.

Nu kan iedereen, waar ook ter wereld, die je adres kent je een e-mail sturen. Je provider zal die e-mail herkennen en in jouw elektronische brievenbus stoppen.

Je hebt je computer ingesteld zodat je computer kan communiceren met je provider en de benodigde gegevens heeft om de e-mail op te halen.

Basiskennis Windows Live Mail

Nu we weten wat e-mail is en we ons eigen adres hebben aangemaakt, gaan we met het leukere werk beginnen. We gaan nu echte e-mails versturen, in eerste instantie naar onszelf. Hierdoor leren we de basis van ons e-mailprogramma en zo leren we Windows Live Mail beter kennen.

Zorg ervoor dat Windows Live Mail open staat.

Ga met je muis naar linksboven naar de knop 'Nieuw' en klik erop.

Er verschijnt nu een schermpje.

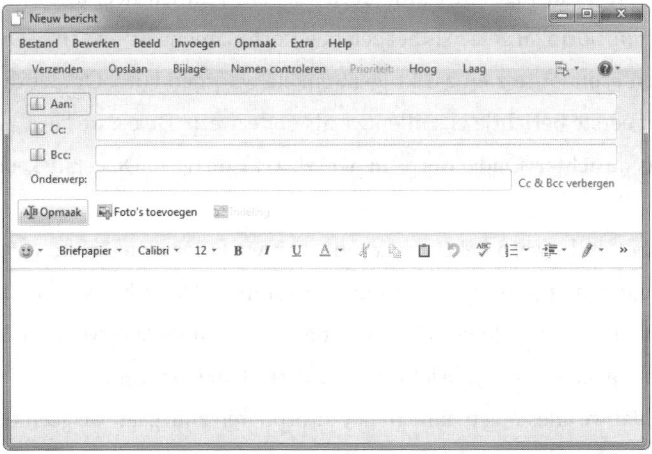

Het ziet er allemaal leeg uit, en dat is de bedoeling. Het is namelijk een leeg e-mailbericht. Als we alles invullen, dan kunnen we het versturen en komt het aan. Het ziet er dus anders uit dan het systeem dat we gewend zijn met de gewone post. We moeten de ontvanger, het onderwerp, de afzender en de brief zelf allemaal op eenzelfde scherm ingeven.

We gaan dus nu alles ingeven. De afzender weet de computer al uit zichzelf. Je moet dus niet telkens ingeven dat jij het bent, de computer gaat hiervan uit.

Het tweede wat we moeten weten is naar wie we het bericht zullen versturen. Het e-mailadres van de ontvanger geven we in achter 'Aan:'. Standaard staat daar de cursor (het flikkerende verticale streepje).

We gaan een e-mail naar onszelf sturen. Hiermee leren we hoe we een e-mail moeten sturen en kunnen we in één klap ook zien hoe we een berichtje binnenkrijgen en hoe we dat kunnen lezen. Later in de praktijk vul je uiteraard het adres van een andere persoon in en niet dat van jezelf.

Geef in het witte tekstvak dat staat achter 'Aan:' je eigen e-mailadres in, want we gaan het naar onszelf sturen. In mijn geval zou het 'pascal.vyncke@seniorennet.be' worden.

Twee vakken eronder zie je 'Onderwerp:' staan. Dit is de plaats waar je het onderwerp kunt ingeven van je berichtje. Dit kunnen heel uiteenlopende zaken zijn, normaal gezien is het een heel korte samenvatting van het bericht dat men eronder te zien zal krijgen, enkele woorden lang. Omdat dit voor ons het eerste berichtje is, zullen we als onderwerp 'De eerste keer' nemen. Tik dus nu achter 'Onderwerp:' in het tekstvak de tekst 'De eerste keer'.

Als je het onderwerp hebt ingegeven, gaan we nu naar het grote witte vak. Klik daarin met je muis en nu kun je beginnen. Dit is het vak om je hele bericht in te tikken. Je berichtje kan heel kort zijn (enkele woorden), maar mag evengoed een lange brief van meerdere bladzijden zijn.

Omdat we alles nog maar aan het uitproberen zijn, gaan we geen tijd steken in het intikken van lange berichten, maar gaan we maar één zin intikken, bijvoorbeeld:

'Dit is mijn eerste e-mailbericht.

Groetjes,
Pascal Vyncke'

Tik een bericht zoals hierboven in, met uiteraard je eigen naam ingevuld. De e-mail zou er dan moeten uitzien zoals op de volgende afbeelding:

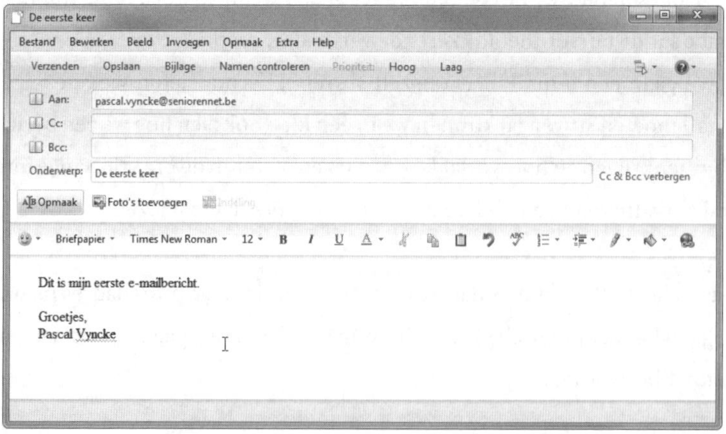

Dit is het dan. We hebben ingegeven naar wie het moet, we hebben een onderwerp opgegeven en we hebben het eigenlijke bericht ingetikt. We zijn nu klaar om de e-mail te verzenden.

Om de e-mail te verzenden, klik je linksboven op de grote knop 'Verzenden'.

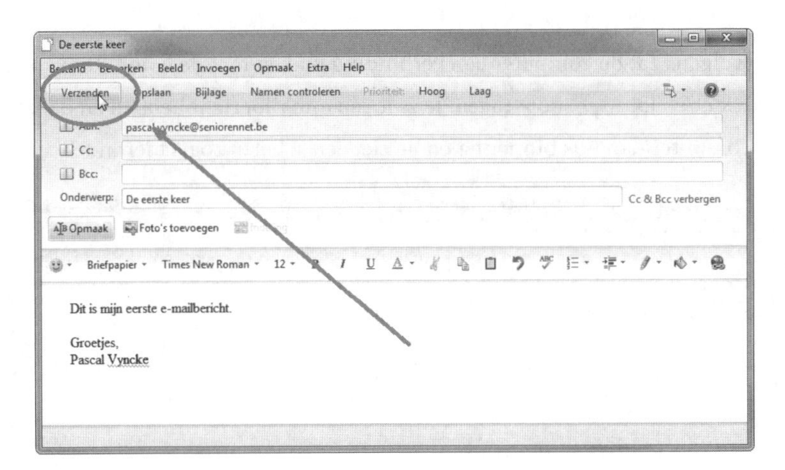

Het bericht verdwijnt en de computer gaat vervolgens het e-mailbericht versturen. Nu wordt je e-mail, je eerste elektronisch berichtje, verstuurd via de digitale snelweg.

Wat de computer niet weet, is dat hij het eigenlijk naar zichzelf heeft gestuurd. Het berichtje legt nu een hele weg af. Eerst wordt het doorgestuurd naar je provider, de provider gaat het vervolgens versturen naar de plaats waar het moet terechtkomen, bij je provider zelf dus, en dan komt het berichtje in je elektronische brievenbus terecht.

Je berichtje legt honderden of zelfs duizenden kilometers af, dit is afhankelijk van je provider. Sommige providers zijn gevestigd in een ander land en dan wordt eerst alles daarnaartoe doorgestuurd. Zo kan het gebeuren dat je berichtje eerst even naar Frankrijk gaat, vervolgens naar Engeland gaat en dan weer in België aankomt om dan naar jou terug te worden gestuurd.

Nu klikken we in Windows Live Mail op de knop 'Synchroniseren', de knop bevindt zich rechts bovenaan in het venster van Windows Live Mail. Hiermee vragen we om onze computer te synchroniseren met ons e-mailadres. Of in gewoon Nederlands: je e-mails opvragen (je brievenbus openen).

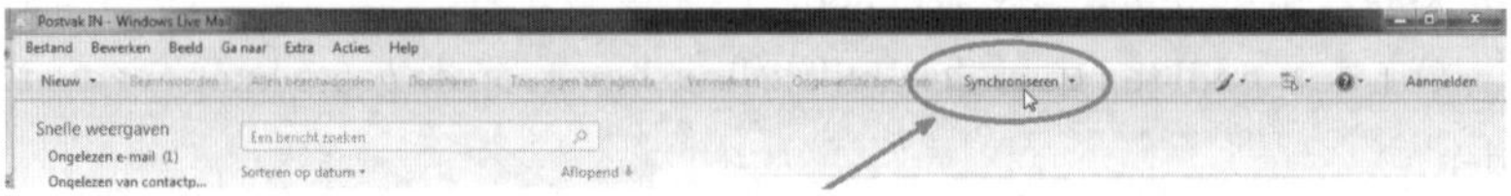

Vervolgens zal de computer een verbinding maken met de computer van je provider en jouw post opvragen. Je zult één e-mailbericht hebben en dat zal de computer dan ook binnenhalen. Je ziet een scherm zoals hieronder:

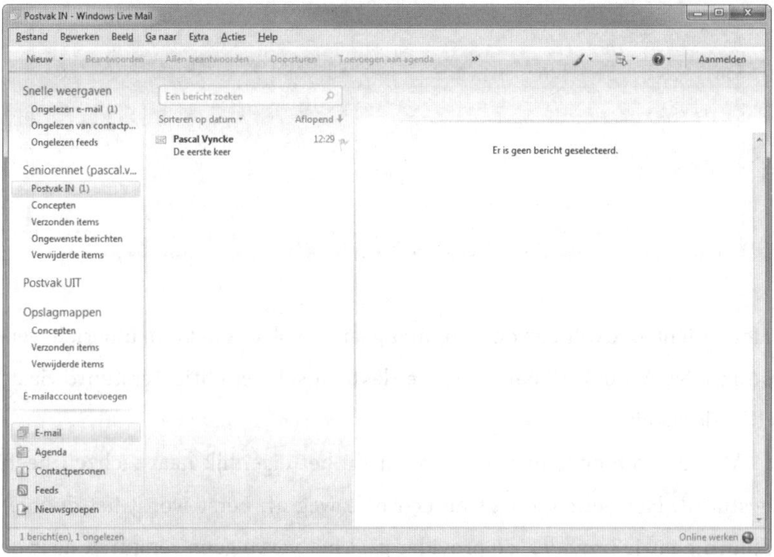

Nu willen we natuurlijk dit e-mailbericht lezen. Je ziet midden in je scherm de e-mail staan. Op de foto zie je 'Pascal Vyncke' (de afzender) en eronder 'De eerste keer' (het onderwerp)'. Met ernaast ook het uur van verzending van de e-mail.

Klik erop met je linkermuisknop.

Het scherm is verdeeld in meerdere stukken, laat ons eens kijken wat er allemaal te zien is.

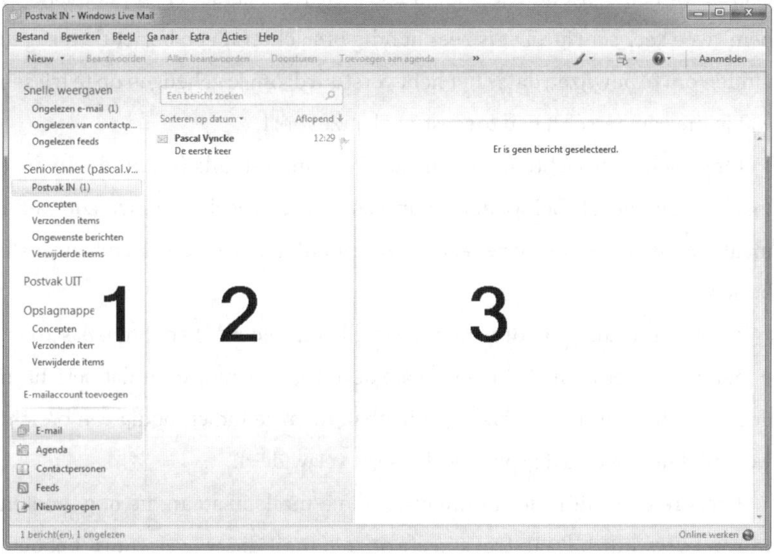

In gebied 1 zien we verschillende mappen. Door erop te klikken met je linkermuisknop, ga je naar die bepaalde map.

Even een overzichtje:

Postvak IN: dit is de ruimte waar al je e-mailberichten die binnen zijn gekomen, verzameld worden. Je ziet ze staan in de volgorde zoals ze binnenkwamen, met de laatste nieuwe onderaan. Bekijk deze map alsof het je gewone brievenbus is, waar de postbode al je brieven bezorgt.

Concepten: de laatste map, concepten, bevat alle e-mails waarmee je nog bezig was en die nog niet verstuurd zijn. We zien later hoe we van dit systeem gebruik kunnen maken om tijdens het schrijven van een e-mail te stoppen en een andere keer verder te gaan, zonder alles opnieuw te moeten intikken. Dit is vooral handig indien je een belangrijke e-mail moet versturen waar je eerst nog even over moet nadenken. Het is dus alsof je je geschreven brief even terug in de la legt voor hem in de brievenbus te gaan steken: om er nog even over na te denken of omdat je geen tijd had.

Verzonden items: in deze map staan alle berichten die je hebt verstuurd. Elk berichtje dat je dus verstuurt, heb je zelf ook nog. Dat is dus hetzelfde alsof je van élke brief die je anders zou schrijven, eerst een kopie maakt of hem twee keer schrijft. Dit is zeer handig om achteraf een berichtje terug te vinden om te bewijzen dat je het hebt verstuurd, om je geheugen op te frissen wat je die ene persoon had toegestuurd enzovoort.

Ongewenste berichten: dit zijn vaak reclame-e-mails (spam) die in deze map worden gezet. Bekijk deze map echter toch regelmatig. De computer maakt soms een foutje en zet een goede e-mail in deze map van ongewenste berichten.

Verwijderde items: in deze map staan alle verwijderde berichten. Als je een e-mail niet meer nodig hebt, en je gaat deze verwijderen, komt dat bericht in deze map terecht. Het is dus je prullenbak, waar je indien nodig een bericht weer uit kunt halen dat je per ongeluk hebt verwijderd.

Postvak UIT: dit is de ruimte waar alle e-mails in staan die nog moeten worden verstuurd. Daarstraks heeft onze e-mail die we verstuurd hebben, heel eventjes in deze map gestaan, maar na een fractie van een seconde was het bericht verstuurd. Deze map is vooral handig indien je e-mails maakt en intussen geen internetverbinding hebt, dit kan voorkomen doordat je met een modem werkt en per minuut voor internet moet betalen, omdat er een probleem is met je internetverbinding of omdat je bijvoorbeeld werkt op een draagbare computer en dat deze momenteel niet is aangesloten op het internet. Vanaf het moment dat je aangesloten bent op het internet, zullen alle berichten in deze map worden verstuurd. Je moet deze map bekijken alsof dit de berichten zijn die je nog in de brievenbus van de post moet gaan steken of die je nog naar het postkantoor moet brengen.

In het tweede gebied staat de lijst van de berichten. Het is steeds de hele lijst van berichten uit de map die je in gebied 1 hebt aangeduid. Indien je dus 'Postvak IN' hebt aangeklikt, dan zal in gebied 2 de hele lijst van je binnengekomen berichten verschijnen. Indien je 'Verzonden items' aanklikt, dan zullen in gebied 2 al je verstuurde e-mailberichten verschijnen.

Het derde gebied is de inhoud van het e-mailbericht. Van het bericht dat is aangeduid in gebied 2, wordt de inhoud getoond in gebied 3.

Alles hangt dus samen. Indien je in gebied 1 op 'Postvak IN' klikt, dan verschijnt in gebied 2 het hele overzicht van alle berichten die je hebt binnengekregen.

Van het bericht dat je met je linkermuisknop aanklikt in gebied 2, wordt de inhoud, het eigenlijke bericht dus, weergegeven in gebied 3.

Deze samenhang maakt veel mogelijk terwijl het erg eenvoudig, overzichtelijk en snel kan gebeuren.

We gaan nu dus ons eigen eerste e-mail lezen. Eerst moeten we ons ervan verzekeren dat links, in gebied 1, 'Postvak IN' aangeduid is. Dit weten we doordat er een grijze achtergrond aan gegeven is.

In gebied 2 zien we dan alle e-mails, waaronder onze eigen eerste e-mail. Je klikt met je linkermuisknop nog eens op je e-mailbericht (op je eigen naam of op het onderwerp).

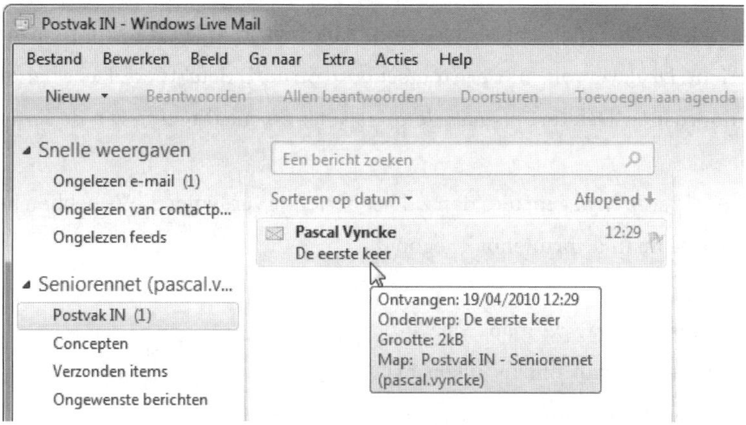

We zien dan ernaast (of soms eronder), in gebied 3, ons berichtje staan. En inderdaad, er staat juist hetzelfde als wat we ervoor zelf hebben ingetikt!

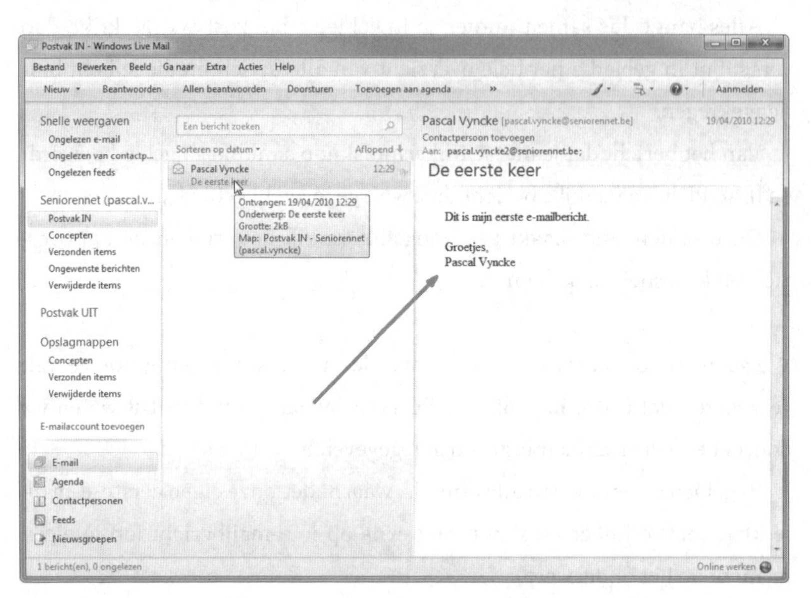

Nu gaan we ons bericht verwijderen. Klik met je linkermuisknop op het bericht. Druk vervolgens op je toetsenbord op de 'Delete'-toets. Deze herken je doordat er 'Delete' op staat; de toets staat normaal rechts van de Enter-toets.

Als je erop hebt gedrukt, dan zal het berichtje verdwijnen. We hebben het berichtje nu in de prullenbak gegooid.

Laat ons nu naar de map 'Verwijderde items' gaan om te kijken of het verwijderde bericht in de prullenbak zit. Dit doe je door links (gebied 1) op 'Verwijderde items' met je linkermuisknop te klikken.

We krijgen nu rechts in gebied 2 het verwijderde bericht te zien.

Stel, we hebben het bericht per ongeluk verwijderd en willen het terugzetten. We doen dit als volgt.

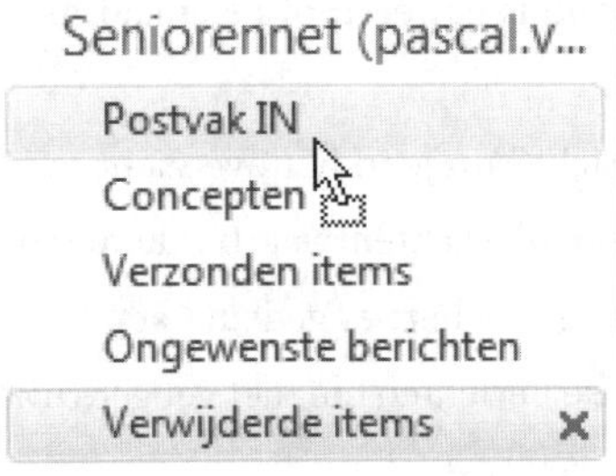

Seniorennet (pascal.v...
Postvak IN
Concepten
Verzonden items
Ongewenste berichten
Verwijderde items

Klik met je linkermuisknop op het bericht (op de afzender of het onderwerp) en hou de linkermuisknop ingedrukt. Versleep vervolgens je muis totdat je pijltje boven 'Postvak IN' staat, in gebied 1 dus. Pas als dit gebeurd is (het ziet er dan uit zoals op onderstaande afbeelding), laat je de linkermuisknop weer los.

Het berichtje verdwijnt uit de 'Verwijderde items', je hebt het dus uit je prullenbak gehaald en teruggezet. Laten we dit even controleren in 'Postvak IN'. Dit doe je weer door op 'Postvak IN' te klikken in gebied 1 met je linkermuisknop. Vervolgens zullen in gebied 2, rechts op je scherm dus weer twee berichtjes verschijnen, waaronder het berichtje dat we net uit de prullenbak hebben gehaald.

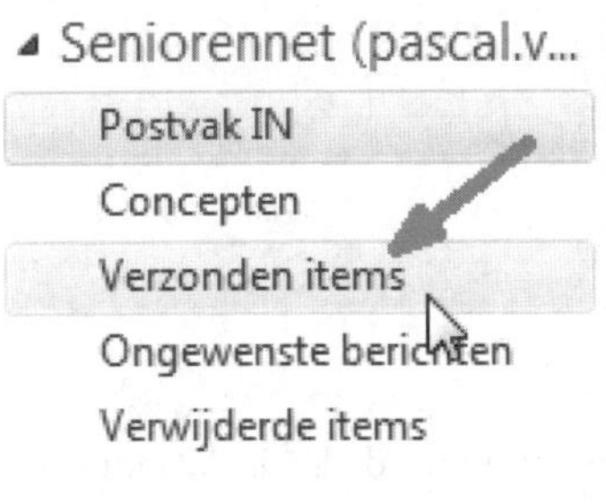

Seniorennet (pascal.v...
Postvak IN
Concepten
Verzonden items
Ongewenste berichten
Verwijderde items

Nu gaan we naar de map 'Verzonden items' om te kijken naar ons eerste zelfverstuurde berichtje. Dit doe je door links (gebied 1) op 'Verzonden items' met je linkermuisknop te klikken.

Vervolgens zien we rechts maar één berichtje, namelijk het berichtje dat we zelf hebben verstuurd. Hier zul je dus in de toekomst de hele lijst van al je berichtjes te zien krijgen die je in het verleden hebt verstuurd.

Om te zien of je een e-mail al hebt gelezen of niet, heeft men in Windows Live Mail het volgende systeem bedacht. Indien een e-mail gedurende minstens vijf seconden werd geopend, dan wordt de e-mail als 'gelezen' beschouwd, indien het minder dan vijf seconden geopend is geweest, of helemaal niet, dan is het e-mailbericht nog 'niet gelezen'.

Het wel of niet gelezen zijn van een bericht kun je in het overzicht in je Postvak IN eenvoudig zien doordat de e-mailberichten waarbij de afzender, het onderwerp en de datum van ontvangst in het vet gedrukt staan, de berichten zijn die je nog niet hebt gelezen. De berichten die niet vet gedrukt staan, zijn minimaal vijf seconden geopend geweest.

In onderstaande afbeelding zie je dat het eerste bericht nog niet gelezen werd, terwijl het onderste wel gelezen is. Je ziet het trouwens ook aan het figuurtje dat steeds voor de afzender staat. Bij de ongelezen berichten staat er een gele en gesloten envelop afgebeeld, bij de gelezen berichten staat er een witte, geopende envelop getekend.

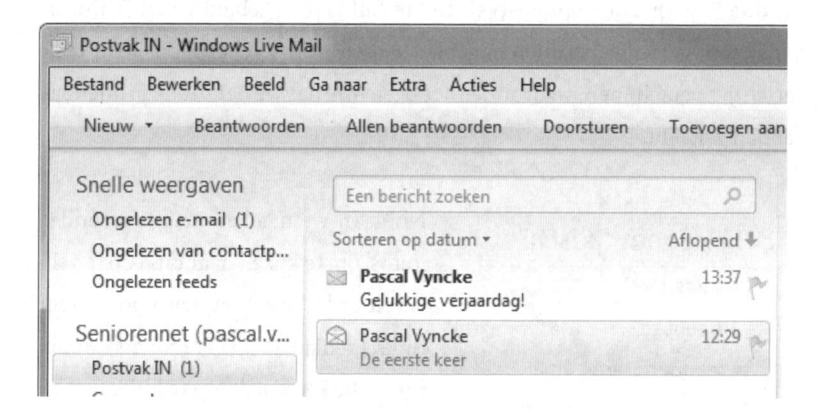

Dit is nu het hele principe van e-mail. Dit is uiteraard de basis. We kunnen er namelijk véél meer mee doen. Probeer eerst de basis te beheersen. Stuur eventueel nog enkele berichtjes naar jezelf, probeer een berichtje te versturen naar iemand die je kent (kinderen, kleinkinderen, collega's...). Vraag ook eens aan hen om een berichtje naar jou te sturen. Als je het goed onder de knie hebt, kun je de volgende dingen lezen en uitproberen.

Nu kennen we de basis van Windows Live Mail. Een bericht versturen en ontvangen, een bericht verwijderen, een bericht uit de prullenbak halen en onze verzonden berichten bekijken.

Het echte werk

We weten nu hoe we een e-mail kunnen versturen en ontvangen. Er is echter veel meer mogelijk. We kunnen onze e-mail mooi opmaken, we kunnen er een kleurtje aan geven, we kunnen bijlagen meesturen, we kunnen ons bericht naar meerdere ontvangers tegelijk sturen, we kunnen er een prioriteit aan geven enzovoort.

Je e-mail mooi maken

We gaan nu een e-mail sturen met enige 'opmaak'. We gaan in ons bericht delen onderstrepen, in vet zetten en er een kleurtje aan geven. Zo kunnen we een bericht versturen dat echt aan onze smaak voldoet en waar op de belangrijkste punten extra aandacht wordt gevestigd.

Voor de opmaak van een e-mail moet je eerst een e-mail aanmaken. Ga in Windows Live Mail naar 'Nieuw' (knop linksboven) en zorg er dus voor dat je een lege e-mail voor je hebt staan.

Het handigste is om eerst het hele bericht in te tikken en vervolgens het bericht te gaan opmaken en er kleurtjes aan te geven, dit is veel handiger en eenvoudiger dan tijdens het tikken zelf.

Vul voor de ontvanger weer je eigen e-mailadres in, in mijn geval is dat weer 'pascal.vyncke@seniorennet.be'. Vervolgens tik je een onderwerp in, bijvoorbeeld 'Gelukkige verjaardag!'. Dan gaan we eerst het bericht intikken, in het grote witte tekstvak.

Ik tik volgend bericht als voorbeeld:

'Hallo mijn kindje,

Gelukkige 16de verjaardag gewenst!

Ik hoop dat je een hele fijne dag tegemoet gaat en dat je een heel tof 16de jaar ingaat!

Je cadeautje krijg je natuurlijk ook wanneer je nog eens langskomt.

Groetjes!
Pascal'

De e-mail ziet er dan ongeveer als volgt uit:

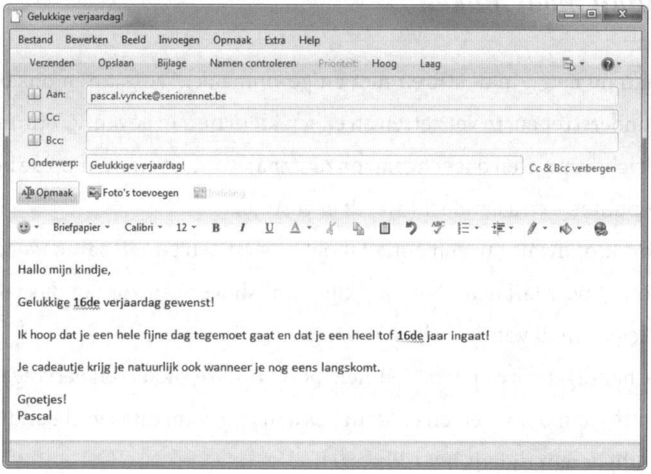

Nu we het bericht hebben getikt, gaan we het opmaken. Net boven het grote tekstveld waarin je aan het tikken bent (en onder het onderwerp), zie je een reeks knoppen. Een geel gezichtje, het woord 'briefpapier', een 'B', 'I', en een 'U' zie je onder andere staan. Dit zijn de knoppen waarmee je de opmaak kunt wijzigen. Wanneer je al ervaring hebt met het werken in een tekstverwerker (zoals Word, Wordpad...), dan zal het volgende stukje kinderspel zijn. Voor degenen die het nog nooit hebben gedaan, leggen we het nu uit.

Je ziet dus volgende balk:

Briefpapier Calibri 12 B I U

Het principe is als volgt. Als je een stuk tekst selecteert met je muis in het e-mailbericht en je gaat vervolgens iets wijzigen in die opmaakbalk, dan zal de aangeduide tekst worden aangepast. Op deze manier kun je het hele bericht bewerken, maar kun je ook een klein stukje, of zelfs maar één letter bewerken.

Het selecteren van een stuk tekst doe je als volgt. Je gaat met je muisaanwijzer naar het stuk tekst waar je wilt beginnen en je klikt met je linkermuisknop, en je houdt deze toets ingedrukt. Vervolgens verschuif je de muisaanwijzer naar het einde van de tekst die je wilt bewerken (een zin verder, een woord verder, paragraaf verder...) en je laat vervolgens de muisknop weer los. Je zult zien dat het stuk tekst dat je wilt bewerken, een donkere achtergrond heeft en dat de letters licht zijn geworden, dus de negatieve kleuren in vergelijking met de rest van je tekst.

We bekijken de balk.

Het eerste wat je ziet, is een geel gezichtje. Dit is om zogenaamde smileys of emoticons toe te voegen in je berichten. Gezichtjes om emotie te tonen, ze kunnen lachen, kwaad zien of verdrietig zijn. Klik maar op het pijltje er net naast om ze alle te zien.

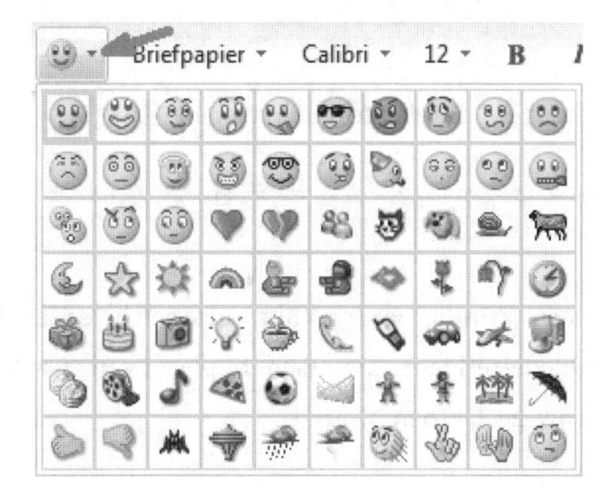

Het tweede wat je ziet, is een naam van een lettertype, op de figuur 'Calibri'. Dit is de naam van het lettertype. Op je computer staan tientallen verschillende lettertypen en je moet dit eigenlijk zien alsof het een ander handschrift is. Elk lettertype heeft een ander soort van letters. Het ene lettertype zijn gewone letters, het andere hele dikke, andere weer precies handgeschreven tekst enzovoort.

Het derde wat je ziet, is een cijfer, op de figuur is het hier '12'. Dit is de grootte van de letters. Indien je dit cijfer verlaagt, dan worden de letters kleiner, indien je het cijfer verhoogt, dan worden de letters groter.

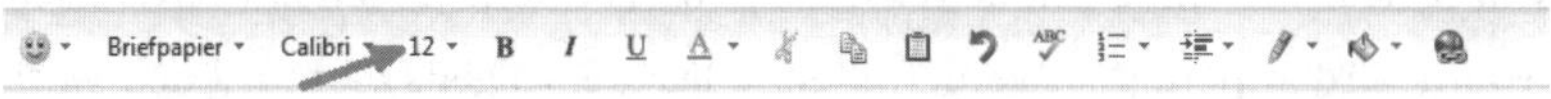

Daarnaast zie je de 'B' staan. Dit is om het stuk geselecteerde tekst in het vet te drukken, de letters zijn dan dikker en dus opvallender.

Rechts daarvan staat een '*I*', dit is om *cursief* te drukken, de letters staan dan schuin.

De 'U' ernaast dient om de tekst te onderstrepen.

Daarnaast staat een 'A': indien je erop klikt, zul je een hele reeks kleuren zien. Hiermee kun je de letterkleur aanpassen. In plaats van zwart maken we er bijvoorbeeld blauw, geel, groen... van.

Dan zie je wat verder naar rechts in het klein 1, 2, 3 onder elkaar staan. Indien je dit aanklikt, maak je een opsomming. Elke keer dat je op Enter drukt (en dus een nieuwe regel begint), zal de computer er eentje bijtellen. Dit is handig om een lijstje te maken.

Op de knop ernaast staat een pijltje. Hiermee kun je de tekst laten verschuiven naar rechts of naar links (inspringen). Je verschuift dus de alinea of de kantlijn.

De laatste knop is om een link te maken in je e-mail. Als je erop klikt, krijg je een scherm te zien waar de computer vraagt naar de 'URL', het internetadres.

Hiermee kun je in je tekst een verwijzing maken naar een website, zodat de lezer snel ernaartoe kan surfen, gewoon door erop te klikken.

Ten slotte kunnen we ook nog de achtergrondkleur van ons e-mailberichtje wijzigen. Dit gaat spijtig genoeg niet via een gewone knop, maar moeten we via het menu doen.

Daarvoor moet je bovenaan in het menu klikken op 'Opmaak' met je linkermuisknop en dan vervolgens klikken op 'Achtergrond'. Daarna klik je op 'Kleur' en dan krijg je opnieuw dezelfde kleurlijst als voor de tekst. Je kunt eventueel als achtergrond ook een afbeelding gebruiken die je ergens op je harde schijf hebt staan door in plaats van op 'Kleur' op 'Afbeelding...' te klikken.

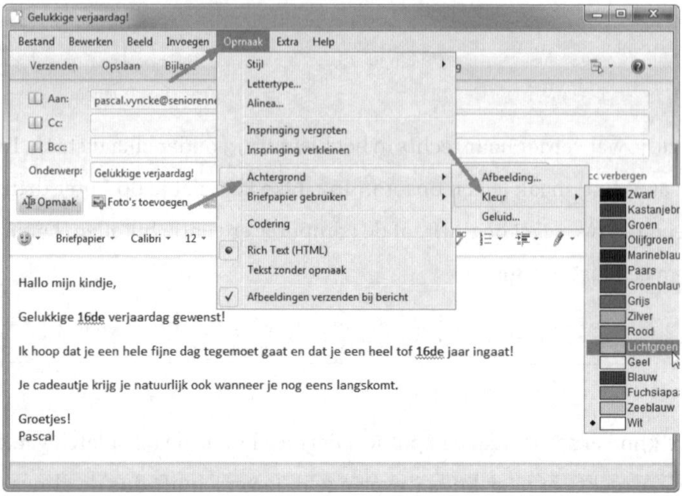

Nu we weten wat de mogelijkheden zijn, gaan we die eens toepassen. We zetten de tweede regel ('Gelukkige 16de verjaardag gewenst!') in het vet en we geven er een rood kleurtje aan, bovendien maken we de letters groter.

We zetten de derde regel ('Ik hoop...') onderstreept en de vierde regel ('Je cadeautje...') schuin gedrukt (cursief).

De afsluiting ('Groetjes Pascal'), laten we wat inspringen naar rechts.

Je e-mailbericht ziet er nu uit als volgt:

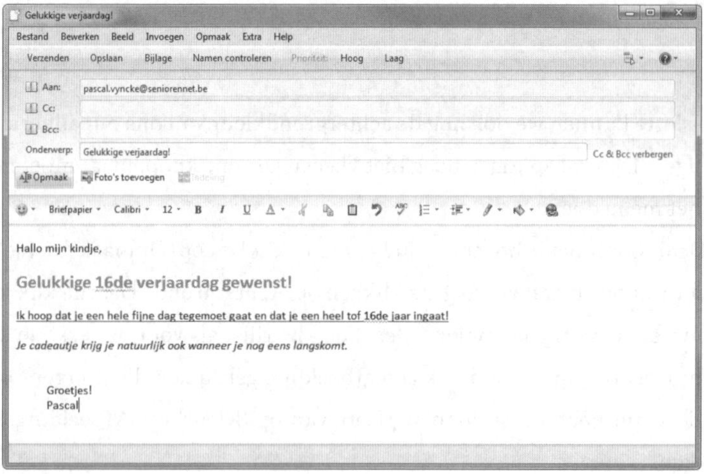

Verstuur vervolgens het bericht door linksboven op 'Verzenden' te klikken. Klik even erna in Windows Live Mail bovenaan op de knop 'Synchroniseren' en dan zul je normaal gezien je eigen e-mail moeten binnenkrijgen. Vervolgens kun je bekijken hoe het aankomt bij de ontvanger, precies hetzelfde zoals jij die hebt ingegeven. Je kunt ook de sneltoets F5 van je toetsenbord gebruiken (ongeveer midden bovenaan op je toetsenbord), deze doet hetzelfde als de knop 'Synchroniseren'.

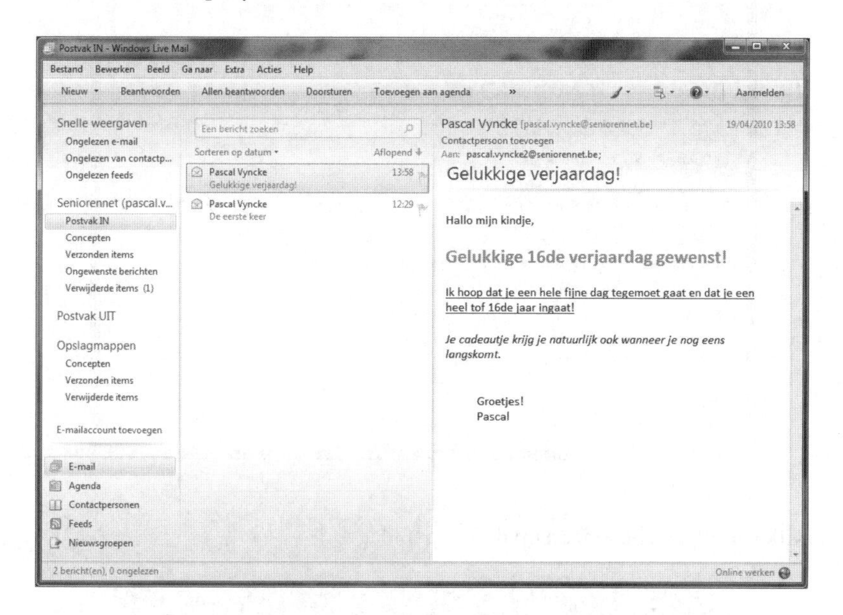

Een bijlage versturen met je e-mail

Het knappe aan e-mail is dat je niet alleen een tekst (met eventuele opmaak) kunt versturen, maar ook dat je bijlagen kunt meesturen. Zo kun je extra teksten, documenten, figuren, foto's, videobeelden, geluid, muziek, programma's en nog veel meer meesturen met een e-mail.

Om een bijlage (of 'attachment') mee te sturen, ga je als volgt te werk:

Open een nieuw bericht door bovenaan in Windows Live Mail op 'Nieuw' te klikken.

Je kunt vervolgens je hele e-mail weer invullen zoals je wenst. Opnieuw sturen we de e-mail naar onszelf zodat we kunnen controleren of alles werkt.

Vul dus als afzender je eigen e-mailadres in, vul een onderwerp in, bijvoorbeeld ‘Bijlage’ en tik iets in het grote witte tekstvak als bericht, bijvoorbeeld ‘Dit is mijn eerste berichtje met een bijlage’.

Je e-mail zal er dan ongeveer als volgt uitzien:

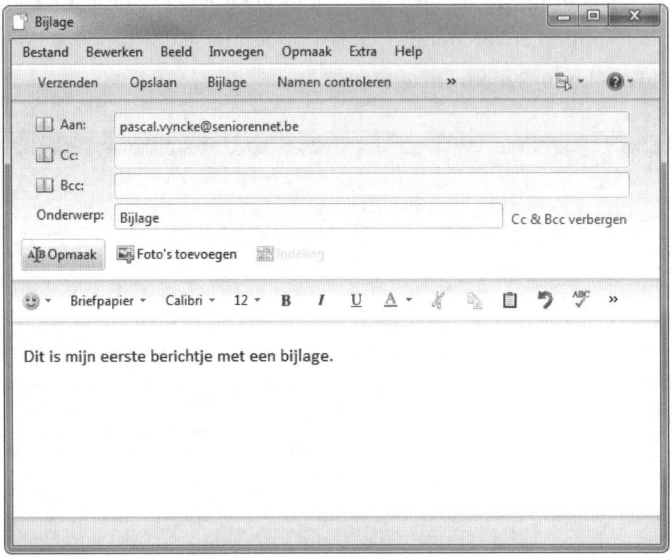

Klik vervolgens bovenaan op de knop ‘Bijlage’.

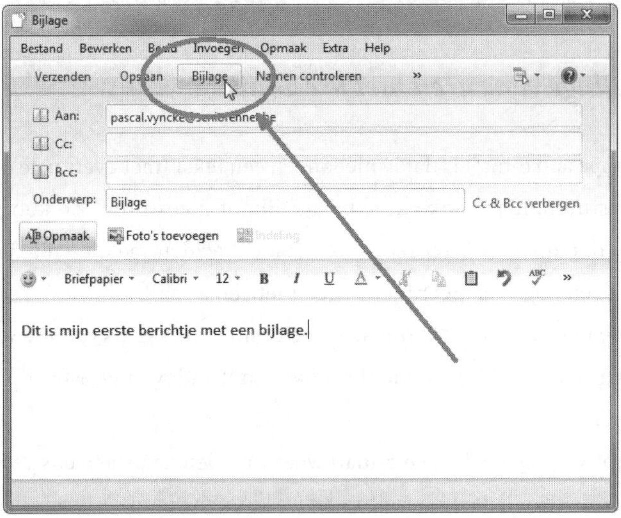

Vervolgens zie je een scherm waar je de bijlage kunt selecteren. Je kunt hier op je harde schijf zoeken naar een bijlage die je zelf wenst toe te voegen.

We gaan in dit voorbeeld iets zoeken op de harde schijf. Als je in de toekomst je eigen bijlage wilt toevoegen, moet je uiteraard naar de plaats gaan waar dat bestand zich bevindt. Voor ons voorbeeld willen we het bestand 'Woestijn' uit de map 'Afbeeldingen' meesturen als bijlage. We doen dit als volgt:

Klik links op 'Afbeeldingen' met je linkermuisknop.

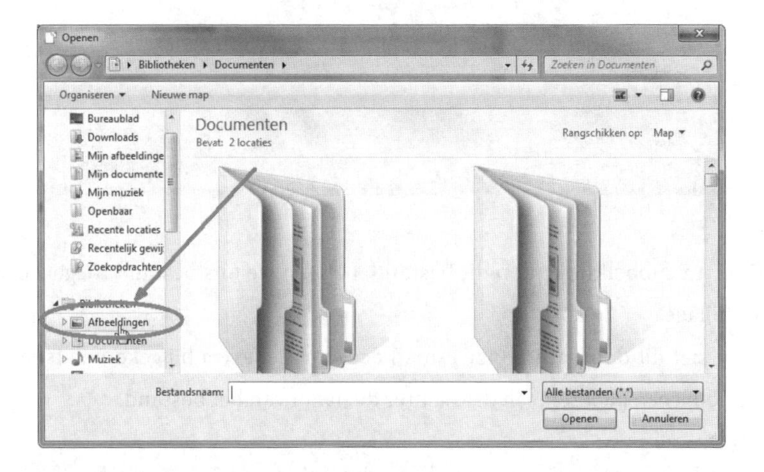

Dubbelklik vervolgens op het scherm dat nu verschijnt op de map 'Voorbeelden van afbeeldingen' met je linkermuisknop.

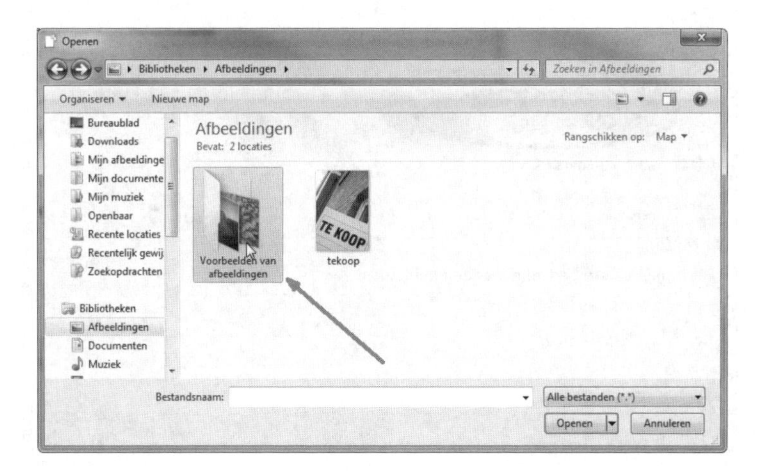

We zien nu de inhoud van de map. We zien dus alles wat in de map staat. Dubbelklik vervolgens op 'Woestijn' om deze foto te selecteren als bijlage.

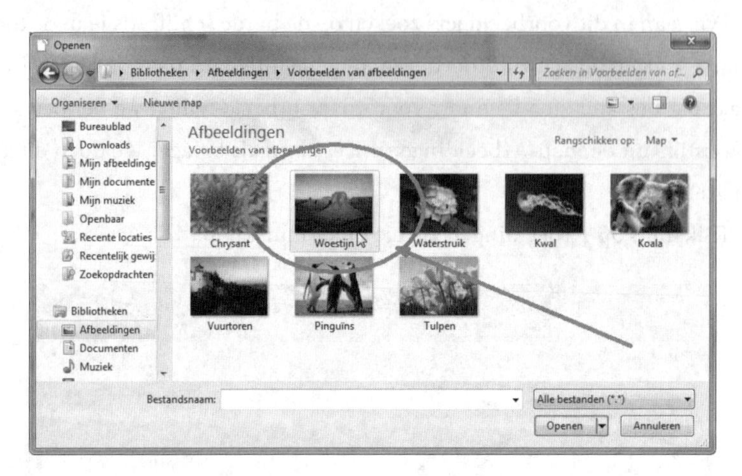

Door te dubbelklikken op dit bestand, hebben we ons bestand toegevoegd als bijlage.

Je ziet dit doordat in onze e-mail er een regel extra bij gekomen is, met namelijk een paperclip en daarachter de naam van het bestand.

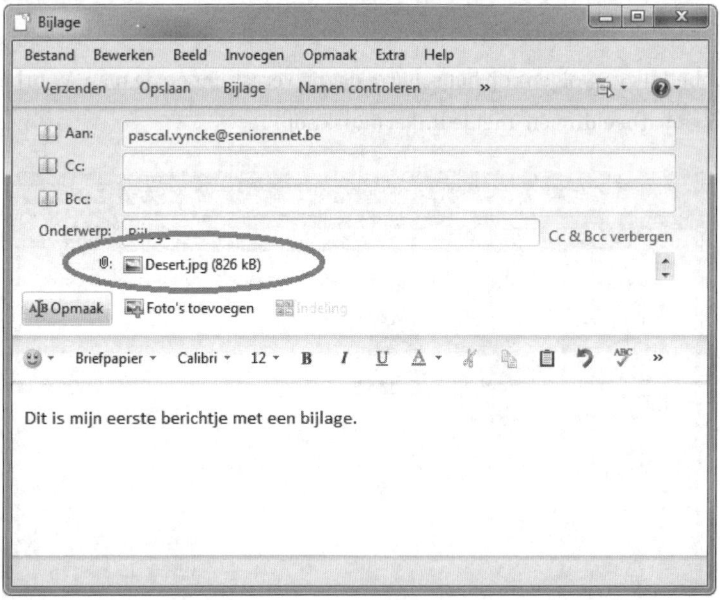

Indien je nog meer bijlagen wenst toe te voegen, doe je gewoon het bovenstaande opnieuw. Je kunt er zoveel meesturen als je zelf wilt.

We hebben nu een bijlage toegevoegd aan onze e-mail en gaan deze versturen. Klik op de knop 'Verzenden' links bovenaan.

Klik even erna in Windows Live Mail bovenaan op de grote knop 'Synchroniseer' (of de F5-toets) en als het goed is, krijg je dan je eigen e-mail weer binnen.

Hoe je een e-mail moet openen met een bijlage, zien we hierna.

Een bijlage van een e-mail openen of opslaan

Een e-mail met een bijlage herken je doordat er een paperclip verschijnt bij het e-mailbericht:

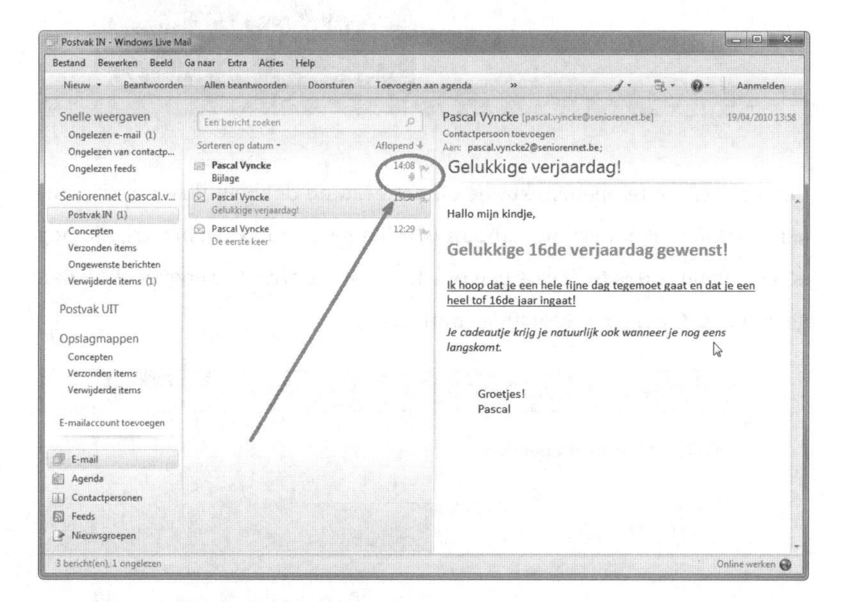

Als je in de toekomst van iemand een e-mail krijgt met een bijlage, dan moet je het volgende doen om de bijlage te openen of op te slaan.

Klik de e-mail aan met je linkermuisknop om deze te openen en te kunnen lezen. Indien je het voorgaande voorbeeld hebt gevolgd, dan heb je een e-mail binnengekregen met een bijlage, want die heb je net verstuurd naar jezelf.

Bij het openen zie je bovenaan een kleine paperclip met ernaast de naam/ namen van de bestand(en).

Om een bijlage te openen, kun je op het bestand dubbelklikken met je linkermuisknop. Het bestand zal dan worden geopend. Mogelijk krijg je nog een vraag om extra te bevestigen of u het bestand wenst te openen, klik dan gewoon op 'Openen' met je linkermuisknop.

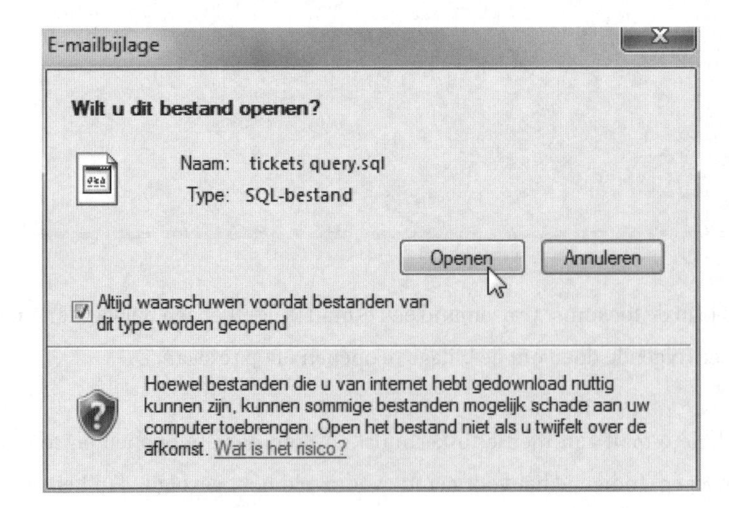

Om een bijlage te bewaren op de harde schijf, klik je erop met je rechtermuisknop. Vervolgens klik je in het menu dat verschijnt op 'Opslaan als...'.

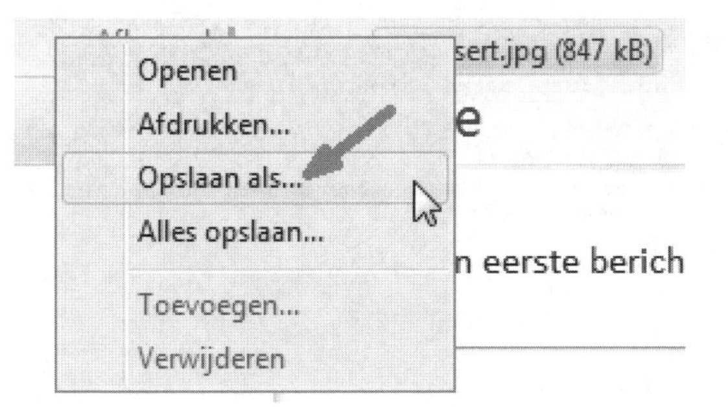

Op het scherm dat verschijnt kun je naar de gewenste map gaan en zelf nog een naam kiezen. Klik daarna op de knop 'Opslaan'.

Een bericht sturen naar meerdere mensen

Als je een bepaald e-mailbericht naar meerdere mensen wilt toesturen, dan kan dat heel eenvoudig, zonder dat je telkens naar iedereen apart dezelfde e-mail opnieuw moet intikken.

Er zijn verschillende mogelijkheden om dit te bereiken, afhankelijk van je wensen kun je er eentje uitkiezen.

De eerste mogelijkheid is de meest normale. Je wilt een berichtje sturen naar meerdere mensen, bijvoorbeeld een kerstwens of een nieuwjaarswens. Of bijvoorbeeld een mededeling dat je gaat verhuizen.

Open eerst een nieuw e-mailbericht in Windows Live Mail door links bovenaan op de knop 'Nieuw' te klikken.

In het vak waar we anders één ontvanger hebben ingetikt, achter 'Aan:' dus, gaan we nu gewoon meerdere ontvangers intikken, met telkens een komma tussen de e-mailadressen.

Als we dus naar pascal.vyncke@seniorennet.be, webmaster@
seniorennet.be en webmaster@seniorennet.nl eenzelfde e-mail willen sturen, dan tikken we het volgende in bij 'Aan:':

pascal.vyncke@seniorennet.be, webmaster@seniorennet.be, webmaster@seniorennet.nl

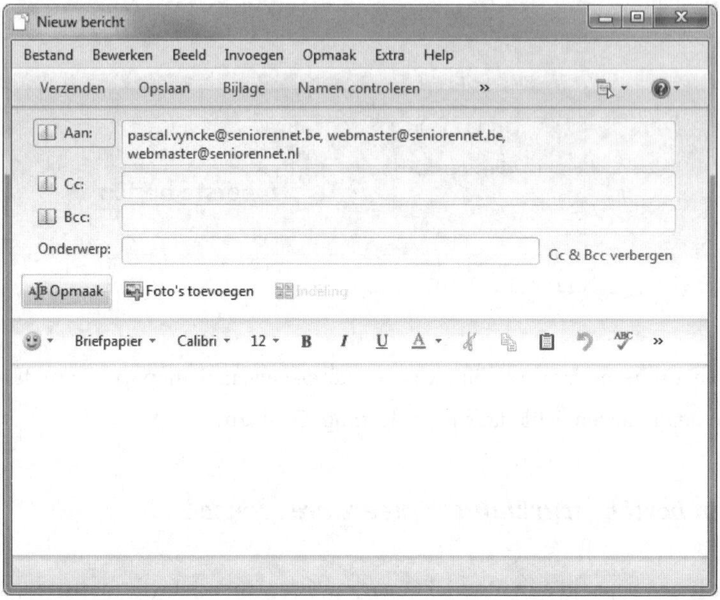

Je geeft de overige gegevens in, het onderwerp en je bericht, en je kunt het versturen. De computer zal vervolgens de e-mail naar alle adressen versturen, zonder dat jij er iets voor moet doen. De mensen zullen dan ook allemaal exact hetzelfde bericht ontvangen.

Een tweede mogelijkheid is gebruik te maken van 'Cc'. De Cc komt van 'Carbone Copy'. De e-mailadressen die je daar invult, krijgen een 'kopie' van je e-mail. Het is eigenlijk hetzelfde als de eerste mogelijkheid. Het verschil is dat bij de eerste mogelijkheid je het bericht echt aan de drie mensen toestuurt, bij de Cc-mogelijkheid is het eigenlijk enkel bedoeld voor de mensen die in het 'Aan:' vak staan. De mensen die in Cc staan, krijgen een kopie: het bericht is niet aan hen gericht, maar krijgen het ter informatie toch toegestuurd.

Je gebruikt deze mogelijkheid bijvoorbeeld wanneer je iets stuurt naar een klant, maar je ook graag een kopie verstuurt naar je baas, omdat deze op de hoogte moet zijn van die e-mail. De e-mail is dus gericht aan de klant, maar ook je baas krijgt de e-mail en is er dan ook van op de hoogte. Zo zijn er nog vele situaties waarbij dit van pas kan komen.

Om het Cc-veld te kunnen zien, moet je eenmalig klikken met je linkermuisknop op het menu 'Beeld' en vervolgens op 'Cc en Bcc'.

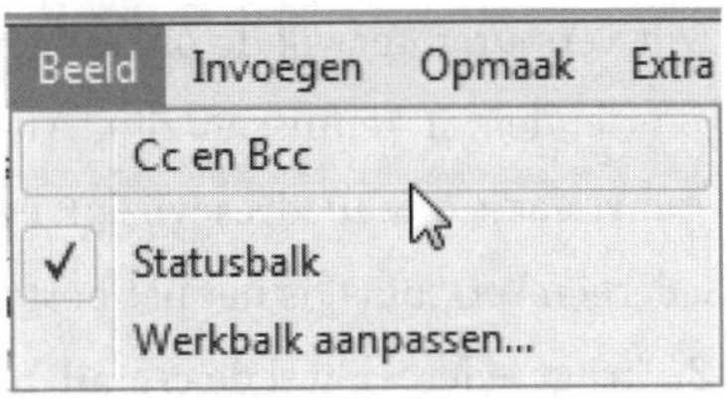

In het Cc-veld kun je ook meerdere ontvangers ingeven, gescheiden door een komma.

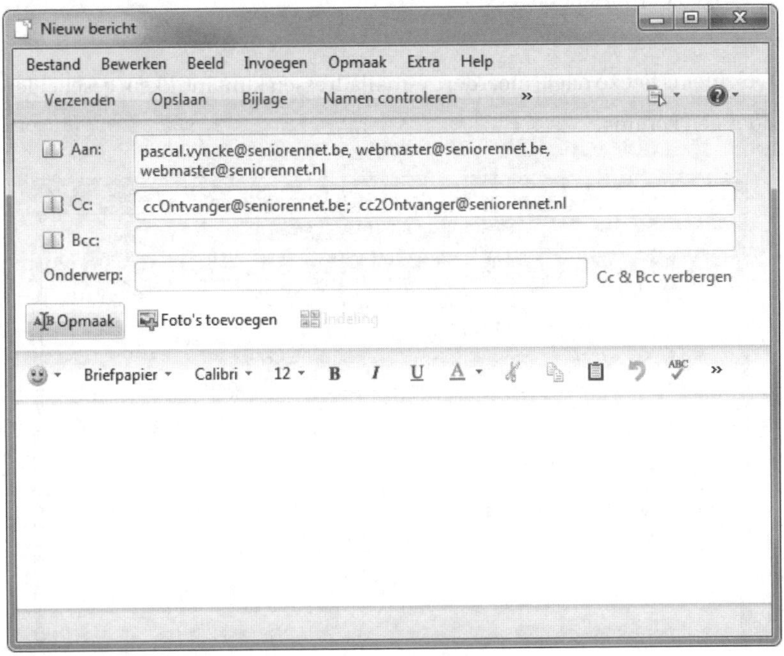

We hebben nog een derde mogelijkheid. Dat is de Bcc. De Bcc komt van 'Blind Carbone Copy' en zal ervoor zorgen dat de mensen die in Bcc staan wél de e-mail krijgen, maar niet weten naar wie je het e-mailbericht nog allemaal hebt gestuurd. Zij kunnen enkel de adressen van 'Aan:' en Cc zien, maar niet de adressen van Bcc. Ook de andere mensen die de e-mail krijgen, zelfs de mensen die in 'Aan:' of Cc staan kunnen NIET zien naar wie je het bericht hebt gestuurd als Bcc, ze weten het zelfs niet.

Deze functie is enorm handig als je een e-mail naar meerdere mensen wilt versturen terwijl de ontvangers onderling niet hoeven te weten wie al je vrienden of kennissen zijn. Als je naar iedereen die je kent een e-mail stuurt dat je e-mailadres wijzigt, een kerstwens verstuurt of een mopje naar iedereen verstuurt, is het het beste om iedereen in het Bcc veld te plaatsen. Zo krijgt iedereen wel de e-mail, maar niemand kan zien wie de e-mail ook heeft gekregen. Dit zorgt ervoor dat je de e-mailadressen van anderen niet zomaar begint rond te strooien om zo voor hen ongewenste reclame of vergissingen te voorkomen.

Ook hier is het zo dat je meerdere e-mailadressen kunt intikken, gescheiden door een komma.

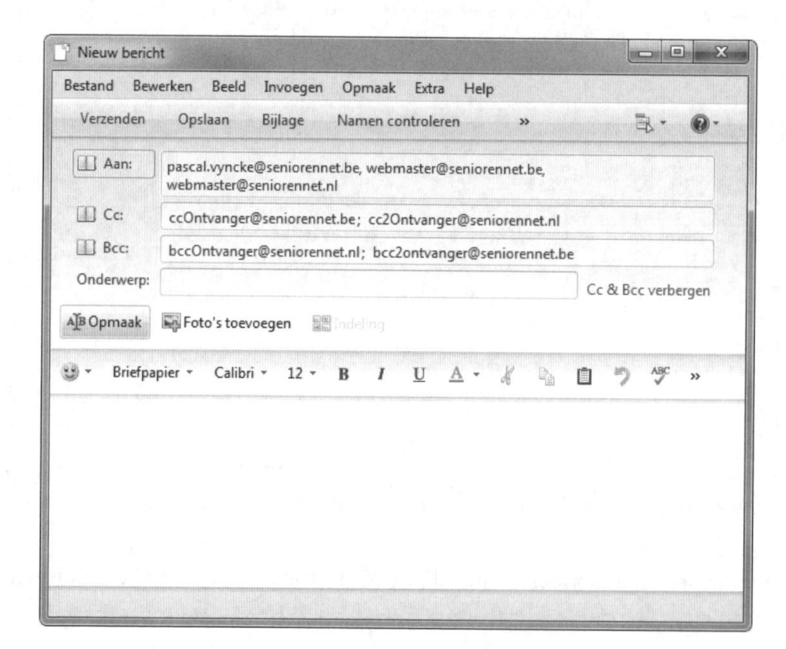

Als je alles hebt ingegeven, dan kun je klikken op 'Verzenden'. De computer zal dan voor jou de e-mails sturen naar de juiste personen. Wanneer je een bijlage meestuurt met je e-mailbericht, dan zal de bijlage naar al deze mensen worden gestuurd.

Een bericht beantwoorden

Als je een e-mailbericht ontvangt, dan zul je in de meeste gevallen wel een antwoord willen terugsturen. Sommige e-mails zullen waarschijnlijk een vraag bevatten of een mededeling. Je wilt dan de e-mail beantwoorden of even laten weten dat je de mededeling hebt ontvangen. Je kunt dit natuurlijk doen door een nieuw e-mailbericht te openen, de ontvanger in te geven enzovoort. Maar er is een veel betere en efficiëntere manier voor. Zorg eerst dat je in Microsoft Live Mail een e-mail hebt aangeduid met je linkermuisknop zodat je deze e-mail kunt lezen. Indien je deze wilt beantwoorden, dan klik je linksboven op de knop 'Beantwoorden', die zich rechts bevindt van de knop 'Nieuw'.

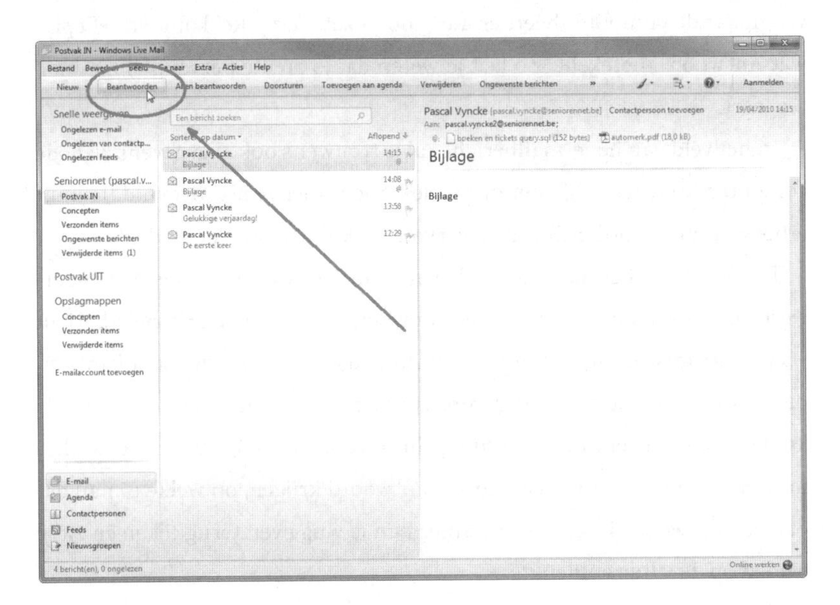

Het computerprogramma opent vervolgens een lege e-mail, maar vult al een aantal velden in.

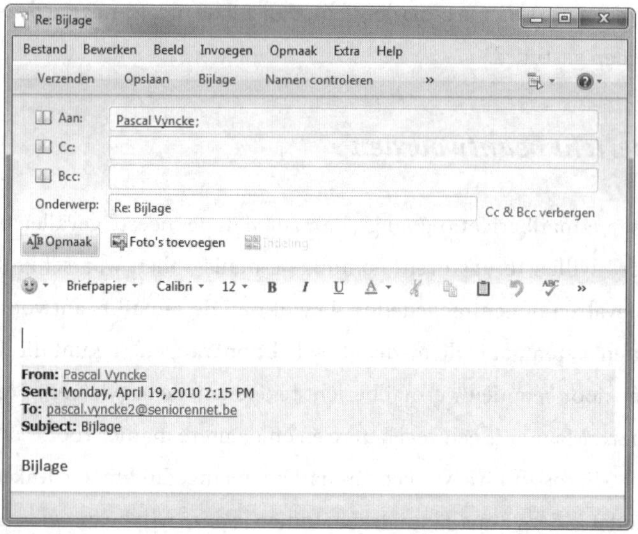

De ontvanger is namelijk al ingevuld en het onderwerp is hetzelfde gebleven, maar de computer heeft er 'Re:' voorgezet. Deze 'Re' komt van 'Reply', wat 'antwoord' betekent. Zo laat je weten dat je op die persoon zijn e-mail reageert.

In het veld van het e-mailbericht zul je trouwens ook al gegevens zien, de computer heeft namelijk het originele bericht hier reeds ingevuld. Je kunt erboven je antwoord intikken en vervolgens klikken op 'Verzenden'.

Dit systeem is heel handig en efficiënt omdat je de ontvanger en het onderwerp niet meer hoeft in te vullen. Bovendien wordt het originele bericht waarop je antwoordt, ook meegestuurd zodat de ontvanger snel kan zien op welk berichtje je hebt geantwoord. Zeker mensen die nogal veel e-mails krijgen en versturen, kunnen onmogelijk nog blijven onthouden wat ze allemaal hebben verstuurd en als ze een antwoord krijgen, op welke e-mail dat dan een antwoord is. Op deze manier kun je vlug even terugkijken en zit je beiden op dezelfde golflengte.

Er is nog een tweede mogelijkheid om een e-mailbericht te beantwoorden. In Windows Mail staat er naast de knop 'Beantwoorden' ook nog 'Allen beantwoorden'.

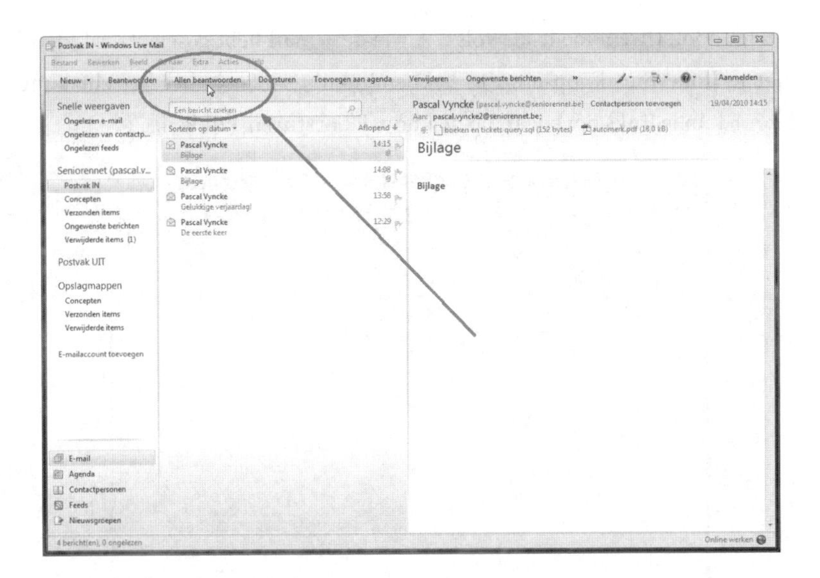

Dit is handig indien er een e-mail werd gestuurd naar meerdere mensen en om zo je antwoord ook naar de andere ontvangers terug te sturen, en niet alleen naar de afzender.

Bijvoorbeeld: je broer stuurt een e-mail naar de hele familie met de vraag of iemand hem kan helpen bij een bepaald probleem. Als jij je broer kunt helpen, dan kun je het beste niet enkel de zender van het bericht (je broer) informeren, maar ook de rest van de familie. Hierdoor moeten zij niet meer verder zoeken of nadenken om je broer te helpen.

Als je deze functie gebruikt, dan zul je zien dat in het veld 'Aan:' alle andere ontvangers zullen staan.

Een bericht doorsturen

Het kan voorkomen dat je een bericht dat je hebt binnengekregen, wilt doorsturen naar iemand anders. Dit kan zijn omdat je de persoon niet kunt helpen en dat mogelijk een vriend of collega die persoon kan helpen, maar het kan ook zijn dat je het zo'n goed mopje of interessant nieuws vindt dat je het wilt doorsturen naar je vrienden of familie.

Het doorsturen doe je als volgt. Als je de e-mail hebt geselecteerd (door met je linkermuisknop erop te hebben geklikt zodat je het bericht kunt lezen), kun je links bovenaan op de knop 'Doorsturen' klikken.

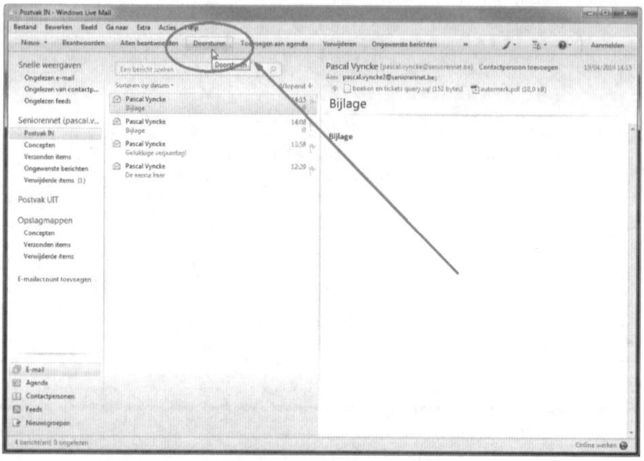

Er opent zich vervolgens een e-mailbericht waarbij de ontvangers nog NIET zijn ingegeven.

Je moet dus de e-mailadressen van de mensen ingeven die het bericht moeten ontvangen.

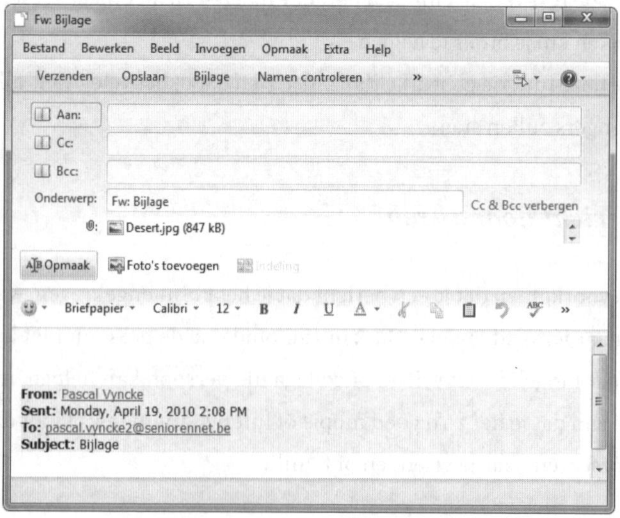

Het vakje onderwerp is al ingevuld met het originele onderwerp met 'FW:' ervoor. 'FW' komt van 'Forward', wat doorgestuurd betekent.

Dit is standaard altijd zo, maar als je om de een of andere reden toch het onderwerp wenst te wijzigen, is dit perfect mogelijk door met je muis op het witte tekstvak van het onderwerp te klikken en de tekst aan te passen naar je wensen.

Het bericht is ook al gedeeltelijk ingevuld. Het originele bericht werd er al in gezet, maar je kunt uiteraard bovenaan ook nog zelf een bericht intikken.

Indien er bij het originele bericht ook een of meerdere bijlagen zaten, zal de computer deze ook al automatisch toevoegen.

Wanneer je klaar bent met het berichtje, kun je gewoon linksboven op de knop 'Verzenden' klikken met je linkermuisknop.

Een e-mail afdrukken

Het zal geregeld voorkomen dat je een e-mail wilt afdrukken. Als het een belangrijke e-mail is, een e-mail met een grote sentimentele waarde of een bevestiging van een bepaalde aankoop, dan zul je deze willen afdrukken. Om een e-mail af te drukken, moet je het volgende doen:

Klik eerst de e-mail aan die je wilt afdrukken met je linkermuisknop in het overzicht.

Klik vervolgens bovenaan op het menu 'Bestand' met je linkermuisknop. In het menu dat nu verschijnt, klik je op 'Afdrukken...' met je linkermuisknop.

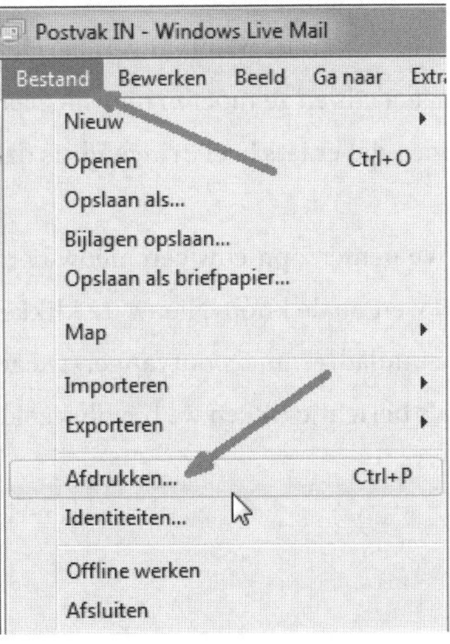

Er verschijnt nu een scherm om af te drukken. Hier kun je allerlei dingen instellen. Voor de meeste gevallen zijn de standaardinstellingen correct. Klik op de toets 'Afdrukken'.

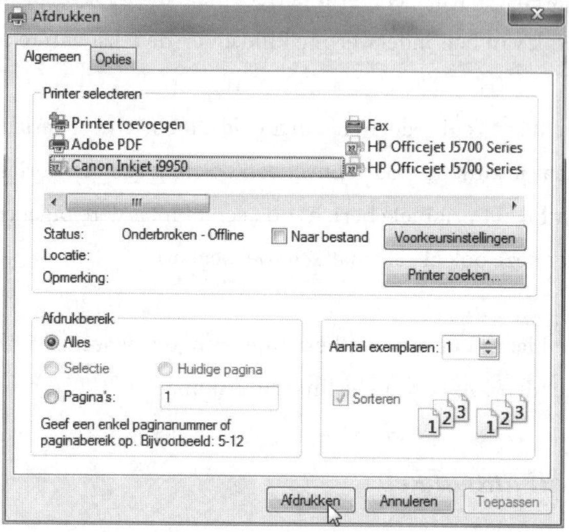

De e-mail zal nu door je printer worden afgedrukt. Let erop dat je de printer hebt geïnstalleerd en dat de printer voldoende papier heeft om af te drukken.

De prioriteit wijzigen

We versturen en ontvangen berichten meestal met gewone prioriteit. Niets speciaals en ze moeten niet speciaal opvallen. Maar het kan al eens voorkomen dat er iets heel dringends is dat je wilt melden.

We nemen opnieuw een nieuw berichtje in Windows Live Mail door linksboven op de knop 'Nieuw' te klikken. Opnieuw geven we gewoon ons eigen e-mailadres in als ontvanger, we geven in het onderwerp 'Dringend!' in en als berichtje tikken we bijvoorbeeld dit in:

'Hallo,

Wil je me zo snel mogelijk terugbellen? Het is heel dringend!

Bedankt!
Pascal'

Om ons bericht nog extra kracht bij te zetten, gaan we nu de prioriteit verhogen. Dit doen we door bovenaan op de knop 'Hoog' te klikken. Zo maken we er een hoge prioriteit van.

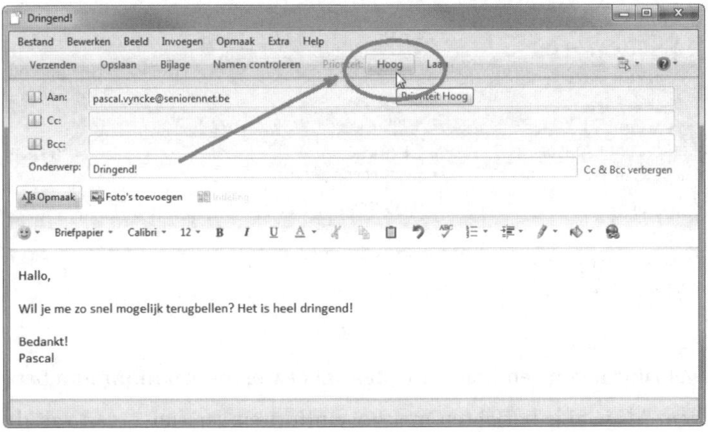

Er verschijnt daarna op het scherm ook nog 'Dit bericht heeft de prioriteit Hoog':

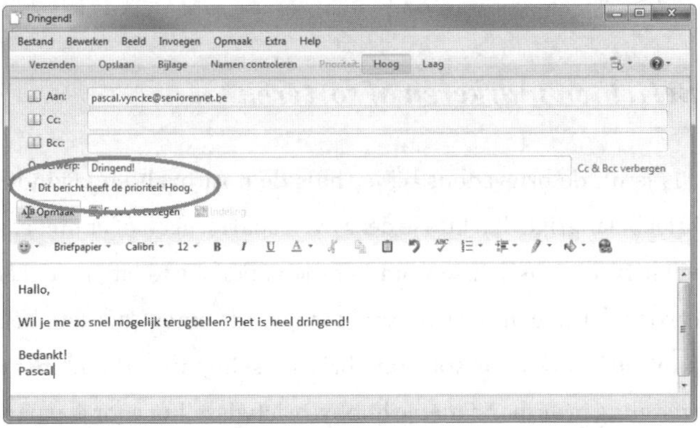

Verstuur vervolgens het bericht door bovenaan op de knop 'Verzenden' te klikken. Klik even erna in Windows Live Mail bovenaan op de knop 'Synchroniseren' en je zou dan je eigen e-mail terug moeten binnenkrijgen.

We hebben nu het e-mailbericht ontvangen. Het berichtje ziet er juist hetzelfde uit als de andere, met het verschil dat er een rood uitroepteken bij staat.

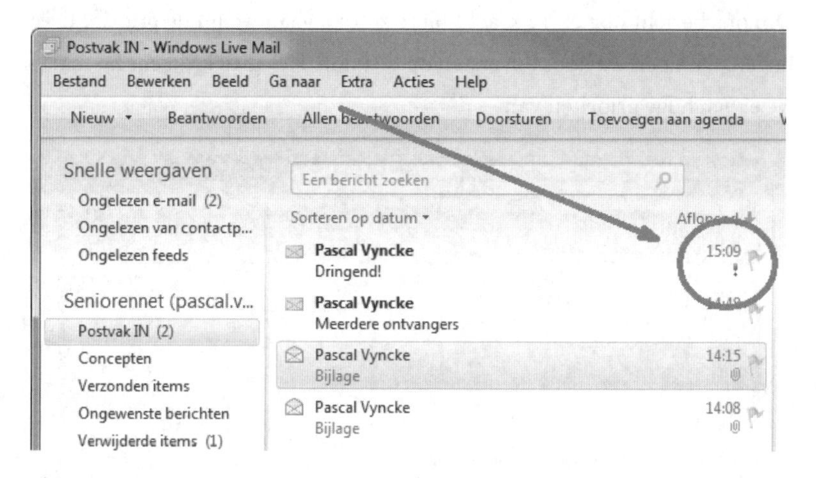

Het gebruiken van een hoge prioriteit moet wel tot een minimum beperkt worden. Als je al je berichten met hoge prioriteit verstuurt, dan valt dit na enkele berichten niet meer op. Als het dan toch eens dringend is, dan let de ontvanger er niet meer op. Gebruik deze functie dus enkel als het echt nodig is!

Berichten markeren of sorteren

Als je uit de brievenbus bij je thuis de post haalt en je vindt een bepaalde brief belangrijk, dan kun je deze even apart leggen of er met een pen of dikke viltstift iets opschrijven om hem je aandacht te laten trekken, en je zorgt ervoor dat je hem daarna snel terugvindt omdat het iets belangrijks is. Je kunt de brieven ook sorteren: briefwisseling in verband met je werk, briefwisseling in verband met je hobby, briefwisseling voor je partner enzovoort.

Dit kun je ook doen met je e-mails. Je kunt twee verschillende dingen doen om bepaalde berichten achteraf sneller terug te vinden zodat je ze zeker niet vergeet.

De eerste manier is een bericht *markeren*. Je gaat de computer aangeven dat je het bericht wilt markeren. Je schrijft niet met een dikke viltstift op je scherm, maar je doet gewoon het volgende:

Klik met je linkermuisknop het bericht aan op de afzender of het onderwerp, zodat het geselecteerd wordt.

Ga vervolgens bovenaan naar het menu 'Acties' en klik erop. Klik vervolgens in dit menu op 'Bericht markeren.'

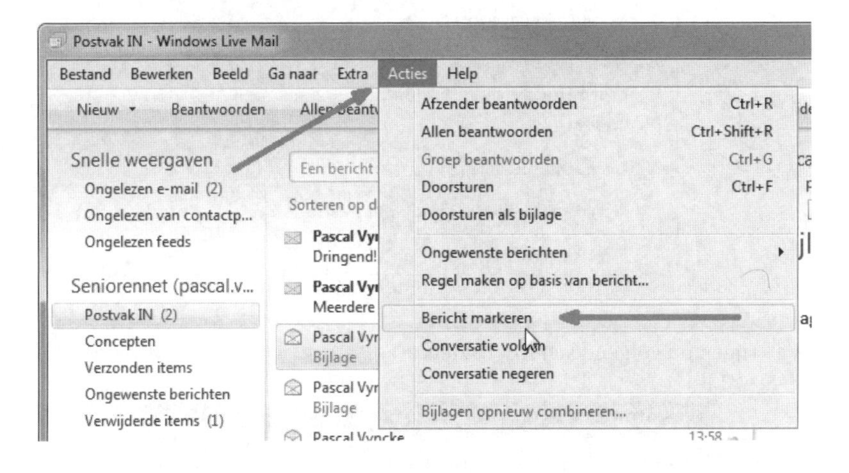

Je zult nu zien dat voor het aangeduide bericht een rood vlaggetje zal komen te staan. Dit is een symbooltje om aan te geven dat dit bericht gemarkeerd is.

De tweede manier is berichten sorteren. Je sorteert alle berichten die binnenkomen in meerdere mappen in je Postvak IN. Zeker als je later wat meer e-mails per dag krijgt, is dit heel handig om het overzicht niet te verliezen.

Het sorteren doe je als volgt:

Klik met je rechtermuisknop op het bericht dat je in een andere map wilt zetten, er verschijnt een klein submenu. Klik vervolgens in het submenu op 'Naar map verplaatsen...'.

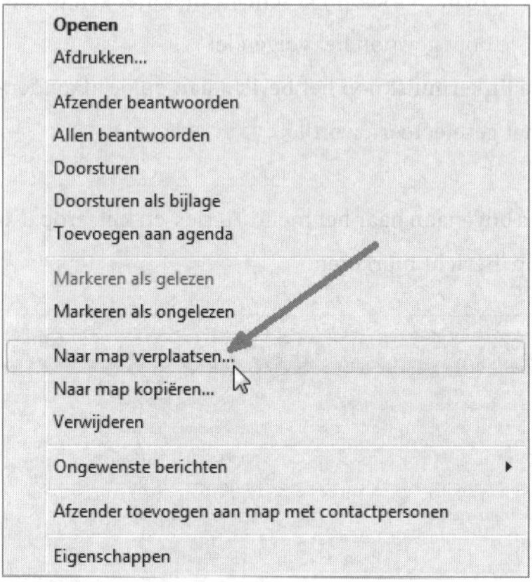

We krijgen nu volgend scherm te zien:

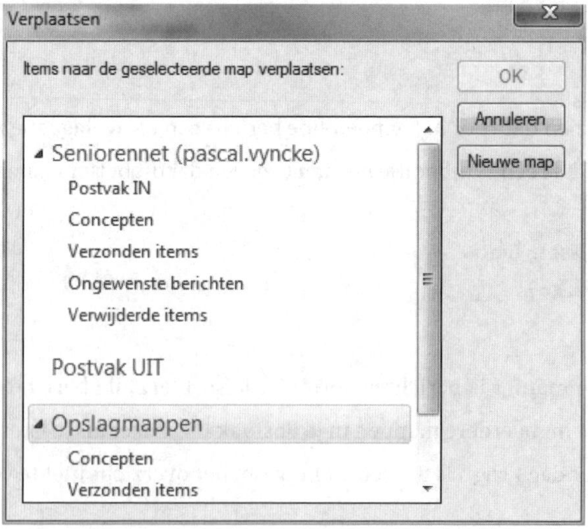

We moeten een nieuwe map aanmaken, want anders kunnen we het bericht uiteraard niet naar een andere map verplaatsen. Een nieuwe map aanmaken hoef je uiteraard niet altijd opnieuw te doen, maar alleen de eerste keer.

Klik eerst links op een map waar je een nieuwe map in wil maken, bijvoorbeeld bij 'Postvak IN', want het zijn je inkomende e-mails die we nu als voorbeeld willen sorteren. Klik vervolgens op de knop 'Nieuwe map'.

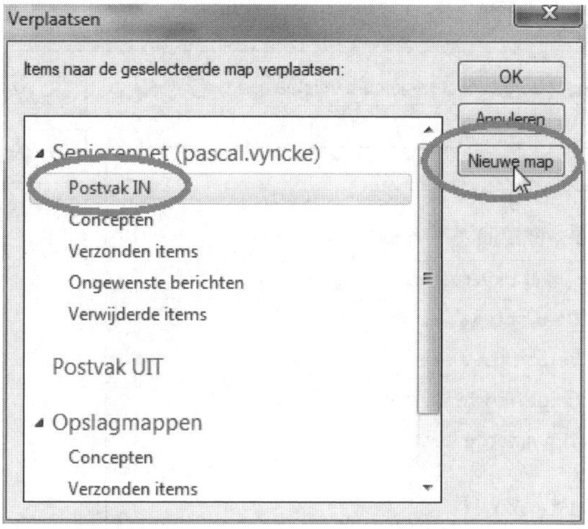

Er verschijnt nu een nieuw scherm waar je de mapnaam moet intikken. Geef in het witte tekstvak een naam in, bijvoorbeeld 'Niet te vergeten'.

Klik vervolgens op OK.

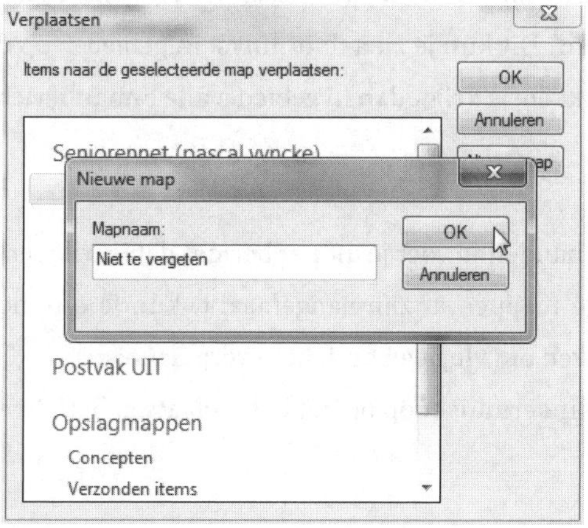

Je ziet nu weer op het vorige scherm dat al de normale mappen zichtbaar zijn (Postvak IN, Postvak UIT, Verzonden items enzovoort) en dat je nieuwe map onderaan toegevoegd werd. De nieuwe map is klaar voor gebruik.

Nu klik je de gewenste map met je linkermuisknop aan – in ons voorbeeld is dat dus de map 'Niet te vergeten' – en vervolgens klik je op de knop 'OK'.

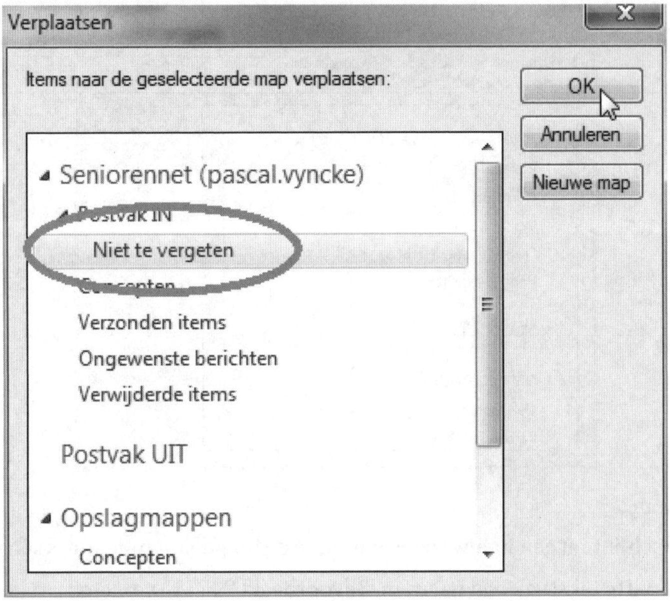

Het bericht verdwijnt uit de map Postvak IN en is nu geplaatst in de map 'Niet te vergeten'. Dit kun je zien door links, in gebied 1, op de map 'Niet te vergeten' te klikken, je krijgt dan in gebied 2 alle e-mailberichten uit die ene map te zien.

Bovenstaande handeling voer je uit per bericht dat je wilt verplaatsen. Wanneer de nodige mappen al zijn aangemaakt, kun je ook nog een snellere manier gebruiken om vlug een bericht te verplaatsen:

Klik met je linkermuisknop op het te verplaatsen bericht en hou de knop ingedrukt.

Verschuif vervolgens je muisaanwijzer tot in gebied 1 totdat je op de gewenste map bent gekomen, en deze map aangeduid wordt met een lichtblauwe achtergrond.

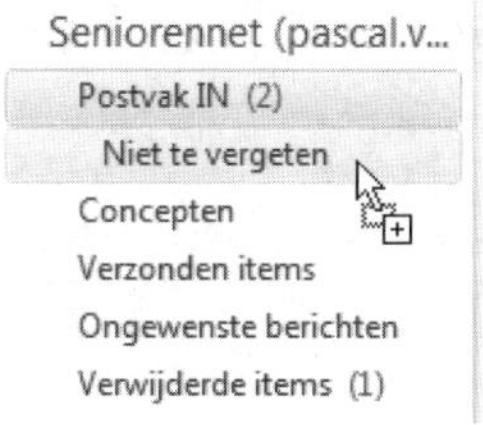

Laat vervolgens je linkermuisknop los. Het bericht is nu verplaatst.

Een bericht later afmaken

Het kan voorkomen dat je om een bepaalde reden een e-mailbericht waar je al mee begonnen bent, nu nog niet wilt versturen en er later nog aan wilt verder werken. Dit omdat het een belangrijke tekst is waar je nog eens een nachtje over wilt slapen, of omdat je momenteel even geen tijd hebt om het bericht verder af te maken. Net alsof je gewoon een brief aan het schrijven bent, en hem even opzij legt en later verder afwerkt.

Als je dus een e-mailbericht hebt openstaan, dan moet je het volgende doen:

Ga linksboven naar het menu 'Bestand' en klik erop met je linkermuisknop.

Ga vervolgens in het submenu naar 'Opslaan' en klik erop met je linkermuisknop.

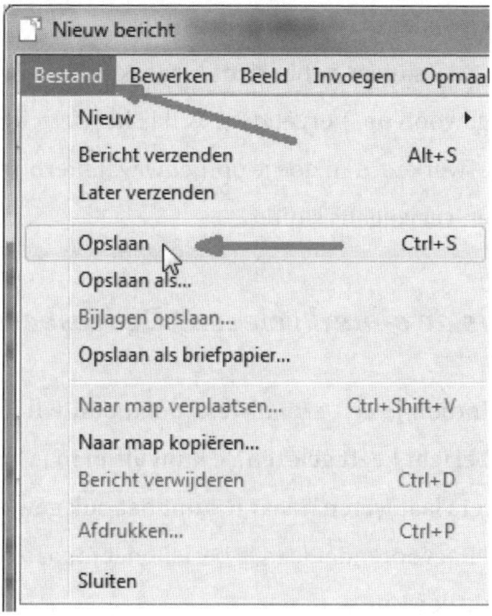

Je krijgt nu een mededeling te zien van de computer dat het bericht is opgeslagen in de map 'Concepten'. Klik op de toets 'OK' met je linkermuisknop.

Bericht opgeslagen

Het bericht is opgeslagen in de map Concepten.

Dit venster niet meer weergeven.

OK

Je kunt nu het bericht sluiten door rechtsboven op het kruisje te klikken.

Om later je e-mail weer te openen en hem verder af te maken, moet je naar de map 'Concepten' gaan. Dit doe je door in Windows Live Mail links (gebied 1) op 'Concepten' met je linkermuisknop te klikken. Rechts, in gebied 2, zullen dan alle e-mailberichten verschijnen die in de map Concepten staan.

Dubbelklik op het gewenste e-mailbericht dat je verder wilt afmaken en het bericht zal geopend worden, exact hetzelfde zoals je het ervoor hebt opgeslagen.

Wanneer het bericht klaar is en je wilt het versturen, klik je zoals anders gewoon op 'Verzenden'. Wil je het bericht nog eens een ander keertje verder afwerken, dan doe je opnieuw wat hierboven beschreven staat: eerst opslaan en vervolgens sluiten.

Is de e-mail gelezen? De leesbevestiging

Indien je een e-mail verstuurt, dan wil je altijd graag weten of de ander je bericht heeft gelezen. Je kunt altijd in je berichtje vragen dat de ontvanger je iets laat weten, maar je kunt het ook gewoon de computer laten versturen. Hiervoor moet je in je bericht dat je gaat versturen, de volgende handelingen uitvoeren:

Ga in je e-mailbericht dat je wilt versturen en waar je een leesbevestiging van wilt ontvangen, naar boven in het menu 'Extra' en klik erop met je linkermuisknop.

Klik vervolgens in het submenu op 'Leesbevestiging vragen' met je linkermuisknop.

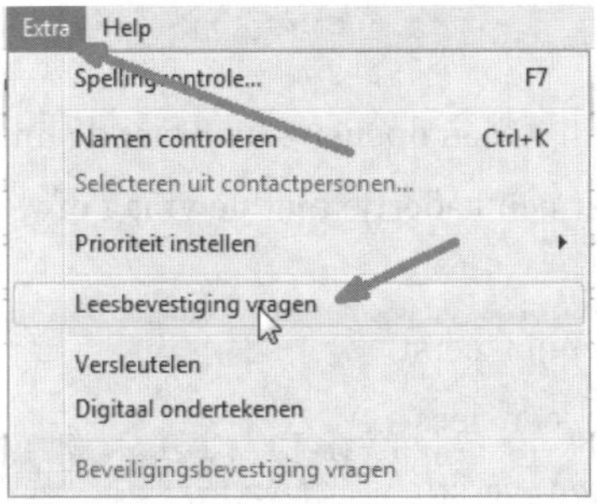

We gaan dit even uitproberen. We maken een nieuwe e-mail aan (in Windows Live Mail linksboven op 'Nieuw' klikken), we geven bij de ontvanger ons eigen e-mailadres in, we geven een onderwerp in, bijvoorbeeld 'Leesbevestiging' en een kort berichtje, bijvoorbeeld 'Ik vraag een leesbevestiging...'.

Je e-mail ziet er dan ongeveer uit als volgt:

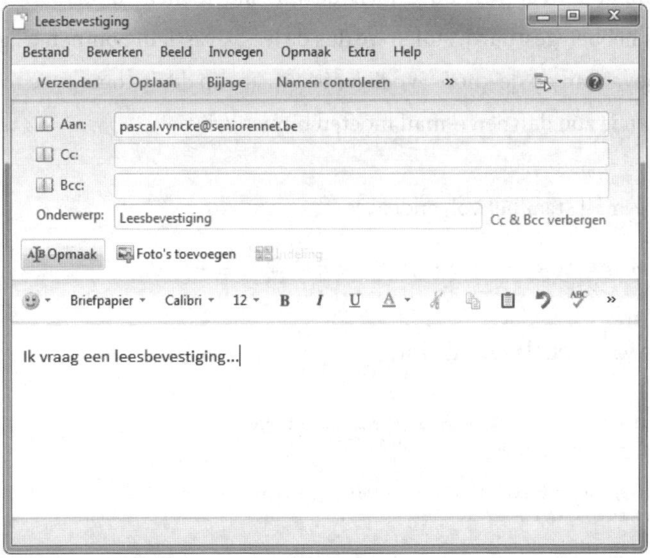

Vraag nu een leesbevestiging door te doen wat hierboven staat uitgelegd: dus menu 'Extra' en vervolgens 'Leesbevestiging' vragen.

Klik linksboven op 'Verzenden' om het berichtje te versturen naar jezelf.

Klik even hierna in Windows Live Mail bovenaan op de knop 'Synchroniseren' (of op de F5-toets op je toetsenbord) en je zou dan je eigen e-mail moeten binnenkrijgen.

Wanneer we de e-mail willen openen (door met de linkermuisknop erop te klikken), verschijnt er een kadertje met de vraag of we een leesbevestiging willen sturen.

Deze vraagt verschijnt eerst omdat niet iedereen een leesbevestiging zal willen versturen, sommige mensen en vooral bedrijven zullen dit nooit doen.

Als gewone gebruiker klik je gewoon op 'Ja'. Doe dit ook nu.

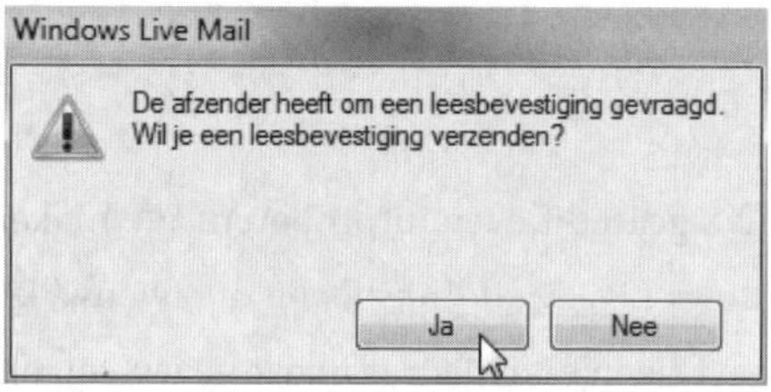

Windows Live Mail
De afzender heeft om een leesbevestiging gevraagd.
Wil je een leesbevestiging verzenden?
Ja Nee

Nu kunnen we de e-mail lezen. De leesbevestiging werd intussen ook door de computer weer verstuurd naar de verzender. Maar omdat wij zelf de e-mail hebben gestuurd, zullen we dus de leesbevestiging binnenkrijgen. Klik bovenaan op de knop 'Synchroniseren' (of op de F5-toets op je toetsenbord) en je zou dan een e-mail moeten binnenkrijgen.

In die e-mail staat het volgende:

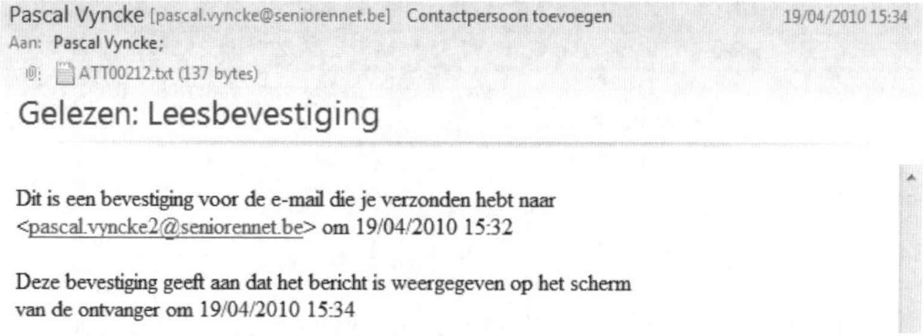

Pascal Vyncke [pascal.vyncke@seniorennet.be] Contactpersoon toevoegen 19/04/2010 15:34
Aan: Pascal Vyncke;
ATT00212.txt (137 bytes)

Gelezen: Leesbevestiging

Dit is een bevestiging voor de e-mail die je verzonden hebt naar <pascal.vyncke2@seniorennet.be> om 19/04/2010 15:32

Deze bevestiging geeft aan dat het bericht is weergegeven op het scherm van de ontvanger om 19/04/2010 15:34

We zien dus dat de e-mail die we verstuurd hebben naar een bepaald e-mailadres op een bepaald tijdstip, werd gelezen door de ontvanger op een bepaald tijdstip.

Indien je deze leesbevestiging hebt gekregen, weet je dus zeker dat de ander jouw e-mailbericht heeft geopend. Indien je nooit een leesbevestiging ontvangt, betekent het echter niet dat de e-mail niet werd gelezen, maar mogelijk dat de ontvanger niet graag een leesbevestiging verstuurt.

Controle op spelfouten

Niemand is perfect en iedereen kan weleens spelfouten maken. Je kunt een tikfout maken doordat je per ongeluk een foute toets indrukt, maar je kunt je ook vergissen van spelling. Moet een bepaald woord nu met een c of een k? Moet een bepaald woord met een korte ei of een lange ij? Moet er ergens een letter dubbel ingetikt worden?

Fouten kunnen voorkomen, en het mooie aan de computer is dat er ook een mogelijkheid is om je fouten te verbeteren.

In een tekstverwerker, zoals Word, is die mogelijkheid aanwezig. Voor het versturen van een e-mail kun je ook gebruikmaken van een spellingcontrole.

De eerste keer moeten we dit echter wel instellen. We moeten ons ervan verzekeren dat de computer onze e-mails in de juiste taal gaat controleren. Meestal staat de volgende instelling juist, maar het kan al eens mislopen. Controleer daarom zeker het volgende:

Ga in Windows Live Mail bovenaan naar het menu 'Extra' en klik erop met je linkermuisknop. Klik vervolgens op 'Opties...' in het menu.

Klik nu bovenaan op het tabblad 'Spellingcontrole'.

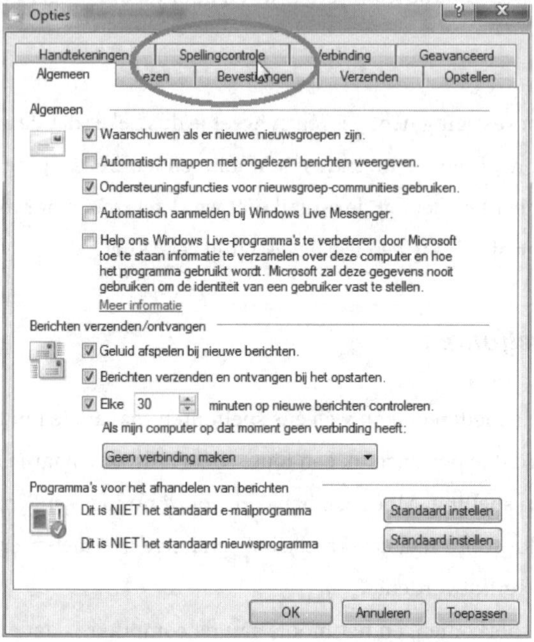

Opties

Handtekeningen | Spellingcontrole | Verbinding | Geavanceerd
Algemeen | Lezen | Bevestigingen | Verzenden | Opstellen

Algemeen

- [x] Waarschuwen als er nieuwe nieuwsgroepen zijn.
- [ ] Automatisch mappen met ongelezen berichten weergeven.
- [x] Ondersteuningsfuncties voor nieuwsgroep-communities gebruiken.
- [ ] Automatisch aanmelden bij Windows Live Messenger.
- [ ] Help ons Windows Live-programma's te verbeteren door Microsoft toe te staan informatie te verzamelen over deze computer en hoe het programma gebruikt wordt. Microsoft zal deze gegevens nooit gebruiken om de identiteit van een gebruiker vast te stellen.

Meer informatie

Berichten verzenden/ontvangen

- [x] Geluid afspelen bij nieuwe berichten.
- [x] Berichten verzenden en ontvangen bij het opstarten.
- [x] Elke 30 minuten op nieuwe berichten controleren.

Als mijn computer op dat moment geen verbinding heeft:

Geen verbinding maken

Programma's voor het afhandelen van berichten

Dit is NIET het standaard e-mailprogramma — Standaard instellen

Dit is NIET het standaard nieuwsprogramma — Standaard instellen

OK | Annuleren | Toepassen

Kijk nu na of er onderaan bij Taal 'Nederlands' staat aangegeven en erachter staat 'Geïnstalleerd'. Indien dit niet zo is, klik dan in de lijst op 'Nederlands' en dan ernaast op de knop 'Installeren'.

Opties

Algemeen | Lezen | Bevestigingen | Verzenden | Opstellen
Handtekeningen | Spellingcontrole | Verbinding | Geavanceerd

Instellingen

- [ ] Altijd spelling controleren voor verzenden
- [x] Veelgemaakte fouten met hoofdletters/spelling automatisch corrigeren
- [x] Spelling controleren tijdens typen
- [x] Spelling controleren in huidige taal

Bij spellingcontrole altijd negeren:

- [ ] Woorden in HOOFDLETTERS
- [ ] Woorden met cijfers
- [x] Oorspronkelijke tekst bij beantwoorden of doorsturen

Aangepaste woordenlijst

In de woordenlijst woorden toevoegen of verwijderen — Bewerken...

Talen

Turks (Turkije)	Beschikbaar
Koreaans (Korea)	Beschikbaar
Nederlands (Nederland)	Geïnstalleerd
Indonesisch (Indonesië)	Beschikbaar
Oekraïens (Oekraïne)	Beschikbaar

Installeren | Verwijderen | Bijwerken | Standaard

Als je op Installeren klikt, wordt er een spellingscontrole gedownload, waarop de gebruiksrechtovereenkomst van Microsoft van toepassing is. Meer informatie

OK | Annuleren | Toepassen

Als je wenst dat in de toekomst al je berichten gecontroleerd worden op spelling juist voor je gaat verzenden, dan kun je nu op dit scherm op het vierkantje met je linkermuisknop klikken waar staat 'Altijd spelling controleren voor verzenden', er zal een vinkje in het vierkant verschijnen.

Om dit later af te zetten, kom je terug naar hetzelfde scherm door bovenstaande instructies te volgen en klik je nogmaals op dat vierkantje, zodat het vinkje verdwijnt.

Klik vervolgens rechtsonder op de knop 'OK' met je linkermuisknop.

Als je nu een e-mailbericht hebt ingegeven en je wilt het controleren op spelling, dan klik je eenvoudig op de knop met 'ABC' en een rood vogeltje

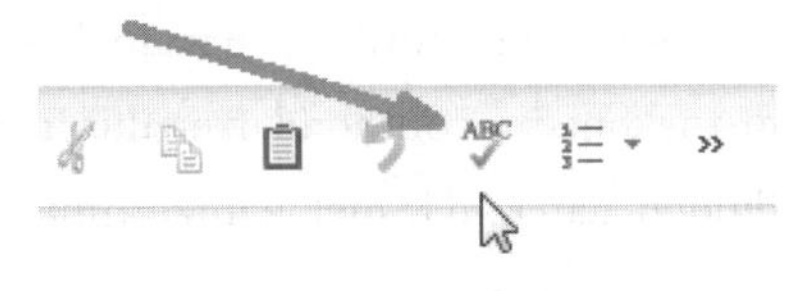

Als het de eerste keer is dat je de spellingscontrole gebruikt, is het mogelijk dat de computer dit eerst nog moet installeren en moet instellen. Heb dan even geduld en laat de computer gewoon zijn gang gaan.

Wanneer er een spelfout gevonden is in je bericht, verschijnt er een schermpje:

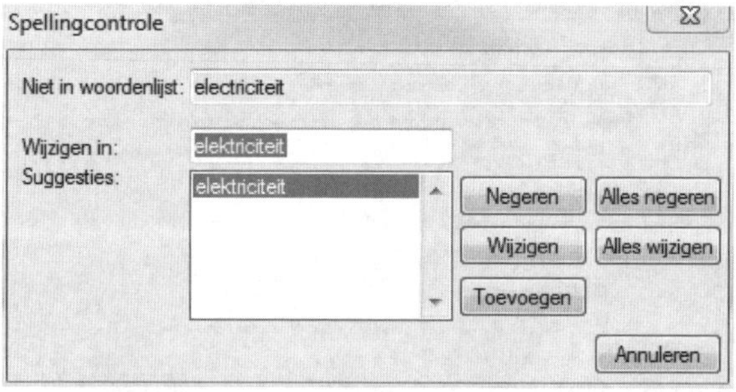

Je ziet het woord achter 'Niet in woordenlijst' staan, dit is het originele woord zoals het in het bericht staat. De computer zet in het vak 'Wijzigen in:' het woord dat hij denkt dat het zou moeten zijn. Hij geeft ook indien mogelijk een of meerdere suggesties eronder. Indien een van de suggesties wél is wat je wenst, klik je met je linkermuisknop op die bepaalde suggestie, dan zal dat woord in het vakje 'Wijzigen in' worden geplaatst.

Je hebt een aantal mogelijkheden:

Als je akkoord gaat met de wijziging, klik je op de knop 'Wijzigen' met je linkermuisknop.

Als je totaal niet akkoord gaat met de computer omdat de computer foute dingen voorstelt of iets wil wijzigen dat wel juist is (dit komt meestal voor bij namen van mensen of bedrijven), dan klik je op de knop 'Negeren' met je linkermuisknop.

Als het een woord of een naam is waarvan je wenst dat de computer die in de toekomst zal onthouden en dus in de toekomst niet meer als fout zal aanduiden, dan kun je met je linkermuisknop op de knop 'Toevoegen' klikken.

De computer zal dan het woord waarvan hij dacht dat het foutief was, toevoegen aan een aparte woordenlijst. Alle woorden in deze lijst zullen in de toekomst als correct worden beschouwd.

Als het woord dat de computer aangeeft als fout meerdere keren in je tekst voorkomt en je het hoogstwaarschijnlijk meerdere keren ook fout hebt geschreven en je wilt ze allemaal laten wijzigen, dan klik je met je linkermuisknop op de knop 'Alles wijzigen'.

Als het woord dat de computer aangeeft als fout helemaal niet fout is en bovendien meerdere keren voorkomt in je bericht, kun je op de knop 'Alles negeren' klikken. Hetzelfde woord zal dan telkens worden genegeerd voor dit bericht.

Indien je de spellingcontrole wilt stoppen, zonder dat deze afgelopen is, klik je op de knop 'Annuleren' met je linkermuisknop.

Als de spellingscontrole afgelopen is, deelt de computer dit ook mee:

Een e-mail terugvinden

Als je thuis een brief van een hele tijd geleden moet zoeken, ben je waarschijnlijk wel eventjes bezig. De kast of lade helemaal leeghalen en alles een voor een aflopen voor je de betreffende brief hebt gevonden...

Met de computer kan dit veel eenvoudiger, efficiënter en sneller. Als je een aantal maanden of jaren met e-mail bezig bent, dan heb je een massa e-mails op je computer staan. Om daar juist die éne terug te vinden, zou ook een enorm werk zijn. Maar met een speciale zoekfunctie is dit kinderspel:

Ga in Windows Live Mail en klik in het witte tekstvak waar staat 'een bericht zoeken'. Vervolgens kun je ingeven wat je zoekt.

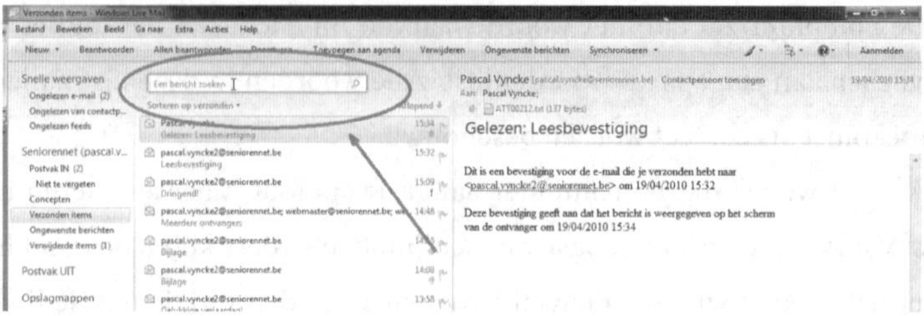

De resultaten komen in de lijst eronder te staan. De e-mail aanklikken opent de e-mail.

Als je hiermee het bericht niet kunt vinden, dan zijn er nog meer mogelijkheden!

Klik linksboven op het menu 'Bewerken' met je linkermuisknop. Klik vervolgens op 'Zoeken' en dan in het lijstje dat verschijnt op 'Bericht...' met je linkermuisknop.

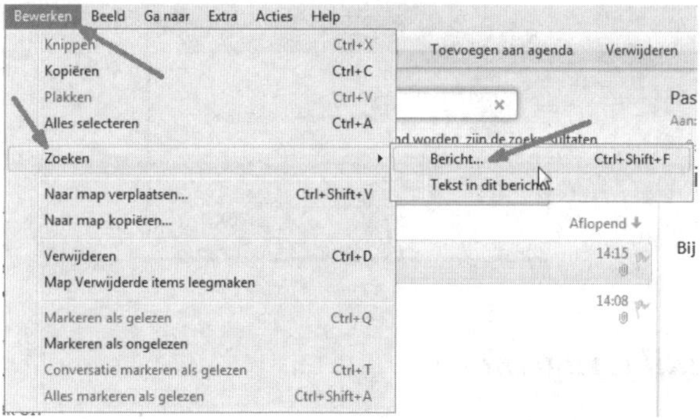

Je krijgt nu het volgende uitgebreide zoekscherm te zien:

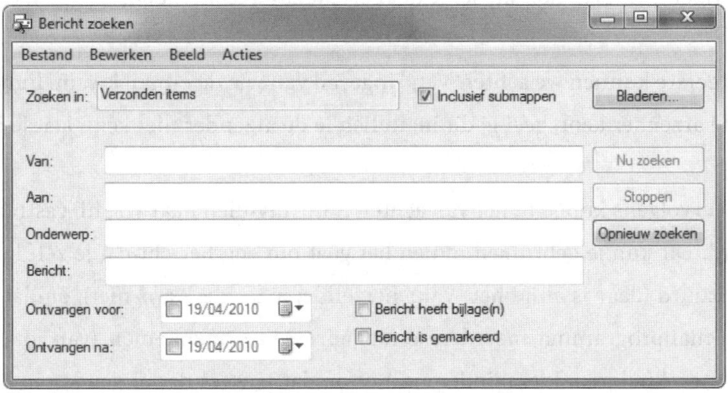

Eerst moeten we aangeven in welke map we willen zoeken. Standaard zal deze op de map 'Postvak IN' staan, maar het kan voorkomen dat we een bericht willen zoeken dat we zelf hebben verzonden (Verzonden items) of een bericht dat we in een bepaalde map hebben gesorteerd. Je ziet achter 'Zoeken in:' de map staan waar de computer zal gaan zoeken; als dit niet de juiste map is, klik je rechts ervan op 'Bladeren...'.

Je krijgt dan een scherm te zien zoals op onderstaande afbeelding. Je kunt daar de gewenste map aanduiden door er met je linkermuisknop op te klikken en vervolgens klik je op de knop 'OK'.

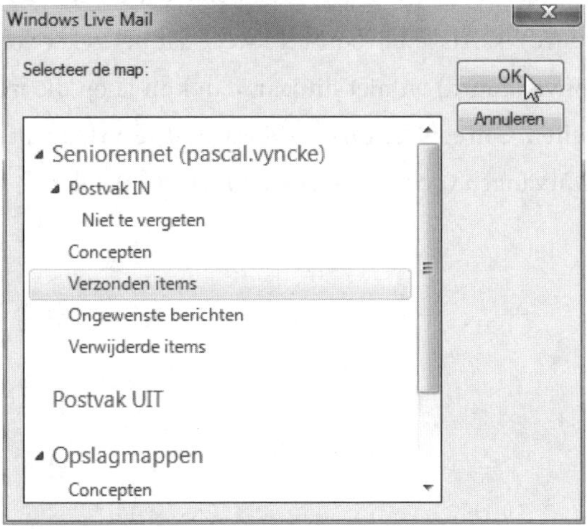

Nu kun je een aantal criteria ingeven om het bericht te vinden. Hoe nauwkeuriger deze zijn, hoe sneller je het bericht zult terugvinden.

Als eerste kunnen we achter 'Van:' ingeven van wie de e-mail kwam. Indien je de afzender kent, geef je dit in, indien je de afzender niet kent, laat je dit leeg.

Vervolgens kun je in het vak achter 'Aan:' invullen naar wie hij gestuurd werd. Dit kun je gebruiken indien het gaat om een bericht dat je zelf hebt verstuurd (daar is altijd het 'Van:' hetzelfde, maar de 'Aan:' niet), omdat in je e-mailprogramma meerdere e-mailadressen samenkomen (van jou, je partner, kinderen, kleinkinderen...) of omdat je weet dat er een kopie was gestuurd naar nog iemand anders.

Indien je de 'Aan:' niet weet, laat je dit vakje ook gewoon leeg.

Vervolgens kun je achter 'Onderwerp:' ingeven wat het onderwerp was. Indien je je hier nog een stuk van herinnert, tik dat dan in voor zover je het weet, indien je het niet meer weet, laat je dit veld leeg.

Achter 'Bericht:' kun je iets intikken dat in het bericht voorkwam. Als je zeker weet dat er een speciaal woord of een bepaalde naam in dat bericht voorkwam (en in de meeste andere berichten niet voorkomt), kun je dat hier ingeven. Ook hier geldt weer: indien je het niet weet of het onbelangrijk is, laat je dit leeg.

Je kunt vervolgens ook aangeven vóór welke datum een bericht ontvangen (of verstuurd) is. Als je bijvoorbeeld weet dat het zeker vorig jaar werd ontvangen (of verstuurd) en niet dit jaar, dan kun je op die manier al vele e-mails uitsluiten. Om een datum in te geven, klik je op het pijltje naar beneden achter 'Ontvangen voor:'. Er verschijnt nu een kalender:

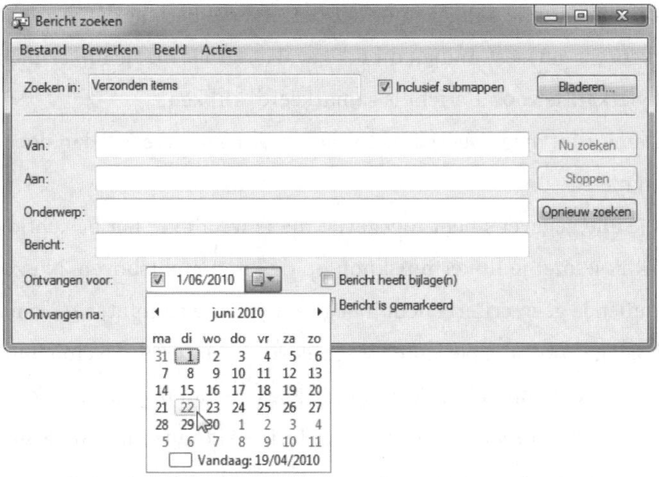

Je ziet in het blauwe vak de huidige maand. Klik op het pijltje naar links om een maand terug te gaan, op het pijltje naar rechts om een maand verder te gaan. Wanneer je in de juiste maand zit, kun je eronder de juiste dag aanduiden door met je linkermuisknop op de juiste dag te klikken.

Als je dit hebt gedaan, verdwijnt de kalender weer en wordt in het zoekscherm achter 'Ontvangen voor:' de datum ingevuld. Indien je de datum niet weet, doe je hier gewoon niets.

Wanneer je weet dat een bericht zeker en vast ná een bepaalde datum is verstuurd geweest, dan kun je dat ingeven achter 'Ontvangen na:'. Dit is weer hetzelfde systeem als hierboven: op het pijltje naar beneden klikken en vervolgens in de kalender de juiste datum uitkiezen.

Als je de datum niet weet, doe je hier gewoon niets.

Indien je zeker weet dat het bericht een bijlage of verschillende bijlagen had, dan kun je op het vierkantje voor 'Bericht heeft bijlage(n)' klikken met je linkermuisknop. Hierdoor elimineer je alle berichten die geen bijlage hebben.

Indien je dit niet meer weet, kom je hier gewoon niet aan en dan houdt de computer hier geen rekening mee, hij zal dan zoeken in zowel de berichten mét een bijlage als zónder een bijlage.

Als laatste kun je aangeven of het betreffende bericht dat je zoekt, ooit gemarkeerd is geweest. Indien dit het geval is, kun je met je linkermuisknop op het vierkantje voor 'Bericht is gemarkeerd' klikken.

Indien je niet meer weet of het bericht werd gemarkeerd, dan doe je hier gewoon niets.

Als je alle gegevens hebt ingegeven die je weet over het berichtje dat je zoekt, klik je met je linkermuisknop op de knop rechtsboven 'Nu zoeken'. Zelfs indien je geen criteria hebt ingegeven, gaat de computer zoeken, maar hij zal dan gewoon alle berichten weergeven, wat uiteraard weinig nuttig is.

Als je op de knop hebt geklikt om te zoeken, dan begint de computer te zoeken. Afhankelijk van je ingegeven criteria en afhankelijk van de hoeveelheid e-mails die de computer moet beginnen te doorzoeken, kan dit er op een fractie van een seconde op staan of enkele minuten duren.

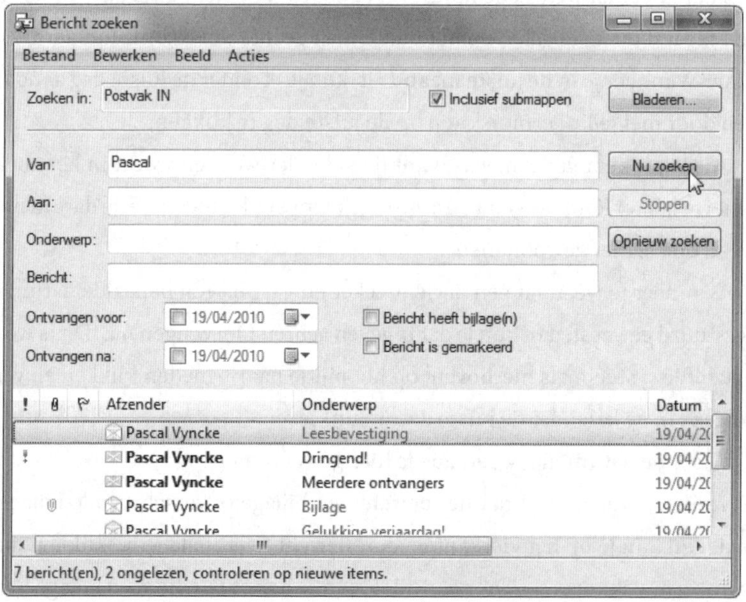

Je ziet onder je criteria vervolgens de gevonden berichten staan; door er op te dubbelklikken kun je het bericht openen.

Wanneer je toch nog iets wilt aanpassen aan je zoekcriteria, dan kun je dat gewoon doen en vervolgens opnieuw klikken op de knop 'Nu zoeken' met je linkermuisknop. Indien je helemaal opnieuw wilt beginnen, bijvoorbeeld omdat je gewoon een ander bericht wilt zoeken, klik je met je linkermuisknop op de knop 'Opnieuw zoeken'. Alle velden worden dan gewist zodat je opnieuw kunt beginnen en nieuwe gegevens kunt intikken om te zoeken.

Een e-mail opslaan

Alle e-mailberichten die binnenkomen, staan opgeslagen op je harde schijf, allemaal samen. Het kan voorkomen dat je onder bepaalde omstandigheden toch een bepaald e-mailbericht apart op de harde schijf wilt opslaan. Bijvoorbeeld wanneer het een belangrijk bericht is met een wachtwoord dat je zeker niet wilt verliezen. Zo kun je ook van die enkele bestanden makkelijker een reservekopie maken om te voorkomen dat je ze kwijtraakt. Je doet dit als volgt:

Duid met je linkermuisknop het bericht aan dat je wenst op te slaan. Ga vervolgens linksboven naar het menu 'Bestand' en klik erop met je linkermuisknop.

Klik vervolgens met je linkermuisknop in het menu op 'Opslaan als...'.

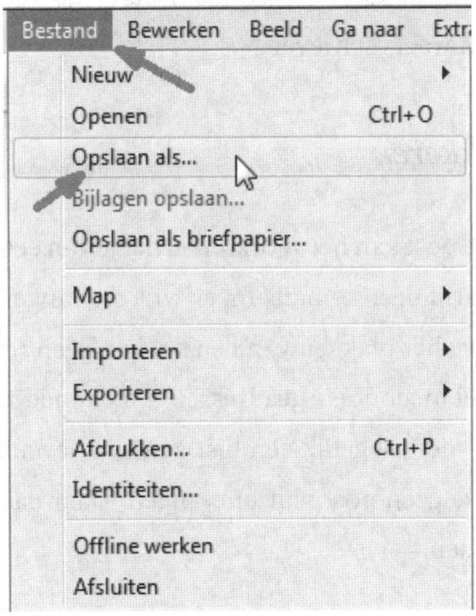

Je krijgt nu een scherm te zien waarbij je de plaats moet opgeven waar je het bestand wilt opslaan. Je kunt de plaats zoeken door op een map te klikken of door helemaal links op de knoppen 'Bureaublad', 'Documenten'... te klikken met je linkermuisknop.

Als je de locatie hebt gevonden waar je het bericht wilt opslaan, kun je vervolgens een naam kiezen. Dit doe je door onderaan achter 'Bestandsnaam:' de door jou gekozen naam van het bericht in te tikken.

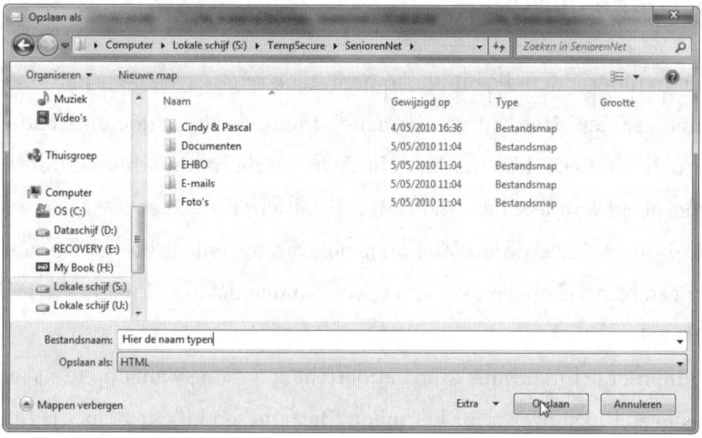

Klik vervolgens op de knop 'Opslaan' met je linkermuisknop.

Het bestand wordt nu door de computer op de gevraagde locatie en met de opgegeven naam weggeschreven.

Afzenders blokkeren

Zoals bij de gewone post kan het voorkomen dat je van een bepaalde persoon of een bepaald bedrijf geen e-mails meer wilt ontvangen. In het dagelijkse leven kun je behalve het plakken van een sticker 'geen reclame a.u.b.' op de brievenbus niet veel meer doen; geadresseerd reclamedrukwerk wordt toch bezorgd. En het is niet mogelijk een lijst aan je brievenbus te hangen met personen van wie je geen post wilt ontvangen. Daar gaat je postbode zich niet mee bezighouden.

Met de computer is dit echter wel mogelijk. Je kunt een lijst van afzenders opgeven die geblokkeerd worden. Als ze je dan toch een berichtje sturen, verdwijnt het onherroepelijk in de prullenbak (Verwijderde items). Als je een bepaalde afzender wilt blokkeren, doe je het volgende:

Duid de e-mail aan van de ongewenste afzender en klik er vervolgens op met je rechtermuisknop.

Op het menu dat nu getoond wordt, klik je op 'Ongewenste berichten' en vervolgens klik je 'Afzender toevoegen aan de lijst met geblokkeerde afzenders'.

Openen
Afdrukken...
Afzender beantwoorden
Allen beantwoorden
Doorsturen
Doorsturen als bijlage
Toevoegen aan agenda
Markeren als gelezen
Markeren als ongelezen
Naar map verplaatsen...
Naar map kopiëren...
Verwijderen
Ongewenste berichten
Afzender toevoegen aan map met contactpersonen
Eigenschappen

Afzender toevoegen aan de lijst met veilige afzenders
Domein (@voorbeeld.com) van afzender toevoegen aan lijst met veilige afzenders
Afzender toevoegen aan de lijst met geblokkeerde afzenders
Domein (@voorbeeld.com) van afzender toevoegen aan lijst met geblokkeerde afzenders
Als ongewenst markeren Ctrl+Alt+J
Markeren als niet-ongewenste e-mail
Blokkering opheffen

Je krijgt nu een mededeling van de computer. De computer deelt in eerste instantie mee dat het e-mailadres geblokkeerd werd en dat toekomstige berichten automatisch rechtstreeks in de map met ongewenste berichten terecht zullen komen.

Indien je een geblokkeerde afzender weer wilt toelaten, omdat de ruzie is bijgelegd, omdat het een vergissing was... dan moet je het volgende doen.

Ga in Windows Live Mail bovenaan naar het menu 'Extra' en klik erop met je linkermuisknop.

Klik vervolgens met je linkermuisknop op 'Beveiligingsopties'.

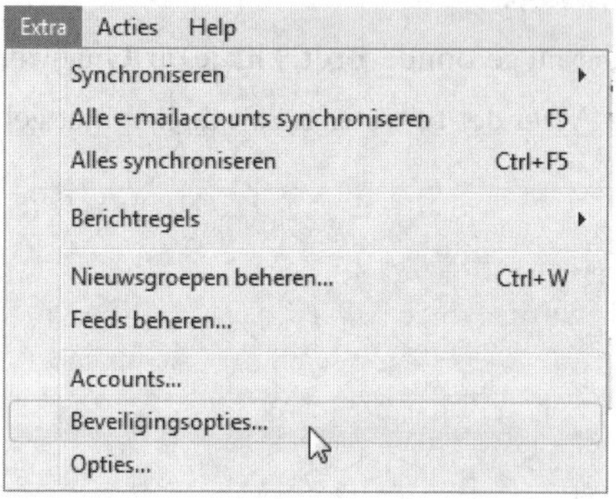

Er verschijnt een nieuw scherm. Klik op het scherm nu op het tabblad 'Geblokkeerde afzenders'.

Klik in het submenu met je linkermuisknop op 'Afzenders blokkeren...'.

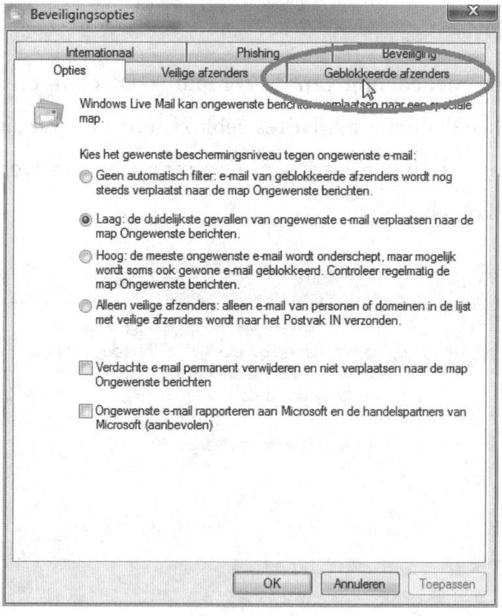

Om een geblokkeerd e-mailadres te deblokkeren, klik je met je linkermuisknop het e-mailadres aan. Klik vervolgens met je linkermuisknop op de knop 'Verwijderen'.

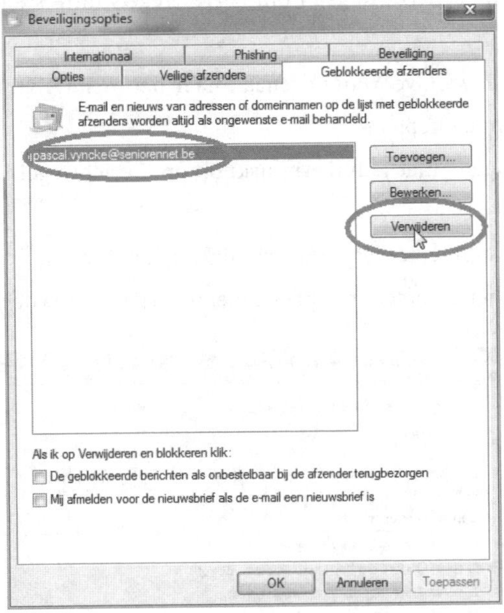

Klik vervolgens rechts onderaan met je linkermuisknop op 'OK'.

Automatisch berichten verwijderen, doorsturen, markeren, beantwoorden of verplaatsen

Het automatisch verwijderen van berichten afkomstig van een bepaalde afzender hebben we reeds gezien. Het is echter mogelijk ook andere criteria aan te geven wanneer een bepaald bericht moet worden verwijderd. Bijvoorbeeld wanneer er in het onderwerp 'virus' staat of iets dergelijks.

Maar het is ook mogelijk dat we willen dat bepaalde berichten naar iemand anders of naar een ander adres worden doorgestuurd, zonder dat we hier iets voor moeten doen. Het kan ook zijn dat berichten die aan bepaalde criteria voldoen, met een bepaald bericht automatisch worden beantwoord, worden gemarkeerd of worden verplaatst naar een andere map.

Dit alles is mogelijk via de 'berichtregels'. Je kunt een onbeperkte reeks van regels opgeven en wat de computer moet doen met deze berichten.

Om naar het scherm te gaan om berichtregels in te stellen, doe je het volgende:

Ga in Windows Live Mail bovenaan naar het menu 'Extra' en klik erop met je linkermuisknop.

Klik vervolgens met je linkermuisknop op 'Berichtregels'. Er verschijnt een submenu.

Klik in het submenu met je linkermuisknop op 'E-mail...'.

Volgend scherm verschijnt om een nieuwe regel toe te voegen:

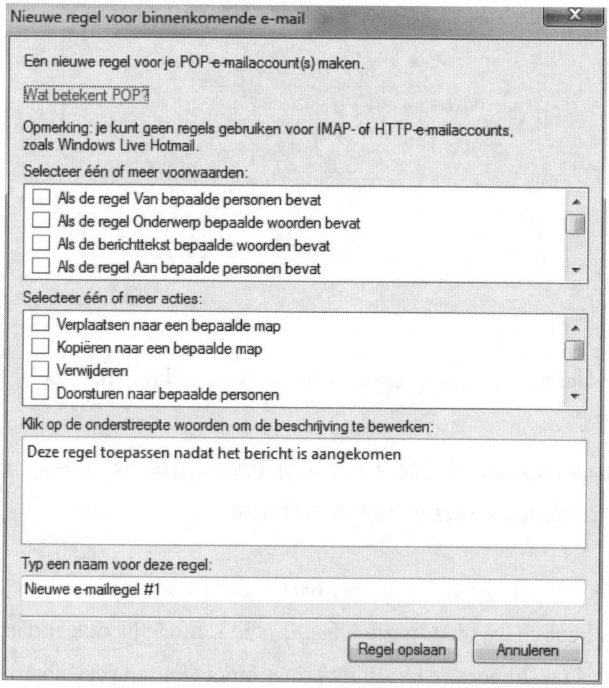

Nieuwe regel voor binnenkomende e-mail

Een nieuwe regel voor je POP-e-mailaccount(s) maken.

Wat betekent POP?

Opmerking: je kunt geen regels gebruiken voor IMAP- of HTTP-e-mailaccounts, zoals Windows Live Hotmail.

Selecteer één of meer voorwaarden:

- Als de regel Van bepaalde personen bevat
- Als de regel Onderwerp bepaalde woorden bevat
- Als de berichttekst bepaalde woorden bevat
- Als de regel Aan bepaalde personen bevat

Selecteer één of meer acties:

- Verplaatsen naar een bepaalde map
- Kopiëren naar een bepaalde map
- Verwijderen
- Doorsturen naar bepaalde personen

Klik op de onderstreepte woorden om de beschrijving te bewerken:

Deze regel toepassen nadat het bericht is aangekomen

Typ een naam voor deze regel:

Nieuwe e-mailregel #1

Regel opslaan | Annuleren

Verschijnt dit scherm niet? Dan heb je waarschijnlijk al minstens één e-mailregel ingegeven. Klik dan op het scherm dat je te zien krijgt met je linkermuisknop op de knop 'Nieuw'.

Je ziet in het eerste grote vak, onder 'Selecteer een of meer voorwaarden' een reeks met allemaal mogelijkheden waaraan een bericht kan voldoen.

Indien je een of meerdere wenst te gebruiken, kun je met je linkermuisknop op het vierkantje voor de gewenste regel klikken.

Hieronder een overzicht van alle regels:	
Als de regel Van bepaalde personen bevat	Als dus de afzender een bepaald e-mailadres heeft, dan moet er iets uitgevoerd worden.
Als de regel Onderwerp bepaalde woorden bevat	Als er in het onderwerp een bepaald woord of een bepaalde opeenvolging van woorden voorkomt, dan zal er iets worden uitgevoerd.
Als de berichttekst bepaalde woorden bevat	Als in het bericht zelf een bepaald woord of een bepaalde opeenvolging van woorden voorkomt, dan zal er iets worden uitgevoerd.
Als de regel Aan bepaalde personen bevat	Als de regel met de ontvangers een bepaald e-mailadres bevat, dan moet er iets worden uitgevoerd.
Als de regel Cc bepaalde personen bevat	Als de Cc-regel een bepaald e-mailadres bevat, dan zal er iets worden uitgevoerd.

Als de regel Aan of Cc bepaalde personen bevat	Indien de Aan-regel of de Cc-regel een bepaald e-mailadres bevat, dan zal er iets worden uitgevoerd. Dit is verschillend van de bovenstaande twee regels omdat bij de bovenstaande het uitsluitend geldt voor of de Aan-regel, of de Cc-regel. Bij deze regel maakt het niet uit waar het e-mailadres zich bevindt.
Als het bericht met een bepaalde urgentie is gemarkeerd	Indien het bericht een bepaalde prioriteit heeft meegekregen, dan moet er iets speciaals gebeuren met dit bericht.
Als het bericht van de account met een bepaalde naam afkomstig is	Dit gebruik je indien er meerdere e-mailadressen in je mailprogramma worden opgehaald, meestal indien jij én je partner een e-mailadres hebben of wanneer je om een andere reden meerdere e-mailadressen hebt. Je kunt dan met alle e-mails van een bepaald e-mailadres iets laten uitvoeren.
Als het bericht groter is dan een bepaalde grootte	Indien een bericht groter is dan een opgegeven waarde. Dit kun je bijvoorbeeld gebruiken wanneer je wilt dat e-mails die groter zijn dan 5 MB, niet worden gedownload, of dat er iets anders mee moet gebeuren.

Als het bericht een bijlage heeft	Indien een bericht een bijlage (attachment) heeft, moet de computer een bepaalde actie ondernemen.
Als het bericht is beveiligd	Als het bericht beveiligd is, moet de computer iets uitvoeren. Deze functie gebruik je waarschijnlijk nooit omdat beveiligde berichten weinig tot nooit verstuurd worden door de kosten en de moeilijkheden die ze met zich meebrengen.
Voor alle berichten	Een regel maken die voor alle berichten geldt die binnenkomen.

Vervolgens kun je bij het volgende vak onder 'Selecteer een of meer acties', alles opgeven wat de computer moet doen indien een bericht binnenkomt dat aan bovenstaande voorwaarden voldoet.

Ook hier kun je weer kiezen uit een hele reeks verschillende acties:	
Verplaatsen naar een bepaalde map	Het e-mailbericht zal dan verplaatst worden naar een bepaalde map. Zo kun je automatisch alle berichten die bijvoorbeeld te maken hebben met je werk, in een aparte map houden, gescheiden van je privé-e-mailberichten.

Kopiëren naar een bepaalde map	Dit zorgt ervoor dat er een kopie wordt gemaakt in een bepaalde map, maar het bericht toch ook nog gewoon in je Postvak IN zal verschijnen. Meestal weinig nuttig.
Verwijderen	Dit zorgt ervoor dat het bericht zal worden verwijderd en in de map 'Verwijderde items' terechtkomt. Hierdoor kun je indien nodig later het bericht toch nog terugvinden in de prullenbak.
Doorsturen naar bepaalde personen	Het e-mailbericht zal worden doorgestuurd naar een of meerdere andere personen. Dit kan handig zijn indien je met meerdere mensen aan een bepaald project werkt en alle communicatie die aan bepaalde criteria voldoet, naar iedereen moet worden doorgestuurd.
Markeren met een bepaalde kleur	Dit zorgt ervoor dat het bericht wordt gemarkeerd met een bepaalde kleur. Je kunt hiermee heel wat verschillende regels aanmaken en elke soort (privé, werk, vrijwilligerswerk, reclame...) een ander kleurtje geven. Je hebt keuze uit 16 verschillende kleuren.
Markeren	Dit zorgt er gewoon voor dat het bericht wordt gemarkeerd, er zal dan in je Postvak IN een rood vlaggetje voor verschijnen.

Als gelezen markeren	Dit zorgt ervoor dat het e-mailbericht automatisch al aangeeft dat het gelezen is. Indien je automatisch toelaat om een leesbevestiging te sturen, zal deze dan ook onmiddellijk worden verstuurd.
Het bericht markeren als weergegeven of negeren	Dit zorgt ervoor dat je aangeeft dat het bericht weergegeven is, of dat je het bericht wilt negeren. Dit is uitbreiding en wordt weinig gebruikt. Het negeren zal ervoor zorgen dat het bericht in het lichtgrijs wordt aangegeven. Het markeren als weergegeven is enkel zichtbaar indien je een speciale kolom toevoegt op je schermoverzicht.
Beantwoorden met een bepaald bericht	Dit zorgt ervoor dat het e-mailbericht automatisch zal worden beantwoord door een ander e-mailbericht. Het berichtje kun je echter niet zomaar ingeven. Als je deze regel gebruikt, moet je een e-mail die als antwoord gaat dienen hebben opgeslagen op je harde schijf.

Stoppen met verwerken van andere regels	Indien de computer dit tegenkomt, stopt hij met alle andere regels toe te passen die hij moet uitvoeren. Je kunt namelijk vele e-mailregels opgeven, tientallen als je wilt. Maar als een bericht aan een bepaalde eis voldoet, dan kun je met deze actie ervoor zorgen dat hij het bericht niet gaat toetsen aan alle volgende e-mailregels.
Niet van de server downloaden	Indien het bericht aan de criteria voldoet, zal het niet van de server worden gedownload. Dit betekent dat het e-mailbericht nog wel toegankelijk is, maar dat je het niet binnenhaalt op je computer. Let wel dat het bericht dus niet verwijderd wordt en dat het gebruik van deze regel ervoor kan zorgen dat je mailbox vol raakt, omdat er na een lange tijd tientallen of honderden berichten staan die niet werden binnengehaald of verwijderd.

Verwijderen van de server	Indien je dit aangeeft, zal het bericht niet worden gedownload van de provider en zal het rechtstreeks worden verwijderd. Het e-mailbericht is ook niet meer toegankelijk via 'Verwijderde items' en is dus onmogelijk nog terug te vinden. Het voordeel is dat de berichten niet gedownload worden, wat minder downloadtijd betekent en ook minder belasting van je computer.

Je kunt meerdere acties naast elkaar laten uitvoeren, maar bepaalde acties kun je niet combineren. Je kunt bijvoorbeeld 'verwijderen van de server' met geen enkele andere regel combineren, omdat het dan verwijderd is en de computer er niets meer mee kan doen.

Als je de gewenste regels hebt geselecteerd, moet je nu nog opgeven wat de pc eigenlijk echt moet doen. Je hebt de algemene functies aangegeven, maar als je hebt gezegd dat indien er een bepaald woord in het onderwerp staat, hij iets moet doen, moet je nog opgeven welk woord dit is enzovoort.

Dit opgeven doe je in het onderste tekstvak, waarboven staat 'Klik op de onderstreepte woorden om de beschrijving te bewerken'. Je ziet een tekst die de hele regel beschrijft in een Nederlandstalige zin.

Je kunt deze regel dus lezen en overal waar het blauw onderstreept is, moet je op klikken. Vervolgens kun je de woorden, e-mailadressen, grootte of een andere waarde opgeven waarmee de computer rekening moet houden.

Als alles aangepast is, dan moet je als laatste nog een naam opgeven. Dit doe je onder 'Tik een naam voor deze regel:'. Je vervangt deze door een naam zodat je deze later snel kunt terugvinden indien je er nog iets aan wilt wijzigen of verwijderen.

Klik vervolgens rechtsonder met je linkermuisknop op de knop 'Regel opslaan'.

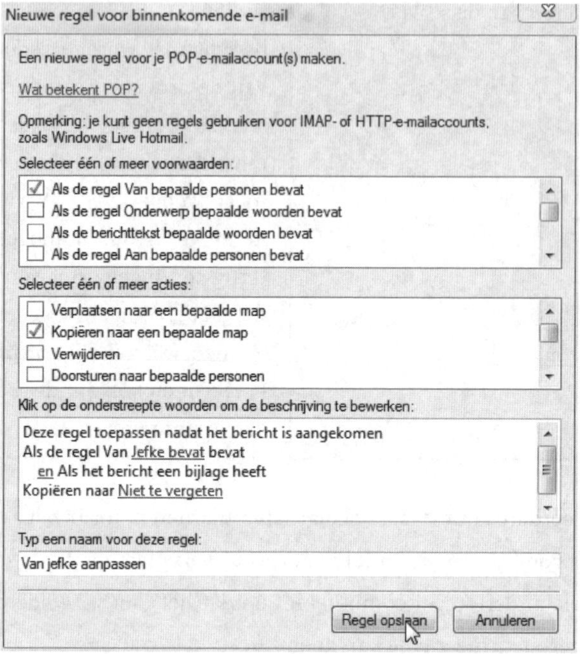

Nieuwe regel voor binnenkomende e-mail

Een nieuwe regel voor je POP-e-mailaccount(s) maken.

Wat betekent POP?

Opmerking: je kunt geen regels gebruiken voor IMAP- of HTTP-e-mailaccounts, zoals Windows Live Hotmail.

Selecteer één of meer voorwaarden:

- [x] Als de regel Van bepaalde personen bevat
- [ ] Als de regel Onderwerp bepaalde woorden bevat
- [ ] Als de berichttekst bepaalde woorden bevat
- [ ] Als de regel Aan bepaalde personen bevat

Selecteer één of meer acties:

- [ ] Verplaatsen naar een bepaalde map
- [x] Kopiëren naar een bepaalde map
- [ ] Verwijderen
- [ ] Doorsturen naar bepaalde personen

Klik op de onderstreepte woorden om de beschrijving te bewerken:

Deze regel toepassen nadat het bericht is aangekomen
Als de regel Van Jefke bevat bevat
en Als het bericht een bijlage heeft
Kopiëren naar Niet te vergeten

Typ een naam voor deze regel:

Van jefke aanpassen

Regel opslaan | Annuleren

Nu krijg je een scherm te zien met een overzicht van alle regels. Als je met je linkermuisknop de regel aanklikt, zie je onderaan in het tekstvak de hele regel verschijnen.

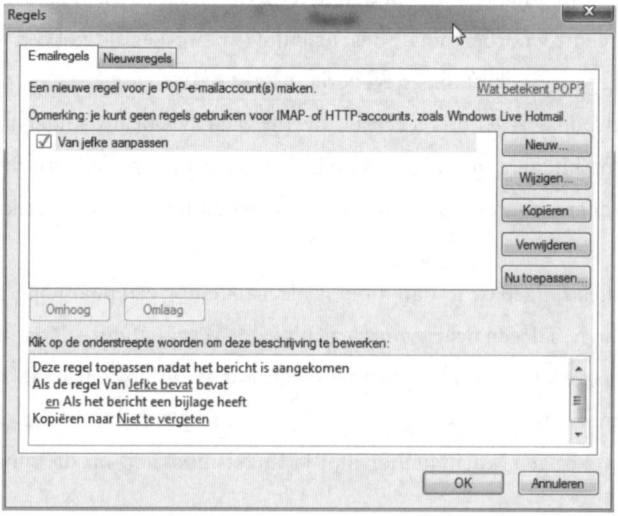

Regels

E-mailregels | Nieuwsregels

Een nieuwe regel voor je POP-e-mailaccount(s) maken. Wat betekent POP?

Opmerking: je kunt geen regels gebruiken voor IMAP- of HTTP-accounts, zoals Windows Live Hotmail.

- [x] Van jefke aanpassen

Nieuw... | Wijzigen... | Kopiëren | Verwijderen | Nu toepassen...

Omhoog | Omlaag

Klik op de onderstreepte woorden om deze beschrijving te bewerken:

Deze regel toepassen nadat het bericht is aangekomen
Als de regel Van Jefke bevat bevat
en Als het bericht een bijlage heeft
Kopiëren naar Niet te vergeten

OK | Annuleren

Wat je nu kunt doen:

Als je klaar bent, klik je rechtsonder op de knop 'OK' met je linkermuisknop.

Als je nog een regel wilt toevoegen, klik dan met je linkermuisknop op 'Nieuw...'; opnieuw verschijnt het scherm om een nieuwe regel aan te maken.

Indien je de huidige regel of een andere regel wilt aanpassen, dan klik je de aan te passen regel aan met je linkermuisknop. Vervolgens klik je met je linkermuisknop op de toets 'Wijzigen...'. Je krijgt nu hetzelfde scherm te zien dat ingevuld is, met alle voorwaarden erin. Je kunt nu voorwaarden toevoegen, uitklikken of wijzigen.

Wanneer je een regel wilt verwijderen, klik je met je linkermuisknop de te verwijderen regel aan en klik je vervolgens op de knop 'Verwijderen'.

Indien je meerdere e-mailregels hebt ingegeven, dan kan het zijn dat je wilt dat een bepaalde regel wordt uitgevoerd vóór een andere. Dit kan nodig zijn omdat een bepaalde e-mail mogelijk ook nog aan volgende regels kan voldoen, terwijl je dat niet wilt. Je kunt de volgorde wijzigen door een e-mailregel met je linkermuisknop aan te klikken en vervolgens linksonder de knop 'Omhoog' of 'Omlaag' aan te klikken.

De berichtregels zijn erg krachtig en kunnen heel veel dingen voor jou afhandelen. Het spijtige is dat veel mensen dit ervaren als relatief moeilijk, terwijl het je juist heel veel tijd en moeite kan besparen. Let echter wel op bij het gebruik van de acties om berichten te verwijderen. Zorg ervoor dat je e-mailregel echt uitsluitend die berichten verwijdert en geen enkele andere.

Het adresboek / contactpersonen

Net zoals je hoogstwaarschijnlijk in de buurt van de telefoon een boekje hebt liggen met de nummers van de mensen die je kent en net zoals je waarschijnlijk wel een agendaatje hebt met een overzicht van de adressen van familie of vrienden, zo bestaat dit ook op de computer.

De zogenaamde contactpersonen in Windows Live Mail (Windows Live Contacts genoemd) worden gebruikt om de gegevens van al je vrienden en familie bij elkaar te houden en zo ervoor te zorgen dat je snel met hen in contact kunt komen. Als iemand in je adresboek staat, kun je razendsnel een e-mail sturen naar hem of haar, zonder het hele adres uit het hoofd te moeten kennen en steeds opnieuw in te moeten tikken. Het voordeel is dat je in dit adresboek niet enkel het e-mailadres kunt bijhouden, maar ook het gewone adres, telefoonnummer, faxnummer, gsm, websiteadres, adres van het werk, en zelfs de namen van de kinderen, het geslacht en verjaardagen. Hierdoor kun je het adresboek voor nog veel meer gebruiken dan enkel vlug een e-mail sturen.

Het adresboek openen

Het adresboek is toegankelijk via Windows Live Mail en je opent het door linksonder op de knop 'Contactpersonen' te klikken.

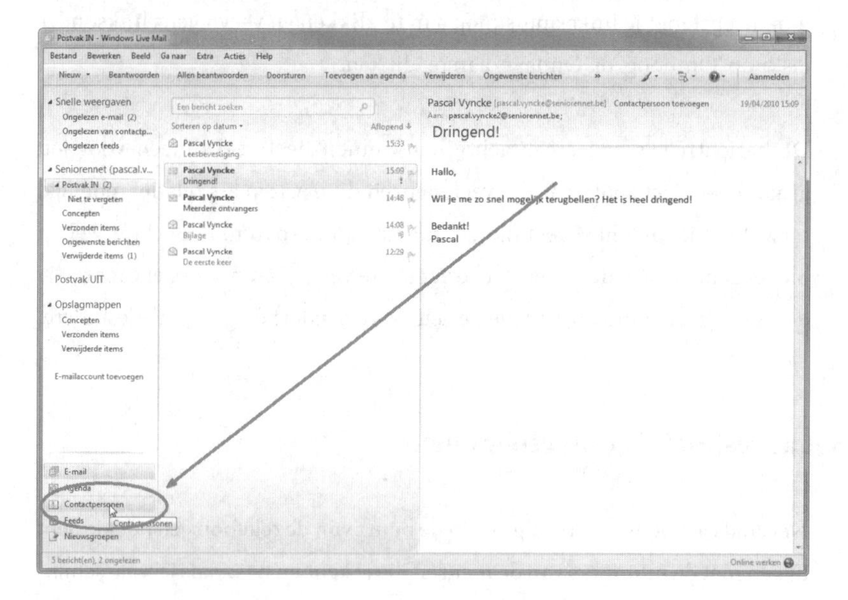

Het volgende scherm verschijnt dan:

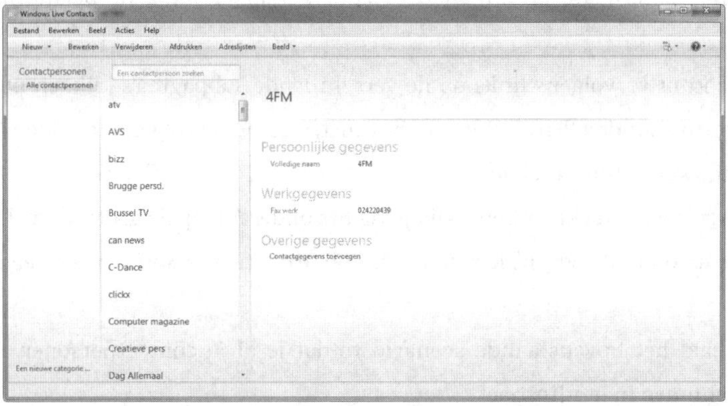

Contactpersonen toevoegen

In eerste instantie moeten we onze contacten ingeven. Dit doen we als volgt:

Klik linksboven op de grote knop 'Nieuw' met je linkermuisknop.

Vervolgens verschijnt het volgende scherm:

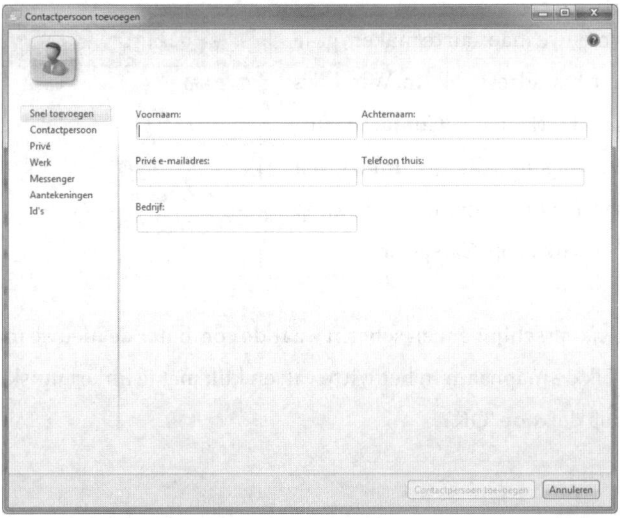

In dit scherm kun je alle gegevens invullen die je wenst te bewaren. Voornaam, achternaam en e-mailadres zullen waarschijnlijk de belangrijkste zijn.

Je kunt vervolgens links op de verschillende subpagina's klikken met je linkermuisknop: 'Privé', 'Werk' enzovoort, waar je vervolgens de velden naar hartenwens kunt invullen.

Als je volledig klaar bent, klik je rechts onderaan op de grote knop 'Contactpersoon toevoegen'. Je hebt nu de eerste contactpersoon toegevoegd.

Herhaal het bovenstaande scenario totdat je al je contactpersonen hebt opgenomen in je adresboek.

Verdelen in mappen

Je wilt niet altijd dat álle mensen in dezelfde map zitten. Soms is het toch gewoon handiger dat een reeks mensen in een bepaalde map samen zit. Dit zal vooral voorkomen wanneer je het adresboek in andere programma's dan Windows Live Mail gaat gebruiken. Maar bijvoorbeeld ook als je met meerdere personen aan dezelfde computer werkt, zodat jouw contactpersonen gescheiden zijn van die van je partner.

Om een nieuwe map aan te maken, ga je eerst naar het adresboek (in Windows Live Mail klikken op 'Contactpersonen'). Vervolgens klik je linksboven op het zwarte pijltje net naast de knop 'Nieuw' en klik je op 'Categorie'.

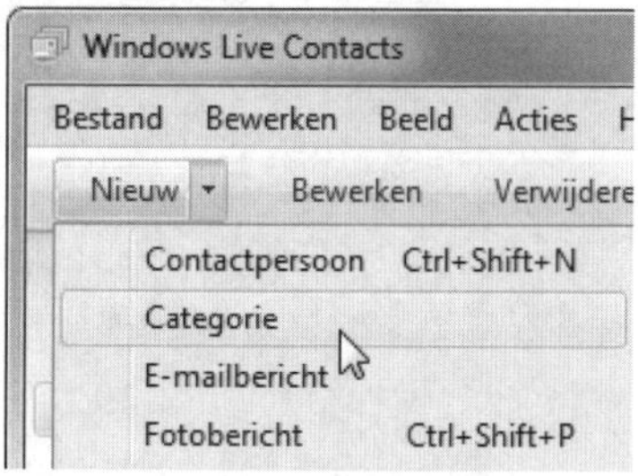

Vervolgens verschijnt er een scherm waar de computer de nieuwe mapnaam vraagt. Tik de mapnaam in het witte vak en klik met je linkermuisknop vervolgens op de knop 'OK'.

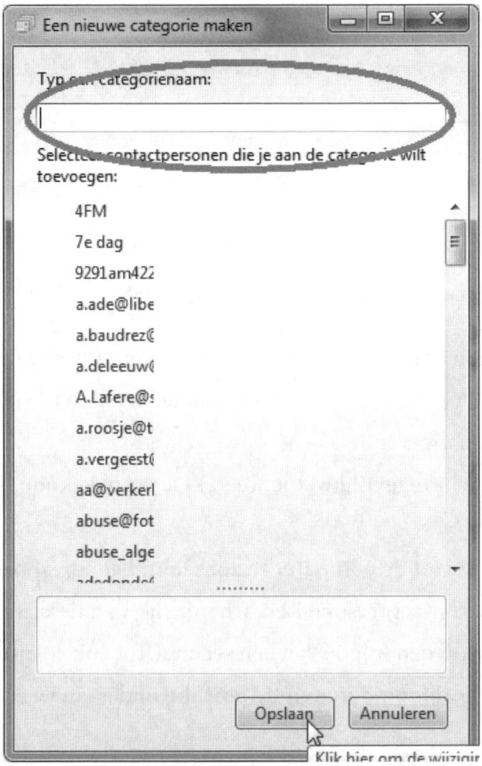

Links van het scherm verschijnt nu ook de map. In deze map zit nog geen enkele contactpersoon. Je kunt naar deze map contactpersonen slepen om ze zo te groeperen.

Iemand zoeken

Als je na verloop van tijd een lange lijst met contactpersonen krijgt, is het gewoon zoeken soms wat moeilijker. Het kan ook voorkomen dat je iemand zijn telefoonnummer hebt, maar er geen naam aan kunt verbinden. Met de functie 'Adreslijsten' kun je snel iemand terugvinden.

Klik in het adresboek bovenaan op de knop 'Adreslijsten'.

Dan krijg je het volgende scherm te zien:

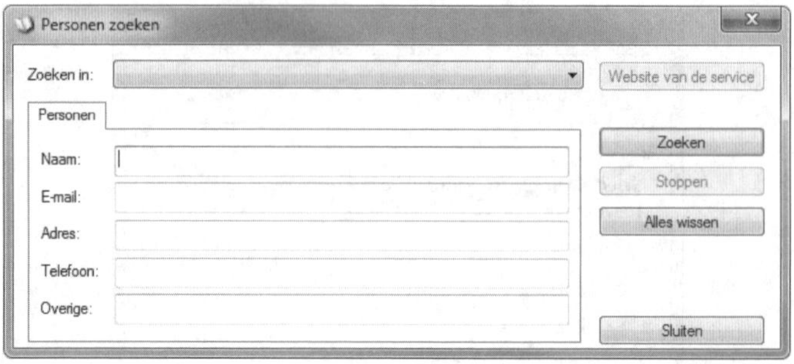

Personen zoeken

Zoeken in: | Website van de service

Personen

Naam:

E-mail:

Adres:

Telefoon:

Overige:

Zoeken | Stoppen | Alles wissen | Sluiten

Je kunt hier de naam, het e-mailadres, het gewone adres, een telefoonnummer of iets anders opgeven wat je weet van de persoon die je zoekt. Je kunt meerdere velden ingeven.

Als je alles hebt ingevuld wat je weet, klik je op de knop 'Zoeken' met je linkermuisknop.

Vervolgens begint de computer te zoeken in het adresboek. Afhankelijk van het aantal contactpersonen en afhankelijk van de criteria die je hebt opgegeven, kan dit een fractie van een seconde tot enkele minuten duren. De resultaten die de computer vindt, geeft hij onderaan weer.

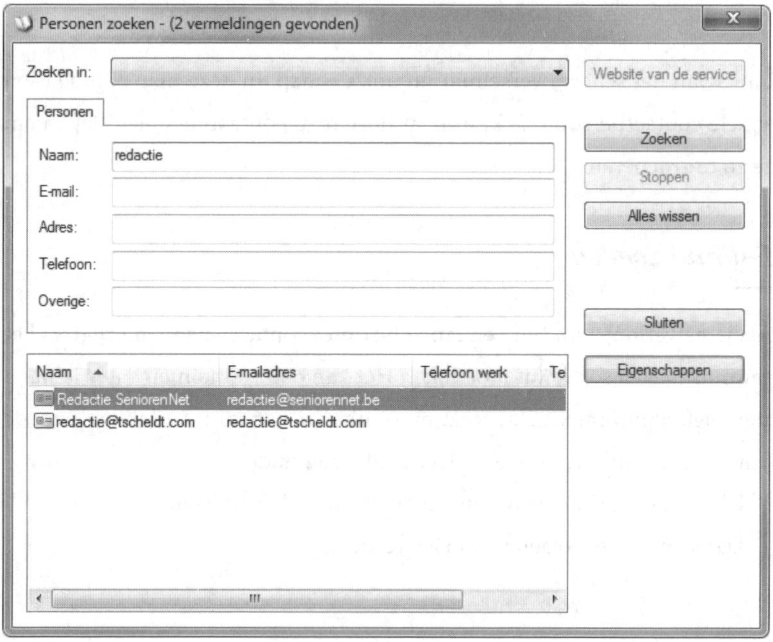

Personen zoeken - (2 vermeldingen gevonden)

Zoeken in: | Website van de service

Personen

Naam: redactie

E-mail:

Adres:

Telefoon:

Overige:

Zoeken | Stoppen | Alles wissen | Sluiten | Eigenschappen

Naam	E-mailadres	Telefoon werk	Te
Redactie SeniorenNet	redactie@seniorennet.be		
redactie@tscheldt.com	redactie@tscheldt.com		

Een e-mail sturen naar een contactpersoon

Een e-mail sturen wordt nu nog eenvoudiger dankzij het adresboek. Verzeker je ervan dat het adresboek afgesloten is (rechts bovenaan op het kruisje klikken met je linkermuisknop) en klik dan in Windows Live Mail linksboven op 'Nieuw' voor een nieuwe e-mail.

In plaats van dat je nu in het tekstvak het hele e-mailadres van de ontvanger gaat intikken, klik je met je linkermuisknop op het woordje 'Aan:'.

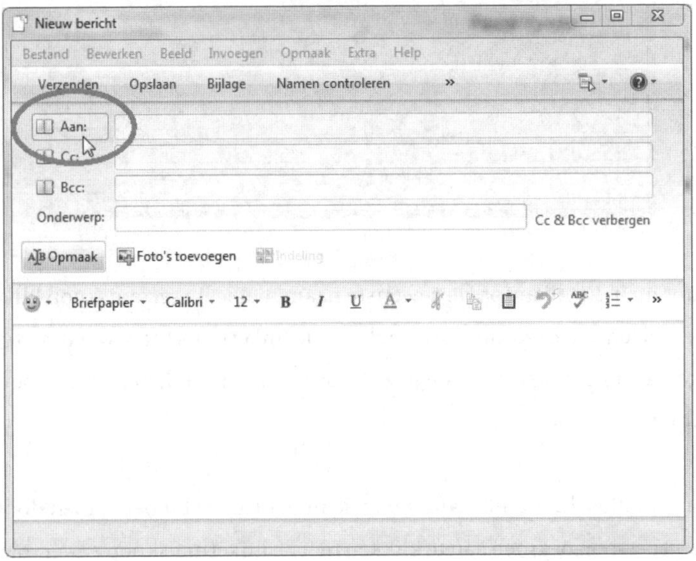

Vervolgens krijg je de lijst van al je contactpersonen te zien:

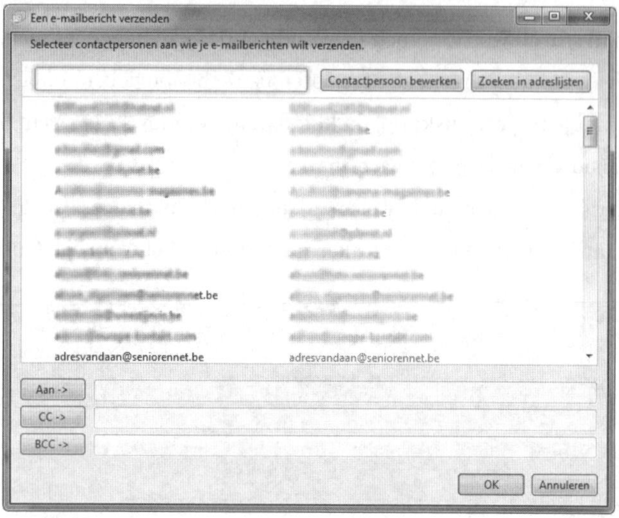

Een e-mailbericht verzenden

Selecteer contactpersonen aan wie je e-mailberichten wilt verzenden.

Contactpersoon bewerken

Zoeken in adreslijsten

adresvandaan@seniorennet.be

adresvandaan@seniorennet.be

Aan ->

CC ->

BCC ->

OK

Annuleren

Je kunt nu in het lijstje op de gewenste naam met je linkermuisknop klikken en vervolgens op de knop 'Aan:' (ook met je linkermuisknop) om deze toe te voegen als ontvanger. Dit doe je zo voor alle mensen die je e-mail moeten ontvangen.

Je kunt in dit scherm ook aangeven wie in het Cc-veld moet komen door de contactpersoon of groep aan te klikken met de linkermuisknop en vervolgens op de knop 'Cc:' te klikken in plaats van op 'Aan:'. Op dezelfde manier kun je ook de ontvangers ingeven voor het Bcc-veld.

Het is ook mogelijk om snel iemand te zoeken. Tik bovenaan in het tekstvak waar 'Zoeken in contactpersonen' de naam en klik vervolgens met je linkermuisknop op de knop 'Zoeken'. Je krijgt dan het scherm te zien om te zoeken, waardoor je de juiste persoon kunt terugvinden.

Als je klaar bent met de ontvangers in te geven, klik je midden onderaan met je linkermuisknop op de knop 'OK'.

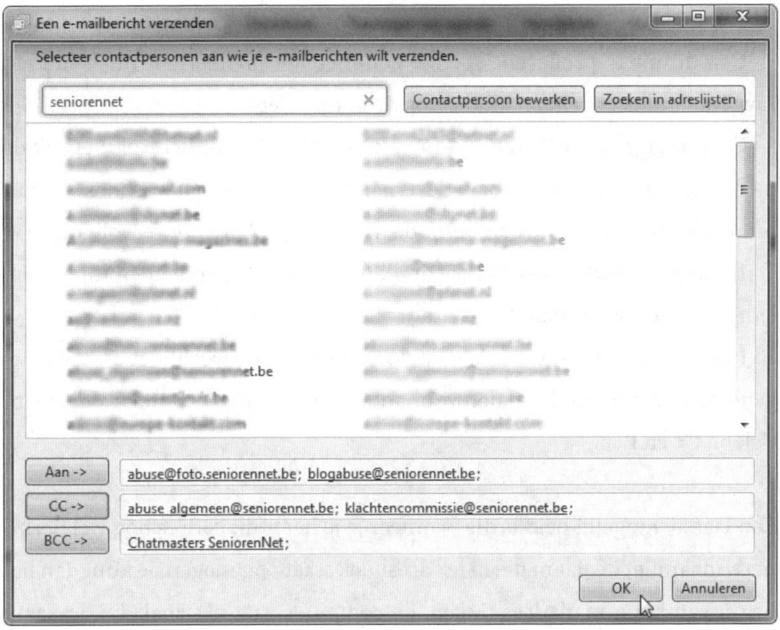

Een e-mailbericht verzenden
Selecteer contactpersonen aan wie je e-mailberichten wilt verzenden.
seniorennet
Contactpersoon bewerken
Zoeken in adreslijsten
Aan -> abuse@foto.seniorennet.be; blogabuse@seniorennet.be;
CC -> abuse_algemeen@seniorennet.be; klachtencommissie@seniorennet.be;
BCC -> Chatmasters SeniorenNet;
OK
Annuleren

Je zult zien dat vervolgens alle velden, dus Aan, Cc en Bcc, door de computer werden ingevuld. Je kunt nu het onderwerp en het bericht intikken en gewoon versturen.

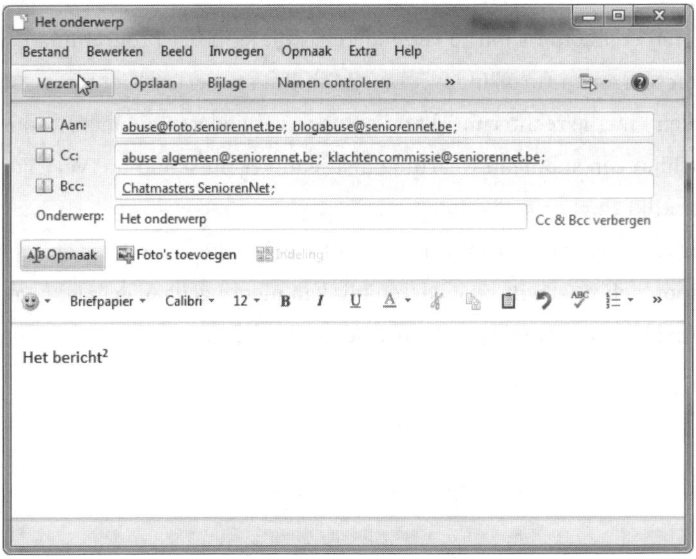

Het onderwerp
Bestand Bewerken Beeld Invoegen Opmaak Extra Help
Verzenden Opslaan Bijlage Namen controleren
Aan: abuse@foto.seniorennet.be; blogabuse@seniorennet.be;
Cc: abuse_algemeen@seniorennet.be; klachtencommissie@seniorennet.be;
Bcc: Chatmasters SeniorenNet;
Onderwerp: Het onderwerp
Cc & Bcc verbergen
Opmaak
Foto's toevoegen
Indeling
Briefpapier Calibri 12 B I U A
Het bericht[2]

Er is nog een tweede manier om snel naar iemand een berichtje te sturen.

Om dit uit te proberen, open je een nieuw e-mailbericht (in Windows Live Mail links bovenaan klikken op de knop 'Nieuw').

Ga vervolgens staan in het Aan-vak (of in het Cc- of Bcc-veld) en tik de naam van de ontvanger, zoals deze is ingegeven in het adresboek. Je zult onmiddellijk zien dat de computer de naam zal proberen te vervolledigen.

In onderstaand voorbeeld begon ik met 'moder' te tikken en hij vervolledigde dit al ineens naar 'Moderators SeniorenNet'.

Indien het correct is, druk je op de Enter-toets en wordt het e-mailadres genomen. Je kunt dit herhalen voor andere adressen. Hetzelfde werkt identiek bij Cc en Bcc.

Een laatste mogelijkheid is die wanneer je je het e-mailadres nog wel herinnert, maar niet de naam die in je adresboek staat opgeslagen. Je kunt dan het begin van het e-mailadres tikken, de computer gaat net zoals bij de naam het e-mailadres proberen te vervolledigen, zodat je het niet helemaal moet intikken.

Een contactpersoon, map of groep verwijderen

Om een contactpersoon te verwijderen, klik je in het programma van de contactpersonen (in Windows Live Mail linksonder op 'Contactpersonen klikken') met je rechtermuisknop op de te verwijderen contactpersoon. Er verschijnt een submenu waarin je met je linkermuisknop op 'Verwijderen' moet klikken.

Er verschijnt vervolgens een vraag: of je echt zeker bent dat je de contactpersoon definitief wilt verwijderen (dit kan niet ongedaan gemaakt worden en hij/zij kan niet uit de prullenbak gehaald worden!).

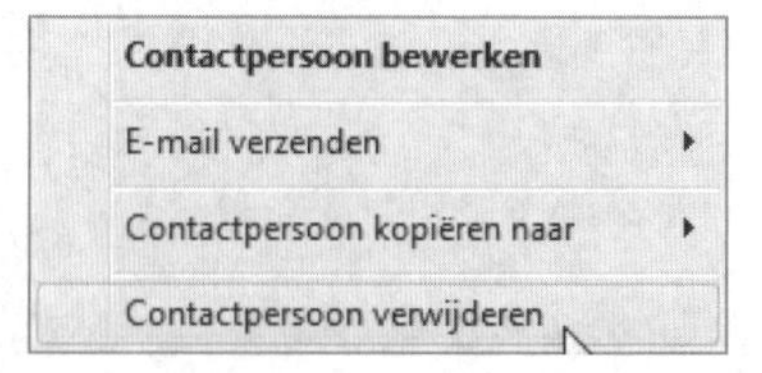

Klik op de toets 'OK' met je linkermuisknop. De contactpersoon wordt vervolgens verwijderd.

De gegevens van een contactpersoon opnieuw bekijken

Om de gegevens van een contactpersoon opnieuw te bekijken, dubbelklik je in het programma van de contactpersonen (in Windows Live Mail linksonder op 'Contactpersonen' klikken) met je linkermuisknop gewoon op de naam. Je kunt nu alle gegevens bekijken en eventueel aanpassen. Let erop dat je bovenaan ook nog verschillende tabbladen hebt met informatie in (Naam, Thuis, Werk...).

Je adresboek afdrukken

Het handige is dat je het hele adresboek netjes kunt afdrukken op papier. Zo kun je het ook in de buurt van de telefoon leggen zodat je het daar ook altijd bij de hand hebt.

Om de contactpersonen af te drukken, selecteer je een of meerdere contactpersonen. Als je ze allemaal wilt afdrukken, selecteer je ze allemaal. Dat gaat gemakkelijk als je eerst een contactpersoon aanklikt met je linkermuisknop, en vervolgens de de sneltoets Ctrl + A gebruikt (druk de Ctrl-toets in, hou deze ingedrukt, en druk dan de A in; laat dan alles los).

Klik vervolgens op de knop 'Afdrukken' met je linkermuisknop.

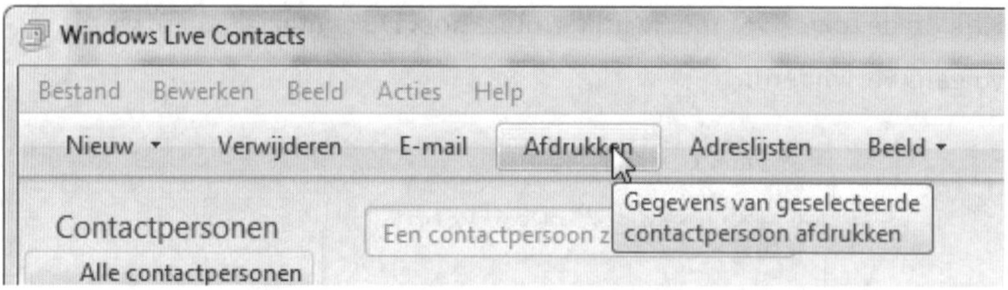

Vervolgens kun je de instellingen van je printer aanpassen, en vervolgens gewoon op 'Afdrukken' klikken.

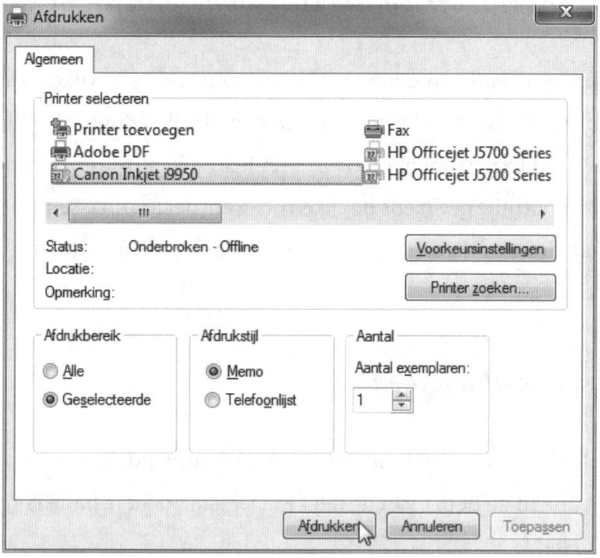

Je kunt bij 'Afdrukstijl' aangeven of je het in de stijl wilt hebben van een memo, van visitekaartjes of van een telefoonlijst. Duid je gewenste keuze aan door met je linkermuisknop op het bolletje voor je keuze te klikken.

Als je meerdere exemplaren wenst af te drukken, kun je onder 'Aantal exemplaren' het aantal verhogen.

Als je dat allemaal hebt gedaan, klik je rechts onderaan met je linkermuisknop op de knop 'Afdrukken'. De lijst zal nu worden afgedrukt. Verzeker je ervan dat je printer aanstaat en dat deze voldoende papier heeft om af te drukken.

Een reservekopie maken

Als je het adresboek echt goed hebt gemaakt, dan heb je er meestal heel veel tijd ingestoken. Het zou zonde zijn dit kwijt te raken. Maak daarom af en toe een veiligheidskopie zodat je het adresboek zeker niet kwijt raakt en er geen gegevens verloren kunnen gaan. Een veiligheidskopie maken doe je als volgt:

Ga eerst naar het adresboek (in Windows Live Mail links onderaan klikken op 'Contactpersonen').

Klik vervolgens met je linkermuisknop bovenaan op 'Bestand' en vervolgens in het menu dat verschijnt met je linkermuisknop op 'Exporteren'.

Opnieuw verschijnt er een submenu rechts ervan; klik daar met je linkermuisknop op 'Bestand met door komma's gescheiden waarden'.

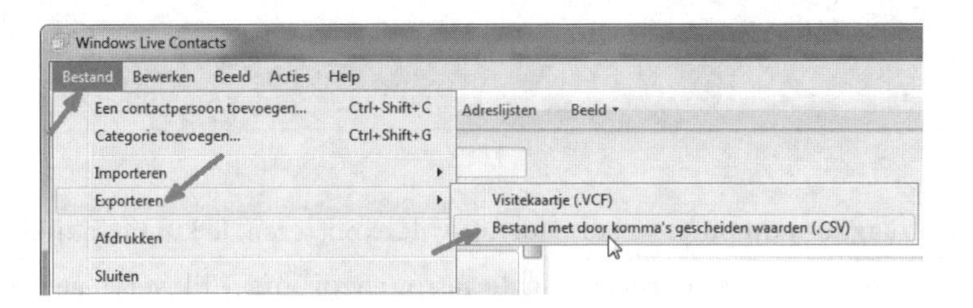

Vervolgens geeft de computer een scherm waarbij je moet aangeven waar op de harde schijf je het adresboek wilt opslaan. Klik op 'Bladeren...' om de plaats aan te geven.

Ga naar de gewenste plaats en tik een naam voor de reservekopie in het veld achter 'Bestandsnaam:'.

Klik vervolgens met de linkermuisknop op de knop 'Opslaan'. Klik vervolgens onderaan op de knop 'Volgende'.

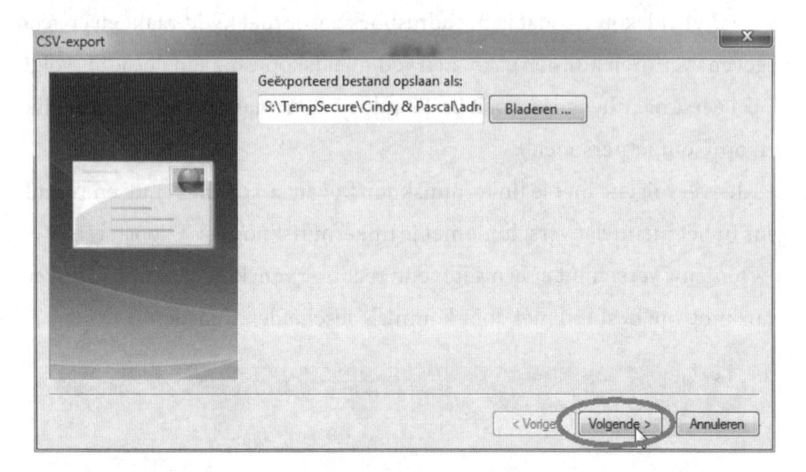

Nu vraagt de computer welke velden je wilt exporteren. Je kunt aanklikken wat je wenst, zoals voornaam, achternaam enzovoort. Klik vervolgens op 'Voltooien'.

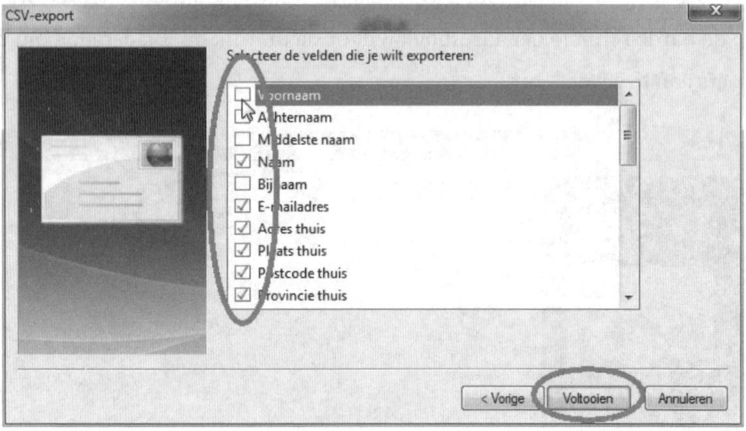

Het adresboek wordt vervolgens opgeslagen op de gevraagde locatie. Om dit nog eens te bevestigen, geeft de computer een mededeling:

Adresboek kwijt?

Is je adresboek verloren gegaan? Is het om de een of andere reden beschadigd of heb je per ongeluk gebruikers, mappen of groepen verwijderd?

Indien je een reservekopie hebt gemaakt van je adresboek, kun je dit snel weer in orde maken. Je kunt namelijk de reservekopie nemen en deze invoegen in het huidige adresboek. Daarvoor doe je het volgende:

Ga eerst naar het adresboek (in Windows Live Mail onderaan klikken met je linkermuisknop op 'Contactpersonen').

Klik vervolgens met je linkermuisknop bovenaan op 'Bestand' en vervolgens in het menu dat verschijnt nog eens met je linkermuisknop op 'Importeren'.

Opnieuw verschijnt er een submenu rechts ervan: klik daar met je linkermuisknop op 'Bestand met door komma's gescheiden waarden'.

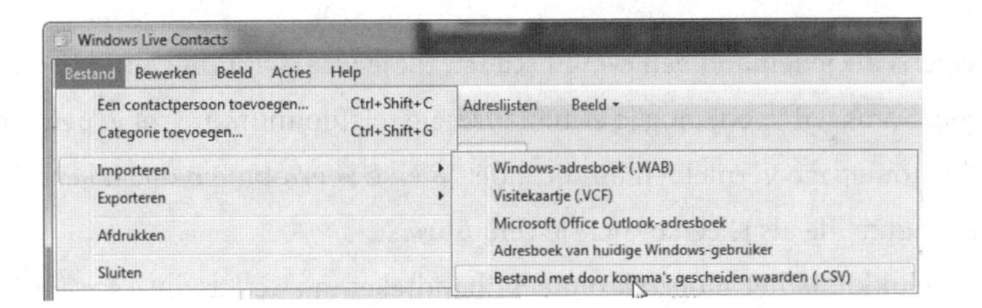

Vervolgens krijg je een scherm te zien waar je de reservekopie moet selecteren op je harde schijf. Klik op de knop 'Bladeren...' met je linkermuisknop en selecteer vervolgens het bestand van je harde schijf. Klik vervolgens op 'Volgende'.

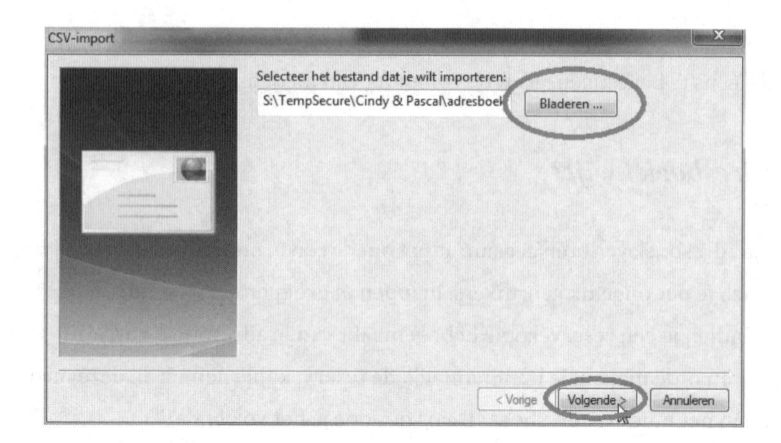

De computer vraagt erna nog welke velden hij moet importeren. Standaard staat alles aangeklikt, en dat is vermoedelijk ook wat je graag hebt. Klik op 'Voltooien' rechtsonder met je linkermuisknop.

Handtekening in e-mail

Telkens als je iemand een e-mail stuurt, tik je waarschijnlijk altijd je naam erbij. Soms wil je ook nog je e-mailadres, je telefoonnummer of je persoonlijke homepage vermelden en dit moet je elke keer opnieuw intikken. Elke keer hetzelfde als je een berichtje verstuurt...

Gelukkig is het mogelijk om een 'handtekening' te laten verschijnen in elke e-mail die je verstuurt. Hier kun je inzetten wat je maar wenst en je hoeft dit niet altijd opnieuw in te tikken. Hierdoor kun je gemakkelijk interessante informatie invoegen zoals je adres, je telefoonnummer enzovoort.

Het instellen van een handtekening doe je als volgt:

Open je e-mailprogramma Windows Live Mail. Ga vervolgens naar boven naar het menu 'Extra' en klik er met je linkermuisknop op. Klik vervolgens op 'Opties'.

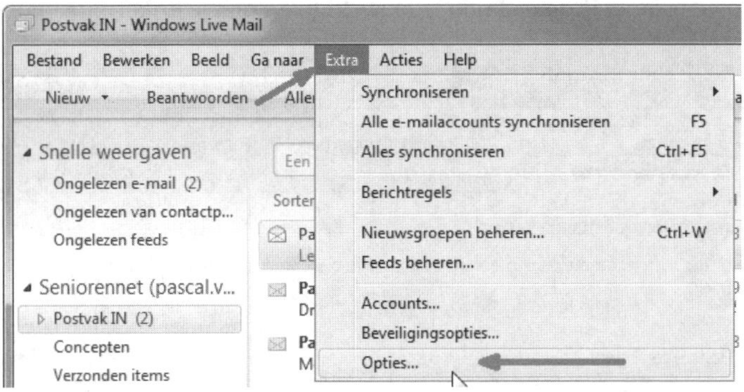

Postvak IN - Windows Live Mail

Bestand Bewerken Beeld Ga naar Extra Acties Help

Nieuw Beantwoorden Alle

Snelle weergaven
Ongelezen e-mail (2)
Ongelezen van contactp...
Ongelezen feeds

Seniorennet (pascal.v...
Postvak IN (2)
Concepten
Verzonden items

Synchroniseren
Alle e-mailaccounts synchroniseren F5
Alles synchroniseren Ctrl+F5
Berichtregels
Nieuwsgroepen beheren... Ctrl+W
Feeds beheren...
Accounts...
Beveiligingsopties...
Opties...

Nu verschijnt er een nieuw venster waarbij je duizend-en-een dingen kunt instellen. Voor wat we nu willen doen, moet je naar het tabblad 'Handtekeningen'. Klik er met je muis op, het bevindt zich links bovenaan.

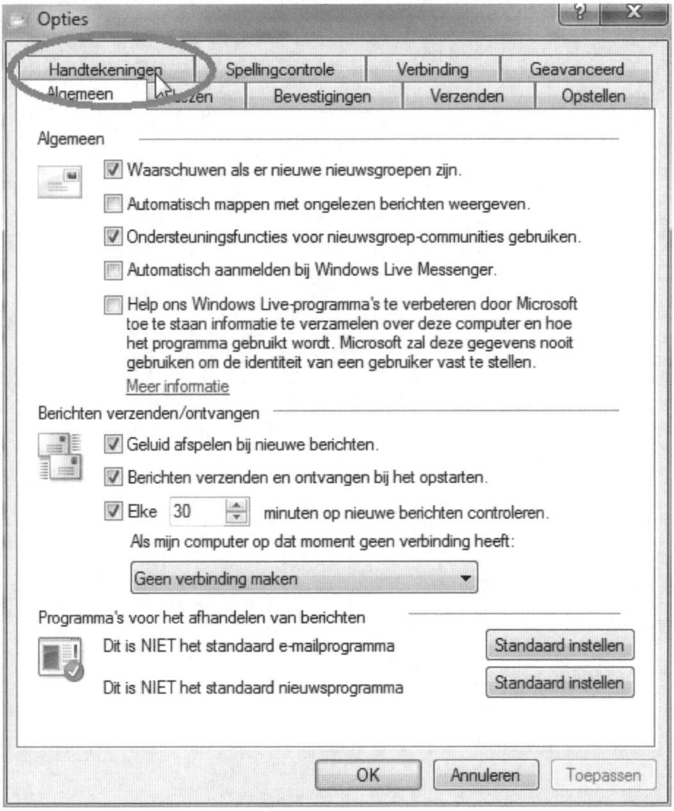

Opties

Handtekeningen | Spellingcontrole | Verbinding | Geavanceerd
Algemeen | Lezen | Bevestigingen | Verzenden | Opstellen

Algemeen
- [x] Waarschuwen als er nieuwe nieuwsgroepen zijn.
- [ ] Automatisch mappen met ongelezen berichten weergeven.
- [x] Ondersteuningsfuncties voor nieuwsgroep-communities gebruiken.
- [ ] Automatisch aanmelden bij Windows Live Messenger.
- [ ] Help ons Windows Live-programma's te verbeteren door Microsoft toe te staan informatie te verzamelen over deze computer en hoe het programma gebruikt wordt. Microsoft zal deze gegevens nooit gebruiken om de identiteit van een gebruiker vast te stellen.

Meer informatie

Berichten verzenden/ontvangen
- [x] Geluid afspelen bij nieuwe berichten.
- [x] Berichten verzenden en ontvangen bij het opstarten.
- [x] Elke 30 minuten op nieuwe berichten controleren.

Als mijn computer op dat moment geen verbinding heeft:
Geen verbinding maken

Programma's voor het afhandelen van berichten
Dit is NIET het standaard e-mailprogramma — Standaard instellen
Dit is NIET het standaard nieuwsprogramma — Standaard instellen

OK Annuleren Toepassen

Vervolgens moet je op de knop 'Nieuw' klikken met je linkermuisknop.

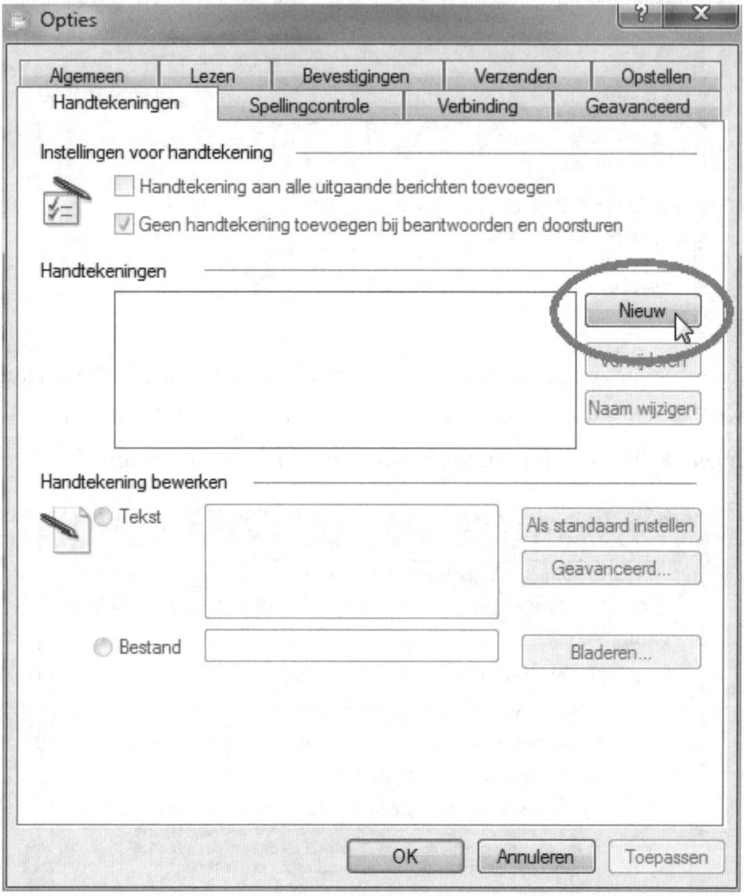

Nu kun je de handtekening in het onderste tekstvak ingeven. In dit voorbeeld geef ik een handtekening in die ik persoonlijk altijd gebruik.

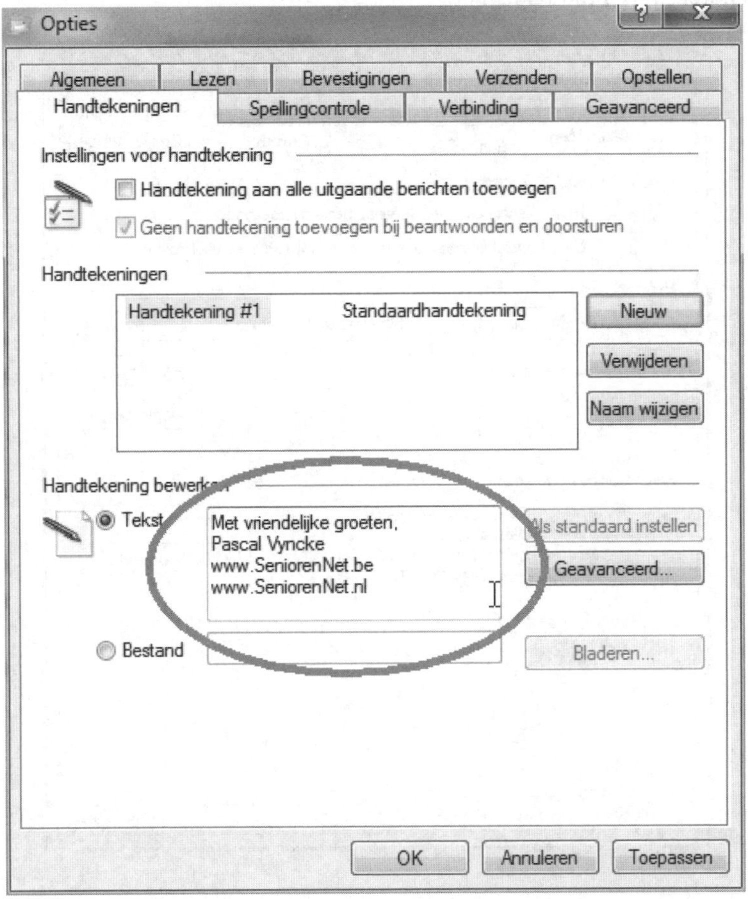

Je moet vervolgens ook nog op het lege vakje klikken dat zich links bovenaan bevindt en waarachter staat: 'Handtekening aan alle uitgaande berichten toevoegen'.

Vervolgens is het het beste te klikken op het vakje er net onder, dit is aangevinkt en dit moet je net uitklikken. We hebben namelijk het liefste dat onze handtekening altijd verschijnt.

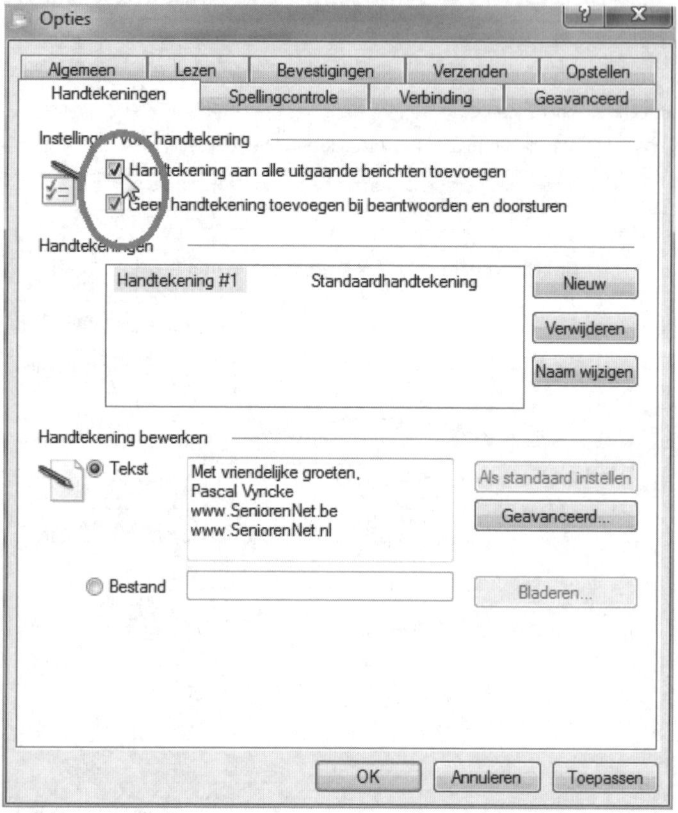

Klik vervolgens op 'OK'.

De handtekening is nu ingesteld en zal altijd onderaan in ons bericht verschijnen. We hoeven dat dus nu niet meer telkens opnieuw te tikken.

We testen dit even uit. Open gewoon een leeg nieuw e-mailbericht. Dit doe je door in je e-mailprogramma op de knop linksboven te klikken met 'Nieuw' op.

Je zult zien dat er een nieuw bericht wordt geopend, waar in het tekstvak reeds je handtekening is gezet. Hierdoor is het mogelijk dat – indien nodig – je het eens kunt wijzigen of zelfs kunt weglaten voor een bepaald berichtje. Zo kun je eventueel ook nog iets onder je handtekening tikken, bijvoorbeeld een PS-bericht of iets dergelijks.

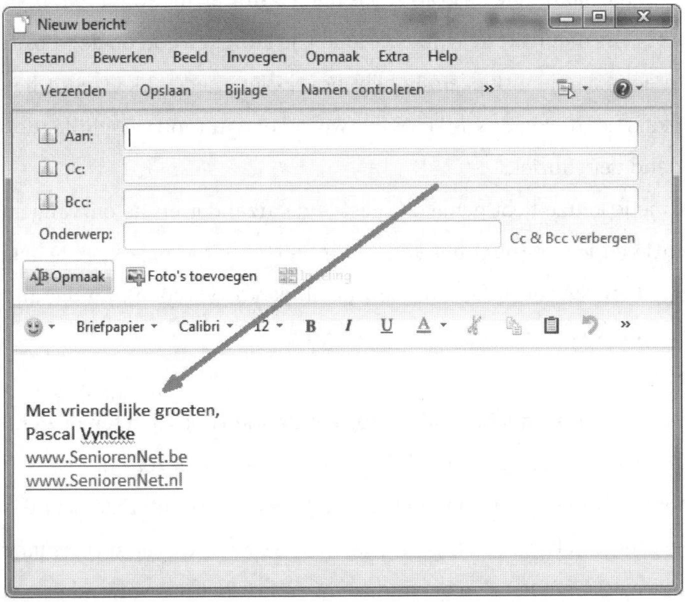

Virtuele prentbriefkaarten, postkaarten of e-cards

Algemeen

Een kaartje versturen via de post is niet altijd zo eenvoudig. Je moet eerst al een kaartje hebben dat je in een winkel hebt moeten kopen. Je kunt je er snel van afmaken en eentje van de supermarkt nemen (waar meestal weinig keuze is), vervolgens moet je het kaartje schrijven (meteen zonder fouten), je moet het adres erop schrijven en er een postzegel op plakken. Als het een verzorgd kaartje moet zijn, doe je het meestal nog in een envelop en moet je het dichtplakken. Vervolgens moet je het nog in de brievenbus gaan steken zodat de postbode het kaartje kan komen ophalen. Enkele dagen later komt het kaartje dan hopelijk aan op de plaats van bestemming.

Via internet kun je ook kaartjes (e-cards) versturen. En dit heeft vele voordelen: er is veel keuze, het is gratis en is bijna onmiddellijk waar het moet zijn. Je hoeft zelfs niet naar de winkel te lopen, je kunt gewoon op de website surfen en een kaartje uitkiezen. Je hebt bovendien meestal keuze uit heel wat meer kaartjes dan in de winkel, soms wel meer dan 1000 verschillende, mooi geordend per rubriek.

Als je je keuze hebt gemaakt, geef je de afzender en de ontvanger in, je berichtje en je verstuurt het kaartje. In vijf minuten is je kaartje gekozen, ingevuld en verstuurd (en ook onmiddellijk aangekomen). En dat allemaal zonder postzegel, enveloppe, allemaal gratis.

Je hebt op het internet bovendien nog een aantal voordelen ten opzichte van een gewoon kaartje. Je kunt er bijvoorbeeld muziek bij zetten.

Maar je kunt op sommige websites ook een kaartje later laten aankomen. Zo vergeet je zeker en vast geen kaartje te versturen. Verjaart iemand volgende week? Geef het dan al vandaag in en laat het pas volgende week versturen, zo komt het gegarandeerd op tijd aan.

Aan de slag

We gaan nu een e-card versturen.

Ga in Internet Explorer naar de website http://www.seniorennet.be (of www.seniorennet.nl).

Klik vervolgens op ‘E-cards’ midden bovenaan in het grijze menu (je ziet een grijs menu met blogs, chatbox, forum... staan) ofwel in het linkse menu onder de titel ‘Inter@ctief’.

Je komt dan op de pagina met e-cards terecht:

Je ziet op deze pagina alle categorieën staan, alfabetisch gesorteerd en onder elkaar.

Klik op de categorie die je wenst. In dit voorbeeld gaan we in de categorie 'Gefeliciteerd' een kaartje zoeken. Klik met je linkermuisknop op de titel 'Gefeliciteerd'.

We krijgen nu een overzicht van de kaartjes, twaalf per pagina. Je zult zien dat er heel wat pagina's zijn met kaartjes. Door onderaan op 'Volgende' te klikken, kun je naar de volgende pagina gaan met twaalf andere kaartjes. Kies een kaartje uit dat je leuk vindt. Klik op het plaatje.

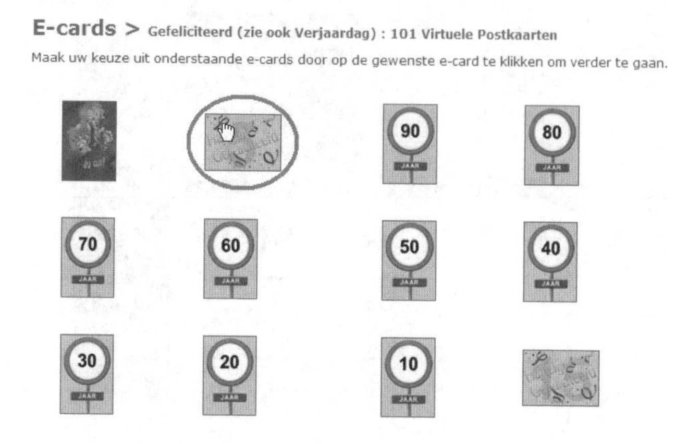

We komen nu op de pagina waar we het kaartje in het groot zien, dit is de ware grootte, zoals de ontvanger het te zien zal krijgen. Daaronder kun je alle gegevens ingeven om vervolgens het kaartje te kunnen versturen.

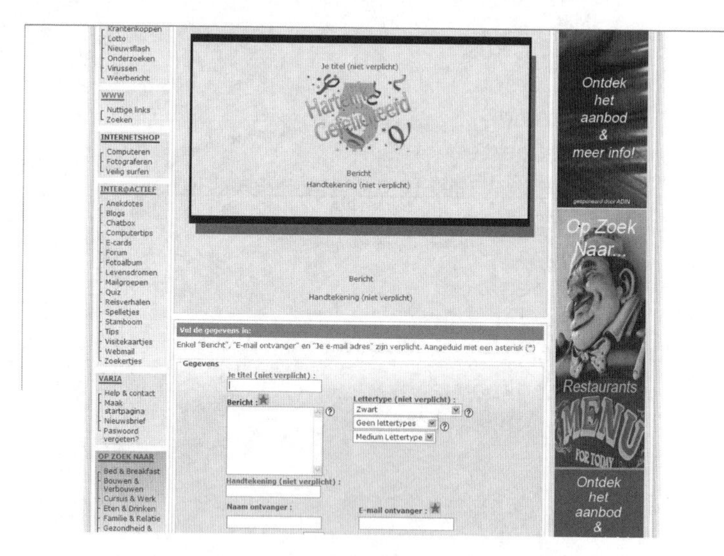

Als eerste geven we een titel in. Deze zal verschijnen boven de figuur. Bijvoorbeeld 'Gelukkige verjaardag'.

Daaronder moeten we het bericht zelf ingeven, wat zal verschijnen onder de figuur. We geven hier dus onze wensen in:

'Gefeliciteerd met je verjaardag!
Kusjes'

Naast het bericht kun je ook nog de kleur van de tekst aanpassen. Standaard staat deze op 'Zwart'. Indien je de kleur wilt aanpassen, klik je op het pijltje naar beneden dat staat naast 'Zwart' en duid je de gewenste kleur aan in het lijstje.

Verder naar onderen zien we 'Handtekening:' staan. Dit verschijnt onder ons berichtje. Het is niet verplicht om dit in te vullen, maar meestal wel het beste. Je vult hier gewoon je naam in, in mijn geval wordt dat dus: 'Pascal Vyncke'.

Daaronder vul je de naam van de ontvanger in. Dit hoeft niet altijd een echte naam te zijn, maar dit kan bijvoorbeeld ook 'De jarige!' zijn.

Daarnaast moet je het e-mailadres van de ontvanger ingeven. Omdat we dit kaartje naar onszelf zullen sturen, vullen we hier ons eigen e-mailadres in, zodat we kunnen zien hoe zo'n kaartje aankomt.

Daaronder, bij 'Je naam', vul je je eigen naam in. Dit hoeft ook nu weer niet echt je eigen naam te zijn, maar mag ook een koosnaam zijn. Daarnaast vul je altijd je eigen e-mailadres in.

Vervolgens kun je aangeven op welke datum je het kaartje wilt verzenden. Standaard is de huidige datum aangeduid, maar je kunt tot drie maanden in de toekomst ingeven. Handig als je nogal vergeetachtig bent, weinig tijd hebt of op vakantie gaat.

Om de datum aan te passen, klik je naast de datum op het pijltje naar beneden en klik je in het lijstje dat vervolgens verschijnt, de juiste datum aan.

Daarna wordt naar de postzegel gevraagd. Je hoeft nu niets te betalen, die is er gewoon omdat het leuk staat. Je hebt de keuze tussen een aantal postzegels. In mijn voorbeeld kies ik de 'Seniorennet postzegel – prior afgestempeld'.

Nu kun je, als je dat wilt, de achtergrondkleur van je kaartje aanpassen. Standaard is dit wit, maar als je het een andere kleur wilt geven, kun je de kleur wijzigen door rechts van 'Wit' op het pijltje naar beneden te klikken en vervolgens in het lijstje dat verschijnt, de gewenste kleur aan te klikken. Onder de kleur kun je een muziekje kiezen. Door met je linkermuisknop op het pijltje naast 'Geen' te klikken, krijg je de hele lijst van muziekjes, gaande van klassieke muziek, verjaardagsmuziek en kerstmuziek tot volksmuziek en muziek uit de jaren 50 en 60.

Maak je keuze door erop te klikken. Als je het muziekje zelf eerst wilt beluisteren, dan klik je eronder met je linkermuisknop op de knop 'SPEEL AF'. Je krijgt vervolgens het muziekje te horen. Bevalt het muziekje je niet? Kies dan een ander. Klaar? Dan kunnen we verder gaan.

Als laatste heb je de mogelijkheid om te worden gewaarschuwd wanneer de ontvanger zijn kaartje heeft geopend. Dit gebeurt zonder dat de ontvanger het weet en het is altijd leuk om te weten of je kaartje goed is aangekomen. Als je een bevestiging wilt ontvangen, klik dan met je linkermuisknop op het rondje voor 'Ja'.

Gegevens

Je titel (niet verplicht) :
Gelukkige verjaardag

Bericht :
Gefeliciteerd met je verjaardag!

Kusjes,

Lettertype (niet verplicht) :
Zwart
Geen lettertypes
Medium Lettertype

Handtekening (niet verplicht) :
Pascal Vyncke

Naam ontvanger :
De jarige!

E-mail ontvanger :
al.vyncke@seniorennet.be

Voeg ontvanger toe: 1

Je naam (afzender) :
Pascal Vyncke

Je e-mail adres :
al.vyncke@seniorennet.be

Datum van zenden? :
14 - 04 - 2010
Kies een datum wanneer uw kaartje moet worden verstuurd

Kies postzegel (niet verplicht) :
Seniorennet postzegel - Prior afgestempeld

Kaart achtergrond kleur (niet verplicht) :
Wit

Muziek :
- Verjaardag - Happy Birthday - 1
SPEEL AF

Stel mij op de hoogte wanneer de ontvanger mijn kaart heeft gelezen. :
Ja Nee

Verder -> Voorbeeld voor het verzenden

Nu klikken we op de knop 'Voorbeeld voor verzenden' met onze linkermuisknop. We krijgen nu het voorbeeld van het kaartje op het scherm zoals de ontvanger dit te zien zal krijgen.

Ben je tevreden, klik dan met je linkermuisknop op de knop 'Verstuur Virtuele Kaart!', ben je niet tevreden, dan klik je op de knop 'Terug naar Invoer' om iets aan te passen (als het aanpassen klaar is, dan klik je onderaan op de knop 'Voorbeeld voor verzenden' en dan kom je weer op deze pagina terecht). We krijgen nu een bevestiging dat het kaartje is verstuurd door de computer. Indien je hebt aangeduid dat je het kaartje later wilt laten versturen, wordt hier ook die datum meegedeeld als extra bevestiging.

Kaart verstuurd

Deze pagina is ter bevestiging dat uw e-card correct is verstuurd naar **De jarige!** met e-mail adres **Pascal.vyncke@seniorennet.be** en als afzender **Pascal Vyncke (Pascal.vyncke@seniorennet.be).**

Verstuur nog een postkaart.

Indien je nog een kaartje wilt versturen, klik je met je linkermuisknop op de toets 'Verstuur nog een postkaart'.

Aangezien we het kaartje voor de eerste keer naar onszelf hebben gestuurd, zal dit ook bij ons aangekomen zijn. Je kunt dus even kijken of je al een e-mail hebt ontvangen in Outlook Express. Het berichtje zal eruitzien zoals op onderstaande foto:

Beste De jarige!,

Pascal Vyncke heeft u een virtueel kaartje gestuurd vanaf SeniorenNet.

Om het kaartje te bekijken, klik hieronder op het adres, of kopieer het adres en kleef het in de adresbalk van uw browser:
http://www.seniorennet.be/ecards/pickup.php?ecard_id=1003151503441RcDE55OiGqg

Gratis e-cards vanaf http://www.seniorennet.be

Om het binnengekomen kaartje te bekijken, klik je met je linkermuisknop op de onderstreepte link. Je computer zal vervolgens naar dit adres surfen, en dat is juist de plaats van je kaartje.

En inderdaad, je krijgt het kaartje te zien:

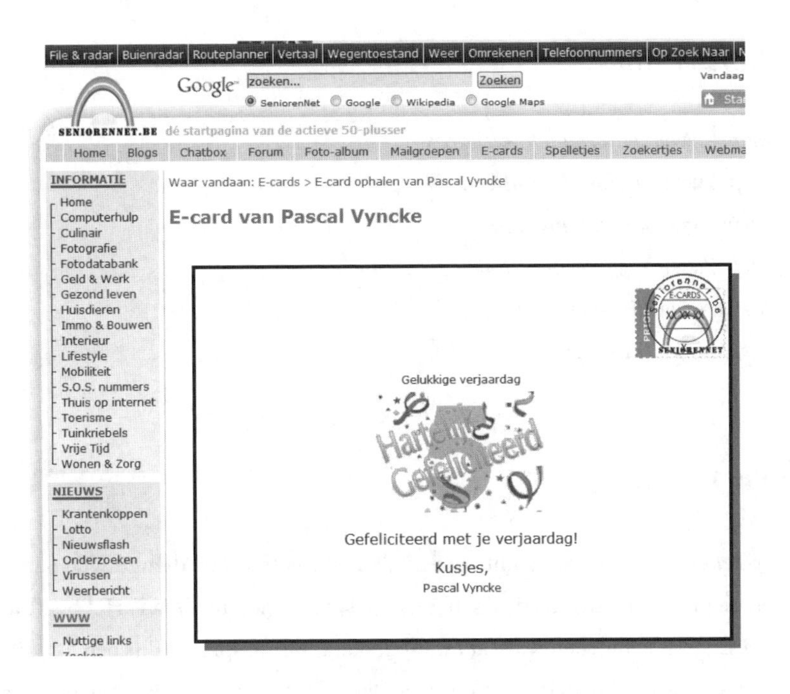

Lukt het niet op deze manier? Doe dan het volgende.

Selecteer het adres van het kaartje (blauw onderstreept) door met je muisaanwijzer aan het begin van het adres te gaan staan, je linkermuisknop in te drukken en vervolgens je muis te verslepen tot aan het einde van het adres. Klik dan met je rechtermuisknop op het aangeduide adres en klik met je linkermuisknop op 'Kopiëren'. Open vervolgens je browser Internet Explorer en klik met je linkermuisknop linksboven in het menu op 'Bestand', en klik in het menu dat verschijnt op 'Openen'. Klik met je rechtermuisknop in het witte tekstvak dat in het schermpje staat dat verschijnt. Klik dan met je linkermuisknop 'Plakken' aan.

Klik vervolgens met je linkermuisknop op 'OK'. Je zult nu ook het kaartje te zien krijgen.

Nuttige links

http://www.seniorennet.be/ecards

http://www.seniorennet.nl/ecards

http://www.kaartenhuis.nl/

http://www.123greetings.com/

http://www.kiesjekaart.nl/

http://www.hallmark.be

Termen

@-teken: Het @-teken komt voor in elk e-mailadres. Het dient om de naam en de provider van elkaar te scheiden. Je spreekt het uit als 'ad'. Het heeft in het Engels de betekenis als 'at', wat betekent 'bij'. Je spreekt dus een e-mail-adres uit als 'mijnNaam ad mijnProvider punt b e', maar in het Nederlands is het eigenlijk letterlijk vertaald 'mijnNaam bij mijnProvider punt b e'. Het @-teken wordt ook wel 'apenstaartje' of 'apenkrol' genoemd. Het is een gewone a, waaromheen een soort cirkeltje is getekend.

E-mail: E-mail is de verzamelnaam voor alles wat te maken heeft met berichtjes versturen via het internet. E-mail is een afkorting van de Engelse benaming 'Electronic mail', wat elektronische post betekent.

E-mailadres: Een e-mailadres is een adres dat iemand heeft en waarmee die persoon e-mails kan ontvangen. Zoals je een thuisadres hebt en iemand anders dat nodig heeft om jou een brief te kunnen sturen, is er ook een e-mailadres nodig om iets naar jou toe te kunnen mailen. Een e-mailadres is altijd in de vorm van gebruikersnaam@provider.land.

Spam: Deze benaming zal nog uitgebreid besproken worden in dit boek. Het is de benaming voor ongewenste reclame-e-mail. Als je in je e-mailbox geregeld reclame krijgt die door jou niet gewenst is, wordt dat spam genoemd.

Veel mensen vinden het erg vervelend.

Attachment/bijlage: Een bijlage of attachment (dit is het Engelse woord voor bijlage) is een document, tekst, figuur, foto, geluid, video, muziek of een ander bestand dat toegevoegd is bij een e-mail. Bij eenzelfde e-mail kunnen meerdere bijlagen toegevoegd zijn.

HTML-e-mail: Een HTML-e-mail is een e-mail met opmaak. Als je in je e-mailbericht stukken vet drukt, onderstreept, een hyperlink toevoegt, een kleurtje geeft, enzovoort, dan is dit uitsluitend mogelijk omdat je een HTML-mail verstuurt. Outlook Express kan dergelijke berichten zowel versturen als ontvangen.

Soms hoor je wel spreken over een e-mail met 'platte tekst', dit is een gewone tekst zonder enige opmaak. Soms is dit nodig omdat bepaalde mensen nog met heel oude programma's werken die geen HTML-e-mail aankunnen, al worden deze met de dag zeldzamer omdat de moderne programma's die het wel aankunnen, toch gratis zijn.

CC: Dit komt van 'Carbon Copy'. De e-mailadressen die hierin vermeld staan, krijgen een kopie van de e-mail die wordt verstuurd. De e-mail is niet specifiek aan hen gericht, maar (meestal) naar iemand anders. De mensen die in CC staan, krijgen de e-mail ter informatie, om hen te laten weten dat het bericht werd verstuurd. Dit wordt vooral gedaan in bedrijven, met een CC naar de directeur, de secretaresse enzovoort

BCC: Dit komt van 'Blind Carbon Copy'. De e-mailadressen die hierin vermeld staan, krijgen de e-mail te zien, maar kunnen niet de andere adressen zien die in het BCC-veld staan. Zij kunnen wel de adressen zien die eventueel in het Aan-veld en in het CC-veld werden gezet. Dit wordt vooral gebruikt wanneer je naar meerdere mensen een e-mail stuurt die niet hoeven te weten naar wie je het bericht nog hebt gestuurd of die de e-mailadressen van de andere geadresseerden niet mogen kennen.

Adresboek: Het adresboek is een overzicht van de adressen van al je contactpersonen, van iedereen die je kent. Het is eenvoudig met het adresboek om naar iemand een e-mail te sturen, zonder dat je telkens het hele e-mailadres moet ingeven of dat je het moet onthouden.

Mailbox: Dit wordt gebruikt om je e-mailadres aan te geven, je brievenbus. Het zijn eigenlijk alle berichten die bij je zijn binnengekomen of die bij je provider staan te wachten om te worden opgehaald.

IV •• VIRTUELE FINANCIËN

Bankieren via het internet

Je hoeft niet langer door weer en wind naar een bankautomaat te gaan om een overschrijving uit te voeren of een overschrijving in de brievenbus van de bank te deponeren (als je nog dicht bij een filiaal woont, want er zijn er steeds minder). Vandaag de dag kun je via het internet al je financiële zaken regelen.

Het bankieren via het internet, ook e-banking, onlinebankieren of onlinebanking genoemd, is erg comfortabel. Je hoeft geen rekening te houden met de openingsuren: het kan 24 uur per dag en 7 dagen per week zonder problemen. Je hoeft je beurt niet af te wachten of een afspraak te maken. Voorts betekent onlinebankieren meer zelfstandigheid: je krijgt minder hulp omdat het persoonlijk contact met de bankbediende wegvalt, maar je kunt je eigen financiën helemaal zelf regelen. Ook vermijd je zo dat bankbedienden je allerlei bankproducten willen verkopen.

Via het internet kun je overschrijvingen doen naar andere rekeningen, je rekeningen raadplegen en beheren, alle verrichtingen bekijken van je spaar- en bank- of girorekeningen, de stand van je kredietkaart nakijken en alle transacties nagaan, doorlopende opdrachten beheren, domiciliëringen opvragen enzovoort.

Afhankelijk van bank tot bank kun je ook internationale overschrijvingen uitvoeren, beleggen, verzekeringen en premies berekenen en afsluiten, cheques bestellen, beurskoersen volgen, je proton- of chipkaart opladen, rekeninguittreksels afdrukken, gegevens exporteren voor speciale beheerssoftware enzovoort.

Extra voordelen zijn dat alles supersnel gaat en dat transacties sneller worden verwerkt dan wanneer je ze in de bankautomaat ingeeft of laat uitvoeren via een overschrijving of door het personeel in de bank. Je beschikt bovendien over een beter overzicht van alles.

Voor onlinebankieren moet je meestal wel geld betalen. Vaak is het een eenmalig bedrag bij aansluiting en daarna soms nog een klein maandelijks bedrag. De reden hiervoor is dat een bank ook grote investeringen moet doen om dit alles werkende te houden. Er moet natuurlijk personeel zijn om de website steeds in orde te houden, uit te breiden, fouten op te lossen enzovoort. Wat echter vaak 'vergeten' wordt, is dat dankzij het onlinebankieren er minder filialen nodig zijn, minder personeel enzovoort, wat dan weer een grote besparing oplevert voor de bank.

Een tweede nadeel is dat het onlinebankieren niet altijd veilig is, of toch niet 100% veilig. Elke bank kiest voor zijn eigen beveiligingssysteem. Indien er toch iets misloopt, hoef jij er niet voor op te draaien, maar is dat voor rekening van de bank. Reden te meer dus voor de bank om voor een maximale veiligheid te zorgen.

Waarom is bankieren via het internet niet helemaal veilig? Wel, omdat je op het internet anoniem bent. Enkel door middel van speciale codes of andere informatie die uitsluitend aan jou zijn toegewezen, geeft de bank je toegang en gaat ze ervan uit dat jij de verrichtingen uitvoert. Indien iemand anders er echter in slaagt om te doen alsof hij jou is (bijvoorbeeld omdat hij jouw codes kent), krijgt ook deze persoon toegang tot jouw rekeningen en informatie en kan hij net zoveel verrichtingen uitvoeren als jij.

In het echte leven is dit moeilijker. Men vraagt op de bank meestal je identiteitskaart, en het is al een hele klus om die te vervalsen.

Daarom gebruiken de banken een aantal systemen om de veiligheid te garanderen. Afhankelijk van je bankinstelling worden een of meerdere van deze speciale procedures gecombineerd. We zetten ze even op een rijtje.

Digipass

Het eerste veiligheidssysteem is de zogenaamde digipass. Het is een klein toestel dat veel lijkt op een rekenmachine. Je moet dit apparaatje kopen bij de bank of je krijgt het gratis. Het systeem werkt dan als volgt. Elke digipass is uniek. Het heeft een unieke ingebouwde code die enkel de bank kent en waardoor ze weet dat het toestel aan jou is meegegeven.

Om binnen te raken op de site voor het onlinebankieren, zul je eerst je gebruikersnaam of een unieke code moeten ingeven. Vervolgens moet je op de digipass je pincode ingeven. Deze pincode bestaat net zoals je bankkaart uit vier (soms vijf) cijfers. Dit is een extra beveiliging, want stel dat je je digipass verliest, dan kan niemand anders ermee werken omdat hij niet over die pincode beschikt.

Vervolgens zal er een code op de digipass verschijnen, die je moet ingeven op het scherm. De gebruikersnaam of het unieke nummer en de code van je digipass geven je toegang tot het onlinebankieren.

De code gegenereerd door je digipass, is uniek en zal telkens anders zijn. Dit nummer wordt namelijk opgeroepen in combinatie met je unieke code en met de datum en tijd.

Wellicht is het later nog mogelijk dat de website je zelf een code geeft, die je moet ingeven op je digipass. Vervolgens geeft je digipass een nummer terug dat je opnieuw moet intikken op je computer. Ook hier gaat je digipass een nummer geven op basis van het gegeven nummer van de website, jouw uniek nummer en de datum en tijd. Aangezien uitsluitend jouw digipass dat nummer kan genereren, is de bank er zo zeker van dat jij het bent.

Het werken met een digipass is even wennen. Het lijkt soms wat omslachtig om telkens een nummer in te moeten tikken, maar het geeft je aan de andere kant wel een veilig gevoel. Enkel degene die die ene digipass in handen heeft en over de unieke door jou gekozen code beschikt, krijgt toegang tot je gegevens, dus enkel jij.

Een digipass is dus strikt persoonlijk. Indien je partner of (klein)kinderen ook hun eigen rekeningen willen beheren op dezelfde computer, heeft iedereen een andere, unieke, digipass nodig.

Het voordeel van de digipass is ook dat je op een andere computer op een andere locatie, zelfs in het buitenland of op reis, toch toegang kunt hebben tot onlinebankieren (als je tenminste kunt beschikken over een computer met een internetaansluiting, zoals in een cybercafé).

Er bestaat nog een variant op de digipass. Een digipass waarbij je niet enkel een pincode nodig hebt, maar ook nog een speciale kaart van de bank. Dit wordt gedaan om het kraken nog moeilijker te maken, maar het is wel duurder voor de bank.

Dit systeem wordt tegenwoordig vaak gebruikt.

C-ZAM / Banxafe / PC-cardlezer / kaartlezer

Deze moeilijke woorden zijn allemaal synoniemen voor hetzelfde toestelletje: een kaartlezer. Deze kaartlezer lijkt op wat men soms ook gebruikt in de winkel. Je moet er je bankkaart insteken (meestal opzij) en je pincode (geheime code) op ingeven. Dit toestel moet worden aangesloten en geïnstalleerd op je computer.

De veiligheid ervan bestaat uit het feit dat het apparaatje gebruikmaakt van je bankkaart om te controleren of jij het bent. Je moet je pincode invoeren, en enkel indien deze code juist is, krijg je toegang. Hiermee is het systeem even veilig of onveilig als het betalen in de winkel of het uitvoeren van bankverrichtingen aan de automaat, want ook daar is de enige controle de pincode.

Meestal bestaat er nog een extra veiligheid door het opvragen van een unieke gebruikersnaam of code, net zoals bij de digipass.

De voordelen van dit toestel zijn dat je maar één toestel nodig hebt en dat ook je partner of (klein)kinderen het onlinebankieren kunnen gebruiken, op voorwaarde dat ze in het bezit zijn van een eigen bankkaart. Bovendien hoef je ook geen nummers in te geven op het toestel en vervolgens weer op de website; dit gebeurt natuurlijk wel, maar doordat het toestel aangesloten is op je computer, hoef je hier verder zelf niets voor te doen.

Het nadeel van dit toestelletje is dat het uitsluitend op je eigen computer werkt. Hierdoor is het niet mogelijk om even op iemand anders zijn computer of op reis online te bankieren.

Dit systeem wordt tegenwoordig minder gebruikt.

Geheime code

Dit is de meest onveilige manier om te werken met onlinebankieren. Bij deze methode heb je enkel een gebruikersnaam (of code) en daarbij een geheim wachtwoord (geheime code). De combinatie van deze twee zorgt ervoor dat je toegang krijgt tot het onlinebankieren. Het probleem hierbij is dat wachtwoorden spijtig genoeg relatief eenvoudig te kraken zijn.

De reden waarom men dit toch gebruikt? Geld. Het gebruik van een geheime code is vele malen goedkoper en bespaart de bank heel veel infrastructuurkosten. Het gebruik van een digipass of een kaartlezer is voor hen veel duurder. Daarom kiezen sommige banken toch voor deze onveilige oplossing.

Indien mogelijk: ga bij een andere bank of vraag een veiligere oplossing.

Door het gebruik van een geheime code kun je ook op een andere locatie, een andere computer of op reis onlinebankieren, op voorwaarde dat je een computer met internetverbinding ter beschikking hebt (cybercafé).

SSL, asymmetrische encryptie, RSA

Deze beveiliging zal bijna altijd worden gebruikt in combinatie met de vorige. Het heeft niets te maken met de herkenning of controle van de identiteit van de gebruiker, maar wel met het versturen van de informatie. Alle informatie die je op de pagina's ziet, de codes die je doorgeeft, de rekeningnummers enzovoort moeten allemaal geheim blijven. Je hebt natuurlijk niet graag dat iemand anders zomaar kan meekijken hoeveel je op je rekening hebt staan en wat je geheime code is.

Daarom wordt er gebruikgemaakt van deze soort van versleuteling. Er wordt voor gezorgd dat enkel jij en de bank de gegevens kunnen lezen. Indien iemand anders 'onderweg' de informatie omleidt of kopieert, dan kan die persoon niets lezen en zijn de gegevens dus onbruikbaar. Dit is een veilige methode die vrijwel niet te kraken valt, maar die wel gebruikt moet worden in combinatie met een digipass, een kaartlezer of een geheime code.

Aan de slag

Het is onmogelijk om uit te leggen hoe je juist moet bankieren of wat elke bank aanbiedt. De diverse systemen wijzigen zeer regelmatig, evenals de prijzen, aanbiedingen enzovoort

Neem daarom contact op met het plaatselijke bankfiliaal voor meer informatie over onlinebankieren, hoe je het kunt aanschaffen, wat de mogelijkheden zijn, hoeveel het kost en welke veiligheid er wordt gebruikt (digipass, kaartlezer, geheime code). De meeste banken hebben een goede handleiding of helpdesk (telefoonnummer voor assistentie) om je te helpen en je vragen te beantwoorden.

Let erop dat je eigen computer ook minimaal beveiligd is. Laat een computer nooit onbewaakt achter wanneer je nog ingelogd bent om te bankieren. Zo vermijd je dat iemand anders snel achter je rug en in jouw naam overschrijvingen laat uitvoeren.

Beantwoord NOOIT een e-mail waarin gevraagd wordt naar je geheime code of andere gegevens die te maken hebben met je onlinebankieren. Enkel je gebruikersnaam kan eventueel worden gevraagd door de bank, maar nooit andere geheime gegevens, ook niet per telefoon. Bescherm je computer tegen virussen en hackers (zie hiervoor de overeenkomstige hoofdstukken in dit boek).

Wat als het misloopt?

Indien er toch fraude werd gepleegd met het onlinebankieren, of je denkt dat dit zo is, neem dan onmiddellijk contact op met je bank. Zij zullen je verder informeren over wat er moet gebeuren en wat je moet doen om eventuele schade vergoed te krijgen. Reageer in een dergelijke situatie kalm maar snel, elke minuut telt.

Geld beheren via internet

Persoonlijke financiën

Met pensioen gaan, een huis bouwen of verbouwen, een auto kopen, een erfenis ontvangen... De belangrijkste beslissingen en keerpunten in jouw persoonlijk leven hebben belangrijke financiële consequenties. Vaak kan de juiste keuze je heel wat euro's opleveren die je leuker kunt besteden. Op het gebied van de persoonlijke financiën is het mogelijk om op het internet heel wat praktische informatie te verzamelen.

◂◂ *Lezen en rekenen*

Eerst en vooral zijn er heel wat teksten te vinden die je wegwijs maken in bepaalde aspecten van de persoonlijke financiën. Via de rubriek 'Geld en werk' van www.SeniorenNet.be (of www.SeniorenNet.nl) vind je de weg naar dergelijke informatie.

◂◂ *Belastingaangifte*

Een van de belangrijkste elementen van jouw persoonlijke financiën is natuurlijk de jaarlijkse belastingaangifte. Daarvoor kun je onmiddellijk profijt halen uit het internet.

Eerst en vooral is er de overheid, die het programma BelSimTax aanbiedt, een rekenmodule die je helpt om jouw belastingbrief correct in te vullen (http://www.minfin.fgov.be/). Je kunt jouw aangifte trouwens sinds kort ook online indienen via www.taxonweb.be.

Sommige websites van banken en uitgevers bieden meer, zodat je de aangifte niet alleen correct invult, maar meteen ook optimaliseert.

In Nederland kun je via de website van de belastingdienst vele zaken online regelen. Natuurlijk kan de jaarlijkse aangifte elektronisch worden verzonden, maar daarnaast kun je talrijke formulieren en veel informatie direct downloaden vanaf de website *www.belastingdienst.nl.*

◂◂ *TOCH EVEN OPLETTEN*

Als je andere informatiebronnen gaat zoeken dan hierboven vermeld, bijvoorbeeld via een zoekmachine, let dan wel altijd op dat de informatie die je consulteert nog up-to-date is. Financiële informatie en tips hebben vaak een beperkte geldigheidswaarde. Vele websites starten met groot enthousiasme, maar als dat wat bekoeld is en de actualisering achterwege blijft, is de informatie al snel verouderd en word je misschien op het verkeerde spoor gezet. Vooral bij fiscale aspecten moet je opletten. Is de informatie van toepassing op de inkomsten van vorig jaar (belastingaangifte van dit jaar) of is ze pas van toepassing voor de inkomsten van dit jaar (belastingaangifte volgend jaar)?

Vraag je ook altijd af waarom iemand de informatie op het internet plaatst. Staat de informatie op het internet als vriendendienst of als lokmiddel om jou een product of dienst te verkopen?

Beleggen

Als je actief belegt op de beurs of in beleggingsfondsen, is het internet al vlug onmisbaar. De snelheid en interactiviteit van het medium bieden immers heel wat mogelijkheden.

◂◂ *Koersen*

De beurskoersen zijn voortdurend in beweging. Daarom is het voor de belegger erg belangrijk om steeds de meest actuele koersen van verschillende beurzen te consulteren. Het internet is daarvoor het gedroomde medium.

We keren even terug naar Tijdnet. In de rubriek 'Koersen' van Tijdnet vind je een overzicht van de belangrijkste beurzen voor de lokale belegger. Niet alleen de verschillende Euronext-markten (Brussel, Amsterdam, Parijs) komen aan bod. Ook de koersen van de effecten die worden genoteerd in Londen, Frankfurt en New York kunt u op Tijdnet consulteren. Naast de huidige koers wordt ook de vorige slotkoers, de hoogste en laagste van de voorbije periode en het volume getoond.

Wanneer je doorklikt op de naam van een bepaald bedrijf, kun je inzoomen. Je krijgt dan een uitgebreide steekkaart van het gekozen bedrijf. Op die steekkaart vind je allerlei grafieken, details over balans en jaarrekening van het bedrijf, andere fundamentele informatie en vaak ook nieuws en adviesinformatie over het bedrijf.

Gedaan met de tijd waarin je de informatie zelf bij elkaar sprokkelde, bijhield en in een map bewaarde. Online is de informatie automatisch gegroepeerd en steeds up-to-date.

Ook op websites van banken en beurzen vind je koersinformatie terug, al is die vaak beperkt tot één bepaalde markt of enkel toegankelijk voor de eigen klanten.

◂◂ *Virtuele portefeuille en selectie*

Een van de handigste online-instrumenten is de virtuele portefeuille. Nemen we opnieuw Tijdnet als voorbeeld. Je moet je eerste (gratis) registreren, want de toegang tot jouw portefeuille is natuurlijk privé. Vervolgens kan de pret beginnen. In de koersenpagina's zoek je jouw effecten (aandelen, beleggingsfondsen…) en met een klik op een icoontje voeg je ze toe aan een van de virtuele portefeuilles. Natuurlijk vul je ook in hoeveel effecten je bezit, wanneer je ze gekocht hebt en hoeveel kosten je daarvoor hebt gemaakt. Je kunt zelfs het dividend invullen. Dit alles duurt wel enkele minuten, maar voortaan hoef je niet meer overal de gegevens bij elkaar te sprokkelen. Je surft naar de site, logt in en vervolgens tref je daar jouw geactualiseerde portefeuille aan. Inderdaad, je kunt de waarde van jouw portefeuille(s) consulteren.

Sommige effecten volg je wel op, maar je bezit ze misschien (nog) niet. Ook daarvoor is een handige functie voorzien, namelijk 'de selectie', ook wel 'watchlist' genaamd. Het principe is hetzelfde: registreren (als dat nog niet gebeurd zou zijn), inloggen en vervolgens de effecten met een klik op een icoontje toevoegen aan de selectie. De volgende keer dat je inlogt, staat jouw selectie mooi up-to-date klaar voor raadpleging.

Nieuws

De beurskoersen worden fors beïnvloed door het beschikbare nieuws. Vele sites voor beleggers hebben daarom nieuwsberichten.

Het meest geconsulteerd zijn de zogenaamde 'stemmingsbeelden' die kort beschrijven hoe de markt evolueert en wat de opvallendste bewegingen zijn. Op Tijdnet vind je stemmingsbeelden voor de belangrijkste markten (Brussel, Europa, Azië en de VS), die meerdere keren per dag geactualiseerd worden.

Daarnaast zijn er nieuwsberichten over de beursgenoteerde bedrijven die resultaten bekendmaken, over analisten die commentaar geven en over gebeurtenissen die het koersverloop beïnvloeden.

Sommige sites bieden ook persberichten van beursgenoteerde bedrijven aan. Die zijn natuurlijk wel gekleurd, maar bieden vaak toch nuttige informatie.

Advies en tips

Op de meeste websites voor beleggers vind je ook advies. Dit advies is meestal afkomstig van de analisten van beleggingsbladen en banken, al zijn er heel wat uitgevers van websites die zelf de pen in de hand nemen.

De compactste vorm van advies zijn de samengevatte verwachtingen van analisten, de zogenaamde 'consensus estimates'. In één cijfer wordt uitgedrukt welke toekomst de gemiddelde analist voorspelt voor een bepaald bedrijf.

Andere adviesberichten zijn veel meer uitgewerkt en argumenteren waarom de aandelen van een bedrijf al dan niet koopwaardig zijn. Deze analyses worden vaak aangevuld met de fundamentele gegevens en de technische grafieken die aan de oorsprong van het advies liggen.

In de rubriek 'Geld en beleggen' van het SeniorenNet vind je concreet beleggingsadvies van *De Belegger*, de grootste Belgische beleggingsnieuwsbrief.

◂◂ *Forum*

Een van de interessantste eigenschappen van het internet is interactiviteit. Op een discussieforum ontmoeten gebruikers met een gezamenlijke interesse elkaar en wisselen ze opinies en informatie uit. Je zou een discussieforum kunnen vergelijken met een café waar de leden van een vereniging elkaar regelmatig treffen. Ook beleggers hebben hun eigen discussiefora. Het bekendste forum voor de Belgische belegger vind je op www.beleggers.net. De discussie wordt er gerangschikt per beursgenoteerd bedrijf. Voor discussies over Nederlandse aandelen is het discussieforum van www.eurobench.com dan weer erg populair.

De kwaliteit van de informatie op discussiefora is erg variabel. Naast pareltjes vind je er ook een hoop rommel terug en af en toe ontaardt een discussie in een scheldpartij.

◂◂ *Hoed u voor bedrog*

Net zoals voor onlinebankieren is de anonimiteit een van de belangrijkste bedreigingen voor de betrouwbaarheid van de informatie. Enkele voorbeelden:

1. Er zijn heel wat onlinediscussiefora over beleggen en alles wat met geld te maken heeft. Maar niet iedereen gebruikt deze fora te goeder trouw. En dat kan gemakkelijk anoniem. Gewoon een gratis e-mailadres aanmaken en het bedrog kan beginnen.

Deze malafide persoon begint op een discussieforum (meestal onder een valse naam) bewust foutieve informatie te verspreiden met het doel de koers van een bepaald aandeel te beïnvloeden. Stel dat iemand een aandeel van bedrijf X koopt tegen een koers van 10 euro. De volgende dagen hemelt hij via de discussiefora het bedrijf X op. Meestal kiest hij daarvoor een klein, onbekend bedrijf met een kleine marktkapitalisatie. Een prachtig management, nieuwe orders, verwachting van sterke resultaten... De argeloze belegger koopt het aandeel met grote verwachtingen en de prijs evolueert daardoor al snel naar bijvoorbeeld 12 euro. Dan verkoopt de malafide persoon zijn aandelen tegen 12 euro, vooraleer het aandeel weer op zijn 'normale' waarde van 10 euro staat. De bedrieger maakt vlotjes een winst van 2 euro/aandeel, terwijl de gedupeerde belegger al snel zal vaststellen dat die gouden zaak uiteindelijk toch niet zo fantastisch was.

2. Vergelijkbaar is het verhaal van de marktpartijen die actief zijn in discussiefora en daar op vinkenslag liggen om zichzelf in het zonnetje te plaatsen. Als je de vraag stelt welke onlinebank de beste service biedt, is de kans groot dat een aantal medewerkers van banken zich anoniem in de discussie mengen en natuurlijk hun werkgever ophemelen. Wees dus altijd attent op wie antwoordt. Een paar gerichte vragen kunnen vaak veel duidelijk maken. Vooral wie zich verstopt achter een gratis e-mailadres (@hotmail.com, @gmail.com), zou weleens niet kunnen zijn wie hij zegt te zijn. Al zijn er natuurlijk andere redenen om zo'n e-mailadres te nemen (spam vermijden, lage kost...).

Toch nog even melden dat je op de website van het CBFA, de Commissie voor het Bank-, Financie- en Assurantiewezen (http://www.cbfa.be), een lijst kunt raadplegen met partijen die verdacht worden van minder frisse financiële praktijken. In Nederland is er de Autoriteit Financiële Markten, de AFM (http://www.afm.nl). Zij houdt toezicht op de financiële markten in Nederland en waarschuwt voor frauduleuze zaken.

Kopen via het internet

E-winkelen, e-commerce of e-shopping betekent dat je via het internet producten koopt in plaats van in de winkel.

De voor- en nadelen

Voor de verkoper, de internetwinkel, heeft deze manier van zakendoen heel wat voordelen. Hij of zij moet beschikken over een website en een aantal technische zaken (zoals een server, een beveiligde lijn enzovoort), maar voor de rest valt de investering heel goed mee. Bij een gewone winkel ligt dat toch wel anders. Daar tellen ook een goede en meestal dus duurdere ligging, een zo groot mogelijk winkeloppervlak, goede parkeermogelijkheden, hogere kosten voor verwarming, elektriciteit, meer personeel enzovoort. Deze kosten worden natuurlijk verrekend in de prijs voor de klant. Aangezien een internetwinkel minder kosten heeft, kunnen de prijzen daar lager liggen. Het voordeel voor de klant? Goedkopere producten, of toch meestal.

Het tweede voordeel is dat je heel eenvoudig en snel een of meerdere producten kunt bestellen. Je hoeft niet te letten op de openingsuren, want het kan 24 uren per dag en 7 dagen per week, er zijn geen feestdagen, geen sluitingsdagen. Je bestelt gewoon vanuit je luie zetel via je computer. Je hoeft niet in de auto te stappen, de fiets te nemen of het openbaar vervoer te gebruiken om bij een winkel te raken. Je hebt dus geen verplaatsingskosten, geen parkeerproblemen, geen files, geen vertragingen... Het gaat gewoon ook veel sneller: een product kopen op internet kan al op vijf minuten, als je eventjes in de winkel iets moet gaan halen, ben je al gauw een halfuur of een uur weg.

Nog een voordeel is dat je heel eenvoudig prijzen in meerdere internetwinkels kunt vergelijken. Dit kost slechts een beetje moeite, terwijl prijsvergelijking tussen gewone winkels of supermarkten betekent dat je makkelijk een halve of een hele dag kwijt bent.

Een laatste voordeel van internetwinkels is dat ze over het algemeen enorm veel aanbieden. Sommige bieden miljoenen verschillende producten aan, en dat is heel wat meer dan in de grootste supermarkt.

Toch zijn er ook nadelen verbonden aan het kopen via internet. In de supermarkt om de hoek kun je snel even iets halen, maar een op het internet gekocht product kan weken onderweg zijn omdat het via de post (of een koerierdienst als DHL en UPS) moet worden verzonden. Daarom is het kopen van dagelijkse producten helemaal niet interessant om via internet te doen. Je brood, vlees en koffie koop je gewoon in de supermarkt. Wel interessante aankopen op internet zijn boeken, cd's, software voor de computer, reizen, auto's, dvd's en videofilms, hotelboekingen enzovoort.

Verder heb je het nadeel dat je het gekochte product vooraf niet in je handen hebt gehad. Je kunt het op de website meestal wel bekijken op foto's en er een beschrijving van lezen, maar je kunt het niet echt zien of aanraken. Hierdoor kan het gebeuren dat je iets koopt dat je niet echt bevalt. Gelukkig kun je in dat geval het product terugsturen en je geld terugkrijgen.

Een laatste nadeel is dat je blootstaat aan de 'gevaren' van het internet. Hackers, misbruik en oplichting behoren tot de mogelijkheden. Maar het is gelukkig wel zo dat je goed tot zeer goed beschermd wordt door de wet en dat er in het dagelijkse leven ook gevaren zijn. Je kunt tijdens het winkelen ook een zakkenroller tegen het lijf lopen en zo je portefeuille kwijtraken. Je kunt in een gewone winkel ook opgelicht worden doordat ze je meer aanrekenen dan aangeduid. Ze kunnen je ook te weinig wisselgeld of een vals briefje teruggeven enzovoort. Je laten afschrikken door de mogelijke gevaren is dus niet echt nodig.

Hoe betaal je een aankoop via internet?

De mogelijkheden om via internet te betalen zijn talrijk. Enkele worden echter veel meer gebruikt dan andere. We bespreken ze hier kort.

Kredietkaart. De populairste en beste manier om op internet te kopen is per kredietkaart. Met Visa, Eurocard/Mastercard of American Express kun je in elke internetwinkel terecht en vaak is het zelfs de enige manier om te betalen.

Debetkaart (Bancontact/Pinpas/Chipknip).

Proton. Deze dienst is enkel mogelijk in Belgische internetwinkels, je hebt er een speciaal apparaatje voor nodig en bovendien bieden maar enkele internetwinkels in België het systeem aan. Het is trouwens ook niet geschikt voor grotere uitgaven en is wettelijk gezien minder goed beschermd.

Overschrijving. Het betalen via een overschrijving is een methode die je kunt gebruiken als je niet op je bestelling zit te wachten en geen vertrouwen hebt in een kredietkaart (of er geen hebt). Het systeem werkt dan als volgt: je doet een overschrijving van je eigen rekening naar de rekening van de internetwinkel. De verwerking door de bank en de extra administratie voor de internetwinkel zorgen natuurlijk wel voor vertraging.

Bij ontvangst. De methode om te betalen bij ontvangst (het bedrag betalen aan de postbode) kom je maar weinig tegen, ook al omdat het vrijwel niet te doen is voor bestellingen vanuit het buitenland.

Het is dus duidelijk dat het betalen met een kredietkaart de beste oplossing is. De andere betalingswijzen gelden niet voor buitenlandse internetwinkels. Belgische internetwinkels zijn bij wet verplicht om twee verschillende betalingsvormen aan te bieden; meestal zijn dit dan betaling via kredietkaart en via overschrijving.

Als je betaalt met een kredietkaart in een internetwinkel, wordt een aantal gegevens opgevraagd. Ten eerste: de naam van de kaarthouder, dus de naam vermeld op de kredietkaart. Ten tweede: het kredietkaartnummer, dus het nummer dat op je kredietkaart staat. Ten derde: de vervaldatum, ook vermeld op je kaart. Ten slotte wordt bijna altijd ook gevraagd naar een nummer dat je achteraan op je kaart kunt terugvinden, meestal op het gedeelte waar je je handtekening hebt gezet. Indien er meer dan vier cijfers op staan, zijn de vier laatste cijfers voldoende. Dit laatste is een extra beveiliging die de laatste jaren werd ingevoerd ter bescherming van de gebruiker, van jou dus.

De prijs

Waar je goed op moet letten, is de prijs van het product. Belgische internetwinkels zijn verplicht hun prijs inclusief btw te vermelden, maar dit is niet altijd zo bij buitenlandse winkels, houd dit dus goed in de gaten.

Het tweede waar je bij een normale internetwinkel rekening mee moet houden, zijn de verzendingskosten: de kosten voor het inpakken en het versturen via de post of een koerierdienst. De verzendingskosten zijn meestal afhankelijk van het volume/gewicht, de afstand en eventueel de aard van de verzending (gewone post of snelkoerierdienst). Uiteraard heb je normaal bij de aankoop van een product ook extra kosten zoals verplaatsingskosten (verbruik benzine, slijtage auto) of parkeerkosten.

Waar je ten slotte ook rekening mee moet houden, is de invoerbelasting. Sommige producten worden door de douane tegengehouden en in dat geval moet je extra betalen. Indien de douane je product niet heeft tegengehouden, maar je moet er officieel wel invoerbelastingen op betalen, dan zou je dit in feite zelf officieel moeten gaan betalen...

Gelukkig komt dit relatief weinig voor en is het afhankelijk van de aard van het product en niet van de winkel waar je het koopt. Uiteraard moet je geen invoerbelasting betalen wanneer je koopt bij een Belgische internetwinkel.

Veilig kopen op het internet

Veel mensen zijn nogal terughoudend om iets te kopen via internet, nochtans is hier geen reden voor. Omdat je iets op afstand koopt, lijkt het alsof je het niet onder controle hebt. Verder zijn ook heel wat mensen bang voor een of ander vorm van fraude, omdat ze daar al weleens over hebben gehoord. Maar er is eigenlijk meer een psychologische drempel die de mensen tegenhoudt, dan dat er echt een reëel gevaar is.

Als je met een kredietkaart betaalt, dan ben je erg goed beschermd. Wanneer ze je laten betalen voor iets dat je niet hebt besteld, dan kun je dit ongedaan laten maken. Je neemt hiervoor contact op met je kredietkaartmaatschappij, die de betaling dan zal terugdraaien zodat het bedrag toch niet van je rekening gaat.

Wanneer een internetwinkel je producten toestuurt die je niet hebt gevraagd, die je niet bevallen of die beschadigd zijn, dan kun je die (op eigen kosten) terugsturen naar de internetwinkel, binnen zeven dagen. Zij zijn dan verplicht het door jou betaalde bedrag terug te betalen.

Je mag natuurlijk ook niet denken dat je je kredietkaartgegevens zomaar overal kunt laten rondslingeren. Bij elk misbruik zul je moeilijkheden ondervinden om je geld te recupereren, want je kunt wel begrijpen dat ze niet staan te springen om zomaar iedereen terug te betalen. Beter voorkomen dan genezen!

Veilig betalen via internet: 13 gouden regels

Verzeker je ervan dat bij een betaalopdracht de informatie beveiligd (versleuteld) wordt verzonden

Ga na of de internetverbinding beveiligd is. Het beveiligd versturen van de gegevens zorgt ervoor dat niemand onderweg je gegevens kan meelezen. Het internet zit namelijk zo in elkaar dat de gegevens die je op je computer ingeeft en verstuurt naar de website, soms de halve wereld rondreizen; de kans bestaat dat iemand met slechte bedoelingen de lijn aftapt. Indien de lijn beveiligd is, dan is dit niet mogelijk en is alles volledig veilig.

Je herkent een beveiligde internetpagina aan een (hang)slotje dat rechtsonder in de menubalk van de browser verschijnt en aan het adres bovenin.

Een beveiligde pagina heeft in de plaats van 'http' het adres 'https' (de 's' staat voor 'secure').

https://www.

◂◂ *Werk bij voorkeur niet op een lokaal netwerk*

Als je iets aankoopt op het internet, maar ook als je bijvoorbeeld bankiert via het internet, dan kun je je computer beter niet op een netwerk plaatsen (LAN: Local Area Network). Er is meestal sprake van een netwerk in een cybercafé of een bibliotheek.

Dit sluit namelijk aan bij het vorige. Als je via https surft (dus via een beveiligde lijn), wordt alles gecodeerd verstuurd, encryptie genaamd met een moeilijk woord.

Dit beveiligde systeem is echter niet helemaal veilig omdat een hacker dan ook gebruik kan maken van de beveiligde lijn en zo fraude kan plegen.

◂◂ *Wees terughoudend met het verstrekken van je persoonlijke gegevens*

Shop alleen bij winkels waar ze je privacy respecteren. Geef niet zomaar al je gegevens vrij, maar ga na welke informatie werkelijk nodig is voor de uitvoering van een transactie. Gegevens over je leeftijd, je smaak van kleding, het merk van je wagen en je inkomen zijn echt niet nodig wanneer je gewoon een boek wilt kopen.

Lees de 'privacy policy'. Is die niet beschikbaar op de website, dan kun je er maar beter niets kopen. In een goede privacy policy staat dat je gegevens niet mogen worden doorverkocht en moet vermeld worden waarom deze gegevens worden verzameld. Indien de privacy policy je niet bevalt, koop dan niet bij dit bedrijf, maar surf naar een andere site.

◂◂ *Weet wat je koopt*

Zoek of vraag voldoende informatie over de goederen of diensten die je wilt kopen, zodat je weet wat je krijgt (en wat niet!). Lees de algemene voorwaarden, met name wat betreft levering, garanties, annulering, retourbeleid enzovoort. Ga daarbij ook na of er sprake is van eventuele beperkingen, bijkomende kosten, gebruiksinstructies en service na levering van de goederen of diensten.

Bekijk eventueel op een andere website wat het product precies inhoudt. Vind je op andere sites (al dan niet buitenlandse, die mogelijk duurder zijn...)

meer informatie, foto's en een uitgebreide beschrijving van het product, dan kan dit helpen om te bepalen of je het product wilt kopen of niet.

Geef nooit je pincode

Banken en kredietkaartmaatschappijen vragen dit NOOIT en dus ook niet via het internet. Geef je code dus nooit en indien er naar je pincode wordt gevraagd, koop dan zeker niets op deze website, want waarschijnlijk is het een illegale website.

Hou altijd bij welke abonnementen je bij welk bedrijf via internet bent aangegaan

Bij annulatie van je kredietkaart lopen eventuele betalingen voor abonnementen op internetpagina's door tot de vervaldatum van je kaart. Annuleer daarom ook de abonnementen. Als je je inschrijft voor een proefperiode, betekent dit in vrijwel alle gevallen dat je na afloop van die periode moet betalen. Hou dus ergens een overzicht bij van alles wat je hebt gekocht.

Bewaar gegevens over de goederen/diensten die je via internet besteld en betaald hebt

Betalen via internet wordt op elektronische wijze geregeld. Je krijgt dan ook geen afdruk van een kredietkaarttransactie. Maak daarom een afdruk van de betaalpagina en/of sla de digitale bevestiging op. Meestal krijg je een e-mail als bevestiging: druk deze e-mails altijd af en bewaar alles goed. Als er dan toch iets mis gaat, heb je de juiste gegevens bij de hand om in te grijpen. Met de juiste codes kan je bestelling snel worden opgezocht en kunnen eventuele problemen worden opgelost.

Controleer altijd op je rekeningoverzicht of de betalingen correct zijn verwerkt

Neem bij afwijkingen direct contact op met je kredietkaartmaatschappij. Zij kunnen je meer informatie geven over de afgeschreven betalingen.

◂◂ *Geef een moeilijk wachtwoord op*

Bij vele winkels zul je worden gevraagd om een gebruikersnaam en wachtwoord te nemen. Dit is om het je later makkelijk te maken. Je moet maar één keer (de eerste keer) alles invullen en dan kun je de volgende keer op een minuutje tijd al iets aankopen.

Maar dit heeft ook een nadeel. Je moet een wachtwoord opgeven. Zorg ervoor dat je een moeilijk wachtwoord opgeeft dat niemand anders kan raden. Het is zo dat indien iemand anders je wachtwoord zou kunnen vinden, die persoon ook in jouw naam aankopen kan doen. Het later (na zo'n voorval) terugkrijgen van je geld zal dan ook veel moeilijker zijn omdat voor de internetwinkel alles in orde lijkt en zij de producten de facto hebben opgestuurd.

◂◂ *Zorg dat er geen vertrouwelijke gegevens onbeveiligd op de internet-pc staan*

Beveilig je pc zo veel mogelijk met wachtwoorden zodat derden niet zomaar toegang tot je gegevens hebben. Zet ook geen lijsten met paswoorden, pincodes of andere belangrijke gegevens op je computer. Tracht ze te onthouden, maar schrijf ze niet op. Als ooit toch iemand in je computer raakt, dan zou die vrij spel hebben. Vermijd deze problemen en train je geheugen!

Als er aanbiedingen worden gedaan die te mooi lijken om waar te zijn, dan is dat meestal ook zo. Dus: als je de aanbieder niet vertrouwt, surf dan weg.

◂◂ *Ken de internetwinkel*

Zoek naar een (geografisch) adres van de internetwinkel. Geen postbus, maar een gewoon adres. Als er dan toch ooit problemen zijn, dan weet je waar je terechtkunt voor een brief of klacht.

◂◂ *Wees de eerste keer terughoudend*

Als je de eerste keer iets koopt bij een internetwinkel, zorg er dan voor dat je niet voor een te hoog bedrag koopt. Probeer de eerste keer iets te kopen dat

BOODSCHAPPEN
Gezinsbond
OP ZOEK NAAR EXTRA PIT VOOR JE ETEN?
WAT DENK JE VAN KAPPERTJES,
GEDROOGDE TOMATEN OF PADDENSTOELEN?

niet te duur is. Als dan alles goed verloopt, dan kun je de winkel vertrouwen en kun je de volgende keer gewoon kopen wat je wenst.

Hou je zo veel mogelijk aan bovenstaande gouden regels. Indien je dit doet, zul je waarschijnlijk nooit problemen ondervinden bij het kopen op internet. Fraude komt heel weinig voor en indien je de regels volgt, is de kans op moeilijkheden heel klein, maar uiteraard niet onbestaande.

Termen

Account: Een account bestaat uit een zelfgekozen gebruikersnaam en wachtwoord. In feite gaat het om een registratie bij de internetwinkel. Alle gegevens die je ingeeft, worden bewaard en kun je achteraf snel opnieuw gebruiken. Hierdoor hoef je basisinformatie zoals je adres niet bij elke aankoop opnieuw in te geven.

Privacy policy: Dit is een document dat je op elke internetwinkel moet kunnen vinden. Hierin staan alle verkoopsvoorwaarden beschreven, maar ook wat men met de door jou geleverde gegevens wel/niet zal doen, eventuele garantie, het adres van de internetwinkel...

Encryptie: Dit is een ander woord voor de codering van informatie. Er wordt een beveiligde verbinding gemaakt tussen jouw computer en de internetwinkel. Zo kan niemand anders – behalve jij en de internetwinkel – de uitgewisselde 'gevoelige' informatie bekijken. Indien gegevens worden doorgestuurd via een beveiligde lijn, heb je ook niet het probleem dat de informatie ergens op je eigen computer wordt opgeslagen in een soort van 'cache' of op een andere plaats. Niemand kan achteraf iets van de transactie op je computer terugvinden.

Verkopen en veilingen via internet

Je wilt iets verkopen

Je kunt op het internet niet alleen nieuwe dingen kopen. Er bestaat ook de mogelijkheid om nieuwe of tweedehandsvoorwerpen aan te bieden voor verkoop.

Je kunt echt alles verkopen, alles wat niet door de wet verboden. Haal je zolder en kelder leeg, verzamel voorwerpen die je niet meer gebruikt: een fiets, televisie, boeken of strips, postzegelverzameling, keukenrobot, broodrooster, grasmachine, printer, videorecorder, schilderij, auto, kleding, speelgoed, horloges, munten en noem maar op.

De prijzen kunnen variëren van een euro tot vele duizenden euro's, dat bepaal je helemaal zelf.

Het hele systeem is gebaseerd op een veiling. Je stelt het voorwerp te koop op een bepaalde website. Je beslist over een beginprijs, maakt een omschrijving, voegt eventueel een foto toe, bepaalt het aantal dagen dat kan worden geboden (meestal een week). Vervolgens kunnen de andere bezoekers van die website beginnen met bieden.

Een geïnteresseerde koper moet altijd boven het bedrag gaan dat de vorige bezoeker heeft geboden. Wie de hoogste bieder is op het moment dat de veiling afloopt, sleept het voorwerp in de wacht. Vervolgens moet de koper betalen en stuur je zelf het voorwerp op.

Ondanks de soms miljoenen artikelen die te koop aangeboden staan, zullen er toch heel wat veilingen goed verlopen en verkopen. Er zijn namelijk wereldwijd tientallen miljoenen mensen die van deze dienst (af en toe) gebruikmaken.

Het lijkt heel eenvoudig en in principe is dat ook zo. In de praktijk is het echter wel wat ingewikkelder. Zo zijn er allerlei veiligheidsvoorzieningen (wat indien iemand niet wil betalen?), heeft zo'n internetveiling een internationaal karakter (je kunt een product aanbieden dat door een Amerikaan wordt gekocht) en bestaan er veel mogelijkheden om tegen extra betaling jouw aanbieding opvallender te plaatsen op de website.

Indien je iets plaatst op een website om te verkopen, moet je hiervoor altijd betalen. De verkoper betaalt dus de website, niet de koper.

Soms moet je plaatsingskosten betalen. Dit is een vast bedrag afhankelijk van je startprijs (hoe hoger dat bedrag, hoe meer plaatsingskosten je moet betalen), bij andere sites is dit gratis. Indien er wordt geboden en het voorwerp wordt verkocht, dan moet je vervolgens op het werkelijke bedrag ook nog een percentage afstaan. Ook het opvallender zetten van je aanbieding, het toevoegen van foto's en dergelijke kost steeds geld, al gaat het hier dan meestal maar over enkele cent of maximaal enkele euro's.

Je wilt iets kopen

Bij een veiling zijn er uiteraard altijd meer potentiële kopers dan verkopers. Je kunt ook zelf een of meerdere producten te koop aanbieden en intussen bij andere veilingen een bod doen om te kopen.

Het bieden op een product moet dus steeds gelijk zijn aan de startprijs (als je de eerste bieder bent) of hoger zijn dan het vorige bod. Maar de hoogste bieder zijn is niet altijd eenvoudig. Er zijn massaal veel mensen die de website bezoeken en die kunnen zo achter je rug meer bieden. Je wordt hier gelukkig via e-mail van op de hoogte gebracht. Zo kun je zelf beslissen of je nog een hoger bod wilt uitbrengen of niet.

Een bijzonder handige manier is het automatisch bieden. Je kunt voor jezelf een maximumbedrag opgeven. Je biedt de eerste keer onder dit bedrag. Indien iemand erover gaat, zal er automatisch voor jou hoger worden geboden, tot aan het maximumbedrag.

Een voorbeeld:
Je wilt een voorwerp kopen en het huidige hoogste bod is 10 euro. Voor jou is het voorwerp echter 30 euro waard. Je biedt vervolgens voor 11 euro.

Je geeft bovendien in dat je automatisch wilt bieden tot maximaal 30 euro. Als nu iemand anders de site bezoekt en 12 euro biedt, dan zal de computer voor jou automatisch 13 euro bieden. Als iemand daarna 15 euro biedt, wordt er voor jou 16 euro geboden enzovoort tot aan 30 euro.

De uiteindelijke koop

Wanneer er een hoogste bieder is, zal zowel verkoper als koper hiervan op de hoogte worden gesteld. Beide partijen zijn volgens de gebruikersvoorwaarden verplicht de verkoop door te laten gaan. Indien een van beide partijen terugkrabbelt, is dit in principe via de rechter aan te vechten.

De veilingsite bemoeit zich hier echter niet mee. Hoe de betaling de facto gebeurt (storting, kredietkaart...) en hoe het voorwerp wordt verzonden (post, koerierdienst) of door de koper wordt opgehaald, moet afgesproken worden tussen koper en verkoper. Dit gebeurt meestal per e-mail of via de telefoon.

Voor je bij iemand iets gaat kopen, is het handig om na te gaan of deze persoon al positieve of negatieve commentaar heeft gehad. Als hoogste bieder (en dus koper) van een voorwerp, kun je namelijk je ervaringen doorgeven over de verkoper. Wanneer je ziet dat iemand al enkele keren een negatieve evalutie heeft gekregen, biedt dan niet.

Aan de slag

Er zijn maar twee grote veilingwebsites waar je terechtkunt:

eBay

eBay is de grootste en heeft tientallen miljoenen geregistreerde leden. Het grote voordeel is dat deze website massaal wordt bezocht en er dus veel potentiële kopers en verkopers zijn. De website is in het Nederlands beschikbaar en er is ook een speciale Belgische afdeling, waar je enkel kunt kopen van aanbieders in België en niet wereldwijd.

Bij eBay betaal je plaatsingskosten per veiling en vervolgens een percentage op de verkoopprijs.

De website van eBay: *http://www.ebay.be of http://www.ebay.nl*

Marktnet

Marktnet komt voor uit de veilingsite Ricardo en bevat enorm veel rubrieken. De hele site is in het Nederlands en eenvoudig te bekijken. Met behulp van een aantal keuzemenu's kun je kiezen tussen het bekijken van plaatjes of tekst, aangeboden of gevraagd en een sorteren op datum en prijs.
De website van Marktnet: *http://www.marktnet.nl/*

V •• INTERNET: 1001 MOGELIJKHEDEN

Chatten

Wat?

Praten via het internet noemen we chatten. Het is een tijdverdrijf waar heel veel mensen mee bezig zijn op het internet. De voordelen zijn dat het er niet toe doet waar de anderen van afkomstig zijn: uit je straat, uit Brussel, Amsterdam, New York of waar ook ter wereld. Een tweede voordeel is dat je de anderen niet hoeft te kennen om mee te doen, je moet enkel een zogenaamde chatbox kennen. Dit is een plaats waar je kunt 'samenkomen' op het internet. Zo'n chatbox staat steeds op een website en daar kun je met elkaar 'praten': discussiëren, vragen stellen, elkaar leren kennen, babbelen over koetjes en kalfjes enzovoort.

Het is mogelijk om volledig anoniem hieraan mee te doen. Je hoeft je dus nergens voor te schamen, ook niet voor fouten die je zou maken.

Het chatten op het internet is natuurlijk niet echt praten. Je gebruikt niet je stembanden en je oren om te communiceren, maar je vingers en je ogen. Je praat via je toetsenbord en je luistert via je scherm.

Je moet dus niets zeggen, maar intikken op de computer wat je wilt zeggen. Eigenlijk zoals een dove persoon: communiceren met bepaalde handelingen van je vingers (toetsen indrukken in dit geval). Dit hoeven helemaal geen lange teksten te zijn, integendeel. Regel per regel wordt op een chatbox doorgegeven, soms maar één woordje (bijvoorbeeld 'hallo').

Op jouw beurt wil je uiteraard ook weten wat de anderen willen zeggen. En in plaats van je oren te gebruiken, gebruik je je ogen. Neem weer de vergelijking met de doven: je kunt het niet horen, je moet het zien. Alles wat de anderen intikken, zie je namelijk onmiddellijk op je scherm verschijnen. Ja, onmiddellijk. Je moet zelfs geen seconden of minuten wachten voor je ziet wat de ander 'zegt'. Eén tiende van een seconde, misschien nog minder is er nodig om het op je scherm te toveren. Op deze manier kun je met elkaar op een normale manier communiceren.

Samengevat gaat het dus als volgt. Je surft naar een bepaalde website die zo'n chatbox heeft. Je opent de chatbox en geeft een naam in zoals de anderen die zullen zien. Vervolgens ga je binnen op de chatbox en zie je op je scherm verschijnen wat de anderen zeggen. Zelf kun je 'meepraten' door de tekstjes in te tikken.

Onder vier ogen

Net zoals in het echte leven kun je met de hele groep praten, of kun je eventjes iemand onder vier ogen spreken. Op zo'n chatbox kun je aangeven dat je dit wilt (meestal door te dubbelklikken op de naam van de persoon waarmee je wilt spreken). Dit wordt privéchatten genoemd. Al worden er, vooral door de jongeren, ook termen gebruikt als 'pm' en 'msg', beide komende van het Engels: Private Message (privébericht). Tja, dat klinkt mooier...

Bij een privéchat gaat er meestal een extra venster (meestal kleiner) open. Dit is eigenlijk een minichatbox. Wat je vervolgens kunt doen, is met deze persoon praten, net zoals in de gewone chatbox. Maar met dat verschil dat het uitsluitend met die ene persoon is en dat niemand anders het kan zien.

Vervelende mensen

Maar... het is niet altijd rozengeur en maneschijn. Doordat iedereen volledig anoniem kan blijven, wordt hier ook wel misbruik van gemaakt. De slechte kant van sommige mensen komt naar boven wanneer ze denken dat ze niet kunnen worden 'gepakt'. Het is net of er opeens een duiveltje in hen wakker wordt en in actie schiet. Komt dit vaak voor? In ieder geval veel te vaak, misschien ben jij ook wel bij de groep mensen waar dat duiveltje achter de hoek staat. En dit is de reden waarom talloze chatboxen ongezellig zijn, gesloten worden, websites ermee stoppen enzovoort.

Dé oplossing is controle. Het duiveltje wordt wakker omdat het denkt dat het niet gestraft kan worden. Daarom zijn er een hele reeks chatboxen waar ze de politie bij halen. Geen 'flikken' die een uniform en een revolver dragen en opgeleid zijn tot politieman (of -vrouw). Neen, dit zijn gewone mensen die een oogje in het zeil houden. Misschien kun je beter denken aan een 'uitsmijter' van een dancing. Ze zijn aangesteld door de 'bazen' en proberen ervoor te zorgen dat alles in de chatbox goed verloopt. Ze kunnen je niet arresteren of in de handboeien slaan, maar wel uit de chatbox gooien. Ze kunnen er zelfs voor zorgen dat je nooit meer binnenkomt, zelfs niet als je je opgeeft onder een andere naam.

Op internet noemen we zulke mensen geen uitsmijters of politiemensen, maar worden ze 'chatmasters' genoemd. Meestal zijn dit trouwens ook gewone chatters waarmee je een gezellig babbeltje kunt doen. Het zullen altijd je beste vrienden zijn, tenzij je met slechte bedoelingen langskomt (denk aan het duiveltje), want dan kunnen het je grootste vijanden worden. Chatmasters van een chatbox kun je herkennen doordat er een @-teken voor hun naam staat.

De grondwet

Nu je weet dat je het duiveltje moet tegenhouden in plaats van het de vrije loop te laten, wil je misschien graag weten wat je verder eigenlijk wel en niet mag doen in zo'n chatbox. Dit is niet zo eenvoudig te zeggen, want er zijn verschillen van chatbox tot chatbox. Waar je je altijd en overal aan moet houden, zijn de Belgische (of Nederlandse) wetten en de wetten van het land waar de chatbox 'staat'. Maar indien je je beperkt tot Nederlandstalige chatboxen, zal het dus enkel de Belgische of Nederlandse wetgeving betreffen. Met andere woorden: discriminatie, racisme en andere criminele feiten mogen niet.

Verder heeft elke chatbox nog zo zijn eigen 'grondwet'. Er komen dus regels bij, en dit is ook nodig. Over het algemeen komt het erop neer dat je het leuk en aangenaam moet houden voor jezelf, maar vooral ook voor de anderen. Op de meeste chatboxen mag je bijvoorbeeld niet hetzelfde tientallen keren herhalen (in technische termen 'flooding' genoemd), want dit is erg storend voor de anderen. Een heel andere soort regel zou kunnen zijn dat je een bepaalde leeftijd moet hebben. In een seniorenchatbox moeten geen tieners komen.

Lachen

Maar als we het communiceren via internet vergelijken met een gewoon gesprek, dan ontbreekt de lichaamstaal. Toch is het mogelijk om via je toetsenbord te laten zien of je aan het lachen bent, je verdrietig of boos voelt enzovoort. Dit doe je namelijk via de 'smileys', 'emoticons' of gewoon 'gezichtjes'. Je hebt ze mogelijk al ooit ergens in een reclame gezien of verwerkt in een logo.

:-) is zo'n gezichtje. Zie je wat het uitbeeldt? Het is een lachend gezichtje. Je moet de gezichtjes namelijk op hun kant bekijken. Draai dit boek dus 90° en dan zie je twee oogjes, een neusje en een lachend mondje. Dit is het principe van deze smileys. Door een dubbelpunt, een streepje en een haakje in te tikken, kun je aangeven dat het leuk is of dat je lacht.

We proberen er nog eentje.

:-(Zie je wat dit is? Een droevig gezichtje. Ogen en neus zijn dezelfde, maar het mondje straalt niet bepaald blijdschap uit.

Zo bestaan er op het internet wel honderden van die 'afbeeldingen'. De meest gebruikte zet ik hier op een rijtje:

:-(Verdrietig, kwaad
:-((Heel verdrietig, heel kwaad
;-) Knipoog, grapje
:-) Lachen, grappig, blij
:-)) Erg blij, heel grappig
:-D Lacht je toe
.-) Eén oog
:-p Tong uitsteken, grapje

Indien je dus in de toekomst gaat chatten en je wilt uitdrukken dat iets leuk is, dat je ermee kunt lachen, dat je verdrietig bent... dan weet je dat je zo'n gezichtje kunt gebruiken.

Er zijn ook chatboxen die de ingetikte figuurtjes omzetten naar echte figuurtjes. Enkele voorbeelden:

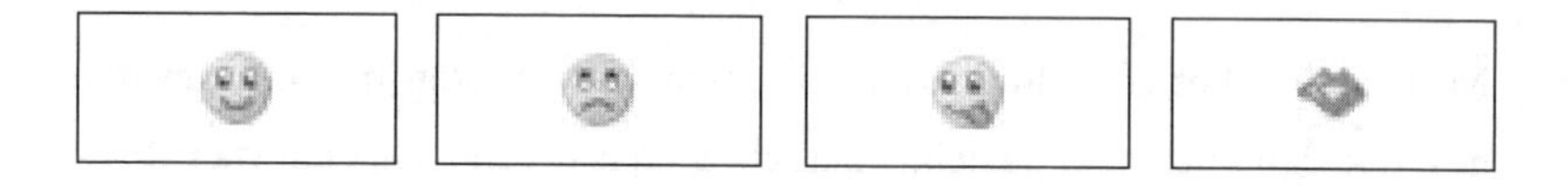

Soms zie je onder de chatbox ook een aantal figuurtjes staan. Door erop te klikken kun je ze laten verschijnen in de chatbox, dus zonder dat je de toetsencombinatie moet intikken.

Kleur je tekst

Het is in heel wat chatboxen mogelijk om de tekst die je ingeeft, een kleurtje te geven. In plaats van de gewone instelling (meestal zwarte tekst op een witte achtergrond), kun je rode, groene, blauwe... tekst intikken. Het voordeel hiervan is dat indien je steeds dezelfde kleur aanhoudt, je gemakkelijk te herkennen bent.

Let er echter op dat de chatbox geen kleurboek wordt. Als het pijn begint te doen aan de ogen, is het ook niet meer leuk voor de anderen.

Eruit gooien (kicken en bannen)

Zoals reeds aangehaald kun je eruit gegooid worden indien je niet volgens de regels chat. Maar hoe gaat dit in z'n werk? Meestal (er zijn dus ook chatboxen waar dit anders is) zul je eerst gewoon een waarschuwing krijgen. De chatmaster zal via de algemene chatbox of via de privéchat zeggen dat je te ver gaat. Indien je je gedrag niet bijstuurt, je uitspraken zo ernstig zijn of omdat je al verschillende waarschuwingen hebt ontvangen, zullen ze je 'kicken'. Dit is dus buiten gooien. Wat je dan ziet op je scherm is dat de chatbox plots stopt en er een melding komt dat je eruit bent gegooid met eventueel een mededeling of reden waarom.

In dit geval is het nog steeds mogelijk om onmiddellijk, enkele uren later of een dag later terug naar de chatbox te gaan en weer gewoon mee te chatten. Indien je echter je lesje niet hebt geleerd, zullen ze je 'bannen'.

Het bannen komt erop neer dat je eruit gegooid wordt en niet meer binnen kunt. Nu niet, over een uur niet en morgen ook niet.

Dit is mogelijk omdat de chatbox vooraf controleert of je wel of niet binnen mag. Zodra de computer merkt dat jij het bent, wordt je de toegang ontzegd.

Dit is wel de meest extreme vorm. Veel chatboxen zullen je na enkele uren, dagen of een week weer toelaten, voor een nieuwe kans. Indien je ook die vergooit... dan zal het bannen waarschijnlijk permanent zijn en zul je dus ook nooit meer binnen raken.

Chatmasters hebben dus blijkbaar erg veel geduld: eerst een waarschuwing, dan kicken, dan pas bannen (tijdelijk) en daarna pas permanent bannen: tot vier keer toe krijg je dus de kans om het duiveltje in je op te sluiten en je leven te beteren. Niet alle chatboxen werken zo. Bij sommige zijn de chatmasters (nog) geduldiger, maar bij de meeste zijn ze minder geduldig, waardoor je soms maar één of twee nieuwe kansen krijgt in plaats van vier.

Ik, ik-weg, ik-afk, ik-telefoon

Het is mogelijk om van naam te veranderen terwijl je aan het chatten bent. Ja, je kunt ineens een naamsverandering doorvoeren. Maar het is erg vervelend voor de anderen wanneer je een totaal andere naam gebruikt. Het is echter wel interessant (en dit wordt veel gedaan) dat je in je naam aangeeft indien je eventjes niet bereikbaar bent. Je kunt het gewoon op de chatbox zeggen, maar het is altijd mogelijk dat iemand erover heeft gekeken of net erna binnenkomt. Indien je dan achter je naam bijvoorbeeld zet dat je weg bent of telefoon hebt, is dit heel aangenaam voor de anderen.

Je kunt je naam altijd wijzigen door het volgende in te tikken in de chatbox:

/nick nieuwe-naam

Je tikt een schuine streep met vlak daarachter het woordje 'nick' en vervolgens je nieuwe naam.

Een voorbeeld:

Je bent als Jef in de chatbox gekomen en je gaat eventjes weg (hond wandelen, wc, telefoon...). Dan kun je het volgende intikken: /nick jef-telefoon.

Om erna weer je normale naam te krijgen, doe je hetzelfde, maar je geeft opnieuw de gewone naam in. Dus: /nick jef.

Andere taal?!

Als je in een Nederlandstalige chatbox komt, zul je toch merken dat je hier en daar iets niet begrijpt. Het is net alsof de chatters een andere taal gebruiken. En dat is niet enkel fantasie, het is ook echt zo. De woorden (meestal afkortingen) worden gebruikt om het niet allemaal helemaal te moeten intikken. Afkortingen zijn echter maar nuttig indien iedereen weet wat ze betekenen. Vandaar dat ik de belangrijkste even op een rijtje zet. De meeste zijn (afkortingen van) Engelse woorden of uitdrukkingen:

wb: staat voor 'welcome back'. Wordt veel gebruikt om goedendag te zeggen nadat je eventjes weg was. Voorbeeld: 'wb Frank!'

brb: staat voor 'be right back'. Deze afkorting wordt gebruikt om te zeggen dat je eventjes weg bent. Dit kan zijn omdat je eventjes naar het toilet gaat, iets gaat halen, de telefoon opneemt, eventjes naar de winkel gaat (en de chatbox open laat staan)... Zo weten de anderen dat je eventjes weg bent. Voorbeeld: 'brb, telefoon'.

bbl: staat voor 'be back later', en heeft dezelfde betekenis als brb.

back: ben je terug, dan kun je iets zeggen in de trant van 'ik ben terug'. Soms wordt ook 'back' gebruikt, in plaats van 'ik ben terug', dit is namelijk gewoon de Engelse benaming hiervoor. Voorbeeld: 'back, waar waren we gebleven?'

lol: staat voor 'laughing out aloud' en betekent in het Nederlands dat je moet lachen. Maar wij kennen ook gewoon lol van 'lol hebben', wat 'plezier hebben' betekent. Je gebruikt dit als iemand iets zegt dat je grappig vindt. Voorbeeld: 'lol, hahaha'.

thx: staat voor 'thanks'. Je gebruikt het om iemand te bedanken. Voorbeeld: 'thx Loesje voor dat cadeautje'.

btw: staat voor 'by the way' en heeft dus niets met de belastingen te maken. Het lijkt op de PS die je soms gebruikt in een brief of e-mail. Voorbeeld: 'btw, heb je nog iets van Johan gehoord?'

afk: staat voor 'away from keyboard', weg van het toetsenbord. Deze afkorting wordt meestal niet gebruikt in een chatgesprek zelf, maar in de naam gezet. Met andere woorden: je bent er eventjes niet.

Ik weet wat je nu denkt. Pfff, moet ik dat allemaal kennen? Dat is niets voor mij! Jawel. Het is gewoonweg fantastisch hoe snel mensen ermee leren omgaan. Het spaart soms veel tikwerk uit, het zijn niet veel afkortingen (maar 8) en van de meeste kun je de betekenis gewoon 'aanvoelen'. En als je de afkortingen niet kent, of je bent ze vergeten, vraag dan gewoon aan de persoon die het gebruikte wat hij ermee bedoelt. Deze zal het dan ongetwijfeld uitleggen.

Aan de slag

We gaan nu eindelijk echt chatten. Surf met je browser Internet Explorer naar het internetadres http://www.seniorennet.be (of www.seniorennet.nl). Je ziet bovenaan een grijs menu met knoppen als Blogs, Chatbox, Forum... Klik met je linkermuisknop op de knop 'Chatbox'. Of klik links in het menu bij 'Inter@ctief' op 'Chatbox'.

Nu verschijnt de pagina van de chatbox:

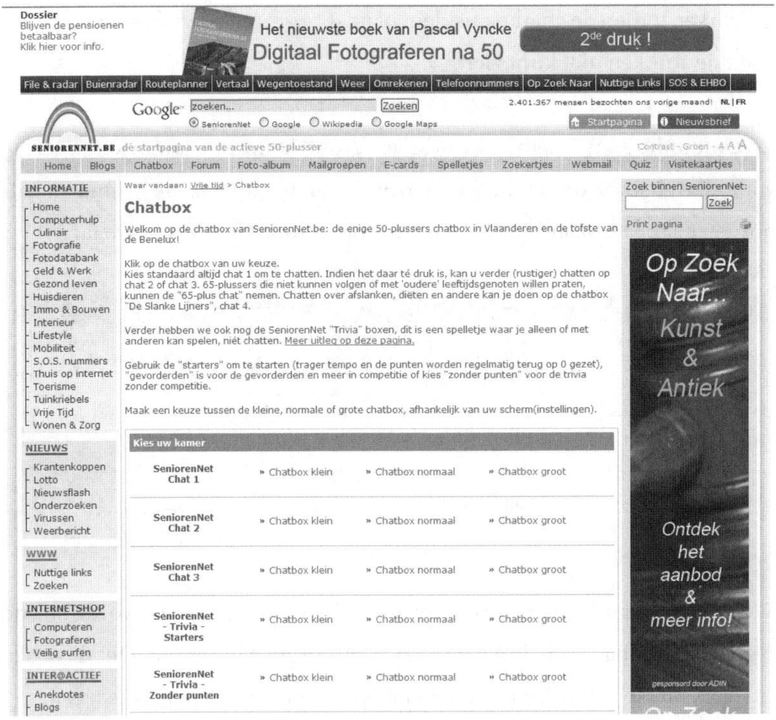

Dossier
Blijven de pensioenen betaalbaar?
Klik hier voor info.

Het nieuwste boek van Pascal Vyncke
Digitaal Fotograferen na 50
2de druk !

File & radar | Buienradar | Routeplanner | Vertaal | Wegentoestand | Weer | Omrekenen | Telefoonnummers | Op Zoek Naar | Nuttige Links | SOS & EHBO

Google zoeken... Zoeken
SeniorenNet Google Wikipedia Google Maps
2.401.367 mensen bezochten ons vorige maand! NL | FR
Startpagina Nieuwsbrief

SENIORENNET.BE dé startpagina van de actieve 50-plusser
Contrast - Groen - A A A

Home | Blogs | Chatbox | Forum | Foto-album | Mailgroepen | E-cards | Spelletjes | Zoekertjes | Webmail | Quiz | Visitekaartjes

INFORMATIE
Home
Computerhulp
Culinair
Fotografie
Fotodatabank
Geld & Werk
Gezond leven
Huisdieren
Immo & Bouwen
Interieur
Lifestyle
Mobiliteit
S.O.S. nummers
Thuis op internet
Toerisme
Tuinkriebels
Vrije Tijd
Wonen & Zorg

NIEUWS
Krantenkoppen
Lotto
Nieuwsflash
Onderzoeken
Virussen
Weerbericht

WWW
Nuttige links
Zoeken

INTERNETSHOP
Computeren
Fotograferen
Veilig surfen

INTER@ACTIEF
Anekdotes
Blogs

Waar vandaan: Vrije tijd > Chatbox

Chatbox

Welkom op de chatbox van SeniorenNet.be: de enige 50-plussers chatbox in Vlaanderen en de tofste van de Benelux!

Klik op de chatbox van uw keuze.
Kies standaard altijd chat 1 om te chatten. Indien het daar té druk is, kan u verder (rustiger) chatten op chat 2 of chat 3. 65-plussers die niet kunnen volgen of met 'oudere' leeftijdsgenoten willen praten, kunnen de "65-plus chat" nemen. Chatten over afslanken, dieten en andere kan je doen op de chatbox "De Slanke Lijners", chat 4.

Verder hebben we ook nog de SeniorenNet "Trivia" boxen, dit is een spelletje waar je alleen of met anderen kan spelen, niét chatten. Meer uitleg op deze pagina.

Gebruik de "starters" om te starten (trager tempo en de punten worden regelmatig terug op 0 gezet), "gevorderden" is voor de gevorderden en meer in competitie of kies "zonder punten" voor de trivia zonder competitie.

Maak een keuze tussen de kleine, normale of grote chatbox, afhankelijk van uw scherm(instellingen).

Kies uw kamer			
SeniorenNet Chat 1	» Chatbox klein	» Chatbox normaal	» Chatbox groot
SeniorenNet Chat 2	» Chatbox klein	» Chatbox normaal	» Chatbox groot
SeniorenNet Chat 3	» Chatbox klein	» Chatbox normaal	» Chatbox groot
SeniorenNet - Trivia - Starters	» Chatbox klein	» Chatbox normaal	» Chatbox groot
SeniorenNet - Trivia - Zonder punten	» Chatbox klein	» Chatbox normaal	» Chatbox groot

Zoek binnen SeniorenNet:
Zoek
Print pagina

Op Zoek Naar... Kunst & Antiek
Ontdek het aanbod & meer info!
gesponsord door ADIN

We krijgen heel veel informatie op ons scherm te zien. Wat opvalt zijn de mogelijkheden per chatbox, zoals 'Chatbox klein' enzovoort.

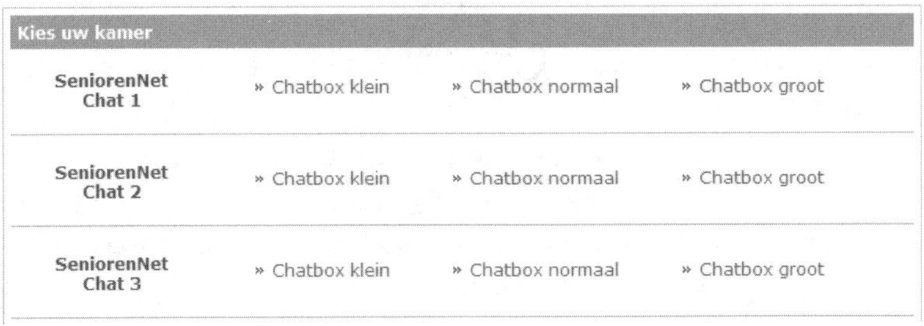

Kies uw kamer			
SeniorenNet Chat 1	» Chatbox klein	» Chatbox normaal	» Chatbox groot
SeniorenNet Chat 2	» Chatbox klein	» Chatbox normaal	» Chatbox groot
SeniorenNet Chat 3	» Chatbox klein	» Chatbox normaal	» Chatbox groot

Dit zijn de werkelijke chatboxen. Het zijn echter niet allemaal verschillende chatboxen. De aanduiding 'klein', 'normaal' en 'groot' slaat op de grootte van de chatbox op je scherm. Zeker als het de eerste keer is dat je chat, gebruik je de chatboxen van normale grootte. De andere twee mogelijkheden kun je gebruiken indien de chatbox te klein of juist te groot op je scherm verschijnt zodat je stukken niet kunt zien.

De aanduiding van 'klein', 'normaal' en 'groot' komt een aantal keren terug, voor elke chatbox opnieuw. We nemen de eerste chatbox, de normale chatbox, en daar ga je naar binnen. Klik dus op de link 'Chatbox normaal'.

Kies uw kamer			
SeniorenNet Chat 1	» Chatbox klein	» Chatbox normaal	» Chatbox groot
SeniorenNet Chat 2	» Chatbox klein	» Chatbox normaal	» Chatbox groot
SeniorenNet Chat 3	» Chatbox klein	» Chatbox normaal	» Chatbox groot

We krijgen vervolgens een scherm te zien waarop gevraagd wordt om de regels van de chatbox te lezen en daarna om ze goed te keuren. Om de regels te lezen, klik je met je linkermuisknop op de knop om de regels te lezen:

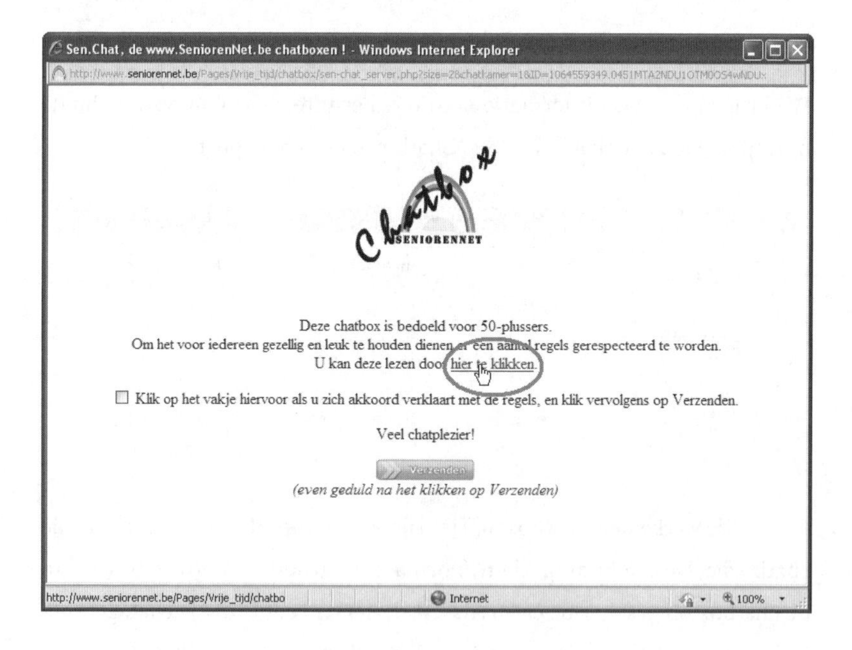

Er verschijnt een nieuw scherm met de chatboxregels.

Het zijn allemaal erg normale regels die je met een beetje gezond verstand niet zult overtreden. Als je klaar bent, sluit je het venster door rechtsboven op het kruisje te klikken.

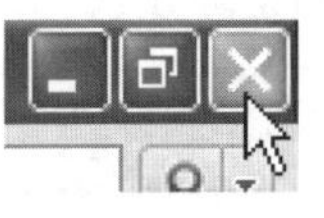

Ga je akkoord met de regels van de chatbox, dan klik je met je linkermuisknop op het vierkantje voor de tekst 'Klik op het vakje...'.

Klik vervolgens met je linkermuisknop op de knop 'Verzenden'.

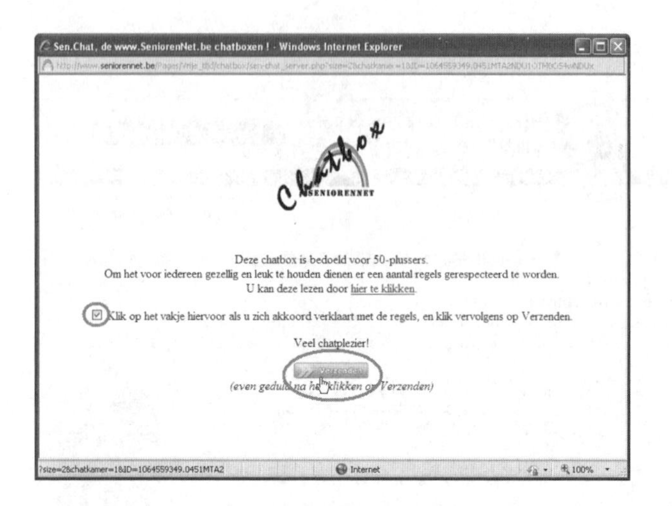

Nu krijg je de keuze uit twee soorten chatboxen. Het gaat hier eigenlijk om het programma dat je zelf wenst te gebruiken. Wat je ook kiest, je komt met dezelfde mensen in contact, enkel het programma dat je gebruikt is lichtjes anders.

Waarom die keuzemogelijkheid? Wel, niet elke computer kan het normale chatprogramma aan. Kies standaard voor 'chatbox type 1' en doe dit door erop te klikken met je linkermuisknop.

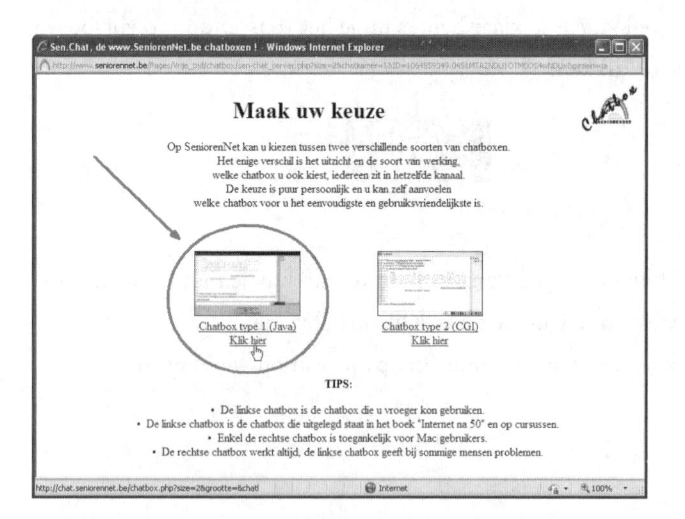

Moest je nu op de volgende pagina's van dit boek problemen hebben met de chatbox, dan doe je alles opnieuw, maar neem je bij deze pagina de tweede keuze, dus 'chatbox type 2'. Alles ziet er dan lichtjes anders uit, maar het principe blijft volledig hetzelfde.

Vervolgens stelt de computer een vraag, en hierop antwoorden we met JA (Yes) of 'Run'. De vraag ziet er als volgt uit:

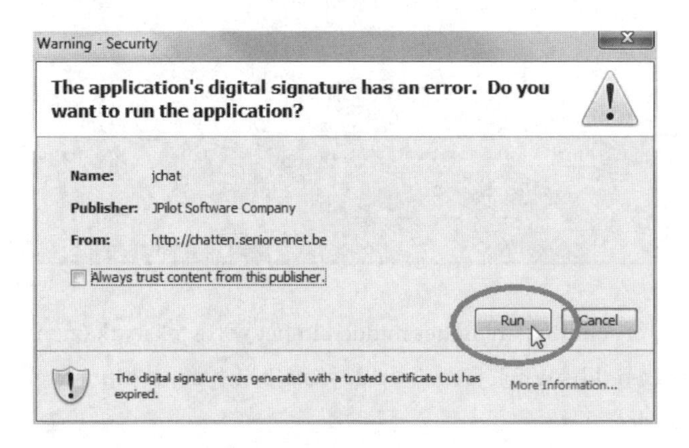

Dan wachten we even, want nu begint de computer het chatprogramma volautomatisch te downloaden en te installeren. Wanneer het downloaden voltooid is, zien we het chatscherm van een grijze naar een blauwe kleur veranderen. Je krijgt dan iets als hieronder:

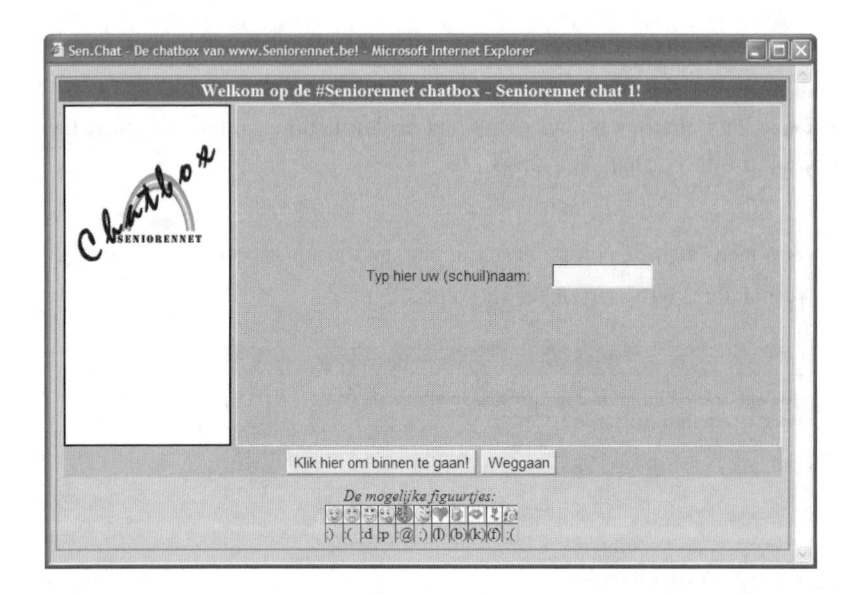

Nu tik je je naam, of schuilnaam, in het midden in het witte tekstvak (zie 1 hieronder), vervolgens klik je met je muis op de toets 'Klik hier om binnen te gaan' (zie 2 hieronder).

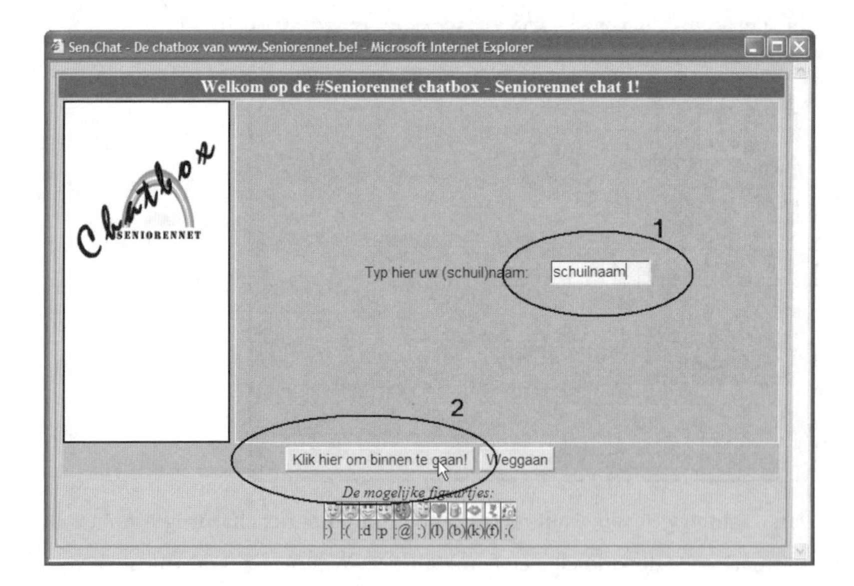

Nu zul je eventjes moeten wachten. De computer gaat een verbinding maken met een speciale chatcomputer, waar de andere chatters ook mee verbonden zijn. Je zult eventjes iets zien zoals hieronder. De wachttijd hangt af van de drukte op de chatserver, dit kan schommelen tussen 1 seconde en 60 seconden.

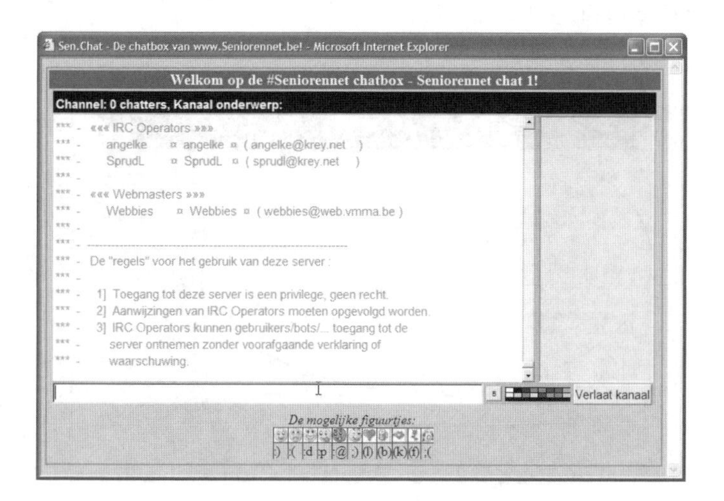

En vervolgens kom je in de chatbox. Je ziet dit doordat er even allerlei tekst in de chatbox voorbijkomt (een welkomstboodschap, en andere technische informatie die niet belangrijk is).

De chatbox ziet er dan ongeveer uit als hieronder:

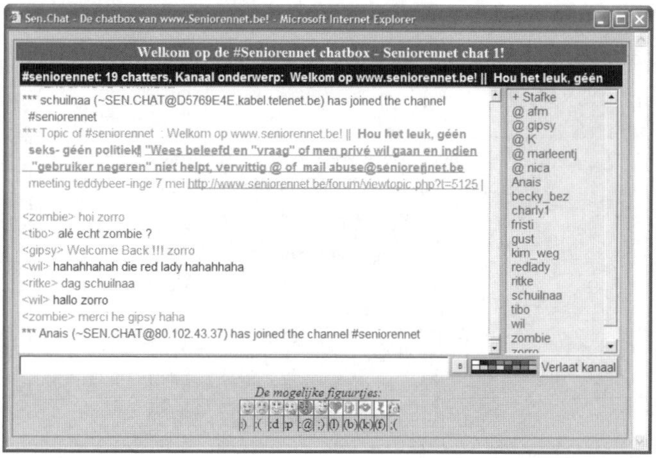

Er zijn drie belangrijke vakken in de chatbox. Het vak waarin je de conversaties kunt zien, is het grote vak in het midden (zie hieronder 1).

De namen van de andere chatters, inclusief je eigen naam, zie je in het vak rechts (zie hieronder 2).

Zelf berichtjes ingeven kun je doen in het tekstvak onderaan in de chatbox (zie hieronder 3).

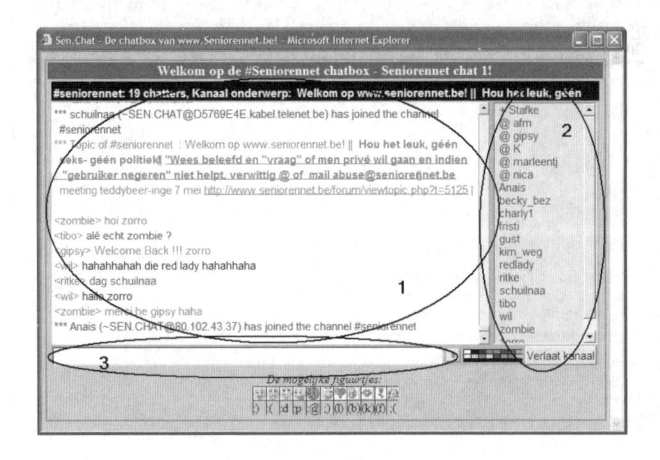

Om zelf een berichtje door te sturen naar de anderen, tik je gewoon je berichtje in het vak 3 (klik met je muis even in dit tekstvak). Dit kan bijvoorbeeld 'hallo iedereen' zijn, maar het kan evengoed een lange zin zijn.

Vervolgens druk je op de Entertoets van je toetsenbord. Dit is de toets die je gebruikt in een tekstverwerker om naar een nieuwe regel te gaan. Het is de (meestal grotere) toets rechts van de letters, en schuin boven de pijltjestoetsen.

Nadat je op de Entertoets hebt gedrukt, zal het tekstvak waar jouw berichtje stond, leeg worden, en zul je je berichtje in het grote tekstvak zien verschijnen, met helemaal vooraan jouw naam in de vorm van <jouw schuilnaam>. Hieronder zie je de chatbox, met het zonet ingetikte uitvergroot.

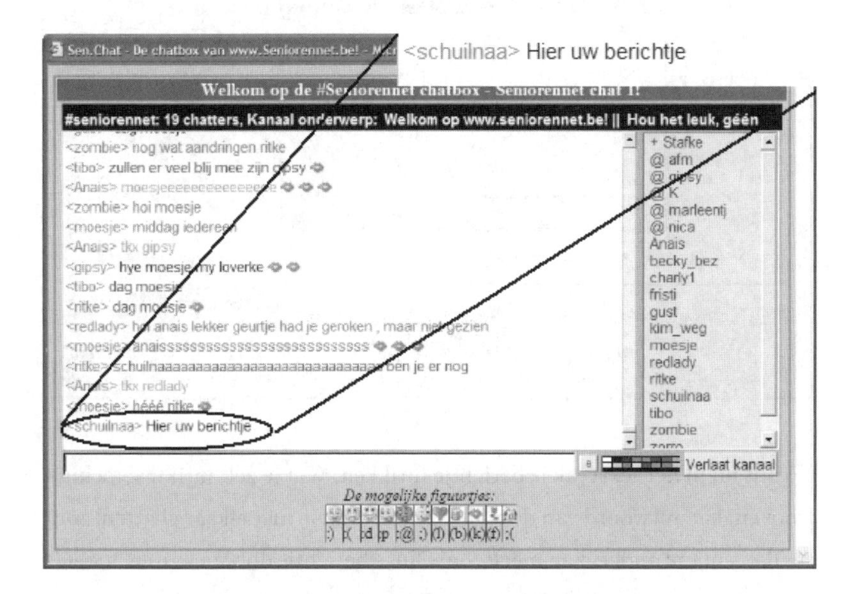

Je berichtje is nu zichtbaar voor andere chatters, en ze kunnen erop antwoorden. Hun reacties, en al de rest wat ze zeggen, kun je volgen in het grote tekstvak. Op deze manier kun je meedoen met het gesprek en zo intikken wat je zelf wenst.

Om met iemand privé te chatten, dus zo dat niemand anders het kan zien behalve één andere persoon, doe je het volgende. Rechts van de chatbox zie je alle namen staan. Dubbelklik met je linkermuisknop op de naam van de persoon waarmee je privé wilt chatten. Er zal een klein schermpje verschijnen, een minichatbox.

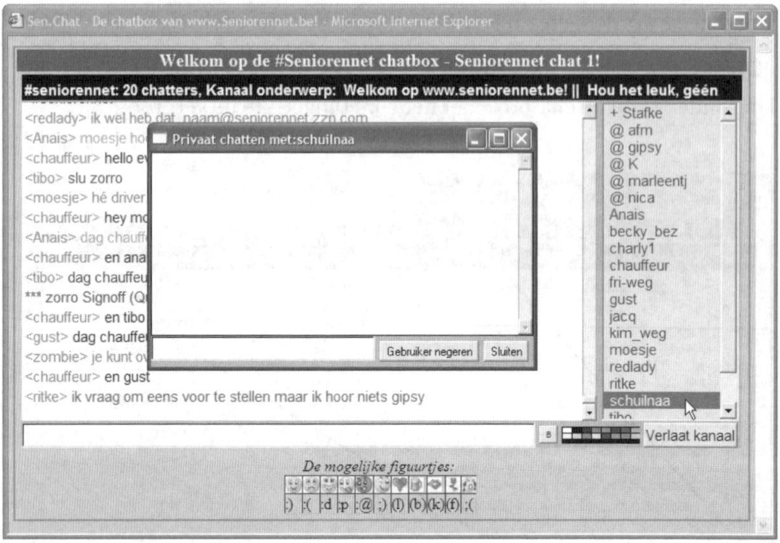

Je kunt nu in het tekstvak je berichtje intikken. Wat je zelf intikt, verschijnt erboven, het antwoord van de ander ook; zo kun je met elkaar chatten, zonder dat iemand anders kan meelezen. Om je berichtje door te sturen, moet je net zoals in de gewone chatbox op de Entertoets drukken.

Om te stoppen met het privégesprek, klik je op 'Sluiten', dat naast het tekstvak staat waar je je berichtje intikt.

Als je tijdens het chatten je tekst een kleurtje wilt geven, dan doe je dit als volgt. Tik eerst je berichtje in, klik vervolgens met je linkermuisknop rechts op het kleurenpalet de gewenste kleur aan:

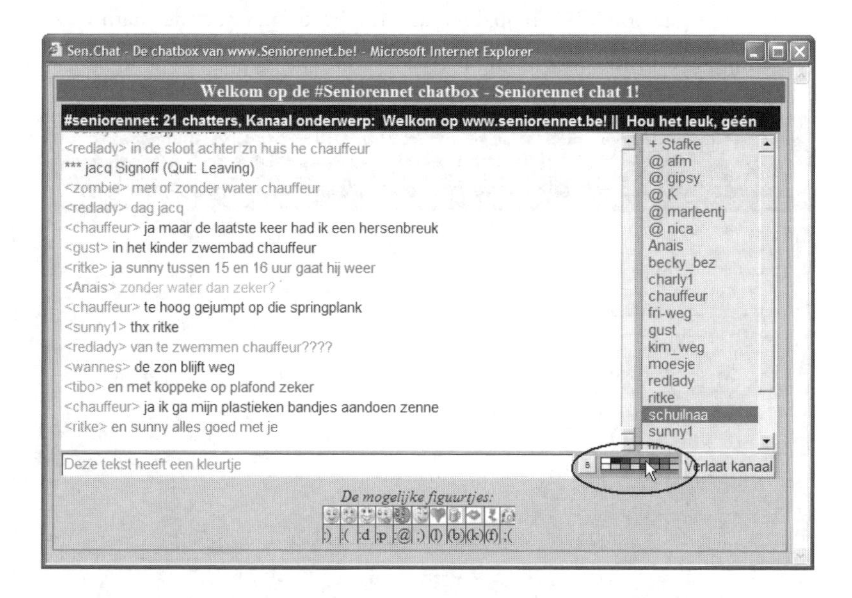

Als je op de kleur hebt geklikt, zal je tekst in het tekstvak dezelfde kleur krijgen. Druk op de Entertoets om het berichtje ook door te sturen zodat de andere chatters het kunnen zien.

Om een figuurtje (smiley) te gebruiken, kun je dit ook gewoon in het tekstvak intikken, in het chatvenster zal dit omgezet worden naar een echte figuur.

Je tikt bijvoorbeeld dit in:

Dit is een smiley :) Verlaat kanaal

Dan verschijnt er dit:

<schuilnaa> Dit is een smiley

Je kunt ook gewoon klikken op de figuurtjes die je ziet onder de chatbox. Zo verschijnt al onmiddellijk het figuurtje:

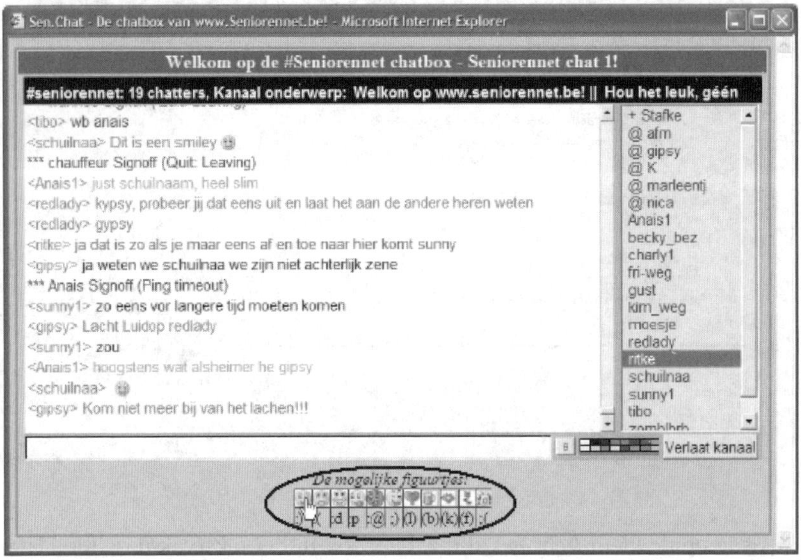

Als je klaar bent met chatten, dan klik je rechtsonder op de knop 'Verlaat kanaal'.

Vervolgens klik je rechtsboven op het kruisje om de chatbox volledig af te sluiten.

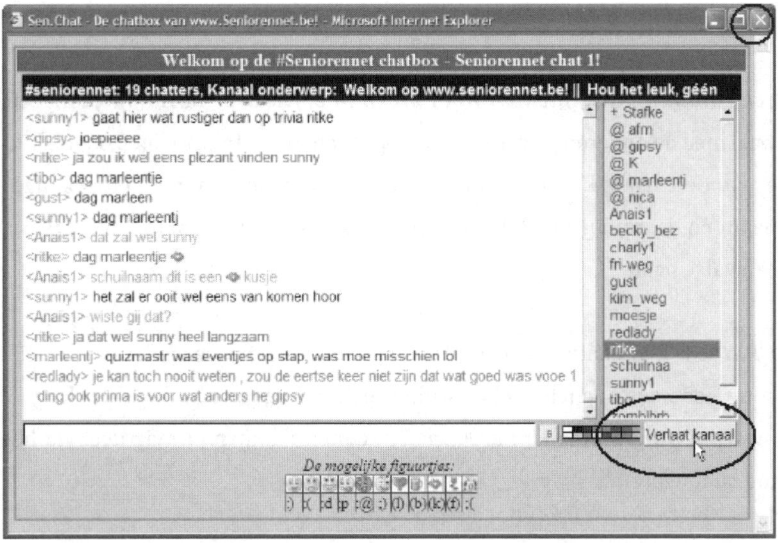

Sen.Chat - De chatbox van www.Seniorennet.be! - Microsoft Internet Explorer

Welkom op de #Seniorennet chatbox - Seniorennet chat 1!

#seniorennet: 19 chatters, Kanaal onderwerp: Welkom op www.seniorennet.be! || Hou het leuk, géén

<sunny1> gaat hier wat rustiger dan op trivia ritke
<gipsy> joepieeee
<ritke> ja zou ik wel eens plezant vinden sunny
<tibo> dag marleentje
<gust> dag marleen
<sunny1> dag marleentj
<Anais1> dat zal wel sunny
<ritke> dag marleentje
<Anais1> schuilnaam dit is een kusje
<sunny1> het zal er ooit wel eens van komen hoor
<Anais1> wiste gij dat?
<ritke> ja dat wel sunny heel langzaam
<marleentj> quizmastr was eventjes op stap, was moe misschien lol
<redlady> je kan toch nooit weten , zou de eertse keer niet zijn dat wat goed was vooe 1 ding ook prima is voor wat anders he gipsy

+ Stafke
@ afm
@ gipsy
@ K
@ marleentj
@ nica
Anais1
becky_bez
charly1
fri-weg
gust
kim_weg
moesje
redlady
ritke
schuilnaa
sunny1
tibo

Verlaat kanaal

De mogelijke figuurtjes:
:) :(:d :p :@ ;) (l) (b) (k) (f) :(

Als je dus problemen had met de chatbox, dan kun je bij het keuzescherm dus kiezen voor de andere chatbox, namelijk type 2. Deze chatbox ziet eruit als op de volgende foto.

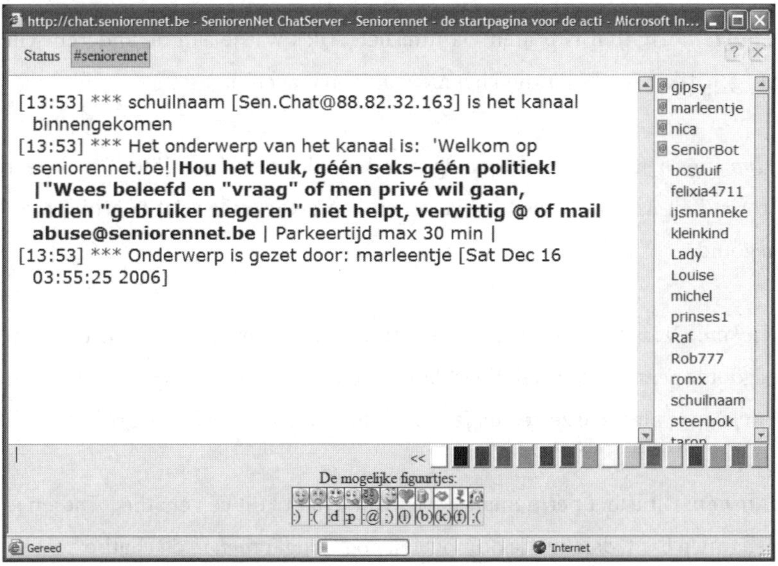

http://chat.seniorennet.be - SeniorenNet ChatServer - Seniorennet - de startpagina voor de acti - Microsoft In...

Status #seniorennet

[13:53] *** schuilnaam [Sen.Chat@88.82.32.163] is het kanaal binnengekomen
[13:53] *** Het onderwerp van het kanaal is: 'Welkom op seniorennet.be!|**Hou het leuk, géén seks-géén politiek! |"Wees beleefd en "vraag" of men privé wil gaan, indien "gebruiker negeren" niet helpt, verwittig @ of mail abuse@seniorennet.be** | Parkeertijd max 30 min |
[13:53] *** Onderwerp is gezet door: marleentje [Sat Dec 16 03:55:25 2006]

gipsy
marleentje
nica
SeniorBot
bosduif
felixia4711
ijsmanneke
kleinkind
Lady
Louise
michel
prinses1
Raf
Rob777
romx
schuilnaam
steenbok

De mogelijke figuurtjes:
:) :(:d :p :@ ;) (l) (b) (k) (f) :(

Gereed Internet

Termen

Schuilnaam, nick, nicknaam* of *nickname: Dit is de naam die je ingeeft waarmee de anderen je kunnen zien op de chatbox. In principe zou je altijd een andere naam kunnen nemen. Het is echter voor de anderen niet aangenaam en daarom gebruik je uit respect steeds dezelfde naam, ook al is het een valse naam.

Chatbox: Een chatbox is een plaats op een website waar iedereen samenkomt. Iedereen opent hetzelfde stukje op de website en kan zo via de chatbox (wat een programma is) met elkaar in contact komen om virtueel via het internet te praten.

Chatmasters: Dit zijn de mensen die de chatbox in het oog houden. Zij hebben de mogelijkheid iemand eruit te gooien (kicken) of iemand permanent uit te sluiten (bannen). Chatmasters zijn te herkennen aan de @ voor hun naam.

Chatten: Chatten is praten via internet. Alles wat je aan de anderen wilt zeggen, tik je in. Zij kunnen het zien en erop reageren.

Flooding: Dit is het overvloedig veel herhalen van hetzelfde. Dit is zeer storend en irritant voor de anderen en kan ertoe leiden dat je eruit wordt gegooid.

Kicken: Dit is het eruitgooien van iemand door een chatmaster. De eruit gegooide persoon kan echter wel onmiddellijk weer binnen. Het dient vooral om je op je plaats te zetten en je te waarschuwen dat je over de grens gaat.

Bannen: Dit is het permanent weren van iemand uit een chatbox. Indien je gebannen bent, dan kun je onmogelijk nog terugkomen in de chatbox. Soms is het mogelijk dat ze je maar tijdelijk bannen waardoor je enkele uren, dagen of weken later toch weer binnen kunt.

Privéchat, pm, private message of ***msg***: dit is het privé praten met iemand via de chatbox. Niemand anders, behalve die ene persoon, kan het gesprek zien of meespreken. Privéberichten worden normaal ook nooit opgeslagen en zijn dus echt volstrekt vertrouwelijk.

Smileys: Dit zijn figuurtjes die je kunt intikken op je toetsenbord. Door combinaties van leestekens en letters kun je gezichtjes maken. Voor de meeste gezichtjes moet je je hoofd draaien om het duidelijk te zien.

Chatbox voor 50-plussers

Een speciale Nederlandstalige chatbox voor senioren staat op de website SeniorenNet.

Het internetadres: *http://www.seniorennet.be* of rechtstreeks: *http://chat.seniorennet.be*

Voor Nederland: *www.seniorennet.nl*

Andere chatboxen

Er zijn wereldwijd duizenden chatboxen, alleen worden de meeste niet gecontroleerd door chatmasters en ze zijn uiteraard helemaal niet allemaal Nederlandstalig. Ik noem hier enkele Nederlandstalige chatboxen op:
http://www.chat.be
http://www.chatplaza.nl/
http://chat.start.be/
http://chat.pagina.nl/

Forum

Wat?

Een plaats waar je aan anderen vragen kunt stellen, mensen kunt helpen, discussiëren of moppen tappen op het internet noemen we een forum, maar wordt ook vaak met de Engelse benaming 'discussion board' of 'bulletin board' aangeduid.

Het principe is als volgt. Het forum is een plaats op een website waar je zélf berichten op kunt plaatsen. Je geeft je berichtje in en het verschijnt op het forum van die website. Alle andere mensen die dat forum bezoeken, ook indien dit enkele uren, dagen of weken later is, kunnen dat geschreven tekstje lezen en erop reageren.

Dit eenvoudige concept maakt het niet alleen mogelijk dat mensen elkaar zeer goed kunnen helpen met allerlei vragen en problemen, maar ook dat je goed met elkaar kunt discussiëren.

In de praktijk is zo'n forum goed georganiseerd. Niet alle berichten worden kriskras door elkaar geplaatst. Er staan verschillende rubrieken op zo'n forum waar je je berichtje kwijt kunt. Alle reacties op je berichtje worden ook netjes bij elkaar gehouden, zodat anderen eenvoudig en snel alles gesorteerd kunnen bekijken. Ze zien jouw berichtje en alle antwoorden op dat bericht samen, in chronologische volgorde.

Nog een extra verbetering aan het concept dat we gebruiken, is dat je je kunt registreren op zo'n forum. Registratie is niet altijd verplicht (en normaal altijd gratis). Het zorgt er echter voor dat je een eigen gebruikersnaam of schuilnaam kunt kiezen. Zo'n naam kan je eigen naam zijn, maar ook alleen je voornaam, of gewoon iets dat je verzonnen hebt, bijvoorbeeld pluisje, sloeber, patty, ikke, iris, merel, bomma enzovoort. Zodra je naam geregistreerd is, kan niemand anders dezelfde naam nog gebruiken. Het voordeel hiervan is dat iedereen je altijd kan herkennen en weet dat alle berichten die onder dezelfde naam zijn ingegeven, ook van dezelfde persoon komen, ook al kennen ze de persoon in kwestie niet. Als de gebruikersnaam niet geregistreerd zou zijn, dan zouden andere mensen in jouw naam berichten kunnen plaatsen…

Op veel fora is het ook mogelijk om een berichtje te zoeken. Als een forum goed loopt, kunnen er al snel enkele duizenden of zelfs tienduizenden berichten op staan. Ook al is het forum goed ingedeeld in onderwerpen, dan nog zal het niet altijd lukken om snel een bericht weer te vinden over een bepaald, al besproken onderwerp. Hiervoor is de zoekfunctie op een forum uitgevonden. Je kunt een of meerdere woorden ingeven waarop de computer moet gaan zoeken. Alle berichten die aan jouw vraag voldoen, worden dan getoond. Zo kun je snel en doelgericht een bericht zoeken.

Op een forum is het perfect mogelijk dat je anoniem deelneemt. Heel leuk en tof, maar dat klinkt natuurlijk als muziek in de oren van het duiveltje in ons. Daarom zijn er op bijna alle fora regels waaraan je je moet houden. Je mag om te beginnen niets doen dat tegen de wet is. Met andere woorden: geen chantage, bedreigingen, racisme enzovoort. Daarbovenop komt meestal nog een aantal extra regels van het forum zelf. Zo zal het bij de meeste fora niet toegestaan zijn om mensen uit te schelden, reclame te maken, vele malen hetzelfde bericht te plaatsen ('flooding' genoemd) enzovoort.

Maar wie houdt dit in het oog? Juist, de politieagenten van het forum. Het zijn hier geen mensen in uniform die komen aangereden in een bestelbusje, je arresteren en meenemen naar het politiebureau. Neen, het zijn mensen zoals jij en ik, maar die de beheerders van de website vertrouwen. Deze mensen, 'moderators' genoemd, hebben de mogelijkheid om berichten te verwijderen, aan te passen of te verplaatsen en om mensen te blokkeren.

Indien er dus berichten worden geplaatst die niet kunnen, zullen zij deze verwijderen van het forum. Afhankelijk van het enthousiasme van de moderators, kan een ongewenst berichtje al na enkele minuten verdwenen zijn, of kan het enkele dagen of weken duren.

Hou dus het duiveltje in jezelf in bedwang en doe aan een forum op een serieuze manier mee. Met andere mensen hun voeten spelen, ze uitschelden enzovoort is niet bepaald een nuttige bezigheid. Bovendien hebben de moderators dan weer werk om dat allemaal te verwijderen. Bespaar je de moeite en hou je aan de regels.

Indien je meermaals de regels overtreedt, is het mogelijk dat je de toegang wordt ontzegd tot het forum. Afhankelijk van het forum en de moderators zul je meer of minder kansen krijgen. Ook is het afhankelijk van het forum of je helemaal wordt geblokkeerd (je kunt dan het forum niet meer bezoeken, geen berichten meer lezen of schrijven) of gedeeltelijk geblokkeerd (je kunt het forum wel nog bezoeken en alle berichten lezen, maar je kunt niets meer schrijven).

Om af te sluiten zijn er nog een reeks mogelijkheden op een forum. Maar dit is sterk afhankelijk van welk forum je bezoekt, sommige zullen het wel hebben, andere niet.

Indien je geregistreerd bent, kun je privéberichtjes zowel versturen als ontvangen. Op deze manier kun je naar alle andere geregistreerde gebruikers een berichtje sturen. Als je niet graag in het openbaar reageert op een bepaald bericht, kun je iets privé doorsturen naar de auteur van het berichtje, zonder dat iemand anders het kan lezen. Omgekeerd kunnen ook andere mensen alleen jou iets toesturen, omdat ze het niet openbaar op het forum willen zetten.

Je zou kunnen denken: waarom gebruiken we dan niet gewoon e-mail? De reden hiervoor is dat iedereen dan zijn e-mailadres moet prijsgeven, wat niet iedereen even graag doet. Bovendien zijn er mensen die zeer geregeld hun e-mailadres wijzigen, waardoor je mogelijk je bericht nog naar het oude adres stuurt. Via het privébericht op het forum kan de ander het altijd lezen, zonder dat die zijn e-mailadres moet bekendmaken, en zonder het risico dat je het berichtje naar een vervallen adres stuurt.

Het is ook mogelijk om, zoals bij het chatten, de gezichtjes te gebruiken. Met deze gezichtjes, bijvoorbeeld :-), kun je ook het gevoel uitdrukken dat je hebt bij het intikken van de tekst. Voor een uitgebreide uitleg van deze gezichtjes, zie het hoofdstuk over chatten.

Aan de slag

We gaan nu eindelijk aan de slag en surfen naar het vijftigplusforum. Een forum is niet moeilijk, je moet enkel de 'denkwereld' ervan kennen.

Samen gaan we dus naar het forum, we zullen ons registreren, een berichtje plaatsen en op een berichtje antwoorden. Zo kunnen we in de toekomst altijd meedoen met de vragen en discussies.

Surf in je browser naar het adres www.seniorennet.be of www.seniorennet.nl.

Klik vervolgens midden bovenaan in het grijze menu op 'Forum' (je ziet een grijs menu met blogs, chatbox, forum... staan) ofwel in het linkse menu onder de titel 'Inter@ctief' op 'Forum'.

Je komt vervolgens op het SeniorenNet forum:

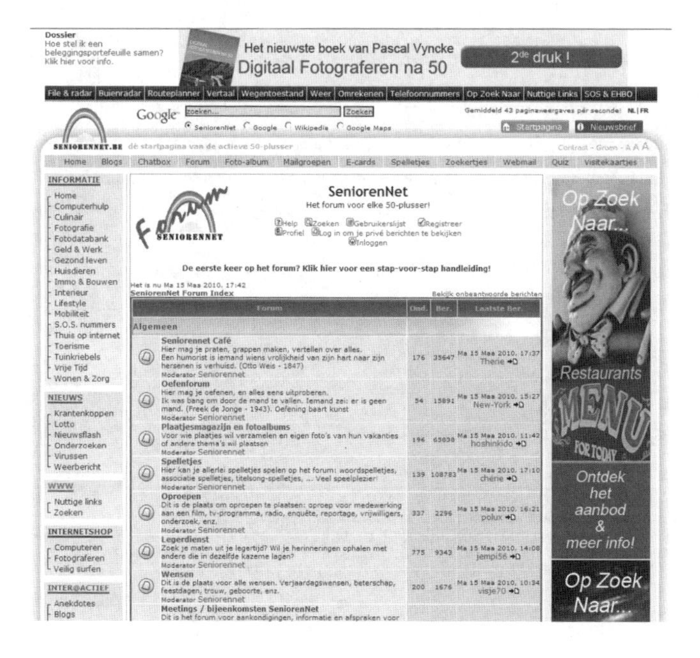

Eenmaal op het forum gekomen, klik je op de link 'Registreer'. Deze staat rechts bovenaan.

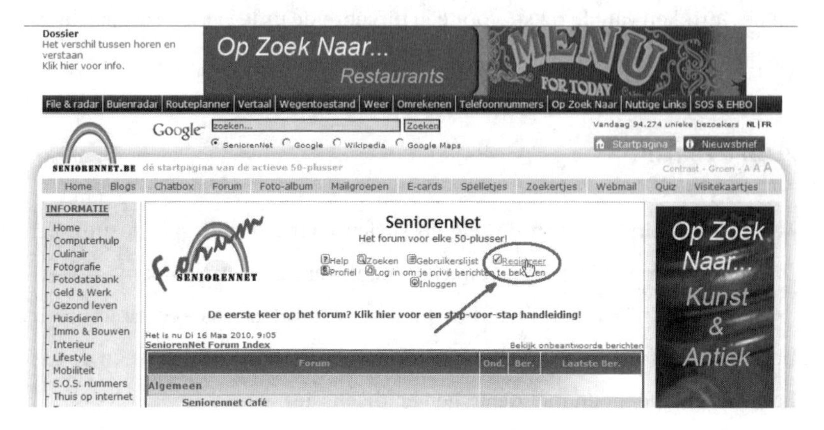

Nu krijg je een tekst te zien. Lees deze tekst eens door. Dit zijn de regels en de voorwaarden om je te mogen registreren. Deze zijn standaard en houden voor gewone mensen niets speciaals in. Indien je het ermee eens bent, klik dan helemaal onderaan op de pagina op de link 'Ik stem in met de voorwaarden...'.

Verder bent u onderhevig aan de officiële disclaimer van SeniorenNet (te lezen op http://www.seniorennet.be/Pages/Overige/disclaimer.php).

Het forum wordt voortdurend onderhouden en oude berichten worden verwijderd indien deze niet meer nuttig zijn of verouderd zijn. Zo behouden we enkel de interessante berichten op het forum. Afhankelijk van het soort bericht (wens, oefenforum,...) wordt het na enkele weken, maanden of nooit verwijderd. Berichten of titels kunnen worden aangepast of verwijderd indien dit voor algemeen belang is of voor de duidelijkheid. Berichten kunnen worden verwijderd indien deze dubbel geplaatst werden. Berichten kunnen worden aangepast, verwijderd of worden verplaatst indien deze in een foutieve rubriek werden geplaatst.

Deze voorwaarden kunnen in de loop van de tijd wijzigen.

Het SeniorenNet-team wenst je heel veel forumplezier!

Ik stem in met de voorwaarden

Ik ben het niet eens met de voorwaarden

BELANGRIJK:
SeniorenNet heeft GEEN banden met de auteurs van berichten op dit Forum.
SeniorenNet is commercieel, religieus en politiek volledig onafhankelijk.
De mening, inhoud, gevolg, informatie of doel van de berichten vertegenwoordigt enkel deze van de auteur van het bericht en dus niet noodzakelijk deze van SeniorenNet.

Je krijgt nu een ander scherm te zien, waar allerlei gegevens moeten worden ingevuld. Deze gegevens zijn nodig om te weten wie je bent. Vul als eerste een gebruikersnaam in. Dit kan je eigen naam zijn, maar dit mag ook een 'schuilnaam' zijn. Wat je kiest, is persoonlijk, sommige mensen willen graag anoniem blijven, anderen komen uit voor wat ze zeggen en verbergen zich niet achter een schuilnaam.

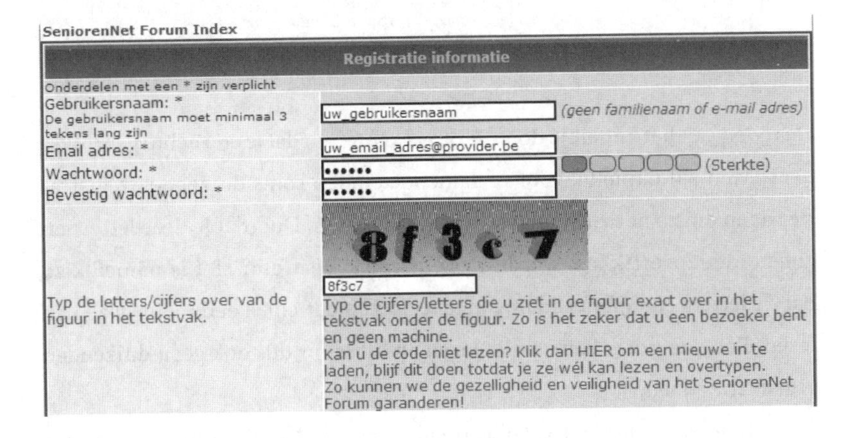
SeniorenNet Forum Index

Registratie informatie

Onderdelen met een * zijn verplicht

Gebruikersnaam: *
De gebruikersnaam moet minimaal 3 tekens lang zijn
uw_gebruikersnaam (geen familienaam of e-mail adres)

Email adres: *
uw_email_adres@provider.be

Wachtwoord: *
•••••• (Sterkte)

Bevestig wachtwoord: *
••••••

8f3c7

Typ de letters/cijfers over van de figuur in het tekstvak.
8f3c7
Typ de cijfers/letters die u ziet in de figuur exact over in het tekstvak onder de figuur. Zo is het zeker dat u een bezoeker bent en geen machine.
Kan u de code niet lezen? Klik dan HIER om een nieuwe in te laden, blijf dit doen totdat je ze wél kan lezen en overtypen.
Zo kunnen we de gezelligheid en veiligheid van het SeniorenNet Forum garanderen!

Vul nu je e-mailadres in. Dit is nodig voor het geval je je wachtwoord vergeten bent, om je te informeren indien er berichten zijn enzovoort. Kijk het goed na, dat er zeker geen tikfout in staat.

Vul ook een paswoord in. Dit is een reeks getallen of cijfers die jij alleen kent. Dit mag een woord zijn, een cijfercombinatie, of beide samen. De bedoeling hiervan is dat je dit zelf goed onthoudt, maar dat anderen niet kunnen raden wat je gebruikt. Aan de hand van dit paswoord zal de computer van SeniorenNet achteraf weten dat jij het bent, en niemand anders. Het paswoord moet je twee keer invullen. Je kunt zelf niet zien wat je invult (er verschijnen sterretjes), maar als je twee keer na elkaar hetzelfde ingeeft, veronderstellen we dat je de eerste keer geen tikfout hebt gemaakt. Naast het tekstvak komt ook een hint die aangeeft hoe sterk je paswoord is. Hoe moeilijker jij het paswoord maakt, hoe meer vakjes je paswoord als sterkte krijgt.

Na je wachtwoord zie je nog iets vreemds staan. Een gekleurde figuur met cijfers en/of letters op.

De bedoeling is dat je de letters en cijfers die je in die figuur ziet, zelf intikt in het tekstvak dat eronder staat.

8f3c7

Typ de letters/cijfers over van de figuur in het tekstvak.

8f3c7

Typ de cijfers/letters die u ziet in de figuur exact over in het tekstvak onder de figuur. Zo is het zeker dat u een bezoeker bent en geen machine.
Kan u de code niet lezen? Klik dan HIER om een nieuwe in te laden, blijf dit doen totdat je ze wél kan lezen en overtypen.
Zo kunnen we de gezelligheid en veiligheid van het SeniorenNet Forum garanderen!

De reden van het 'moeilijk doen' is om zeker te zijn dat je een echte gebruiker bent. Men wil namelijk voor reclamedoeleinden soms duizenden registraties doen om zo het vijftigplusforum vol te zetten. Doordat je deze letters en cijfers moet overtikken, wordt dit vermeden. Waarom? Het is namelijk zo dat de letters en cijfers zodanig afgebeeld zijn dat enkel een mens deze kan lezen. Een computer kan ze niet lezen en hierdoor dus ook geen duizenden registraties doen.

Zo houden we het dus gezellig op het SeniorenNet Forum! Zoiets als dit zul je buiten SeniorenNet ook op heel wat websites tegenkomen. Het is een beveiliging zodat het voor iedereen leuk blijft. Soms wordt het met de technische term 'captcha' genoemd.

Indien je de letters en cijfers zelf echt niet kunt ontcijferen, dan kun je op een link klikken om een nieuwe figuur te vragen, zodat je het nu wel zult kunnen lezen. Indien nog niet, blijf er dan op klikken totdat je iets hebt dat je kunt lezen.

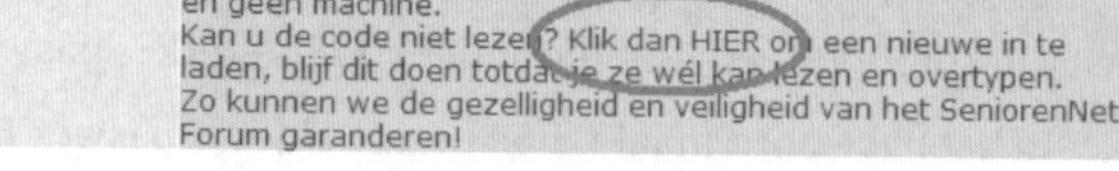

Tik dus in het tekstvak de letters en cijfers gewoon over.

Verder wordt er nog een aantal gegevens gevraagd, maar het is niet verplicht om deze in te vullen. Het gaat over ICQ, AIM enzovoort; als dit je niets zegt, vul dan niets in.

Je woonplaats wordt ook gevraagd: het is niet verplicht om die in te vullen, maar het is wel handig voor anderen dat ze ongeveer weten waar je vandaan komt. Verder wordt er gevraagd je beroep en je interesses op te geven; het is altijd leuk voor de anderen om te kijken wat voor iemand je bent, maar ook dit is niet verplicht.

Profiel Informatie

Deze informatie is zichtbaar voor de andere gebruikers. Opgelet: Onderstaande informatie kan iederéén zien.

Geslacht:	Man / Vrouw	
ICQ Nummer:	15674897	(overslaan indien onbekend)
AIM Naam:	AIM Naam	(overslaan indien onbekend)
MSN Messenger:	msn@messenger.adres	(overslaan indien onbekend)
Yahoo Messenger:	Yahoo.messenger adres	(overslaan indien onbekend)
Woonplaats:	Antwerpen	(geen straat of nummer)
Beroep:	Webmaster	
Interesses:	Website's maken, digitale fotografi	
Onderschrift: Dit is een stukje tekst dat onder je berichten wordt gezet. Er is een limiet van 255 tekens. HTML is UIT BBCode is AAN Smilies staan AAN	Pascal Vyncke Webmaster Geen links naar andere websites of blogs toegelaten.	

Er staat nu ook nog 'Onderschrift'. Als je in de toekomst berichtjes plaatst, zal onderaan in élk berichtje je onderschrift staan. Dit kan bijvoorbeeld je lijfspreuk zijn, je naam, of iets anders. Je hoeft je hier nu niet te veel van aan te trekken, het is niet verplicht, en bovendien achteraf toch nog te wijzigen. Vervolgens krijg je de voorkeuren te zien. Laat deze maar staan, standaard staan deze correct. Het is enkel nuttig om deze te wijzigen als je niet in België of Nederland woont (andere tijdzone), een andere taal wenst (Engels)... Klik maar op OK, deze toets staan onderaan op de pagina.

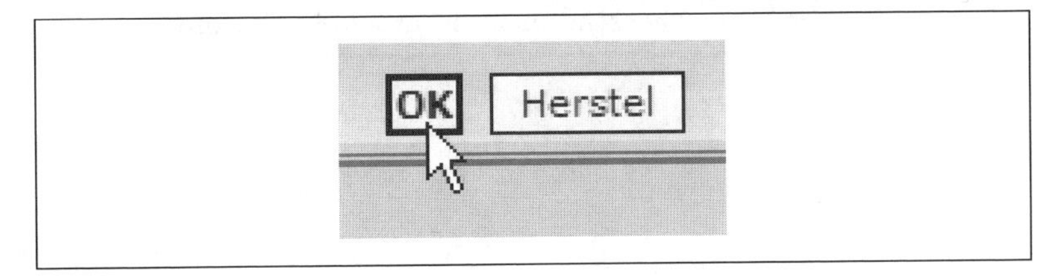

Je krijgt nu een pagina te zien die bevestigt dat je correct bent ingeschreven.

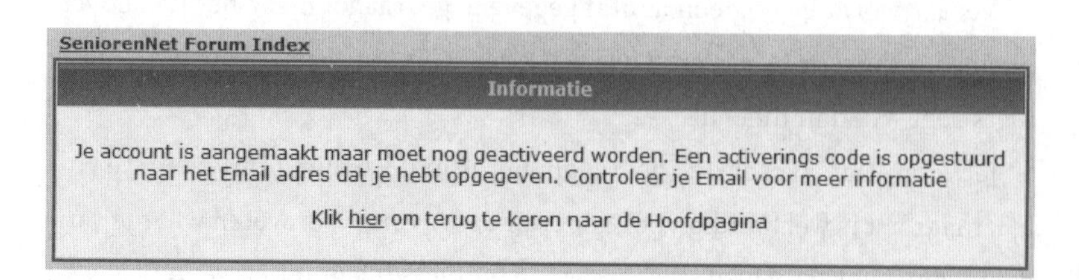

Er is nu nog een laatste stap die je moet doen. Dat is je inschrijving bevestigen.

Dit bevestigen is nodig zodat men weet dat je e-mailadres correct was ingegeven. Je ontvangt een e-mail van SeniorenNet.

Open deze e-mail en klik op de link die daarin staat, zoals op de volgende foto.

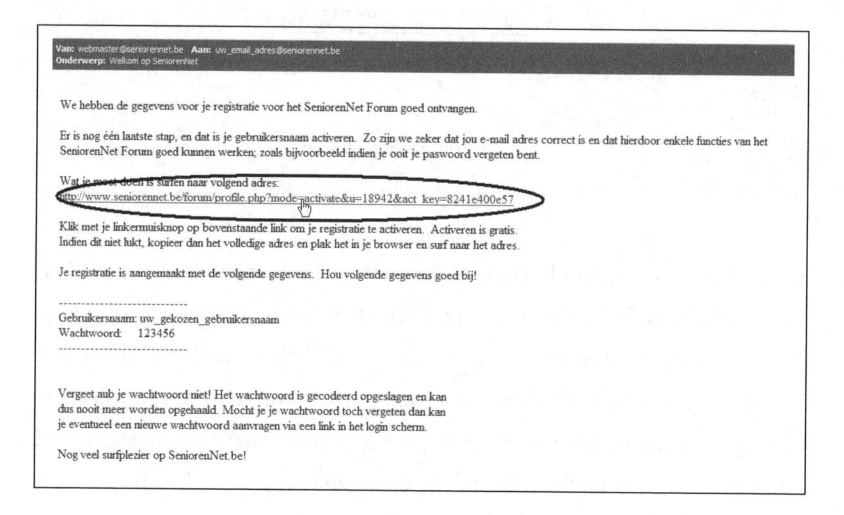

Van: webmaster@seniorennet.be **Aan:** uw_email_adres@seniorennet.be
Onderwerp: Welkom op SeniorenNet

We hebben de gegevens voor je registratie voor het SeniorenNet Forum goed ontvangen.

Er is nog één laatste stap, en dat is je gebruikersnaam activeren. Zo zijn we zeker dat jou e-mail adres correct is en dat hierdoor enkele functies van het SeniorenNet Forum goed kunnen werken; zoals bijvoorbeeld indien je ooit je paswoord vergeten bent.

Wat je moet doen is surfen naar volgend adres:
http://www.seniorennet.be/forum/profile.php?mode=activate&u=18942&act_key=8241e400e57

Klik met je linkermuisknop op bovenstaande link om je registratie te activeren. Activeren is gratis.
Indien dit niet lukt, kopieer dan het volledige adres en plak het in je browser en surf naar het adres.

Je registratie is aangemaakt met de volgende gegevens. Hou volgende gegevens goed bij!

Gebruikersnaam: uw_gekozen_gebruikersnaam
Wachtwoord: 123456

Vergeet aub je wachtwoord niet! Het wachtwoord is gecodeerd opgeslagen en kan dus nooit meer worden opgehaald. Mocht je je wachtwoord toch vergeten dan kan je eventueel een nieuwe wachtwoord aanvragen via een link in het login scherm.

Nog veel surfplezier op SeniorenNet.be!

Dat internetadres wordt nu geopend. Je krijgt dan een bevestiging dat je goed ingeschreven bent op het scherm, zoals op de volgende foto.

Indien dat niet zou lukken, dan moet je naar het adres even handmatig surfen. Dit doe je als volgt. Kopieer het lange internetadres in de e-mail. Dit doe je door erop te gaan staan, op de rechtermuisknop te klikken en vervolgens met de linkermuisknop op 'Snelkoppeling kopiëren' in het menuutje.

Vervolgens open je je browser, die zal waarschijnlijk nog openstaan, en plak je het adres in de adresbalk (dit doe je door met je rechtermuisknop op de adresbalk te klikken en vervolgens in het menuutje op 'Plakken' te drukken). Druk vervolgens op de Entertoets van je toetsenbord. Nu heb je hetzelfde gedaan en zul je de bevestiging krijgen zoals op de foto hiervoor.

In de e-mail die je had gekregen met de link waarop je moest klikken, staan ook nog eens je registratiegegevens. Dus je gebruikersnaam en je wachtwoord, zodat je, als je die in de toekomst toch zou vergeten, die nog kunt terugvinden.

Op de pagina met de bevestiging klik je op het logo van het SeniorenNet Forum, om zo terug naar de beginpagina te gaan.

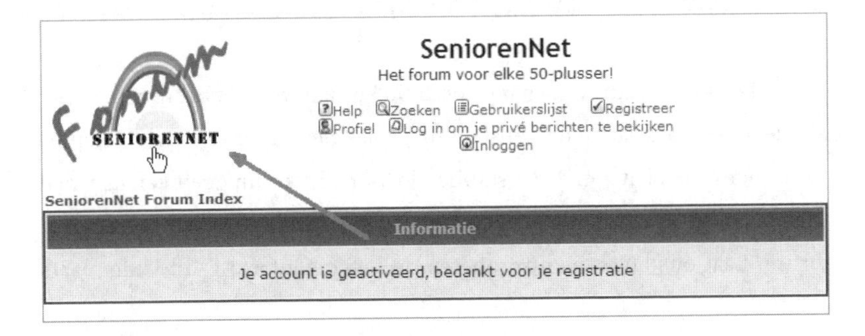

Klik nu bovenaan op 'Inloggen'.

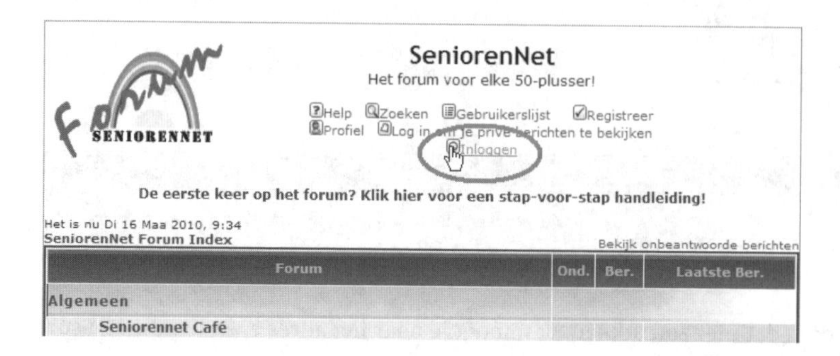

Dit was het wat we eenmalig moesten doen om te kunnen beginnen. Wat nu komt, is het gebruik zelf van het forum en die informatie zul je uiteraard vaker nodig hebben. Het scherm wat je nu ziet, is hetzelfde scherm als dat waar we daarstraks hebben geklikt op 'Registreer'. Deze pagina zul je steeds zien als je naar het forum surft.

Nu moeten we de gebruikersnaam en het wachtwoord ingeven die we zonet hebben opgegeven. Klik ook op het lege vakje achter 'log me automatisch in bij elk bezoek' als je niet steeds opnieuw je gebruikersnaam en wachtwoord wilt ingeven. Klik vervolgens op 'Inloggen'. (Ben je het wachtwoord achteraf vergeten? Klik dan op 'Wachtwoord vergeten' en volg de procedure voor een nieuw wachtwoord. Je kunt altijd weer binnen!)

Vul je gebruikersnaam en wachtwoord in om in te loggen
Gebruikersnaam: uw_gebruikersnaam
Wachtwoord: ••••••
Log me automatisch in bij elk bezoek:
Inloggen
Wachtwoord vergeten

Zo, nu ben je ingeschreven en ingelogd. Nu kunnen we echt beginnen. Je ziet allerlei informatie staan op het scherm. Je ziet 'Seniorennet Café', 'Oefenforum' enzovoort. Dit zijn de verschillende fora. Elk forum heeft een centraal thema. Onder de titel zie je in het zwart een korte uitleg over het betreffende forum. Laat ons het eens uitproberen op het 'oefenforum', dit is de plaats waar je eens kunt oefenen. Op de andere plaatsen mag je niet oefenen, daar is het de bedoeling om echt vragen te stellen, te discussiëren enzovoort.

Forum	Ond.	Ber.	Laatste Ber.
Algemeen			
Seniorennet Café Hier mag je praten, grappen maken, vertellen over alles. Een humorist is iemand wiens vrolijkheid van zijn hart naar zijn hersenen is verhuisd. (Otto Weis - 1847) Moderator Seniorennet	137	16657	Za 16 Dec 2006, 14:15 piepie
Oefenforum Hier mag je oefenen, en alles eens uitproberen. Ik was bang om door de mand te vallen. Iemand zei: er is geen mand. (Freek de Jonge - 1943). Oefening baart kunst Moderator Seniorennet	121	12702	Za 16 Dec 2006, 12:56 rinske
Plaatjesmagazijn en fotoalbums Voor wie plaatjes wil verzamelen en eigen foto's van hun vakanties of andere thema's wil plaatsen Moderator Seniorennet	83	16910	Za 16 Dec 2006, 14:04 benoni
Spelletjes [illegible] allerlei spelletjes spelen op het forum: woordspelletjes, associatie spelletjes, titelsong-spelletjes, ... Veel speelplezier! Moderator Seniorennet	122	23797	Za 16 Dec 2006, 14:19 ladyluck
Oproepen Dit is de plaats om oproepen te plaatsen: oproep voor medewerking aan een film, tv-programma, radio, enquête, reportage, vrijwilligers, onderzoek, enz. Moderator Seniorennet	216	1658	Za 16 Dec 2006, 12:32 Wiana
Legerdienst Zoek je maten uit je legertijd? Wil je herinneringen ophalen met andere die in dezelfde kazerne lagen? Moderator Seniorennet	210	1150	Za 16 Dec 2006, 11:29 Peetje Maurice
Wensen Dit is de plaats voor alle wensen. Verjaardagswensen, beterschap, feestdagen, trouw, geboorte, enz. Moderator Seniorennet	127	1783	Za 16 Dec 2006, 13:39 minou1954
Meetings / bijeenkomsten SeniorenNet Dit is het forum voor aankondigingen, informatie en afspraken voor de bijeenkomsten (meetings), georganiseerd voor het SeniorenNet forum, chat en/of mailgroepen (dus geen publieke manifestaties, concerten,...). Moderator Seniorennet	14	147	Za 16 Dec 2006, 4:09 marleentje
Zorg			
Gezonde levenswijze Vragen/antwoorden betreffende gezond leven en/of uw gezondheid Moderators Seniorennet, Support zorg	86	1502	Za 16 Dec 2006, 5:59 alfa
Fysieke ziekten of aandoeningen Hier is de plaats voor discussie en vragen over fysische ziekten of aandoeningen Moderators Seniorennet, Support zorg	144	1338	Za 16 Dec 2006, 13:06 bakker
Psychische aandoeningen Hier is de plaats voor discussie en vragen over psychische aandoeningen Moderators Seniorennet, Support zorg	40	621	Vr 15 Dec 2006, 11:28 canteclaer

Klik dus op de link 'Oefenforum'.

Forum	Ond.	Ber.	Laatste Ber.
Algemeen			
Seniorennet Café Hier mag je praten, grappen maken, vertellen over alles. Een humorist is iemand wiens vrolijkheid van zijn hart naar zijn hersenen is verhuisd. (Otto Weis - 1847) Moderator Seniorennet	137	16657	Za 16 Dec 2006, 14:15 piepie
Oefenforum Hier mag je oefenen, en alles eens uitproberen. Ik was bang om door de mand te vallen. Iemand zei: er is geen mand. (Freek de Jonge - 1943). Oefening baart kunst Moderator Seniorennet	121	12702	Za 16 Dec 2006, 12:56 rinske
Plaatjesmagazijn en fotoalbums Voor wie plaatjes wil verzamelen en eigen foto's van hun vakanties of andere thema's wil plaatsen Moderator Seniorennet	83	16910	Za 16 Dec 2006, 14:04 benoni

Nu zie je dus alle onderwerpen die in het Oefenforum staan. Je ziet de titels staan van de onderwerpen die anderen hebben ingegeven.

Oefenforum
Moderator: Seniorennet

Gebruikers op dit forum: Geen

Nieuw onderwerp   SeniorenNet Forum Index -> Oefenforum   Markeer alle onderwerpen als gelezen

Ond.	Antw.	Auteur	Gez.	Laatste Ber.
Mededeling: Oefen hier gewone berichtjes en hun mogelijkheden [Ga naar Pagina: 1 ... 22, 23, 24]	353	webmaster	307411	Di 16 Maa 2010, 10:07 uw_gebruikersnaam1
Mededeling: DEELNEMERS AAN COMPUTERKLASSEN EN LESGEVERS LEZEN AUB !!!!	0	redpoppy	831	Vr 30 Okt 2009, 19:42 redpoppy
Mededeling: Nieuw in je profiel - je geslacht opgeven.	0	swakke	1256	Ma 08 Jun 2009, 21:39 swakke
Mededeling: UITLEG : ALLE INFO over AFBEELDINGEN en FOTO's	5	Tilly	32635	Di 29 Aug 2006, 12:18 Tilly
Mededeling: HARTELIJK WELKOM aan alle nieuwe Senioren op ons oefenforum.	5	Tilly	15038	Di 29 Aug 2006, 12:17 Tilly
Mededeling: ANTWOORDEN OP VAAK VOORKOMENDE VRAGEN...	11	Tilly	20831	Do 20 Okt 2005, 14:11 Tilly
Sticky: IMAGE MAGICK 8 [Ga naar Pagina: 1 ... 6, 7, 8]	109	Cleopa	692	Di 16 Maa 2010, 19:20 neske
Sticky: Oefenen ZONDER topic (volgens het boek Internet na 50 [Ga naar Pagina: 1 ... 29, 30, 31]	464	Tilly	244439	Za 06 Maa 2010, 19:39 Cleopa
Sticky: IMAGE MAGICK = gratis plaatjes bewerken = FUN [Ga naar Pagina: 1 ... 8, 9, 10]	135	Cleopa	131187	Di 10 Nov 2009, 23:15 Cleopa
Sticky: nuttige links [Ga naar Pagina: 1, 2]	24	pepalien	27078	Zo 15 Feb 2009, 20:50 broucksje
Sticky: UITLEG:kaders+tekst in Paint/Vlammende letters/ColorCop [Ga naar Pagina: 1, 2]	15	redpoppy	33057	Wo 27 Dec 2006, 21:41 redpoppy
Mijn tweede topic [Ga naar Pagina: 1 ... 57, 58, 59]	880	YNA	12320	Wo 17 Maa 2010, 8:41 teresa
hallo allemaal [Ga naar Pagina: 1 ... 42, 43, 44]	653	popsie	9690	Wo 17 Maa 2010, 7:38 A.L
TAIGA [Ga naar Pagina: 1 ... 50, 51, 52]	779	taiga	13930	Wo 17 Maa 2010, 7:33 A.L
Mijn 2 de topic [Ga naar Pagina: 1 ... 34, 35, 36]	532	teresa	9963	Wo 17 Maa 2010, 7:22 A.L
Galerij A.L 3 [Ga naar Pagina: 1 ... 14, 15, 16]	237	A.L	1203	Wo 17 Maa 2010, 7:07 A.L
oefening [Ga naar Pagina: 1 ... 7, 8, 9]	120	Janina	1545	Di 16 Maa 2010, 23:26 Cleopa
Mathilda gaat maar door. [Ga naar Pagina: 1 ... 20, 21, 22]	318	mathilda	2334	Di 16 Maa 2010, 22:10 mathilda
Neske's stekje [Ga naar Pagina: 1 ... 39, 40, 41]	602	neske	6224	Di 16 Maa 2010, 19:49 popsie
Assa gaat verder oefenen. [Ga naar Pagina: 1 ... 61, 62, 63]	936	Assa	13058	Di 16 Maa 2010, 19:47 popsie
Egelstraat nr. 1008, Stekeldorp. Hier ben je altijd welkom. [Ga naar Pagina: 1 ... 64, 65, 66]	979	egel	13924	Di 16 Maa 2010, 19:44 popsie
Mitsi is terug ! [Ga naar Pagina: 1 ... 19, 20, 21]	312	mitsike	7589	Di 16 Maa 2010, 19:29 neske
seniorenbeginneling 2 [Ga naar Pagina: 1 ... 54, 55, 56]	836	mottemieke	28456	Di 16 Maa 2010, 19:28 neske
knorretj [Ga naar Pagina: 1, 2, 3, 4]	49	knorretje	234	Di 16 Maa 2010, 19:27 neske
Greetie gaat naar nummer 6 [Ga naar Pagina: 1 ... 50, 51, 52]	775	greetie	11902	Di 16 Maa 2010, 19:25 neske

Laat ons het onderwerp 'Oefen hier gewone berichtjes en hun mogelijkheden' eens openen. Klik op de titel.

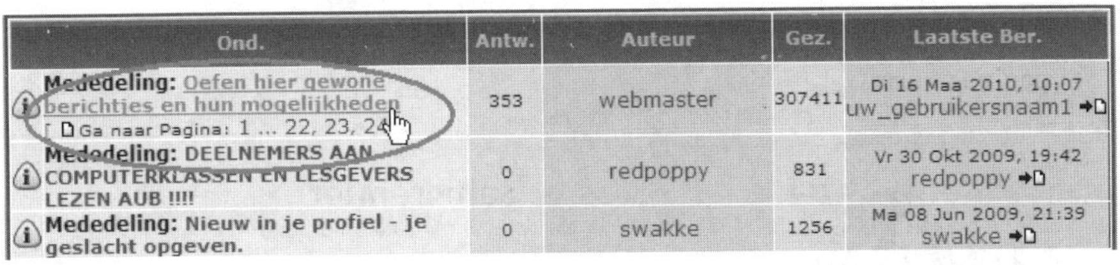

Ond.	Antw.	Auteur	Gez.	Laatste Ber.
Mededeling: Oefen hier gewone berichtjes en hun mogelijkheden [Ga naar Pagina: 1 ... 22, 23, 24	353	webmaster	307411	Di 16 Maa 2010, 10:07 uw_gebruikersnaam1
Mededeling: DEELNEMERS AAN COMPUTERKLASSEN EN LESGEVERS LEZEN AUB !!!!	0	redpoppy	831	Vr 30 Okt 2009, 19:42 redpoppy
Mededeling: Nieuw in je profiel - je geslacht opgeven.	0	swakke	1256	Ma 08 Jun 2009, 21:39 swakke

Nu zien we alle berichten en antwoorden van de mensen onder dit onderwerp, allemaal onder elkaar.

Even kort samenvatten hoe het in elkaar zit. We hebben dus hét forum van SeniorenNet. Hierin staan verschillende fora, elk met een bepaald thema. Dit kunnen thema's zijn als computer, pensioen, maar bijvoorbeeld ook 'oefenforum'. Deze structuur ligt min of meer vast en kan enkel gewijzigd worden door de mensen van SeniorenNet zelf. Het kan gebeuren dat er een nieuw thema bij komt als daar vraag naar is. In zo'n forum staan allemaal onderwerpen, die geplaatst worden door de bezoekers zelf. En in zo'n onderwerp heb je allemaal berichtjes. Het allereerste berichtje is het berichtje van de persoon die het onderwerp heeft aangebracht. Daaronder zie je alle antwoorden en berichten van de andere bezoekers, en eventueel de antwoorden van de maker van het onderwerpje.

Het eerste berichtje in zo'n onderwerp is dus het eigenlijke berichtje waar het onderwerp mee wordt gestart. Je krijgt bij elk berichtje steeds een heleboel informatie.

Op de foto zie je een voorbeeld van zo'n berichtje. Linksboven zie je de gebruikersnaam staan. Midden boven zie je de datum en tijd wanneer het bericht is geplaatst. Rechtsboven zie je het onderwerp van het berichtje.

Onder de fijne streep staat dan het eigenlijke berichtje. Dit is hetgeen dat de bezoeker heeft ingetikt. Dit kan heel kort, maar ook heel lang zijn. Er kan ook opmaak in gebruikt worden (vet, schuine letters...) en er kunnen eventueel afbeeldingen in staan.

Je ziet op de pagina ook in het groot de titel van het onderwerp. Indien het een onderwerp is dat veel berichten bevat, zijn de berichten verspreid over verschillende pagina's. Je ziet hieronder op de figuur dat er wel 24 pagina's met berichten zijn. Je kunt op de cijfers klikken om rechtstreeks naar die pagina te gaan.

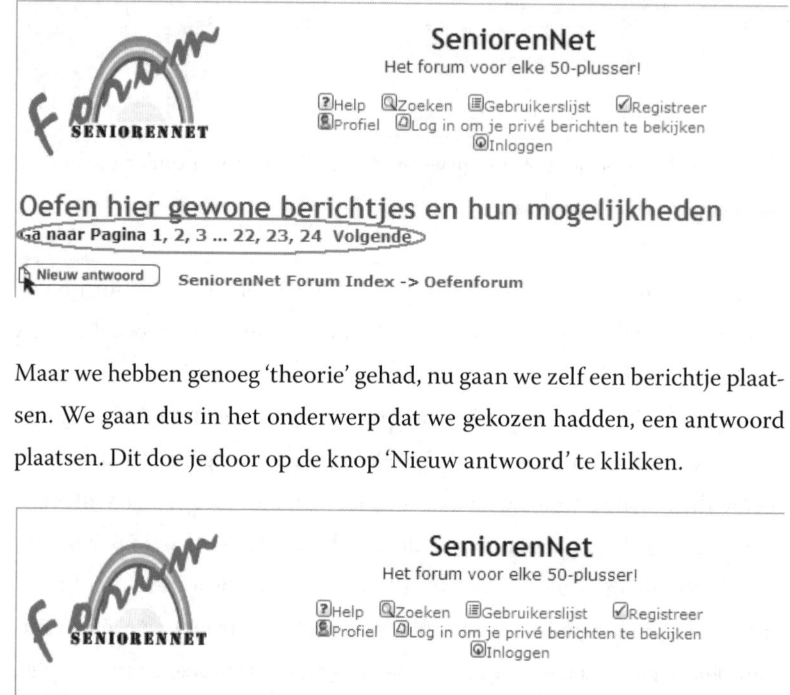

Maar we hebben genoeg 'theorie' gehad, nu gaan we zelf een berichtje plaatsen. We gaan dus in het onderwerp dat we gekozen hadden, een antwoord plaatsen. Dit doe je door op de knop 'Nieuw antwoord' te klikken.

Nu krijg je een nieuw scherm te zien. Hier kun je de titel van het berichtje ingeven. Die titel is niet verplicht, maar het is wel het duidelijkste als die altijd aanwezig is. In het grote vak vul je je berichtje in.

Plaats reactie

Onderwerp: Hallo allemaal!

Bericht

Emoticons

B i u Quote Code List List= Img URL

Letter kleur: Standaard Letter grootte: Normaal Sluit tags

Letter kleur: [color=red]tekst[/color] Tip: Je kan ook dit gebruiken: =#FF0000

Dit is mijn eerste keer, en dit is een testberichtje.

Daaaaag

Vervolgens klik je op OK.

Voorbeeld OK

Nu krijg je een scherm te zien als bevestiging dat je berichtje goed is ingegeven. Om het ingegeven berichtje te bekijken, klik je op de 'klik hier om je bericht te bekijken', ofwel wacht je eventjes, dan krijg je automatisch het berichtje op je scherm.

Informatie

Je bericht is geplaatst

klik hier om je bericht te bekijken

Klik hier om terug te keren naar de onderwerpenlijst

Nu zie je het berichtje staan. Ook alle andere bezoekers van SeniorenNet kunnen het nu zien staan! Proficiat! Je hebt je eerste bericht op het forum geplaatst en toegankelijk gemaakt voor de hele wereld!

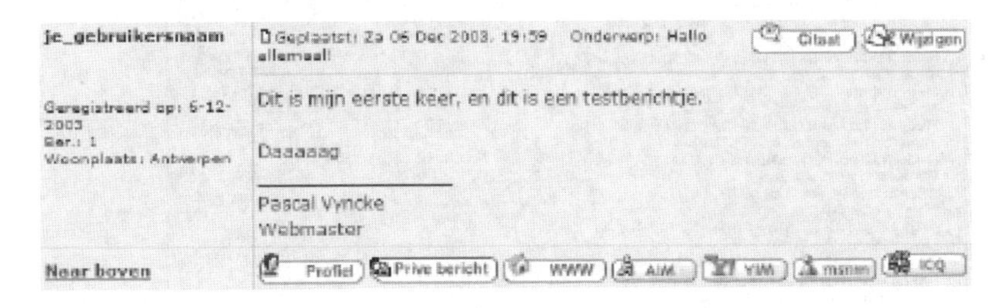

Je ziet trouwens steeds rechtsboven ook waar je zit op het forum. Eerst het forum (dus het algemene), en dan het thema waar je in zit. Door op een van beide te klikken, ga je ofwel naar de beginpagina van het forum, ofwel naar het overzicht van de onderwerpen uit het thema.

Klik nu bijvoorbeeld eens op Oefenforum, zodat we terug op het overzicht komen van de onderwerpen. We gaan een nieuw onderwerp aanmaken, want dat moeten we ook kunnen als we bijvoorbeeld zelf een discussie willen starten, een vraag willen stellen… Klik daarvoor linksboven op de knop 'Nieuw onderwerp'.

SENIORENNET

SeniorenNet
Het forum voor elke 50-plusser!
Help Zoeken Gebruikerslijst
Profiel Je hebt geen nieuwe berichten
Uitloggen [uw_gebruikersnaam1]

Oefenforum
Moderator: Seniorennet

Gebruikers op dit forum: Geen
Nieuw onderwerp SeniorenNet Forum Index -> Oefenforum Markeer alle onderwerpen als gelezen

Ond.	Antw.	Auteur	Gez.	Laatste Ber.
Mededeling: Oefen hier gewone berichtjes en hun mogelijkheden [Ga naar Pagina: 1 ... 22, 23, 24]	353	webmaster	307374	Di 16 Maa 2010, 10:07 uw_gebruikersnaam1
Mededeling: DEELNEMERS AAN COMPUTERKLASSEN EN LESGEVERS LEZEN AUB !!!!	0	redpoppy	829	Vr 30 Okt 2009, 19:42 redpoppy
Mededeling: Nieuw in je profiel - je geslacht opgeven.	0	swakke	1251	Ma 08 Jun 2009, 21:39 swakke
Mededeling: UITLEG : ALLE INFO over AFBEELDINGEN en FOTO's	5	Tilly	32628	Di 29 Aug 2006, 12:18 Tilly
Mededeling: HARTELIJK WELKOM aan alle nieuwe Senioren op ons oefenforum.	5	Tilly	15036	Di 29 Aug 2006, 12:17 Tilly
Mededeling: ANTWOORDEN OP VAAK VOORKOMENDE VRAGEN...	11	Tilly	20828	Do 20 Okt 2005, 14:11 Tilly
Sticky: IMAGE MAGICK 8 [Ga naar Pagina: 1 ... 5, 6, 7]	103	Cleopa	631	Di 16 Maa 2010, 7:33 A.L
Sticky: Oefenen ZONDER topic (volgens het boek Internet na 50 [Ga naar Pagina: 1 ... 29, 30, 31]	464	Tilly	244423	Za 06 Maa 2010, 19:39 Cleopa
Sticky: QUOTERS mini-meetingske's herinneringen -lief en leed [Ga naar Pagina: 1 ... 25, 26, 27]	390	Tilly	146635	Vr 25 Dec 2009, 21:32 jea

Nu krijgen we ongeveer hetzelfde scherm te zien als toen we een nieuw antwoord ingaven. Dus hier kun je gewoon je onderwerp invullen (nu is het onderwerp wel verplicht), en het bericht.

Als je klaar bent, klik je op OK.

Ook nu krijgen we weer dezelfde bevestiging die we al gezien hebben. Klik op de link om het berichtje te bekijken, of wacht even; de computer zal er automatisch naartoe gaan.

Zo, en dan zien we nu dus ons onderwerp. Je titel is in het groot gekomen, en je ziet je eigen berichtje. Onder je berichtje staat nog niets, dit is zo omdat het net nieuw is.

SeniorenNet
Het forum voor elke 50-plusser!
Help Zoeken Gebruikerslijst
Profiel Je hebt geen nieuwe berichten
Uitloggen [uw_gebruikersnaam1]

Mijn testonderwerp

Nieuw antwoord SeniorenNet Forum Index -> Oefenforum

Vorige onderwerp :: Volgende onderwerp

Auteur	Bericht
uw_gebruikersnaam1 Geregistreerd op: 16-3-2010 Woonplaats: Antwerpen	Geplaatst: Di 16 Maa 2010, 11:15 Onderwerp: Mijn testonderwerp Citaat Wijzigen Hallo, Dit is mijn testonderwerp. _________________ Pascal Vyncke Webmaster
Naar boven	Profiel Prive bericht AIM YIM msnm

Laat ons eens kijken waar ons onderwerp bij staat, klik op 'Oefenforum' rechtsboven.

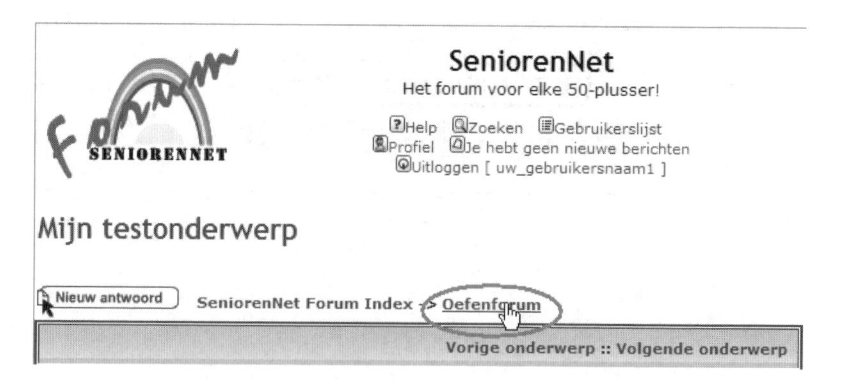

Nu krijgen we weer het overzicht van alles wat in het forum 'Oefenforum' staat. Je ziet dat je berichtje bovenaan zal staan. Neen, soms staat het niet helemaal bovenaan. Dit komt omdat er berichtjes als 'Mededeling' of 'Sticky' bovenaan kunnen staan. Dit kun je zelf niet instellen, maar dat is iets voor de moderators (de mensen die het forum in het oog houden): zo kunnen ze ervoor zorgen dat iets steeds bovenaan blijft staan, bijvoorbeeld een belangrijke mededeling. In ons voorbeeld hieronder zul je ons nieuwe onderwerp zien staan. Je ziet in de kolom Auteur je gebruikersnaam staan, alsook rechts, bij 'Laatste Ber.', wanneer het is gepost. Iedereen die het forum bezoekt, zal jouw berichtje kunnen zien.

Oefenforum
Moderator: Seniorennet

Gebruikers op dit forum: uw_gebruikersnaam1
Nieuw onderwerp SeniorenNet Forum Index -> Oefenforum Markeer alle onderwerpen als gelezen

Ond.	Antw.	Auteur	Gez.	Laatste Ber.
Mededeling: Oefen hier gewone berichtjes en hun mogelijkheden [Ga naar Pagina: 1 ... 22, 23, 24]	353	webmaster	307374	Di 16 Maa 2010, 10:07 uw_gebruikersnaam1
Mededeling: DEELNEMERS AAN COMPUTERKLASSEN EN LESGEVERS LEZEN AUB !!!!	0	redpoppy	829	Vr 30 Okt 2009, 19:42 redpoppy
Mededeling: Nieuw in je profiel - je geslacht opgeven.	0	swakke	1251	Ma 08 Jun 2009, 21:39 swakke
Mededeling: UITLEG : ALLE INFO over AFBEELDINGEN en FOTO's	5	Tilly	32628	Di 29 Aug 2006, 12:18 Tilly
Mededeling: HARTELIJK WELKOM aan alle nieuwe Senioren op ons oefenforum.	5	Tilly	15036	Di 29 Aug 2006, 12:17 Tilly
Mededeling: ANTWOORDEN OP VAAK VOORKOMENDE VRAGEN...	11	Tilly	20828	Do 20 Okt 2005, 14:11 Tilly
Sticky: IMAGE MAGICK 8 [Ga naar Pagina: 1 ... 5, 6, 7]	103	Cleopa	631	Di 16 Maa 2010, 7:33 A.L
Sticky: Oefenen ZONDER topic (volgens het boek Internet na 50 [Ga naar Pagina: 1 ... 29, 30, 31]	464	Tilly	244423	Za 06 Maa 2010, 19:39 Cleopa
Sticky: QUOTERS mini-meetingske's herinneringen -lief en leed [Ga naar Pagina: 1 ... 25, 26, 27]	390	Tilly	146635	Vr 25 Dec 2009, 21:32 jea
Sticky: IMAGE MAGICK = gratis plaatjes bewerken = FUN [Ga naar Pagina: 1 ... 8, 9, 10]	135	Cleopa	131102	Di 10 Nov 2009, 23:15 Cleopa
Sticky: nuttige links [Ga naar Pagina: 1, 2]	24	pepalien	27066	Zo 15 Feb 2009, 20:50 broucksje
Sticky: UITLEG:kaders+tekst in Paint/Vlammende letters/ColorCop [Ga naar Pagina: 1, 2]	15	redpoppy	33049	Wo 27 Dec 2006, 21:41 redpoppy
Mijn testonderwerp	0	uw_gebruikersnaam1	1	Di 16 Maa 2010, 10:15 uw_gebruikersnaam1
PETROS [Ga naar Pagina: 1, 2]	24	petros	174	Di 16 Maa 2010, 7:45 A.L

En dat was het. Je kunt nu alle berichten lezen op het forum, een antwoord plaatsen en zelf onderwerpen of discussies starten.

Er is natuurlijk nog meer mogelijk. Je kunt namelijk ook privéberichtjes sturen naar andere forumgebruikers, je kunt de berichten zien die sinds je laatste bezoek zijn binnengekomen, je kunt je gegevens aanpassen (paswoord, onderschrift...) enzovoort. Maar dit kun je nu gemakkelijk zelf uitproberen doordat je de nodige basiskennis hebt. Een hulpfunctie vind je op http://www.seniorennet.be/forum/faq.php.

Termen

Forum: Een forum is een plaats op een website waar het mogelijk is om berichten in te sturen. Alle berichten worden getoond en op deze manier kunnen mensen met elkaar communiceren, vragen stellen en discussiëren.

Moderator: Dit is de politieagent van het forum. Een moderator is iemand die aangesteld is door de beheerder van de website en die alles in het oog houdt. Slechte berichten worden verwijderd, fout geplaatste berichten worden verplaatst. Verder kan een moderator meestal ook mensen die veelvuldig de regels overtreden, blokkeren. Net zoals bij de politieagenten: de moderators zijn je beste vrienden, ze zullen je zo goed als mogelijk helpen. Maar als je slechte bedoelingen hebt, zijn ze je vijand nummer 1.

Profiel: op sommige fora is het mogelijk om enkele gegevens van jezelf in te geven. Dit betreft de gemeente of stad waar je woont, je hobby's, je e-mailadres, je leeftijd enzovoort. Op deze manier kunnen anderen een klein beetje meer over je te weten komen en zich een beter beeld van je vormen, terwijl je toch anoniem blijft (je hoeft nergens je echte naam, adres of telefoonnummer te vermelden).

Onderwerp: Een onderwerp wordt ingegeven door de persoon die als eerste een berichtje plaatst. Als je bijvoorbeeld een vraag hebt en die werd nog niet geplaatst op het forum, dan geef je je bericht in en is dit een nieuw onderwerp. Alle antwoorden die erop komen, noemt men dan berichten.

Bericht: Een bericht is een reactie op een bepaald onderwerp. Dit kan een antwoord zijn op een vraag, maar evengoed een reactie op een mopje of in een discussie.

Topic: Dit is een synoniem voor onderwerp (komt uit het Engels).

Smileys of ***emoticons***: Dit zijn gezichtjes. Je kunt deze gebruiken in je tekst om aan te geven of je blij bent of niet. Ook kunnen ze dienen om aan te geven dat je iets bedoelt als grapje en het dus niet serieus genomen moet worden.

Administrator: Dit is de beheerder van het forum. Administrators zijn dus de makers van een forum en dus de 'grote baas'. Zij staan ook boven de moderators. Indien er dus problemen zijn met het technische aspect van het forum, of met een moderator (een moderator die niet goed z'n werk doet), kun je dus bij de administrator terecht. Soms wordt het ook afgekort als 'Admin'.

Forum voor 50-plussers

Het forum voor senioren: *http://www.seniorennet.be* en vervolgens gaan naar 'Forum'. Ofwel het rechtstreekse adres:
http://www.seniorennet.be/forum
of voor Nederland: *www.seniorennet.nl/forum*

Andere fora

http://forum.computeridee.nl/
http://www.helpen.be

Mailgroepen

Wat?

Een mailgroep is een groep waar je met andere mensen, die je in het begin niet kent, kunt communiceren over een bepaald onderwerp. Eerst moet je op een website jezelf inschrijven op zo'n mailgroep. Onderwerpen kunnen tuinieren, fotografie, computer, fietsen, koken, lezen, politiek, reizen enzovoort zijn.

Het systeem zit zo dat je één berichtje verstuurt op de website en dat dit vervolgens aankomt bij alle leden van die ene groep. Zij kunnen je vervolgens persoonlijk antwoorden, of een antwoord sturen naar heel de groep.

Door dit systeem is het mogelijk dat je met onbekende mensen met dezelfde interesse kunt 'praten' en zo vragen kunt stellen, discussiëren, elkaar helpen, tips geven enzovoort.

Het systeem van mailgroepen lijkt op dat van een forum, met dat verschil dat de berichten niet op de website te lezen zijn, maar in de brievenbus van je e-mail.

Het voordeel van mailgroepen ten opzichte van een chatbox is dat je steeds alle leden bereikt, wat in een chatbox niet zo is; je bereikt dan enkel wie op dat ogenblik in de chatbox aanwezig is.

Mailgroepen zijn een krachtig communicatiemiddel en er zijn meestal heel veel mensen die eraan meedoen, toch zijn er spijtig genoeg relatief weinig websites waar je mailgroepen kunt vinden. Niet omdat dit niet succesvol is, maar omdat het veel werk en energie kost.

Bij mailgroepen zijn er ook regels, net zoals overal in deze wereld. Opnieuw zijn deze regels niet moeilijk of speciaal en moet je gewoon je gezond verstand gebruiken.

Aan de slag

We gaan de mailgroepen gebruiken van de website www.seniorennet.be (of www.seniorennet.nl).

We doen dit niet alleen omdat het een vijftigplusserwebsite is, maar ook omdat het veruit de enige Nederlandstalige website is die mailgroepen aanbiedt. Bovendien heb je het voordeel dat de mailgroepen op deze website zeer succesvol zijn – er zijn vele duizenden mensen op ingeschreven – zodat je snel van start kunt gaan.

Ga in je browser Internet Explorer naar het adres http://www.seniorennet.be (of .nl).

Klik vervolgens midden bovenaan in het grijze menu op 'Mailgroepen' (je ziet een grijs menu staan met blogs, chatbox, forum...) ofwel in het linkse menu onder de titel 'Inter@ctief' op 'Mailgroepen'.

We krijgen nu de pagina van de mailgroepen te zien.

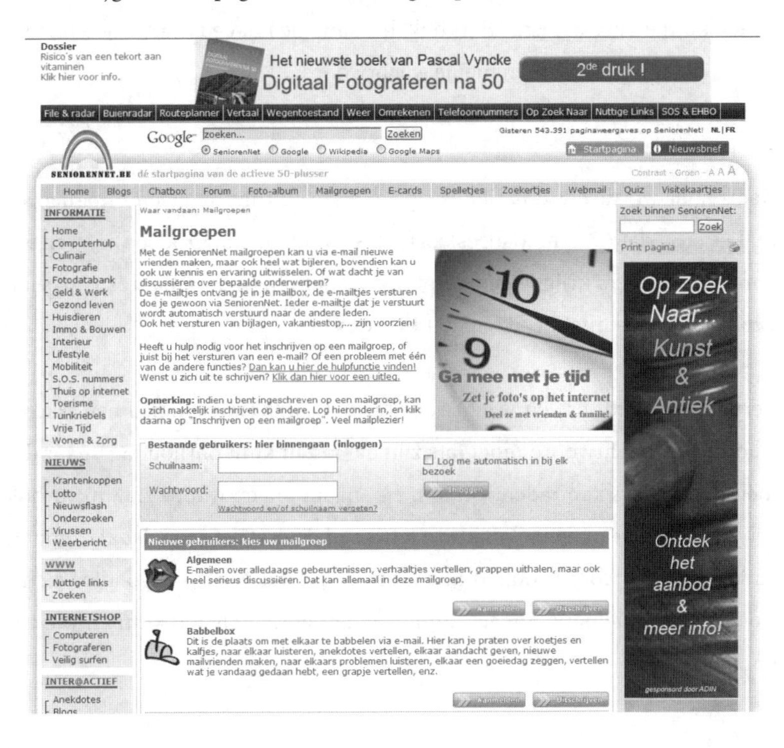

We zien eerst een inleidende tekst, vervolgens het kader om in te loggen (dat gaan we straks gebruiken nadat we ons hebben ingeschreven) en daaronder een groot kader met allerlei figuurtjes. In dit onderste kader staan alle verschillende mailgroepen met tientallen verschillende onderwerpen. Klik met je linkermuisknop op de link 'Aanmelden' bij de mailgroep die je interesseert. In dit voorbeeld gaan we naar de mailgroep 'Computer-Internet'.

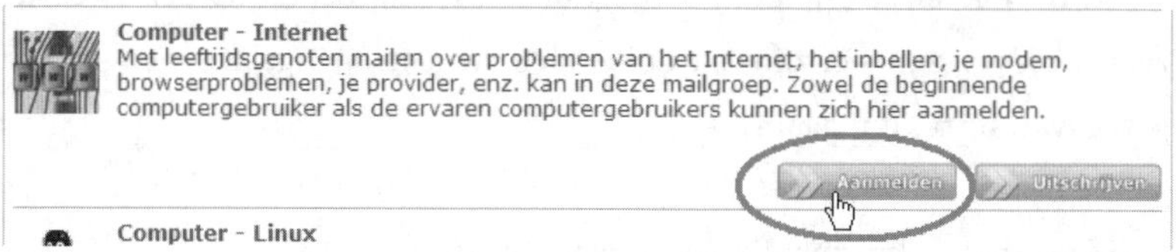

Vervolgens komen we op een nieuwe pagina terecht waar een aantal gegevens worden gevraagd. Als eerste moeten we een (schuil)naam invullen.

Kies hier een naam, dit kan je echte naam zijn, maar je mag ook zelf een naam verzinnen. Dit is de naam waaronder de anderen je zullen zien en je zo zullen kunnen herkennen. Dit is ook de naam die je steeds zult moeten ingeven bij het inloggen, samen met je wachtwoord.

Ikzelf heet Pascal Vyncke, ik geef dus als naam 'Pascal Vyncke' op.

Daaronder wordt het e-mailadres gevraagd. Vul hier je eigen e-mailadres in. Let erop dat dit e-mailadres correct is, want de mailgroepen werken via e-mail, en anders krijg je geen e-mails binnen. Mijn e-mailadres is pascal.vyncke@seniorennet.be, ik vul dat hier dus in.

Vervolgens wordt er een wachtwoord gevraagd. Verzin nu zelf een wachtwoord. Het wachtwoord moet iets zijn dat je zelf kunt onthouden, maar dat niemand anders kan raden. Dit kan een naam of een woord zijn, maar ook een willekeurige opeenvolging van letters of cijfers. Let erop dat als iemand anders je wachtwoord zou kunnen raden (als je dus een te eenvoudig wachtwoord neemt), iemand anders in jouw naam berichten zou kunnen versturen.

Je zult zien dat wanneer je het wachtwoord ingeeft, er sterretjes (*) verschijnen in plaats van het wachtwoord zelf; dit is om te vermijden dat iemand anders je paswoord kan lezen als die 'toevallig' over je schouder meekijkt. Omdat je zelf ook niet ziet wat je intikt, wordt het wachtwoord voor de zekerheid twee keer gevraagd, tik dus het wachtwoord in zowel achter 'Wachtwoord', als het tekstvak achter 'Wachtwoord herhalen'.

Vervolgens moet je jezelf ook nog akkoord verklaren met de regels van de SeniorenNet Mailgroepen.

Om de regels te lezen klik je met je linkermuisknop op de link 'SeniorenNet Mailgroep regels'.

Als je hiermee akkoord gaat, klik je met je linkermuisknop op het lege vierkantje voor 'Ja, ik verklaar mij akkoord', zodat het aangevinkt wordt. Klik vervolgens met je linkermuisknop op de knop 'Inschrijven'.

Aanmelden Computer - Internet

De gewenste mailgroep: Computer - Internet

Naam: Computer - Internet
Beschrijving: Met leeftijdsgenoten mailen over problemen van het Internet, het inbellen, je modem, browserproblemen, je provider, enz. kan in deze mailgroep. Zowel de beginnende computergebruiker als de ervaren computergebruikers kunnen zich hier aanmelden.
Gemiddeld: 7 e-mails per dag in mailgroep Computer - Internet *(gemeten over laatste 14 dagen)*

Indien u zich inschrijft, verklaart u zich akkoord met de geldende regels.

Uw (schuil)naam: Pascal Vyncke
E-mail adres: :al.vyncke@seniorennet.be
Wachtwoord: ? ••••••••••• (Sterkte)
Wachtwoord herhalen: ? •••••••••••
Ja, ik verklaar mij akkoord met de SeniorenNet Mailgroep regels en hou mij hieraan.

Inschrijven

E-mail deze pagina | Afdrukken | In favorieten opslaan | Share / Save

We krijgen vervolgens een bevestigingspagina te zien dat we correct ingeschreven zijn.

Er is echter nog een laatste stap. Dat is namelijk onze inschrijvingbevestigen. De reden dat dit nodig is, is dat men zeker is dat uw e-mailadres correct is. Aangezien de Mailgroepen via e-mail werken, is dat belangrijk.

Aanmelden Computer - Internet

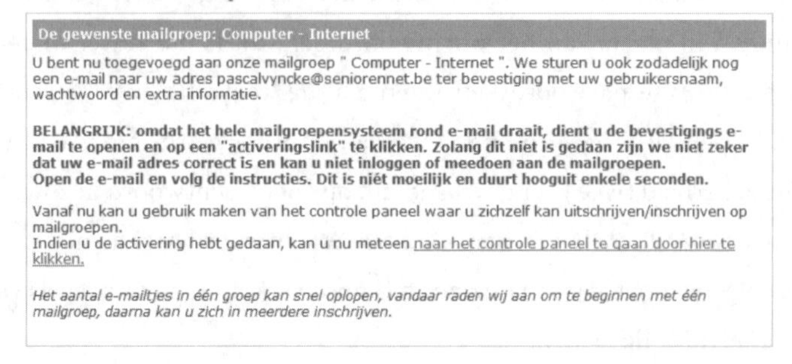
De gewenste mailgroep: Computer - Internet

U bent nu toegevoegd aan onze mailgroep " Computer - Internet ". We sturen u ook zodadelijk nog een e-mail naar uw adres pascalvyncke@seniorennet.be ter bevestiging met uw gebruikersnaam, wachtwoord en extra informatie.

BELANGRIJK: omdat het hele mailgroepensysteem rond e-mail draait, dient u de bevestigings e-mail te openen en op een "activeringslink" te klikken. Zolang dit niet is gedaan zijn we niet zeker dat uw e-mail adres correct is en kan u niet inloggen of meedoen aan de mailgroepen. Open de e-mail en volg de instructies. Dit is niét moeilijk en duurt hooguit enkele seconden.

Vanaf nu kan u gebruik maken van het controle paneel waar u zichzelf kan uitschrijven/inschrijven op mailgroepen.
Indien u de activering hebt gedaan, kan u nu meteen naar het controle paneel te gaan door hier te klikken.

Het aantal e-mailtjes in één groep kan snel oplopen, vandaar raden wij aan om te beginnen met één mailgroep, daarna kan u zich in meerdere inschrijven.

Open dus je e-mail en je zult een e-mail hebben ontvangen van SeniorenNet. Wat je nu dient te doen is met je linkermuisknop op de activeringslink klikken.

Indien dat niet zou lukken, dan moet je naar het adres even handmatig surfen. Dit doe je als volgt. Kopieer het lange internetadres in de e-mail. Dit doe je door met je rechtermuisknop erop te gaan staan en te klikken en vervolgens in het menuutje met de linkermuisknop op 'Snelkoppeling kopiëren' te klikken.

Vervolgens open je je browser, die zal waarschijnlijk nog openstaan, en plak je het adres in de adresbalk (dit doe je door met je rechtermuisknop op de adresbalk te klikken en vervolgens in het menuutje 'Plakken' te kiezen). Druk vervolgens op de Entertoets van je toetsenbord. Nu heb je hetzelfde gedaan en zul je de bevestiging krijgen zoals op de foto hiervoor.

Van: webmaster@seniorennet.be **Aan:** pascal.vyncke@seniorennet.be
Onderwerp: Inschrijving mailgroepen: INSCHRIJVING ACTIVEREN

Beste,

U heeft zich ingeschreven voor de SeniorenNet Mailgroepen, voor de mailgroep Computer - Internet.

Voordat u echter ingeschreven bent, dient u nog een laatste stap te ondernemen. Namelijk op onderstaande link klikken in deze e-mail.
Dit is nodig zodat SeniorenNet weet dat deze e-mail goed aangekomen is en dat uw e-mail adres correct is. De SeniorenNet Mailgroepen werken namelijk volledig via e-mail en indien u een typfout gemaakt had bij het ingeven van uw e-mail adres, dan zou uw inschrijving nutteloos zijn.

Dit is de activeringslink:
http://www.seniorennet.be/Pages/Mailgroepen/activeren.php?ID=17506&ID2=33&ac1=1427e

Klik op bovenstaande link om uw inschrijving te bevestigen, er dient zich vervolgens een nieuw scherm te openen met een bevestiging. Vervolgens bent u ingeschreven in de mailgroep Computer - Internet.

Indien u niets ziet, dan dient u bovenstaande internetadres geheel te kopiëren en te plakken in de adresbalk van uw browser.
U doet dit als volgt: ga met uw muisaanwijzer vooraan het adres staan (vlak voor de http://), druk uw linkermuisknop in, houd deze ingedrukt, verschuif uw muisaanwijzer tot het EINDE van het internetadres en laat vervolgens de linkermuisknop los. Ga nu met uw muisaanwijzer bovenop het geselecteerde adres staan, druk de rechtermuisknop in en klik op "Kopiëren" (Copy). Ga nu naar uw browser (bvb. Internet Explorer), ga vervolgens naar de adresbalk (lange witte balk, bovenaan het scherm), druk daarop met uw rechtermuisknop op, druk op "Plakken" (Paste) en druk vervolgens op de Enter-toets van uw toetsenbord of op de knop "Ga naar" in uw browser.

De activering is nodig binnen de 6 uur. Indien de activering niet binnen de 6 uur is geslaagd, wordt uw registratie opnieuw verwijderd alsook uw gebruikersnaam terug vrijgegeven. Hierdoor kunnen anderen de gebruikersnaam gebruiken, maar is het ook mogelijk dat indien het e-mail adres foutief was, u binnen 6 uur terug opnieuw kan inschrijven met het juiste e-mail adres en dezelfde gebruikersnaam.

Gebruikersnaam: Pascal Vyncke

Je zult nu een pagina te zien krijgen om te bevestigen dat je nu goed bent ingeschreven.

Activeren inschrijving mailgroepen
Proficiat! U heeft uzelf nu correct ingeschreven.

We hebben u nog een e-mail gestuurd ter bevestiging, samen met nog eens je schuilnaam/paswoord en nog enkele praktische richtlijnen en extra informatie.

Om onmiddellijk te starten, klik hier!

Veel succes op de mailgroepen!

In de e-mail die je hebt gekregen met de activeringslink in, staan ook nog eens ter bevestiging je gebruikersnaam en je wachtwoord, zodat je ze, als je ze later zou vergeten, opnieuw kunt opzoeken.

Je krijgt trouwens, als je geactiveerd bent, ook nog een extra e-mail ter bevestiging hiervan. Hier staan ook deze gegevens, maar vooral: ook nog extra informatie over hoe alles in zijn werk gaat op de mailgroep.

Van: mailing@seniorennet.be **Aan:** pascal.vyncke@seniorennet.be
Onderwerp: Aanmelding mailgroep Computer - Internet

Geachte Pascal Vyncke,

Proficiat! Je bent nu ingeschreven op de mailgroep Computer - Internet!

Je kan vanaf nu een e-mail sturen naar alle andere leden van de mailgroep. Bovendien krijg je ook vanaf nu alle berichtjes aan van de andere leden die een e-mail sturen.

In deze groep kan je met leeftijdsgenoten e-mailen over alles wat met Internet te maken heeft.

Let wel op: Het is niet de bedoeling om elkaar hier interessante site's door te geven, of om elkaar te vragen over allerhande informatie op te zoeken op het Internet, daarvoor bestaat de mailgroep Internet. Hier is het de plaats om problemen over het Internet, de browser, het inbellen, je modem, je provider, prijzen, problemen met interactieve media (Flash, Java, enz.),...

Hoe gaat het nu in z'n werk?
Het is heel eenvoudig. Het systeem dat we gebruiken voor de mailgroepen is dat je op de website je e-mail moet versturen, en in je mailbox de e-mails ontvangt.

Om dus een bericht te versturen naar de mailgroep, surf je naar http://www.Seniorennet.be en dan vervolgens in het menu onder de rubriek Inter@ctief klik je op Mailgroepen.
Vervolgens moet je inloggen. Dit doe je met volgende gegevens:

Schuilnaam: Pascal Vyncke
Wachtwoord: paswoord

Je kunt onmiddellijk aan de slag door op de pagina te klikken op 'Om onmiddellijk te starten, klik hier!'.

Activeren inschrijving mailgroepen
Proficiat! U heeft uzelf nu correct ingeschreven.

We hebben u nog een e-mail gestuurd ter bevestiging, samen met nog eens je schuilnaam/paswoord en nog enkele praktische richtlijnen en extra informatie.

Om onmiddellijk te starten, klik hier!

Veel succes op de mailgroepen!

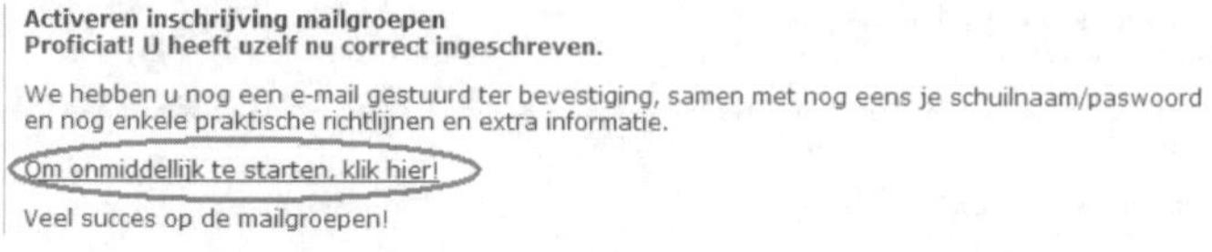

Als je later weer toegang wil krijgen tot de mailgroepen, zul je natuurlijk die link niet kunnen gebruiken.

Je zult dan je gebruikersnaam en wachtwoord moeten opgeven op de beginpagina en dan klikken met je linkermuisknop op de knop 'Inloggen'.

Mailgroepen

Met de SeniorenNet mailgroepen kan u via e-mail nieuwe vrienden maken, maar ook heel wat bijleren, bovendien kan u ook uw kennis en ervaring uitwisselen. Of wat dacht je van discussiëren over bepaalde onderwerpen?
De e-mailtjes ontvang je in je mailbox, de e-mailtjes versturen doe je gewoon via SeniorenNet. Ieder e-mailtje dat je verstuurt wordt automatisch verstuurd naar de andere leden.
Ook het versturen van bijlagen, vakantiestop,... zijn voorzien!

Heeft u hulp nodig voor het inschrijven op een mailgroep, of juist bij het versturen van een e-mail? Of een probleem met één van de andere functies? Dan kan u hier de hulpfunctie vinden!
Wenst u zich uit te schrijven? Klik dan hier voor een uitleg.

Opmerking: indien u bent ingeschreven op een mailgroep, kan u zich makkelijk inschrijven op andere. Log hieronder in, en klik daarna op "Inschrijven op een mailgroep". Veel mailplezier!

2de druk!
PASCAL VYNCKE
DIGITAAL FOTOGRAFEREN NA 50
Het nieuw
boek van
Pascal Vyr
Digitaa
Fotografe
na 50

Bestaande gebruikers: hier binnengaan (inloggen)
Schuilnaam:
Wachtwoord:
Log me automatisch in bij elk bezoek
Inloggen
Wachtwoord en/of schuilnaam vergeten?

We komen nu op het zogenaamde controlepaneel. Dit is de plaats waar we alles kunnen doen. Wat we zien:

Waar vandaan: Mailgroepen > Controlepaneel > Ingelogd als Pascal Vyncke

Controlepaneel mailgroepen

Goede voormiddag Pascal Vyncke ! Welkom bij de mailgroepen !

U bent nu ingelogd als Pascal Vyncke en u kan nu e-mails versturen en andere gegevens aanpassen.
Veel plezier!
U kan onmiddellijk hieronder van start, klik op "Bericht versturen" om een bericht te versturen naar alle leden van de mailgroep.
Klik op "Postvak IN" om de recentste berichten te kunnen bekijken of om berichten te zoeken.
Het is mogelijk om meer informatie of hulp te vinden op de volgende pagina: klik hier.

Véél mailplezier!

Inschrijven op (extra) mailgroepen	Vakantiestop starten	Gegevens wijzigen

Computer - Internet

- Bericht versturen naar mailgroep "Computer - Internet"
- Postvak IN
- Gebruikers blokkeren
- Gegevens mentor/administrators mailgroep"Computer - Internet"
- Opnieuw uitschrijven uit mailgroep Computer - Internet
- 'Enkel Postvak IN' inschakelen
- Naar website van mailgroep Computer - Internet

Overige functies

- Inschrijven op een (extra) mailgroep
- Vakantiestop starten
- Gegevens wijzigen / opties
- Regels Mailgroepen
- Klacht indienen / klachtencommissie
- Uitschrijven uit één mailgroep
- Uitschrijven uit alle mailgroepen
- Overzicht verzonden berichten
- POSTVAK IN – van alle ingeschreven mailgroepen
- Overzicht concepten
- Adverteren
- Overige informatie / hulp

Totaal verstuurde mails in mailgroepen: 338.997.427

Je ziet een lijstje van de mailgroepen waarbij je bent ingeschreven, in ons voorbeeld zijn we nog maar ingeschreven op één mailgroep en daarom zien we enkel maar 'Computer-Internet'. Onder 'Computer-Internet' zien we een aantal mogelijkheden.

We gaan nu een bericht versturen naar een mailgroep. Als je in de toekomst ingeschreven bent bij meerdere mailgroepen, moet je erop letten dat je op de link 'Bericht versturen' klikt die staat onder de juiste mailgroep. Omdat we nu nog maar zijn ingeschreven op één mailgroep, kunnen we ons natuurlijk niet vergissen.

Klik dus met je linkermuisknop op de link 'Bericht versturen naar mailgroep Computer-Internet'.

Computer - Internet

- Bericht versturen naar mailgroep "Computer - Internet"
- Postvak IN
- Gebruikers blokkeren
- Gegevens mentor/administrators mailgroep"Computer - Internet"
- Opnieuw uitschrijven uit mailgroep Computer - Internet
- 'Enkel Postvak IN' inschakelen
- Naar website van mailgroep Computer - Internet

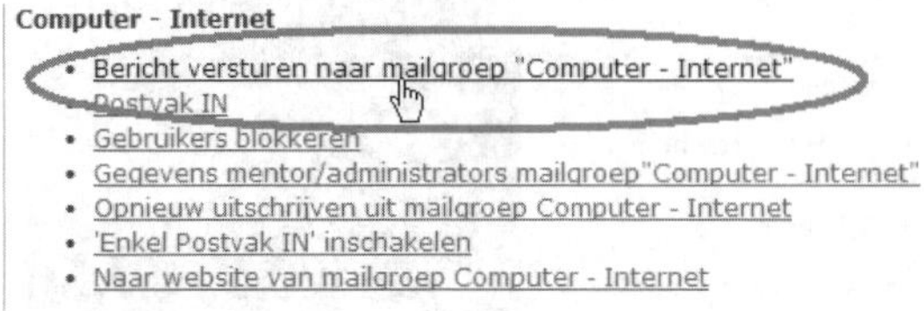

We krijgen nu een pagina te zien met het volgende erop:

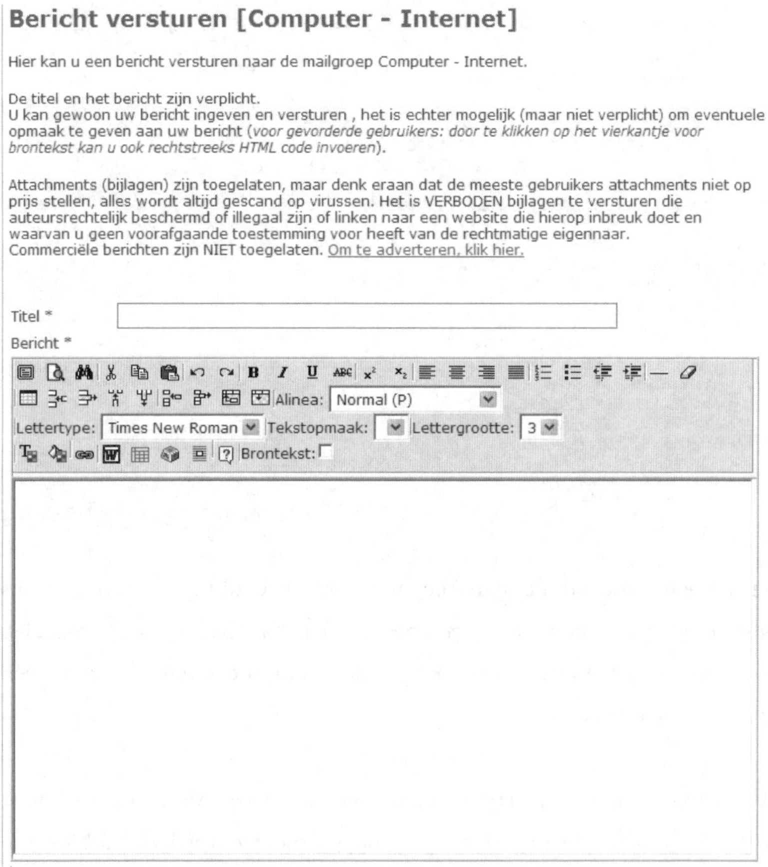

Bericht versturen [Computer - Internet]

Hier kan u een bericht versturen naar de mailgroep Computer - Internet.

De titel en het bericht zijn verplicht.
U kan gewoon uw bericht ingeven en versturen , het is echter mogelijk (maar niet verplicht) om eventuele opmaak te geven aan uw bericht (*voor gevorderde gebruikers: door te klikken op het vierkantje voor brontekst kan u ook rechtstreeks HTML code invoeren*).

Attachments (bijlagen) zijn toegelaten, maar denk eraan dat de meeste gebruikers attachments niet op prijs stellen, alles wordt altijd gescand op virussen. Het is VERBODEN bijlagen te versturen die auteursrechtelijk beschermd of illegaal zijn of linken naar een website die hierop inbreuk doet en waarvan u geen voorafgaande toestemming voor heeft van de rechtmatige eigennaar.
Commerciële berichten zijn NIET toegelaten. Om te adverteren, klik hier.

Titel *

Bericht *

Alinea: Normal (P)

Lettertype: Times New Roman Tekstopmaak: Lettergrootte: 3

Brontekst:

We gaan nu ons bericht opstellen. Als eerste moeten we een titel opgeven. Doe dit net zoals bij een gewone e-mail: een zeer beknopte samenvatting van wat in het bericht zal staan. Ik geef in dit voorbeeld de titel 'Ik ben nieuw' op.

Geef vervolgens in het grote witte tekstvak je bericht in. Dit kan een vraag zijn, een tip, een tekst, een reactie op iemand anders zijn bericht enzovoort. In dit voorbeeld geef ik een kort berichtje in dat ik nieuw ben bij de mailgroep.

Vervolgens zien we onder dat grote witte vlak nog 'Bijlage 1', 'Bijlage 2' enzovoort staan.

Dit is iets dat we aan het bericht kunnen hangen om mee te sturen. Dit kan een foto, een document, een tekst of een ander bestand zijn. Om een bestand toe te voegen, klik je met je linkermuisknop op de toets 'Bladeren' (Browse). Er zal dan een scherm verschijnen waarbij je de bijlage op je harde schijf moet aanduiden. Een bijlage is echter niet verplicht en deze mogelijkheid gebruik je enkel indien nodig. Je kunt dus verschillende bijlagen bij het bericht hangen, tot 5 aan één bericht.

In dit voorbeeld is het niet nuttig een bijlage mee te sturen, dus doen we dit ook niet.

We zijn nu klaar met het berichtje in te geven en gaan het nu verzenden naar de mailgroep!

Je klikt hiervoor met je linkermuisknop op de toets 'Bericht verzenden - 1 keer klikken'.

Zoals de knop het al zegt, moet je er maar één keer op klikken. Vervolgens zal de computer de e-mail versturen naar alle leden van de mailgroep. Dit kan (afhankelijk van het aantal leden) zelfs langer dan een minuut duren.

Titel * Ik ben nieuw

Bericht *

Alinea: Normal (P)

Lettertype: Times New Roman Tekstopmaak: Lettergrootte: 3

Brontekst:

Hallo allemaal,

Ik ben nieuw op deze mailgroep. Ik hoop dat ik veel kan bijleren. Ikzelf weet nog niet zoveel van internet af, maar doe hard mijn best.

Groetjes,
Pascal Vyncke

Automatisch bewaard om: 11:14:55
Laatste versie terugzetten / Vroegere versie terugzetten

Bijlage 1 Bladeren... (maximum 5 MB! | bijlage niet verplicht)
Bijlage 2 Bladeren... (maximum 5 MB! | bijlage niet verplicht)
Bijlage 3 Bladeren... (maximum 5 MB! | bijlage niet verplicht)
Bijlage 4 Bladeren... (maximum 5 MB! | bijlage niet verplicht)
Bijlage 5 Bladeren... (maximum 5 MB! | bijlage niet verplicht)
Bijlage 6 Bladeren... (maximum 5 MB! | bijlage niet verplicht)

Verstuur extra kopie naar mezelf *(dit is voor mensen die onder normale omstandigheden niet automatisch een kopie ontvangen, bv met een @hotmail adres)*

Opnieuw | Bericht verzenden - 1 keer klikken | Concept Opslaan

Als de computer klaar is met alle berichtjes te versturen, dan krijg je een bevestigingspagina te zien. Je berichtje is verstuurd naar iedereen. Het is nu wachten op antwoord. Alle briefwisseling krijg je dus in je e-mailbrievenbus te zien.

Als je iemand wilt antwoorden (persoonlijk), dan kun je op het bericht in je e-mailprogramma gewoon op de knop 'Beantwoorden' klikken.

Indien je een antwoord wilt sturen op een bericht naar de HELE mailgroep, dan kun je dit doen door met je linkermuisknop onderaan in het e-mailbericht op de knop 'Beantwoorden' te klikken.

Je komt dan terug op de website SeniorenNet terecht. Indien nodig moet je dan eerst je gebruikersnaam en wachtwoord opgeven.

Beantwoorden

SeniorenNet Mailgroepen http://www.SeniorenNet.be

Daarna kun je dan het bericht beantwoorden. Je kunt uiteraard ook gewoon dezelfde procedure doen zoals hiervoor: gewoon een blanco bericht sturen dat een antwoord is op een voorgaand bericht (zorg er dan wel voor dat iedereen weet op welk bericht je een antwoord geeft).

Of je een antwoord stuurt naar één persoon of naar iedereen, hangt sterk af van de situatie. Als je denkt dat het nuttig is dat de rest ook het antwoord ziet, dan stuur je het naar heel de groep. Als je denkt dat het enkel nuttig is voor maar één persoon of het is te persoonlijk om het naar iedereen door te sturen, dan stuur je enkel een e-mail naar die ene persoon.

We kunnen nog meer doen. Buiten 'Bericht versturen', zie je ook nog 'Gebruikers blokkeren' staan.

Computer - Internet

- Bericht versturen naar mailgroep "Computer - Internet"
- Postvak IN
- Gebruikers blokkeren
- Gegevens mentor/administrators mailgroep"Computer - Internet"
- Opnieuw uitschrijven uit mailgroep Computer - Internet
- 'Enkel Postvak IN' inschakelen
- Naar website van mailgroep Computer - Internet

Als je hierop klikt, krijg je een lijst van alle ingeschreven mensen van de mailgroep te zien. Alle namen zijn aangeduid met een vinkje. Van iedereen die aangeduid is, wil je berichtjes ontvangen. Je kunt hiervan gebruikmaken indien er iemand erg lastig doet in de mailgroep, bijvoorbeeld wanneer deze reclame verstuurt of altijd alleen maar slechte berichtjes verstuurt. Klik op het vierkantje voor zijn of haar naam en klik dan onderaan met je linkermuisknop op de knop 'Verzenden'. Van alle mensen die je hebt uitgeklikt, zul je geen enkel berichtje meer ontvangen.

We zien nog mogelijkheden. Zo zie je 'Postvak IN' staan (mogelijk ook 'Archief' genoemd). Klik met je linkermuisknop erop om het te openen.

Computer - Internet

- Bericht versturen naar mailgroep "Computer - Internet"
- Postvak IN
- Gebruikers blokkeren
- Gegevens mentor/administrators mailgroep"Computer - Internet"
- Opnieuw uitschrijven uit mailgroep Computer - Internet
- 'Enkel Postvak IN' inschakelen
- Naar website van mailgroep Computer - Internet

Dit is het archief van de mailgroep. Als je hierop klikt, krijg je de berichten te zien die verstuurd werden in deze mailgroep.

Dit is zeker handig als je nieuw bent op de mailgroep om eens te kijken waarover men bezig was. Het kan ook handig zijn voor als je een tijdje op vakantie bent geweest.

Je kunt bovendien ook zoeken in de mailgroep berichten. Zo kun je zoeken op afzender, de titel, of datum van verzending.

Elke mailgroep heeft een of meerdere mentors en administrators. Zij zijn de mensen die de groep wat sturen en die kunnen ingrijpen bij problemen. Wil je deze mensen mailen, dan kun je hun gegevens vinden door te klikken op de link 'Gegevens mentor/administrators mailgroep'.

Computer - Internet

- Bericht versturen naar mailgroep "Computer - Internet"
- Postvak IN
- Gebruikers blokkeren
- Gegevens mentor/administrators mailgroep"Computer - Internet"
- Opnieuw uitschrijven uit mailgroep Computer - Internet
- 'Enkel Postvak IN' inschakelen
- Naar website van mailgroep Computer - Internet

Je ziet ook nog 'Enkel Postvak IN inschakelen' staan. Dit is indien je niet alle berichten van deze mailgroep op je e-mailadres wilt ontvangen, maar dat je ze enkel via de website wilt kunnen lezen, via de 'Postvak IN' zoals hiervoor dus uitgelegd. Dit kan nuttig zijn voor mailgroepen waar voor jou te veel e-mails binnenkomen, maar die je toch wilt blijven volgen.

Computer - Internet

- Bericht versturen naar mailgroep "Computer - Internet"
- Postvak IN
- Gebruikers blokkeren
- Gegevens mentor/administrators mailgroep"Computer - Internet"
- Opnieuw uitschrijven uit mailgroep Computer - Internet
- 'Enkel Postvak IN' inschakelen
- Naar website van mailgroep Computer - Internet

Indien de mailgroep waarop je bent ingeschreven zijn eigen website heeft, dan kun je deze bezoeken via de link 'Naar website van mailgroep...'. Niet elke mailgroep heeft echter zijn eigen website.

Computer - Internet

- Bericht versturen naar mailgroep "Computer - Internet"
- Postvak IN
- Gebruikers blokkeren
- Gegevens mentor/administrators mailgroep"Computer - Internet"
- Opnieuw uitschrijven uit mailgroep Computer - Internet
- 'Enkel Postvak IN' inschakelen
- Naar website van mailgroep Computer - Internet

Een laatste mogelijkheid die je ziet staan, is het opnieuw uitschrijven uit de mailgroep. Gebruik deze link als je je uit wilt schrijven uit de mailgroep en dus niets meer wilt ontvangen van de mailgroep. Je doet dit door er met je linkermuisknop op te klikken en op de pagina die vervolgens verschijnt opnieuw op 'Ja, verwijder mij van...' te klikken. Je zult daarna ook nog een bevestigingse-mail ontvangen van je uitschrijving.

Er is nog een aantal andere mogelijkheden met de mailgroepen. Ga daarvoor terug naar het 'controlepaneel'. Dit doe je door gewoon in te loggen bij de mailgroepen (je gebruikersnaam en wachtwoord ingeven), ofwel (indien je reeds ingelogd bent) terug naar het begin te gaan of op de link 'Terug naar hoofdmenu' te klikken.

Om je in te schrijven op nog andere mailgroepen, kun je klikken op de link 'Inschrijven op (extra) mailgroepen'. Vervolgens krijg je opnieuw het overzicht te zien van alle mailgroepen waar je nog niet voor bent ingeschreven. Je klikt daar op de link met je linkermuisknop 'Aanmelden' bij de gewenste mailgroep. Herhaal dit totdat je ingeschreven bent op alle gewenste mailgroepen.

Wanneer je op vakantie gaat of je om een andere reden tijdelijk alle e-mails van alle mailgroepen wilt stoppen, kun je de vakantiestop aanzetten. Hiervoor klik je met je linkermuisknop bovenaan op de link 'Vakantiestop starten'.

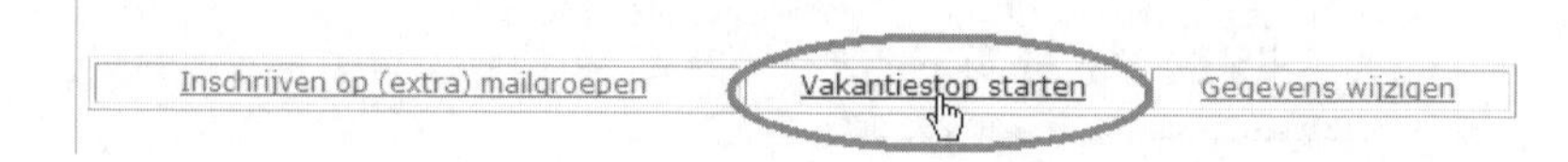

Vervolgens zul je een nieuwe pagina krijgen waar je nog eens moet bevestigen dat je de vakantiestop wilt starten, klik daar dus op 'Ja, start de vakantiestop'. Je ontvangt daarna een bevestigings e-mail dat je vakantiestop gestart is, en je zult vanaf dat moment geen enkele e-mail meer ontvangen.

Als je de vakantiestop weer wilt opheffen (en dus weer mails wilt ontvangen), dan moet je bovenaan met je linkermuisknop op de link 'Vakantiestop opheffen' klikken.

Inschrijven op (extra) mailgroepen | Vakantiestop opheffen | Gegevens wijzigen

Opnieuw krijg je een pagina te zien waarop je moet bevestigen dat je de vakantiestop wilt opheffen en weer alle e-mails wilt ontvangen. Klik op de link 'Ja, hef de vakantiestop op'.

Je ontvangt nu ook nog een bevestigings e-mail dat de vakantiestop weer is uitgeschakeld, je zult vanaf nu weer alle e-mails van de mailgroepen ontvangen.

Als je je eigen gegevens wenst te wijzigen, bijvoorbeeld om je schuilnaam te veranderen, om je e-mailadres te veranderen omdat je een nieuw e-mailadres hebt, of om je wachtwoord te wijzigen, dan klik je op de link 'Gegevens wijzigen'.

Op het scherm dat volgt, kun je de gegevens aanpassen en klik je vervolgens op de knop 'Wijzigen' met je linkermuisknop om de gewijzigde gegevens te bevestigen.

Je kunt hier trouwens ook nog een zogenaamd 'Onderschrift' instellen. Dit is de 'handtekening' die je bij Outlook Express ook kunt instellen.

Dit is een tekst die elke keer als je zelf een bericht schrijft op de mailgroep wordt toegevoegd. Zo hoef je dat niet elke keer opnieuw in te tikken.

Dit kan handig zijn voor je naam en eventueel andere gegevens die je steeds wilt meesturen met een e-mailbericht op de mailgroepen.

Onder 'Overige functies' kun je nog andere mogelijkheden en functies op de website vinden, zoals bijvoorbeeld al je verzonden e-mailberichten of je concepten (onafgewerkte e-mails).

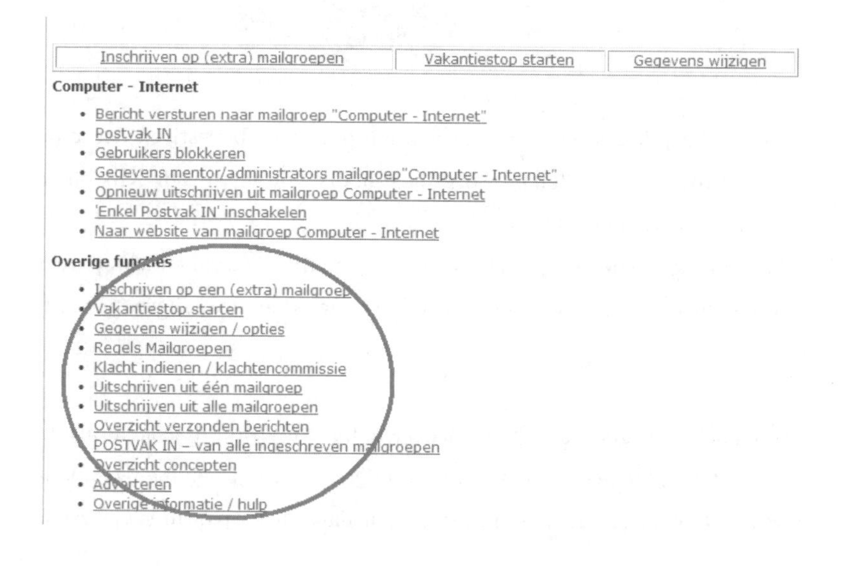

Termen

Inloggen: Inloggen is het op de juiste pagina ingeven van je gebruikersnaam (of schuilnaam) en je wachtwoord. Als je eenmaal binnen bent, ben je dus 'ingelogd', je hebt jezelf geïdentificeerd. Bij de mailgroepen doe je dit door naar de pagina van de mailgroepen te gaan (http://www.seniorennet.be, vervolgens in het menu klikken op 'Mailgroepen') en daar dan je gebruikersnaam en wachtwoord in te geven en op 'Inloggen' te klikken.

Uitloggen: Uitloggen is net het omgekeerde van inloggen. Dit is de gegevens die je hebt ingegeven, weer wissen, zodat je niet meer binnen kunt, maar ook niemand die na jou op de computer komt.

Vakantiestop: Een vakantiestop gebruik je indien je een tijdje geen e-mails meer wilt ontvangen. Dit zal meestal het geval zijn wanneer je op vakantie gaat, maar het kan eventueel ook voor andere omstandigheden worden gebruikt: ziekte, persoonlijke redenen of geen tijd. Als je terug bent en je wilt weer alle berichten ontvangen, hef je de vakantiestop gewoon op.

Zoekertjes

Wat?

Een zoekertje ken je waarschijnlijk van de Koopjeskrant of een andere krant of tijdschrift waar het mogelijk is om een tekstje te plaatsen en zo iets te vragen of aan te bieden aan anderen. Ditzelfde is ook mogelijk op het internet. Je kunt een zoekertje plaatsen omdat je iets zoekt, omdat je iets verzamelt en zo in contact wilt komen met mensen die je kunnen helpen met je verzameling. Maar je kunt ook zelf iets aanbieden: je hebt een auto die je wilt verkopen, of een meubelstuk, een elektronisch toestel enzovoort.

Maar zoekertjes kunnen ook gebruikt worden voor iets helemaal anders: je kunt namelijk ook een zoekertje gebruiken om met andere mensen in contact te komen. Op het internet kun je iemand zoeken waarmee je kunt e-mailen, waarmee je eventueel eens kunt afspreken om samen te gaan wandelen enzovoort.

Zoekertjes kunnen ook gebruikt worden om een job te zoeken: als je werkloos bent of je klust tijdens je vrije tijd graag wat bij, kun je met een zoekertje je diensten aanbieden. Ook het omgekeerde is natuurlijk mogelijk: ben je werkgever of zoek je als gewone mens bijvoorbeeld een tuinier, poetsvrouw of klusjesman? Dan is een zoekertje de perfecte manier om zo iemand te vinden.

Er zijn op het internet vele websites waar je zoekertjes op kunt plaatsen, spijtig genoeg moet je er vaak voor betalen. Maar waarom betalen als het gratis kan? De (te betalen) websites hebben bovendien veel minder bezoekers (juist omdat ze niet gratis zijn en hierdoor minder zoekertjes bevatten) dan de gratis websites. Bovendien heb je op een gratis website hierdoor ook meer kans dat je vindt wat je zoekt.

Een extra voordeel van internet is bovendien dat zoekertjes langer kunnen zijn. In tegenstelling tot zoekertjes in de geschreven pers, waarbij vaak de meest onmogelijke afkortingen worden gebruikt om toch maar te besparen op één lettertje (en dus op geld), is dit op het internet niet zo. De zoekertjes zijn gewone leesbare teksten, die bovendien zelfs een foto kunnen bevatten. Indien je een auto verkoopt, kun je zo snel een extra foto bijvoegen zodat toekomstige kopers de auto al onmiddellijk kunnen zien.

Aan de slag

We gaan een zoekertje plaatsen op een website en wel op de vijftigpluswebsite SeniorenNet. We kiezen deze site omdat die zeer veel bezocht wordt, wat de slaagkansen reëel maakt, maar ook omdat deze site gratis is en heel wat mogelijkheden biedt.

Ga in je browser Internet Explorer naar de website http://www.seniorennet.be (of www.seniorennet.nl).

Klik vervolgens in het menu (links op je scherm) onder de titel 'INTER@CTIEF' op 'Zoekertjes'. Je komt nu terecht op de pagina van de zoekertjes, deze pagina ziet eruit als op onderstaande foto:

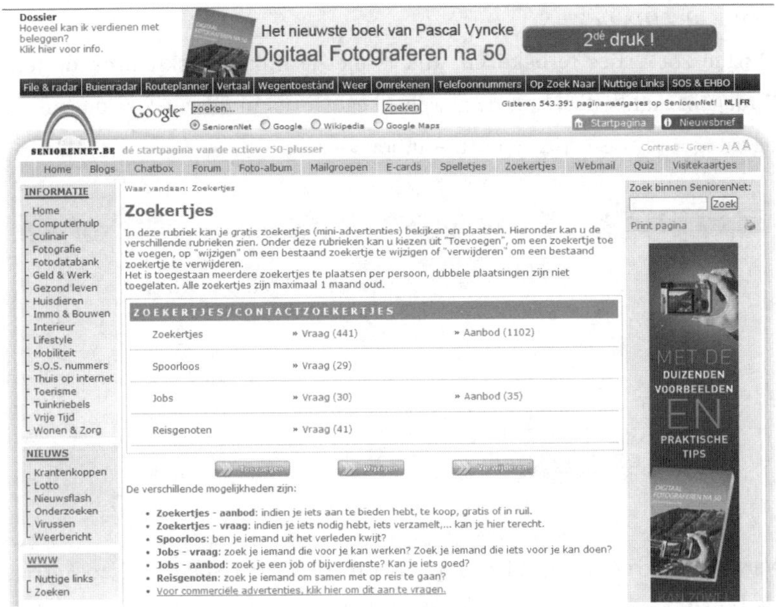

Je ziet een kader met alle mogelijke soorten zoekertjes. Even een korte uitleg bij de verschillende categorieën:

Bij *Zoekertjes* zijn het de echte zoekertjes. In de rubriek Aanbod staan alle zoekertjes waarin iets aangeboden wordt, bij de rubriek Vraag staan alle zoekertjes van mensen die iets zoeken.

Bij *Spoorloos* plaats je een zoekertje als je iemand 'kwijt' bent. Een oude schoolkameraad, iemand van een vorig werk, iemand uit het leger, een vroegere buur enzovoort.

Bij *Jobs* kun je ofwel je diensten aanbieden, ofwel kun je iemand vragen, bijvoorbeeld een klusjesman, elektricien...

Bij *Reisgenoten* kun je een reisgenoot vragen. Indien je van plan bent om op reis te gaan, kun je zo proberen om een reisgenoot te vinden, zodat je niet alleen hoeft te reizen.

◂ *Zoekertjes lezen*

Om de zoekertjes te bekijken, klik je met je linkermuisknop op de link 'Vraag' of 'Aanbod' achter de gewenste categorie. In dit voorbeeld gaan we de categorie 'Zoekertjes' en dan Aanbod kiezen:

ZOEKERTJES/CONTACTZOEKERTJES		
Zoekertjes	» Vraag (441)	» Aanbod (1103)
Spoorloos	» Vraag (30)	
Jobs	» Vraag (30)	» Aanbod (35)
Reisgenoten	» Vraag (41)	

Toevoegen Wijzigen Verwijderen

Vervolgens krijg je een nieuwe pagina te zien. Hier staan alle zoekertjes onder elkaar, met de aanmaakdatum, de titel en of er al dan niet een foto aanwezig is.

Dossier
Biologisch tuinieren: De lekkerste vruchten uit jouw moestuin
Klik hier voor info.

Op Zoek Naar... Restaurants
MENU FOR TODAY

File & radar | Buienradar | Routeplanner | Vertaal | Wegentoestand | Weer | Omrekenen | Telefoonnummers | Op Zoek Naar | Nuttige Links | SOS & EHBO

Google Zoeken... Zoeken
SeniorenNet Google Wikipedia Google Maps
Bezoekers bleven gisteren 76.599 uur op de site! NL | FR
Startpagina Nieuwsbrief

SENIORENNET.BE dé startpagina van de actieve 50-plusser
Contrast - Groen - A A A

Home | Blogs | Chatbox | Forum | Foto-album | Mailgroepen | E-cards | Spelletjes | Zoekertjes | Webmail | Quiz | Visitekaartjes

INFORMATIE
- Home
- Computerhulp
- Culinair
- Fotografie
- Fotodatabank
- Geld & Werk
- Gezond leven
- Huisdieren
- Immo & Bouwen
- Interieur
- Lifestyle
- Mobiliteit
- S.O.S. nummers
- Thuis op internet
- Toerisme
- Tuinkriebels
- Vrije Tijd
- Wonen & Zorg

NIEUWS
- Krantenkoppen
- Lotto
- Nieuwsflash
- Onderzoeken
- Virussen
- Weerbericht

WWW
- Nuttige links
- Zoeken

INTERNETSHOP
- Computeren
- Fotograferen
- Veilig surfen

INTER@ACTIEF
- Anekdotes

Waar vandaan: Zoekertjes > Aanbod (1103)

Aanbod (1103)

- Privé sauna te Lennik - zalig en discreet relaxen- 65 euro (16-03-10)
- Desktop HP Pavilion Computer (16-03-10)
- Frans Bauer boek (16-03-10)
- Grasmaaier flymo (16-03-10)
- Belgische gevangenissen (16-03-10)
- Alles samen voor 45 euro (16-03-10)
- Boek 1812 (16-03-10)
- Wevelgem in oude prentkaarten (16-03-10)
- PENNINGEN (16-03-10)
- Gehandtekende foto's, postkaarten van BV'S (origenele handtekening) (16-03-10)
- 2 tickets Disneyland (16-03-10)
- LEYERS, MICHIELS & SOULSISTER - PROMO! (16-03-10)
- Ice Watch herenuurwerk (15-03-10)
- Album met Pixar kaarten Delhaize (15-03-10)
- 3 GESCHENKDOOSJES VOOR MUNTSTUKKEN (15-03-10)
- EIKEN EETKAMER (15-03-10)
- Fietsenrek voor 2 fietsen op trekhaak (15-03-10)
- Papieren handdoekjes (15-03-10)
- Renaat Grassin--het Ketje / zijn leven zijn poezeekes. (15-03-10)
- HP SCANNER (15-03-10)
- Doos WC-papier (15-03-10)
- 1 laagse geplooide servieten (15-03-10)
- Stripboek Jerom De wageneters (15-03-10)
- Splinternieuwe koffiezet (15-03-10)
- Lederen driezit (15-03-10)
- Electrische wok (15-03-10)
- Film (15-03-10)
- Beauty case (15-03-10)
- Retro kinderstoel (15-03-10)
- Naaimachine 'Bernina' (15-03-10)

Volgende 30 zoekertjes »

Alle zoekertjes zijn maximaal 1 maand oud.

Zoek binnen SeniorenNet: Zoek
Print pagina

MET DE DUIZENDEN VOORBEELDEN EN PRAKTISCHE TIPS
DIGITAAL FOTOGRAFEREN NA 50
KAN ZOWEL JONG ALS OUD ONMIDDELLIJK AAN DE SLAG!

Door op een bepaalde titel te klikken, kun je het zoekertje zelf bekijken.

Je ziet dan opnieuw een kader met de titel en de tekst van het zoekertje. Bovendien kun je dan ook het e-mailadres, telefoonnummer en eventueel het gsm-nummer zien van de aanbieder om contact met hem of haar op te nemen.

Indien er een foto aanwezig is, zul je een zwart fototoestel zien:

Als je erop klikt met je linkermuisknop, dan zal er een scherm opengaan met de foto erin.

Op deze manier kun je alle zoekertjes bekijken van de verschillende categorieën. Je kunt contact opnemen met mensen indien je geïnteresseerd bent of als je hen kunt helpen. Dat kan via e-mail, maar meestal ook per telefoon of gsm.

Een zoekertje ingeven

Om zelf een zoekertje toe te voegen, moet je teruggaan naar de beginpagina van de zoekertjes. Daar klik je vervolgens met je linkermuisknop op de knop 'Toevoegen'.

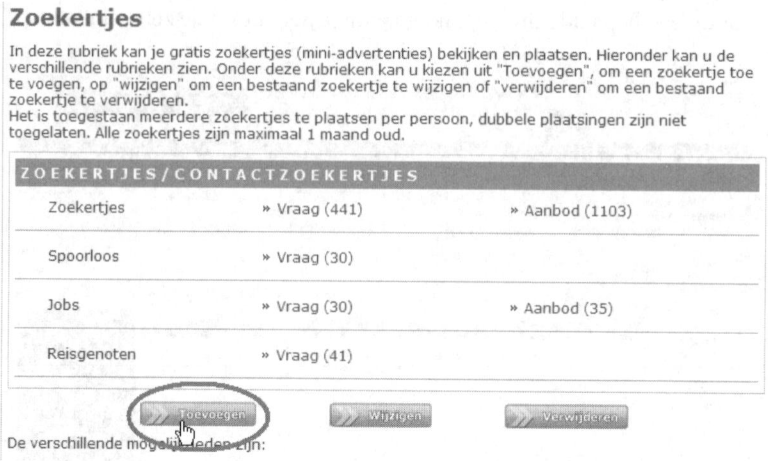

Zoekertjes

In deze rubriek kan je gratis zoekertjes (mini-advertenties) bekijken en plaatsen. Hieronder kan u de verschillende rubrieken zien. Onder deze rubrieken kan u kiezen uit "Toevoegen", om een zoekertje toe te voegen, op "wijzigen" om een bestaand zoekertje te wijzigen of "verwijderen" om een bestaand zoekertje te verwijderen.
Het is toegestaan meerdere zoekertjes te plaatsen per persoon, dubbele plaatsingen zijn niet toegelaten. Alle zoekertjes zijn maximaal 1 maand oud.

ZOEKERTJES/CONTACTZOEKERTJES		
Zoekertjes	» Vraag (441)	» Aanbod (1103)
Spoorloos	» Vraag (30)	
Jobs	» Vraag (30)	» Aanbod (35)
Reisgenoten	» Vraag (41)	

Toevoegen Wijzigen Verwijderen

De verschillende mogelijkheden zijn:

Vervolgens krijg je een nieuwe pagina waar je alle gegevens kunt invullen.

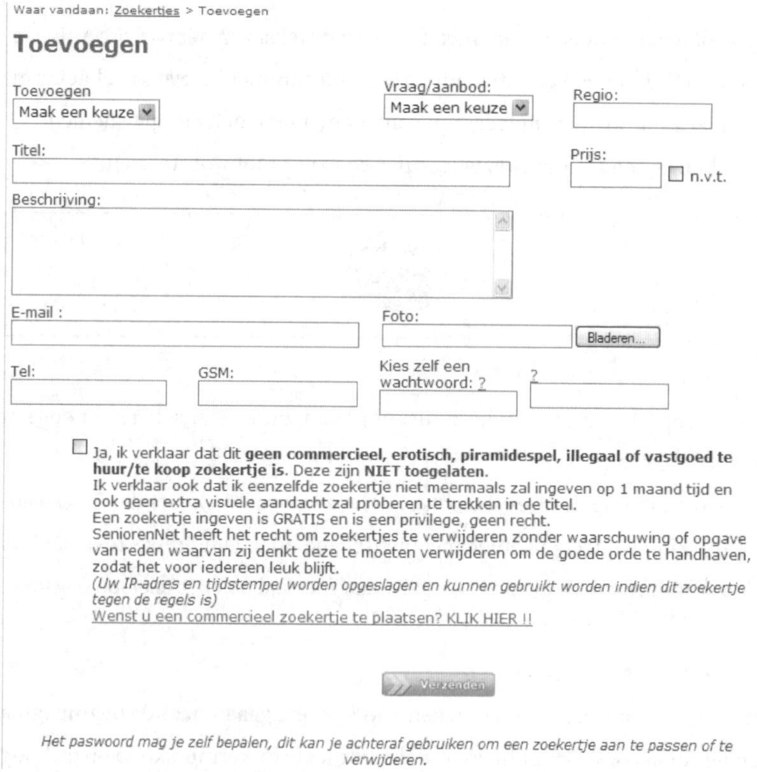

Waar vandaan: Zoekertjes > Toevoegen

Toevoegen

Toevoegen: Maak een keuze
Vraag/aanbod: Maak een keuze
Regio:
Titel:
Prijs: n.v.t.
Beschrijving:
E-mail :
Foto: Bladeren...
Tel:
GSM:
Kies zelf een wachtwoord: ?
?

Ja, ik verklaar dat dit **geen commercieel, erotisch, piramidespel, illegaal of vastgoed te huur/te koop zoekertje is**. Deze zijn **NIET toegelaten**.
Ik verklaar ook dat ik eenzelfde zoekertje niet meermaals zal ingeven op 1 maand tijd en ook geen extra visuele aandacht zal proberen te trekken in de titel.
Een zoekertje ingeven is GRATIS en is een privilege, geen recht.
SeniorenNet heeft het recht om zoekertjes te verwijderen zonder waarschuwing of opgave van reden waarvan zij denkt deze te moeten verwijderen om de goede orde te handhaven, zodat het voor iedereen leuk blijft.
(Uw IP-adres en tijdstempel worden opgeslagen en kunnen gebruikt worden indien dit zoekertje tegen de regels is)
Wenst u een commercieel zoekertje te plaatsen? KLIK HIER !!

Verzenden

Het paswoord mag je zelf bepalen, dit kan je achteraf gebruiken om een zoekertje aan te passen of te verwijderen.

Eerst moet je de categorie aanduiden. Dit doe je door naast 'Maak een keuze' op het pijltje naar beneden te klikken en vervolgens de gewenste rubriek aan te duiden in het submenu dat verschijnt. Daarnaast moet je aanduiden of het gaat over vraag of aanbod. Je selecteert dit op dezelfde manier als de categorie: klikken op het pijltje ernaast en dan aanduiden wat je wenst.

Je kunt een regio selecteren. Dit kan handig zijn voor wie enkel in een bepaalde regio zoekertjes wil zoeken. Het is echter niet verplicht in te geven.

Daaronder moet je de titel ingeven en ernaast de prijs. Indien de prijs niet van toepassing is, omdat je bijvoorbeeld juist iets zoekt, kun je met je linkermuisknop op het vierkantje voor 'n.v.t.' klikken, dat staat voor 'niet van toepassing'.

Vervolgens kun je de beschrijving intikken in het grote witte vak. Je ziet dat er hier geen beperking is van het aantal regels. Je hoeft dus niet te letten op een lettertje meer of minder. Zorg er wel voor dat je zoekertje niet te lang is, want erg lange zoekertjes lezen niet prettig en sommige mensen haken dan af.

Onder de beschrijving geef je je e-mailadres in. Zorg ervoor dat dit zeker juist is, anders kunnen de mensen die geïnteresseerd zijn, je niet bereiken. Naast je e-mailadres kun je eventueel een foto toevoegen. Klik op de knop 'Bladeren' om de foto vanaf je harde schijf te selecteren. Dit is niet verplicht, dus indien dit niet nodig is, voeg je geen foto toe.

Vervolgens kun je ook nog je telefoonnummer en gsm-nummer ingeven, maar deze twee zijn niet verplicht, omdat je toch je e-mailadres moet opgeven en geïnteresseerden je in ieder geval kunnen bereiken.

Ten slotte moet je een wachtwoord ingeven. Een wachtwoord is een geheim woord, een getal of een willekeurige combinatie van cijfers en letters die enkel jij weet. Zorg er ook voor dat niemand anders dit wachtwoord kan raden of te weten komt. Met dit wachtwoord kun je eventueel achteraf het zoekertje aanpassen (omdat er een (tik)fout in staat, om de foto te wijzigen) of het zoekertje verwijderen.

Je moet nu ook nog aangeven dat je zoekertje niet commercieel, niet erotisch en geen piramidespel is. Deze zijn namelijk verboden op SeniorenNet. Dit doe je door met je linkermuisknop op het vierkantje te klikken waarachter staat 'Ja, ik verklaar dat dit geen...'.

Als je klaar bent, klik je met je linkermuisknop op de knop 'Verzenden'.

Toevoegen

Toevoegen: Zoekertjes
Vraag/aanbod: Vraag
Regio:
Titel: Testzoekertje
Prijs: 1 euro ☐ n.v.t.
Beschrijving: Dit is een testzoekertje op www.SeniorenNet.be (of www.SeniorenNet.nl)
E-mail : pascal.vyncke@seniorennet.nl
Foto: Bladeren...
Tel:
GSM:
Kies zelf een wachtwoord: ? •••••• ? ••••••
(Sterkte)

☑ Ja, ik verklaar dat dit **geen commercieel, erotisch, piramidespel, illegaal of vastgoed te huur/te koop zoekertje is**. Deze zijn **NIET toegelaten.**
Ik verklaar ook dat ik eenzelfde zoekertje niet meermaals zal ingeven op 1 maand tijd en ook geen extra visuele aandacht zal proberen te trekken in de titel.
Een zoekertje ingeven is GRATIS en is een privilege, geen recht.
SeniorenNet heeft het recht om zoekertjes te verwijderen zonder waarschuwing of opgave van reden waarvan zij denkt deze te moeten verwijderen om de goede orde te handhaven, zodat het voor iedereen leuk blijft.
(Uw IP-adres en tijdstempel worden opgeslagen en kunnen gebruikt worden indien dit zoekertje tegen de regels is)
Wenst u een commercieel zoekertje te plaatsen? KLIK HIER !!

Verzenden

Je krijgt nu een pagina te zien die meegeeft dat het toevoegen van je zoekertje bijna klaar is.

Bijna, want je moet nog één stap doen. Dat is namelijk de e-mail die SeniorenNet je gestuurd heeft, openen en op de activeringslink klikken. Zo is men zeker dat je e-mailadres klopt, want dat zal voor de meeste bezoekers die je zoekertje zien de manier zijn om je te bereiken (en als je adres niet klopt, kan men je niet bereiken en is het zoekertje nogal nutteloos).

Open dus de e-mail die je hebt gekregen van SeniorenNet.

Hierin zie je dus een link staan waarop gevraagd wordt te klikken. Klik met je linkermuisknop op het internetadres.

Je zult nu een pagina te zien krijgen die bevestigt dat je zoekertje nu op de website staat.

In de e-mail die je hebt gekregen, staan trouwens ook nog enkele gegevens buiten die activeringslink. Je ziet namelijk ook een uniek nummer van je zoekertje staan, en je wachtwoord. Deze heb je nodig om achteraf je zoekertje te kunnen wijzigen of verwijderen indien nodig.

Een zoekertje wijzigen

Indien je het zoekertje wilt wijzigen, dan ga je gewoon naar de zoekertjespagina en je klikt met je linkermuisknop op de knop 'Wijzigen'.

Zoekertjes

In deze rubriek kan je gratis zoekertjes (mini-advertenties) bekijken en plaatsen. Hieronder kan u de verschillende rubrieken zien. Onder deze rubrieken kan u kiezen uit "Toevoegen", om een zoekertje toe te voegen, op "wijzigen" om een bestaand zoekertje te wijzigen of "verwijderen" om een bestaand zoekertje te verwijderen.
Het is toegestaan meerdere zoekertjes te plaatsen per persoon, dubbele plaatsingen zijn niet toegelaten. Alle zoekertjes zijn maximaal 1 maand oud.

ZOEKERTJES/CONTACTZOEKERTJES		
Zoekertjes	» Vraag (442)	» Aanbod (1103)
Spoorloos	» Vraag (30)	
Jobs	» Vraag (30)	» Aanbod (35)
Reisgenoten	» Vraag (41)	

Toevoegen Wijzigen Verwijderen

De verschillende mogelijkheden zijn:

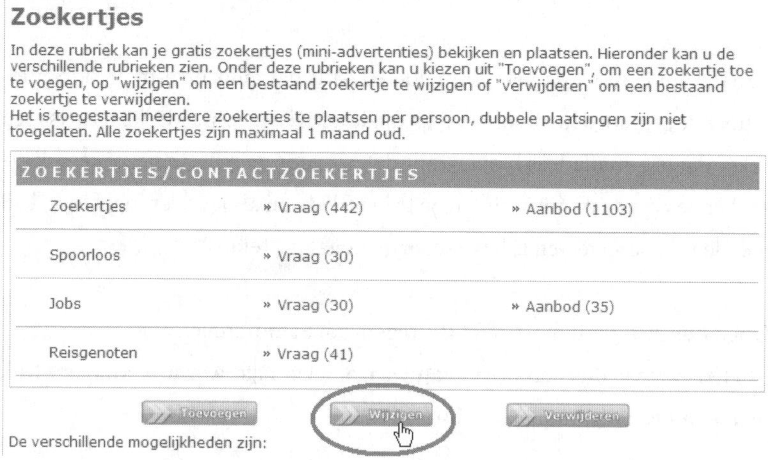

Vervolgens moet je het nummer en het paswoord van je zoekertje opgeven. Het nummer heb je toegestuurd gekregen via e-mail. Dit is een uniek nummer dat jouw zoekertje kenmerkt. Dit maakt het mogelijk dat eenzelfde persoon verschillende zoekertjes ingeeft. Geef dus het nummer in en je wachtwoord. Klik vervolgens met je linkermuisknop op de knop 'Wijzigen'.

Je komt nu op hetzelfde scherm terecht als wanneer je het zoekertje ingaf, met dat verschil dat alles nu al ingevuld is met de huidige gegevens. Wijzig wat je wilt en klik vervolgens met je linkermuisknop onderaan op de knop 'Wijzigen'. De gegevens zullen vervolgens gewijzigd worden en zichtbaar zijn voor alle andere bezoekers van SeniorenNet.

◂◂ *Een zoekertje verwijderen*

Indien je het zoekertje wilt verwijderen (omdat het voorwerp verkocht is, je een reisgenoot of job gevonden hebt...), dan doe je dit als volgt.

Ga gewoon naar de pagina van de zoekertjes en klik met je linkermuisknop op de knop 'Verwijderen'.

Zoekertjes

In deze rubriek kan je gratis zoekertjes (mini-advertenties) bekijken en plaatsen. Hieronder kan u de verschillende rubrieken zien. Onder deze rubrieken kan u kiezen uit "Toevoegen", om een zoekertje toe te voegen, op "wijzigen" om een bestaand zoekertje te wijzigen of "verwijderen" om een bestaand zoekertje te verwijderen.
Het is toegestaan meerdere zoekertjes te plaatsen per persoon, dubbele plaatsingen zijn niet toegelaten. Alle zoekertjes zijn maximaal 1 maand oud.

ZOEKERTJES/CONTACTZOEKERTJES		
Zoekertjes	» Vraag (442)	» Aanbod (1103)
Spoorloos	» Vraag (30)	
Jobs	» Vraag (30)	» Aanbod (35)
Reisgenoten	» Vraag (41)	

Toevoegen Wijzigen Verwijderen

De verschillende mogelijkheden zijn:

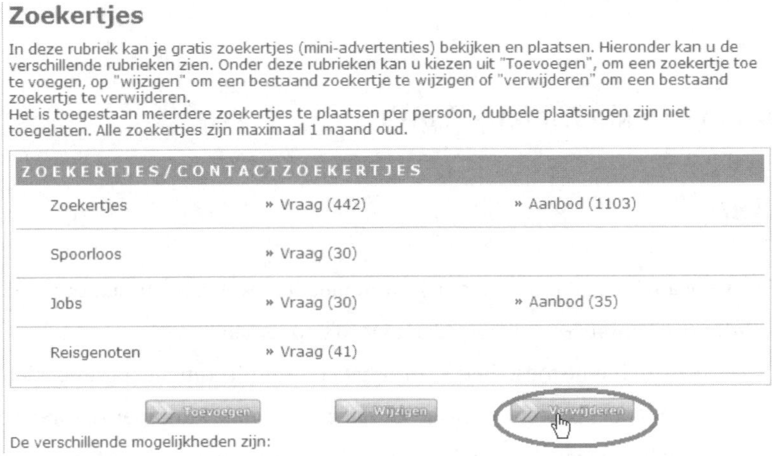

Vervolgens moet je het nummer en het paswoord van je zoekertje opgeven. Het nummer heb je toegestuurd gekregen via e-mail. Dit is een uniek nummer dat jouw zoekertje kenmerkt. Dit maakt het mogelijk dat eenzelfde persoon verschillende zoekertjes ingeeft. Geef dus het nummer in en je wachtwoord. Klik vervolgens met je linkermuisknop op de knop 'Verwijderen'. Vervolgens krijg je een bevestiging te zien dat je zoekertje werd verwijderd van de website van SeniorenNet.

Zoekertjes voor 50-plussers

http://www.seniorennet.be of *http://www.seniorennet.nl* en vervolgens in het menu 'Zoekertjes'.

Andere zoekertjes

http://www.zoekertjes.com/
http://www.koopjeskrant.be/
http://www.speurders.nl
http://www.viavia.nl
http://www.marktplaats.nl

Webcam (beeldtelefoon of VoIP)

Wat?

Een webcam is een kleine camera. Je kunt met deze webcam, die aangesloten wordt op je computer, videobeelden of foto's opnemen.

Dankzij dit kleine toestelletje wordt het communiceren met familieleden of vrienden plots heel echt en lijken ze vlakbij te zijn. Je kunt met ze spreken en ze tegelijk ook zien. Zo kun je met je (klein)kinderen urenlang (en gratis) keuvelen over koetjes en kalfjes en elkaar intussen ook nog zien, ook al zitten ze aan de andere kant van de wereld.

Je kunt met een webcam bovendien ook foto's van jezelf nemen en korte videofragmenten maken die je kunt doorsturen naar je vrienden of familieleden. Je kunt bovendien een webcam gebruiken als beveiligingscamera en zelfs om animatiefilmpjes te maken. En je kunt de webcam gebruiken om regelmatig een foto te (laten) nemen en vervolgens op je persoonlijke website te plaatsen. Zo kan iedereen die je website bezoekt, je aan de pc zien zitten, je tuin zien of het uitzicht dat je vanuit je huis hebt (op een winkelstraat, een kerktoren, een heuvellandschap enzovoort).

Van een webcam moet je niet verwachten dat je echt goede beelden krijgt zoals je met een gewone camcorder kunt verkrijgen of zoals je ziet op tv. Dat is ook niet de bedoeling. De bedoeling is dat je beelden kunt maken waarop de ander je kan zien. Een webcam is dan ook goedkoop, eenvoudig in gebruik (volgens de reclame kan zelfs een kleuter ermee werken), klein en licht en op deze manier betaalbaar voor iedereen.

Aan de slag

Je hebt eerst een webcam nodig. In een computerwinkel, maar ook in de gewone supermarkt vind je meestal verschillende modellen. Kies er eentje uit waarvan je denkt dat deze bij je past. De meeste lijken sterk op elkaar en hebben dezelfde functies. Laat je dus leiden door het merk, prijs of speciale extra's die de winkel je aanbiedt. In laptops zijn webcams meestal ingebouwd. Kijk op je laptop midden bovenaan het scherm; zit daar een kleine camera? Goed! Dan moet je die al niet meer kopen!

Als je de webcam hebt gekocht, moet je deze het eerst installeren. Bij het pakket zal een cd zitten met de nodige software. Zorg dat je computer opgestart is en dat alle andere programma's afgesloten zijn. Steek vervolgens de cd in je computer om de software te installeren. Als de software geïnstalleerd is, kun je de webcam aansluiten op je computer. Zoek daarvoor de juiste plaats om de 'stekker' van je webcam in te steken.

Bij je webcam wordt speciale software meegeleverd om er allerlei zaken mee uit te voeren. Volg de handleiding om hiermee verder te werken. Omdat dit voor elke webcam anders is, is het niet mogelijk hier verder op in te gaan in dit boek.

Als je er toch geen software bij hebt gekregen of je wilt extra dingen uitproberen, kun je software downloaden via volgende sites:

http://www.eyespyfx.com
http://download.com.com/3150-2348-0.html

Er bestaat software om video-opnames te maken, om foto's te maken, om te communiceren via internet en met je persoonlijke website, en voor het maken van een beveiligingscamera.

Als je beelden doorgeeft aan iemand anders (om met die persoon te praten bijvoorbeeld), heb je keuze tussen een aantal opties.

De eerste mogelijkheid is dat er *foto's* worden genomen en worden doorgestuurd zodat de ander die kan zien. Om de zoveel seconden gebeurt dit opnieuw. Je krijgt zo eigenlijk geen echte 'videobeelden', maar een trage opeenvolging van foto's.

De tweede mogelijkheid die je meestal hebt, is die van *'streaming video'*. Hierdoor worden beelden zonder haperingen opgenomen en doorgestuurd. Een bepaald aantal beelden per seconde wordt zo opgenomen (tussen de 5 en de 25 beelden per seconde). Voordat de ander de beelden kan zien, moet hij of zij echter wel eerst een aantal seconden wachten, om te vermijden dat het beeld gaat haperen. De ontvanger krijgt de beelden op deze manier ook steeds met een aantal seconden vertraging.

De laatste mogelijkheid is online *videotelefonie*. Deze optie zul je waarschijnlijk het meeste gebruiken indien je echt met iemand anders wilt telefoneren en die tegelijk wilt zien. De beelden worden met dit systeem in lagere kwaliteit opgenomen en maar enkele per seconde. Het beeld is dan wel minder vloeiend, maar je hoort elkaar goed en je hebt een extra visuele ondersteuning.

Om via de webcam met vrienden of familie te kunnen communiceren, moet zowel jij als de ander online zijn, anders kan dit uiteraard niet.

Een veelgebruikt programma hiervoor is Messenger. Dit programma, gemaakt door Microsoft, wordt op elke computer standaard geïnstalleerd en is gratis. Je kunt hiermee zowel met elkaar praten (via microfoon) als via een webcam elkaar zien.

Voor de installatie en het gebruik van Messenger verwijs ik je door naar het hoofdstuk dat hier specifiek aan is gewijd. Hier wordt alles eenvoudig uitgelegd en kun je er snel mee aan de slag.

Een alternatief is het gebruik van Skype. Met dit programma kun je ook bellen via je webcam over het internet. Het gebruik wordt hierna uitgelegd.

Telefoneren via internet

Wat?

Met een bepaald programma op je computer kun je aanzienlijk goedkoper of zelfs gratis telefoneren via het internet (soms ook voicechat genoemd).

Het telefoneren hoeft, in tegenstelling tot wat we gewend zijn, dus niet altijd per telefoon te gaan. Telefoneren kan ook via de computer en internet verlopen. Het leuke is dat, indien de persoon die je wilt opbellen ook datzelfde programma op de computer heeft staan, je helemaal gratis kunt telefoneren. Wanneer je toch naar een vaste telefoonlijn of een gsm-nummer wilt bellen, dan moet je er wel voor betalen, maar dit bedrag ligt lager dan wanneer je het gewoon via de telefoon zou doen.

Het telefoneren via internet heeft buiten de prijs nog een aantal voordelen. De kwaliteit is namelijk beter dan via de gewone lijn.

Wat heb je nodig?

Je hebt een aantal zaken nodig. Uiteraard een computer met internetaansluiting. Maar buiten deze zaken heb je in je computer ook een geluidskaart nodig. In vrijwel alle nieuwe computers zit zo'n geluidskaart er standaard in. Indien je een oudere computer hebt waar dit nog niet in zou zitten, kun je voor een relatief lage prijs al een geluidskaart kopen.

Het tweede belangrijke dat je nodig hebt is een koptelefoon. Die zorgt ervoor dat je aangenaam kunt bellen zonder dat je iets moet vasthouden en je geen last hebt van luistervinken. Je kunt ook werken met luidsprekers en een aparte microfoon, maar dit is minder handig en de kwaliteit is lager (vooral echo en een hoge fluittoon kunnen problemen geven).

Als laatste heb je de software nodig om te kunnen bellen. Hiervoor heb je keuze uit verschillende programma's. Het ene programma heeft meer mogelijkheden dan het andere, het ene programma is gratis, voor het andere moet je betalen.

Het is aangeraden voor het gebruik van deze dienst om een ADSL of kabelverbinding te gebruiken. Het werken met een gewone modem is traag, van mindere kwaliteit en bovendien duur (je moet extra telefoonkosten betalen), waardoor het grote voordeel van deze dienst wegvalt.

Aan de slag

Het populairste, gratis en Nederlandstalige programma is Skype. Met Skype kun je uitsluitend bellen naar iemand anders die ook op het internet aangesloten is, je kunt er dus geen gebruik van maken om te bellen naar een vaste lijn of gsm-nummer.

Skype is veruit het meest gebruikte en bekendste programma, waardoor je de meeste kans hebt dat de ander dit ook heeft geïnstalleerd. Wereldwijd zijn er talloze miljoenen mensen die het gebruiken.

Het programma Skype kun je downloaden door te surfen naar de website http://www.skype.nl en vervolgens te klikken op 'Nu downloaden'. Op de pagina die vervolgens verschijnt, moet je opnieuw met je linkermuisknop op 'Download Skype' klikken. Vervolgens moet je waarschijnlijk nog een keer met je linkermuisknop op 'Nu downloaden' klikken. Klik vervolgens op 'Openen' of 'Uitvoeren' in het scherm van je browser. Het programma wordt intussen gedownload.

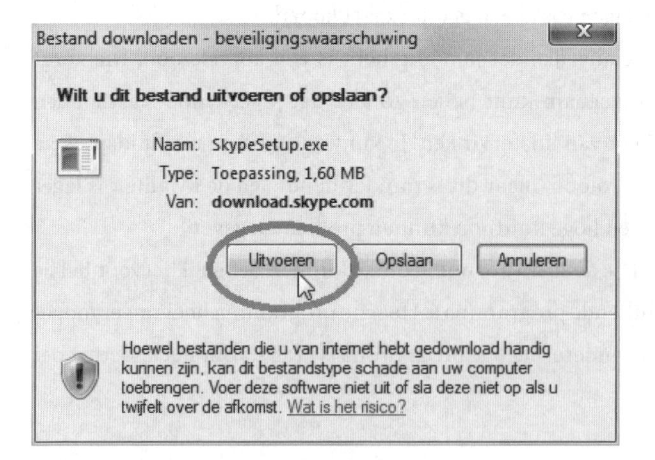

Wanneer het programma is gedownload, krijg je van de computer wellicht de vraag of je het echt wenst op te starten, klik op 'Ja'. Vervolgens krijg je een scherm waarbij de taal gevraagd wordt. Standaard zal er 'Nederlands' staan, wat uiteraard juist is. Klik op 'Akkoord - installeren'.

Het programma Skype wordt nu geïnstalleerd op je computer. Als de computer klaar is, klik je rechts onderaan op 'Voltooien'.

Het programma Skype wordt nu opgestart. De computer vraagt nu om je gegevens in te vullen. Waarschijnlijk heb je nog nooit met Skype gewerkt, dus dan klik je met je linkermuisknop op het rondje voor 'Ik wil een Skype account maken'. Klik vervolgens rechts onderaan op 'Volgende'.

Kies een gebruikersnaam (deze moet uniek zijn) en een wachtwoord (herhaal het ernaast ook nog even om zeker te zijn dat je geen tikfout hebt gemaakt). Klik ook op het vierkantje voor 'Ja, ik heb het volgende gelezen en begrepen'. Klik vervolgens op 'Einde'.

De computer gaat nu de gebruikersnaam aanmaken. Als alles goed verloopt, zal hij nu een aantal persoonlijke gegevens vragen. Je mag deze invullen, ze zijn echter niet verplicht. Als je klaar bent, klik je rechts onderaan op 'Opslaan'.

Nu ben je klaar met het registreren bij Skype. Vanaf nu kun je beginnen te bellen met eender wie ter wereld die ook Skype heeft geïnstalleerd op zijn of haar computer.

Om te kunnen bellen, moet je eerst 'vrienden' hebben. Je moet deze aangeven, door met je linkermuisknop te klikken op 'Vrienden' en vervolgens op 'zoek een vriend'.

Nu kun je de naam of gebruikersnaam ingeven met wie je wilt bellen. Druk op de Entertoets om te zoeken. In het lijstje eronder krijg je dan alle gevonden gebruikers die op dat ogenblik online zijn en dus gebeld kunnen worden.

Klik met je rechtermuisknop op de gewenste vriend en in het menu dat daarna verschijnt op 'Voeg Toe aan Vrienden'.

Om iemand te bellen, selecteer je de naam bij 'Vrienden' en klik je vervolgens onderaan op de groene hoorn, ofwel klik je bij het zoeken naar vrienden in het menu dat verschijnt op 'Bel gebruiker'.

Als iemand je opbelt, maakt de computer het geluid van een telefoon die overgaat. Dit betekent dus dat je zelfs op dat ogenblik niet aan je computer aanwezig hoeft te zijn; als je luidsprekers aanstaan, kun je zo toch horen dat iemand je wilt bellen en dan kun je naar je computer gaan om op te nemen. Je kunt altijd het gesprek beëindigen door op de rode hoorn te klikken.

Andere programma's

Er is ook nog een aantal andere programma's die je kunt gebruiken om gratis of goedkoop te bellen. Sommige ondersteunen ook het gebruik van een webcam. Ik zet de belangrijkste op een rijtje:

◂◂ *MSN Messenger*

Messenger is gratis geïnstalleerd op alle computers. Je kunt hiermee enkel telefoneren naar andere gebruikers die dit programma ook hebben, via internet. Het bellen is volledig gratis en onbeperkt. Er is een speciaal hoofdstuk gewijd aan Messenger in dit boek, kijk in dit hoofdstuk voor de instellingen en de mogelijkheden.

◂◂ *HotTelephone*

Dit is al een 'gevestigde' waarde die vroeger gratis was, maar waar je nu voor moet betalen. Het is mogelijk om te bellen naar een vast nummer of gsm-nummer.

http://www.hottelephone.com

◂◂ *iConnectHere*

Met deze software heb je beide mogelijkheden. Van pc naar pc is gratis. Van pc naar een vaste lijn is relatief goedkoop, zeker en vast naar het buitenland.

http://www.iconnecthere.com

◂◂ *BestNetCall*

Dit is een vreemde dienst. Je hebt er geen hoofdtelefoon, geluidskaart of speciale software voor nodig. Je geeft je eigen telefoonnummer in en het nummer waar je naar wilt bellen. Je krijgt zelf telefoon, neemt de telefoon op en er wordt ook gebeld naar het andere nummer. Het is dus eigenlijk niet telefoneren via het internet, maar een alternatieve (en goedkope) telefoonoperator. Ook hier geldt het weer dat bellen naar het buitenland meer de moeite is dan bellen binnen België.

http://www.bestnetcall.com

◂◂ *Optibel*

Met deze Nederlandse dienst kun je via internet voor een vast bedrag per maand onbeperkt bellen naar vaste nummers in Nederland. Optibel is veelal goedkoper dan bestaande telefoondiensten.

http://www.optibel.nl/

◂◂ *PicoPhone*

Dit is een eenvoudig, minder bekend, Engels alternatief voor Skype en heeft ongeveer dezelfde mogelijkheden.

http://www.vitez.it/picophone/

◂◂ *Verder is er nog een aantal andere diensten:*

http://www.net2phone.com

http://www.callserve.com

http://www.nikotel.com

Ontspanning en spelletjes

Wat?

De boog hoeft niet altijd gespannen te staan. Af en toe wat ontspanning is een goede zaak om je batterijen weer op te laden en om eens rustig te genieten van je vrije tijd. Spelletjes zijn hierbij een heel leuke bezigheid.

Spelletjes spelen kun je eenvoudig via de computer en via internet doen. Er zijn tientallen verschillende spelletjes die je kunt spelen, gaande van heel eenvoudige tot erg ingewikkelde spelletjes.

Buiten spelletjes zijn er nog ontspanningsmogelijkheden op het internet. De tweede meest gebruikte ontspanning is chatten. Rustig keuvelen met anderen over koetjes en kalfjes. Meer informatie over chatten vind je in het hoofdstuk Chatten in dit boek.

Aan de slag

We gaan een spelletje zoeken op het internet en het spelen. Op de website SeniorenNet zijn er tientallen spelletjes voor jou samengebracht, samen met een duidelijke, Nederlandstalige uitleg hoe je ze moet spelen. Want spijtig genoeg zijn bijna alle spelletjes op het internet Engelstalig.

Surf in je browser Internet Explorer naar het adres http://www.seniorennet.be (of www.seniorennet.nl).

Klik vervolgens midden bovenaan op de pagina in het grijze menu op 'Spelletjes', ofwel in het menu dat zich links op je scherm bevindt op 'Spelletjes' (onder de titel 'INTER@CTIEF'). Je komt nu op de spelletjespagina terecht.

Je ziet een onderverdeling van de spelletjes per categorie: actie, behendigheid, kaarten, bekende gezelschapsspelen, hersenbrekers, woorden en letters en overige spelletjes.

Klik met je linkermuisknop op een van de categorieën waarvan je een spelletje wilt spelen.

Vervolgens krijg je een overzicht van de verschillende spelletjes. Een foto van het spelletje, de naam (die onderstreept is) en een korte beschrijving. Klik met je linkermuisknop op de naam van het spelletje dat je interesseert.

Nu kom je op de pagina van het spelletje. Je ziet de titel, het vak waar het spelletje in staat en daaronder een uitleg. Lees eerst de uitleg die onder het spelletje staat. Deze uitleg legt het doel uit, hoe je het spel moet starten en hoe je het moet spelen.

Als je weet hoe je moet starten en spelen, kun je beginnen. Indien je een ander spelletje wilt spelen, klik je op de knop 'Vorige' linksboven in je browser en kies je een ander spelletje.

De spelletjes zijn goed voor tientallen uren speelplezier en zijn bovendien gratis.

De bekende 'computerspelletjes', meestal 'games' genoemd, zijn spelletjes die je moet kopen in de winkel en dus geld kosten. Bovendien moet je deze zelf installeren en is er vaak een slechte of zelfs geen handleiding bij. Overigens zijn het meestal zeer gewelddadige, bloederige en wrede spelletjes (al zijn er uitzonderingen).

Nuttige links

http://www.seniorennet.be/spelletjes
http://www.seniorennet.nl/spelletjes
http://www.puzzelland.com/
http://www.spelletjes.nl/
http://spelletjes.lapoo.nl/
http://www.spelletjes.cc/
http://www.leukespelletjes.nl/
http://www.cartoonnetwork.com/games/
http://www.denksport.nl
http://www.funnygames.nl
http://www.spele.nl

Genealogie of stamboomonderzoek

Wat?

Wanneer je bezig bent met stamboomonderzoek (met een moeilijk woord genealogie) is internet zeer handig om aan meer informatie te raken. Doordat internet door een enorme hoeveelheid mensen wordt gebruikt, kun je veel mensen bereiken en zo aan nieuwe elementen komen om je stamboom verder uit te breiden.

Op de website SeniorenNet is er een eenvoudige mogelijkheid waar je kunt nagaan of iemand anders bezig is met dezelfde familienaam en bijgevolg mogelijk met dezelfde stamboom. In plaats van allebei hetzelfde werk te doen, kun je zo de handen in elkaar slaan en bovendien iemand met dezelfde interesse én stamboom leren kennen!

Aan de slag

Surf in je browser Internet Explorer naar de website http://www.seniorennet.be (of www.seniorennet.nl).

Klik vervolgens in het menu dat zich links op het scherm bevindt op 'Stamboom', dat onder 'INTER@CTIEF' staat.

Je krijgt nu de pagina te zien voor Stamboom(onderzoek).

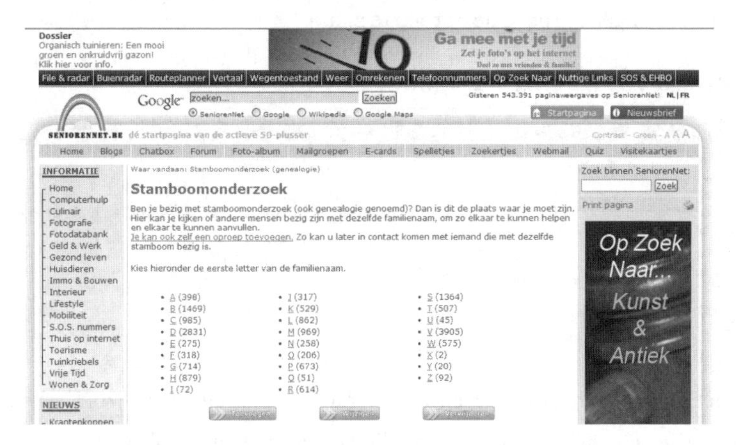

De oproepen bekijken

Je ziet alle letters van het alfabet staan, met erachter een cijfer. Alle oproepen van de andere bezoekers zijn alfabetisch gesorteerd en verdeeld volgens de eerste letter van de naam. Als we de letter 'V' zien, dan zie je tussen haakjes daarachter het aantal oproepen dat geplaatst is. Klik met je linkermuisknop op de gewenste letter van de familienaam waarmee je bezig bent.

Een nieuw scherm verschijnt, met alle oproepen onder elkaar van deze ene letter, alfabetisch gesorteerd.

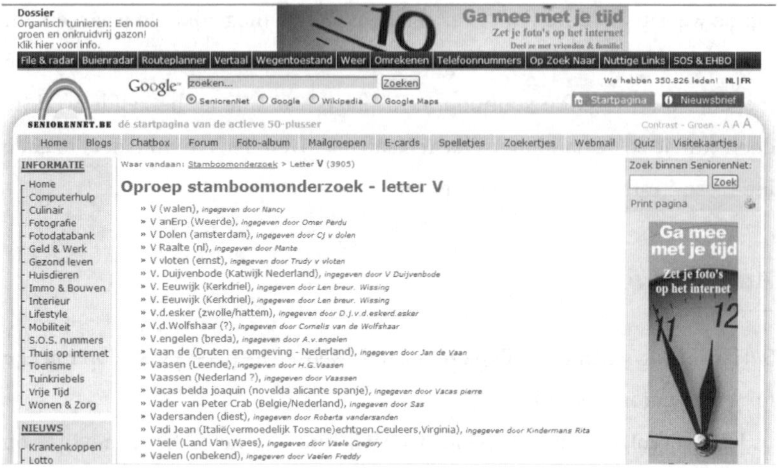
Dossier
Organisch tuinieren: Een mooi groen en onkruidvrij gazon! Klik hier voor info.
Ga mee met je tijd
Zet je foto's op het internet
File & radar | Buienradar | Routeplanner | Vertaal | Wegentoestand | Weer | Omrekenen | Telefoonnummers | Op Zoek Naar | Nuttige Links | SOS & EHBO
Google zoeken... Zoeken
SeniorenNet Google Wikipedia Google Maps
We hebben 350.826 leden! NL | FR
Startpagina
Nieuwsbrief
SENIORENNET.BE dé startpagina van de actieve 50-plusser
Home | Blogs | Chatbox | Forum | Foto-album | Mailgroepen | E-cards | Spelletjes | Zoekertjes | Webmail | Quiz | Visitekaartjes
INFORMATIE
Home
Computerhulp
Culinair
Fotografie
Fotodatabank
Geld & Werk
Gezond leven
Huisdieren
Immo & Bouwen
Interieur
Lifestyle
Mobiliteit
S.O.S. nummers
Thuis op internet
Toerisme
Tuinkriebels
Vrije Tijd
Wonen & Zorg
NIEUWS
Krantenkoppen
Lotto
Waar vandaan: Stamboomonderzoek > Letter V (3905)
Oproep stamboomonderzoek - letter V
» V (walen), ingegeven door Nancy
» V anErp (Weerde), ingegeven door Omer Perdu
» V Dolen (amsterdam), ingegeven door CJ v dolen
» V Raalte (nl), ingegeven door Mante
» V vloten (ernst), ingegeven door Trudy v vloten
» V. Duijvenbode (Katwijk Nederland), ingegeven door V Duijvenbode
» V. Eeuwijk (Kerkdriel), ingegeven door Len breur. Wissing
» V. Eeuwijk (Kerkdriel), ingegeven door Len breur. Wissing
» V.d.esker (zwolle/hattem), ingegeven door D.J.v.d.eskerd.esker
» V.d.Wolfshaar (?), ingegeven door Cornelis van de Wolfshaar
» V.engelen (breda), ingegeven door A.v.engelen
» Vaan de (Druten en omgeving - Nederland), ingegeven door Jan de Vaan
» Vaasen (Leende), ingegeven door H.G.Vaasen
» Vaassen (Nederland ?), ingegeven door Vaassen
» Vacas belda joaquin (novelda alicante spanje), ingegeven door Vacas pierre
» Vader van Peter Crab (Belgie/Nederland), ingegeven door Sas
» Vadersanden (diest), ingegeven door Roberta vandersanden
» Vadi Jean (Italië(vermoedelijk Toscane)echtgen.Ceuleers,Virginia), ingegeven door Kindermans Rita
» Vaele (Land Van Waes), ingegeven door Vaele Gregory
» Vaelen (onbekend), ingegeven door Vaelen Freddy
Zoek binnen SeniorenNet:
Zoek
Print pagina
Ga mee met je tijd
Zet je foto's op het internet

Zoek de naam waarin je geïnteresseerd bent en klik erop met je linkermuisknop. Vervolgens krijg je de oproep te zien.

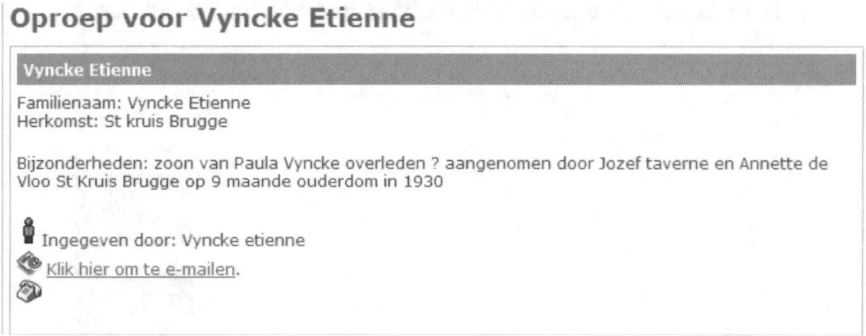
Oproep voor Vyncke Etienne
Vyncke Etienne
Familienaam: Vyncke Etienne
Herkomst: St kruis Brugge
Bijzonderheden: zoon van Paula Vyncke overleden ? aangenomen door Jozef taverne en Annette de Vloo St Kruis Brugge op 9 maande ouderdom in 1930
Ingegeven door: Vyncke etienne
Klik hier om te e-mailen.

Je ziet de familienaam, de eventuele herkomst en mogelijke bijzonderheden die ingegeven zijn door de persoon die de oproep heeft geplaatst.

Verder kun je de naam zien, het telefoonnummer en het e-mailadres om deze persoon te bereiken indien je hem/haar kunt helpen of ermee in contact wilt komen.

◂◂ *Zelf een oproep toevoegen*

Je kunt zelf een oproep toevoegen door terug naar de beginpagina te gaan van Stamboomonderzoek (links van het scherm klikken op 'Stamboom', dat onder 'INTER@CTIEF' staat. Ofwel in je browser een aantal keren op 'Vorige' klikken).

Klik vervolgens linksonder op de knop 'Toevoegen'.

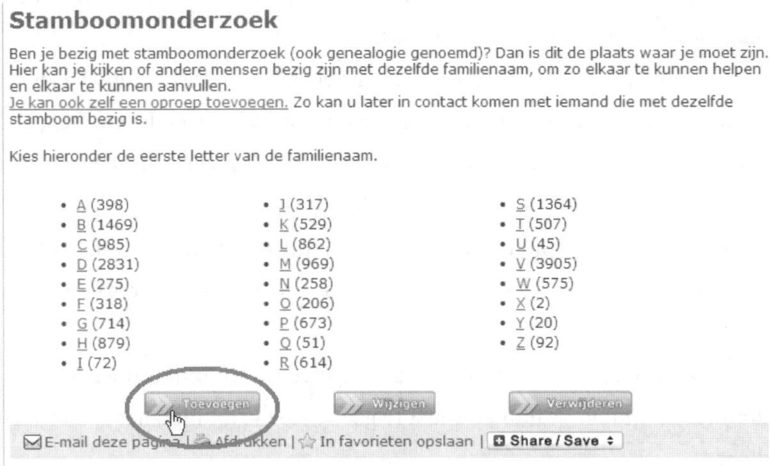

Stamboomonderzoek

Ben je bezig met stamboomonderzoek (ook genealogie genoemd)? Dan is dit de plaats waar je moet zijn. Hier kan je kijken of andere mensen bezig zijn met dezelfde familienaam, om zo elkaar te kunnen helpen en elkaar te kunnen aanvullen.
Je kan ook zelf een oproep toevoegen. Zo kan u later in contact komen met iemand die met dezelfde stamboom bezig is.

Kies hieronder de eerste letter van de familienaam.

- A (398)
- B (1469)
- C (985)
- D (2831)
- E (275)
- F (318)
- G (714)
- H (879)
- I (72)
- J (317)
- K (529)
- L (862)
- M (969)
- N (258)
- O (206)
- P (673)
- Q (51)
- R (614)
- S (1364)
- T (507)
- U (45)
- V (3905)
- W (575)
- X (2)
- Y (20)
- Z (92)

Toevoegen Wijzigen Verwijderen

E-mail deze pagina | Afdrukken | In favorieten opslaan | Share / Save

We krijgen nu een nieuw scherm te zien waar we onze gegevens moeten invullen.

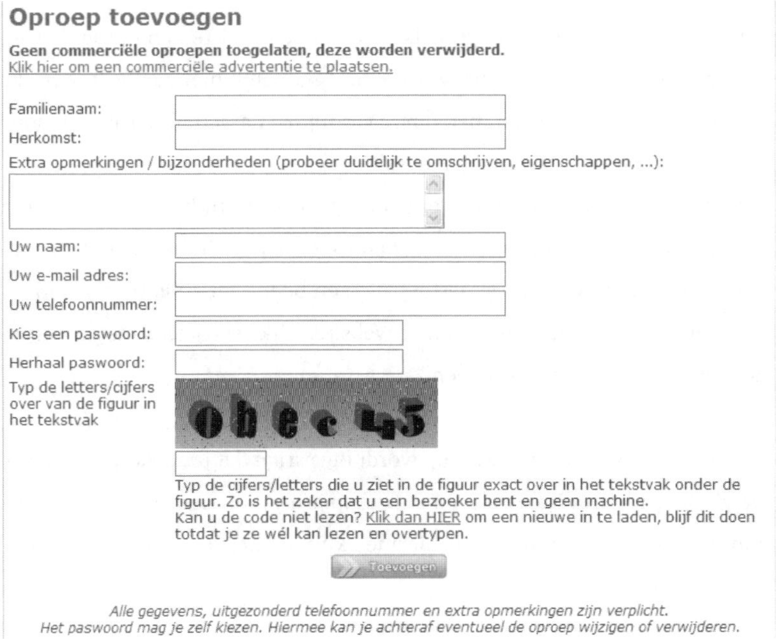

Oproep toevoegen

Geen commerciële oproepen toegelaten, deze worden verwijderd.
Klik hier om een commerciële advertentie te plaatsen.

Familienaam:
Herkomst:
Extra opmerkingen / bijzonderheden (probeer duidelijk te omschrijven, eigenschappen, ...):
Uw naam:
Uw e-mail adres:
Uw telefoonnummer:
Kies een paswoord:
Herhaal paswoord:
Typ de letters/cijfers over van de figuur in het tekstvak

Obec 45

Typ de cijfers/letters die u ziet in de figuur exact over in het tekstvak onder de figuur. Zo is het zeker dat u een bezoeker bent en geen machine.
Kan u de code niet lezen? Klik dan HIER om een nieuwe in te laden, blijf dit doen totdat je ze wél kan lezen en overtypen.

Toevoegen

Alle gegevens, uitgezonderd telefoonnummer en extra opmerkingen zijn verplicht.
Het paswoord mag je zelf kiezen. Hiermee kan je achteraf eventueel de oproep wijzigen of verwijderen.

Achter 'Familienaam' tik je de familienaam waarmee je bezig bent om de stamboom op te stellen. Achter 'Herkomst' tik je de herkomst van de naam indien je dit weet, anders tik je 'onbekend'.

In het grote witte tekstvak tik je eventuele bijzonderheden die je van de naam weet. Dit kan handig zijn indien er vele mensen dezelfde familienaam hebben, maar toch met een andere stamboom bezig zijn dan die van jou; probeer je stamboom dus zo goed mogelijk te beschrijven.

Geef vervolgens achter 'uw naam' je naam in. Achter 'uw e-mailadres' geef je je e-mailadres in. Zorg ervoor dat dit zeker juist is, anders kan niemand je mailen.

Achter 'uw telefoonnummer' geef je je eigen telefoonnummer of gsm-nummer in. Indien je dit niet wenst te geven, doe je dit niet, het is niet verplicht.

Kies zelf een paswoord dat je kunt onthouden, maar dat niemand anders kan raden. Met dit paswoord kun je je oproep achteraf eventueel wijzigen of verwijderen.

Herhaal het paswoord nogmaals, om er zeker van te zijn dat je de eerste keer geen tikfout hebt gemaakt (je kunt namelijk niet zien wat je intikt omdat er sterretjes * verschijnen om te vermijden dat iemand over je schouder meekijkt en je paswoord kan lezen).

Vervolgens vraagt de computer je om iets over te tikken. Lees de cijfers en letters in het gekleurde tekstvakje en tik deze over in het witte tekstvak er juist onder. Deze cijfers en letters zijn een beetje moeilijk te lezen, maar dit zorgt voor extra veiligheid van de website. Klik vervolgens met je linkermuisknop op de toets 'Toevoegen'.

Je krijgt een pagina te zien waarop wordt bevestigd dat je zoekertje is toegevoegd. Bovendien krijg je ook een e-mail op je e-mailadres met de gegevens. Hou deze e-mail goed bij, want hiermee kun je later je oproep wijzigen of verwijderen.

Om je eigen oproep te kunnen bekijken, ga je naar de beginpagina van Stamboomonderzoek (links van het scherm klikken op 'Stamboom', dat onder 'INTER@CTIEF' staat, ofwel in je browser een aantal keren op 'Vorige' klikken) en doe je alsof je een oproep gewoon gaat bekijken (zoals hiervoor uitgelegd). Dus: de juiste letter kiezen, vervolgens de naam aanklikken in het lijstje en dan zie je de oproep.

Een oproep wijzigen

Indien je de oproep wilt wijzigen, dan ga je gewoon naar de Stamboomonderzoekpagina en klik je met je linkermuisknop op de knop 'Wijzigen'.

Stamboomonderzoek

Ben je bezig met stamboomonderzoek (ook genealogie genoemd)? Dan is dit de plaats waar je moet zijn. Hier kan je kijken of andere mensen bezig zijn met dezelfde familienaam, om zo elkaar te kunnen helpen en elkaar te kunnen aanvullen.
Je kan ook zelf een oproep toevoegen. Zo kan u later in contact komen met iemand die met dezelfde stamboom bezig is.

Kies hieronder de eerste letter van de familienaam.

- A (398)
- B (1469)
- C (985)
- D (2831)
- E (275)
- F (318)
- G (714)
- H (879)
- I (72)
- J (317)
- K (529)
- L (862)
- M (969)
- N (258)
- O (206)
- P (673)
- Q (51)
- R (614)
- S (1364)
- T (507)
- U (45)
- V (3905)
- W (575)
- X (2)
- Y (20)
- Z (92)

Toevoegen Wijzigen Verwijderen

E-mail deze pagina | Afdrukken | In favorieten opslaan | Share / Save

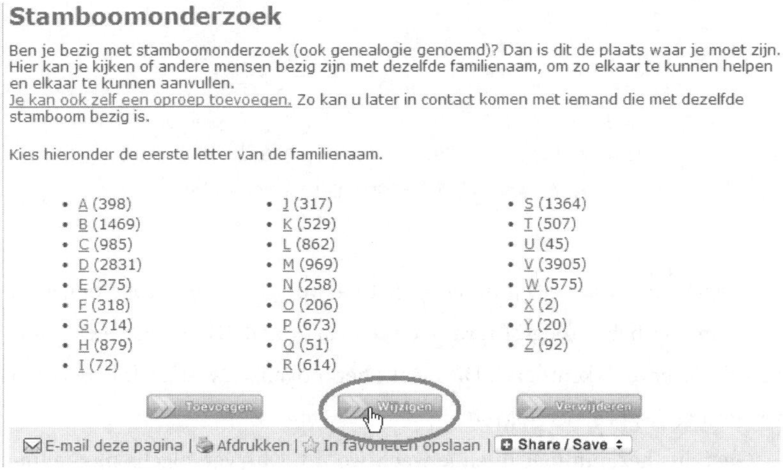

Vervolgens moet je het nummer en het paswoord van je oproep opgeven. Het nummer heb je toegestuurd gekregen via e-mail. Dit is een uniek nummer dat je oproep kenmerkt. Dit maakt het mogelijk dat eenzelfde persoon verschillende oproepen ingeeft. Geef dus het nummer in en je wachtwoord. Klik vervolgens met je linkermuisknop op de knop 'Wijzigen'.

Je komt nu op hetzelfde scherm terecht als wanneer je de oproep ingaf, met dat verschil dat alles nu ingevuld is met de huidige gegevens. Wijzig wat je wilt en klik vervolgens met je linkermuisknop onderaan op de knop 'Wijzigen'. De gegevens zullen vervolgens gewijzigd worden en zichtbaar zijn voor alle andere bezoekers van SeniorenNet.

◂◂ *Een oproep verwijderen*

Indien je de oproep wilt verwijderen, dan ga je als volgt te werk.

Ga naar de Stamboomonderzoekpagina en klik met je linkermuisknop op de knop 'Verwijderen'.

Stamboomonderzoek

Ben je bezig met stamboomonderzoek (ook genealogie genoemd)? Dan is dit de plaats waar je moet zijn. Hier kan je kijken of andere mensen bezig zijn met dezelfde familienaam, om zo elkaar te kunnen helpen en elkaar te kunnen aanvullen.
Je kan ook zelf een oproep toevoegen. Zo kan u later in contact komen met iemand die met dezelfde stamboom bezig is.

Kies hieronder de eerste letter van de familienaam.

- A (398)
- B (1469)
- C (985)
- D (2831)
- E (275)
- F (318)
- G (714)
- H (879)
- I (72)
- J (317)
- K (529)
- L (862)
- M (969)
- N (258)
- O (206)
- P (673)
- Q (51)
- R (614)
- S (1364)
- T (507)
- U (45)
- V (3905)
- W (575)
- X (2)
- Y (20)
- Z (92)

Toevoegen Wijzigen Verwijderen

E-mail deze pagina | Afdrukken | In favorieten opslaan | Share / Save

Vervolgens moet je het nummer en het paswoord van je oproep opgeven. Het nummer heb je toegestuurd gekregen via e-mail. Dit is een uniek nummer dat je oproep kenmerkt. Dit maakt het mogelijk dat eenzelfde persoon verschillende oproepen ingeeft.

Geef dus het nummer in en je wachtwoord. Klik vervolgens met je linkermuisknop op de knop 'Verwijderen'. Vervolgens krijg je de bevestiging te zien dat je oproep werd verwijderd van de SeniorenNetwebsite.

Nuttige links

http://www.seniorennet.be en vervolgens in het menu 'Stamboom'

http://www.seniorennet.nl

http://www.arch.be/

http://www.cbg.nl/

http://genealogie.pagina.nl/

http://www.nostalgie.tk/

http://surf.to/BEL-archives
http://www.a-z.be/genealogie.html
http://www.familienaam.be/
http://www.geneanet.org/
http://www.ngv.nl
http://www.geneaknowhow.net/

Live Messenger (MSN Messenger)

Wat?

Dit is een programma dat (gratis) op elke computer staat die je koopt (soms nog met de oude naam: MSN Messenger). Het is een programma waarmee je met anderen kunt communiceren. Niet in een chatruimte, maar privé met elkaar.

Je kunt chatten, met elkaar praten en elkaar zelfs zien. Familie en vrienden die op dat ogenblik aan de computer zitten, zijn nu opeens heel dichtbij.

Als je dus graag wilt telefoneren via het internet of met elkaar wilt praten en elkaar tegelijk wilt zien (met een webcam), kun je dit gratis programma gebruiken.

> Heb je toch geen Live Messenger op je computer?
>
> Surf dan naar de website http://download.live.com/ en klik op 'Downloaden' om het programma gratis te downloaden.

Instellen

De eerste en vooral moeilijkste stap is om dit programma in gang te krijgen. Je moet eerst het programma starten. Dit kan op verschillende manieren.

De eerste manier is met je linkermuisknop rechts onderaan (naast de klok) te dubbelklikken op een groen mannetje en een rood kruis.

De tweede manier die zeker lukt (het mannetje is niet altijd zichtbaar), is door met je linkermuisknop te klikken op 'Start' links onderaan op je scherm. Vervolgens klik je op 'Alle programma's' en dan klik je met je linkermuisknop op 'Windows Live Messenger' (op de nieuwste computers moet je eerst op het mapje 'Windows Live' klikken).

Het programma start nu op. Klik met je linkermuisknop op 'Klik hier om je aan te melden'. Een nieuw scherm verschijnt. Klik hier met je linkermuisknop op 'Volgende'.

Vervolgens vraagt de computer je of je een e-mailadres hebt. Klik gewoon op 'Volgende'.

Nu vraagt de computer of je al bent geregistreerd, dit is waarschijnlijk niet zo (tenzij je e-mailadres eindigt met @hotmail.com). Klik met je linkermuisknop op het rondje voor 'Neen, ik wil mijn e-mailadres nu registreren bij Passport'. Klik vervolgens op de knop 'Volgende'. Klik daarna opnieuw op 'Volgende'.

Nu wordt het scherm van je browser geopend. Er wordt je een aantal zaken gevraagd.

Vul je e-mailadres in dat je van je provider hebt gekregen. Kies daaronder een wachtwoord. Zorg ervoor dat niemand anders je wachtwoord kan raden, maar dat je wel zelf je wachtwoord kunt onthouden. Vul daaronder nogmaals je wachtwoord in, om er zeker van te zijn dat je de eerste keer geen tikfout hebt gemaakt.

Vervolgens moet je een geheime vraag selecteren. Je kunt eventueel een andere vraag selecteren door ernaast op het pijltje naar beneden te klikken en vervolgens in het lijstje op de gewenst vraag te klikken. Vul in het tekstvak eronder het antwoord in. Dankzij deze vraag en het antwoord kun je – indien je ooit je wachtwoord vergeten bent – toch je wachtwoord terugkrijgen.

Daaronder staat het land, dit is waarschijnlijk juist. Indien niet, klik dan met je linkermuisknop op het pijltje naar beneden en selecteer het juiste land. Vervolgens wordt er naar je provincie gevraagd. Kies een provincie door naast '[Kies een optie]' op het pijltje naar beneden te klikken en vervolgens in het lijstje dat verschijnt, de juiste provincie te selecteren.

Vervolgens moet je een reeks cijfers en letters intikken. Je ziet boven het tekstvak een figuur met vreemd gevormde letters en cijfers. Dit is officieel gedaan om misbruik te voorkomen, maar maakt het allemaal wel wat onhandig. Probeer de juiste letters en cijfers te ontcijferen en tik ze in. Je hoeft geen verschil te maken tussen hoofdletters en kleine letters.

Klik vervolgens onderaan op de knop 'Ik ga akkoord' indien je akkoord gaat met de voorwaarden die gesteld worden.

Klik op het scherm dat vervolgens verschijnt op 'Doorgaan'. De browser wordt gesloten en we komen terug op het vorige scherm.

Klik op 'Volgende' en dan op 'Voltooien'.

De computer zal je nu aanmelden.

MSN gelooft je echter niet meteen en je moet bewijzen dat het e-mailadres dat je hebt opgegeven, inderdaad van jou is. Dit doe je door in het schermpje dat vraagt 'klik hier om je e-mailadres te bevestigen' te klikken ofwel door naar het menu 'Bestand' te gaan door er met je linkermuisknop (linksboven van het scherm) op te klikken en vervolgens 'Mijn e-mailadres controleren...' aan te klikken.

Wat je nu moet doen, is naar je e-mail kijken. Er zal een e-mail in je mailbox zitten met de titel 'Controleer je e-mailadres'. Je ziet in de e-mail bovenaan een lang en ingewikkeld internetadres staan, waar je op moet klikken. Er verschijnt nu een browserscherm met de vraag om op 'Doorgaan' te klikken. Doe dit dan ook.

Vervolgens wordt je nogmaals gevraagd om in te loggen. Vul je e-mailadres in en je wachtwoord en klik op 'Aanmelden'.

Sluit het browservenster en klik in Messenger op 'Ik heb de bovenstaande stappen voltooid'. De computer zal je afmelden. Klik vervolgens op 'Klik hier om je aan te melden', de computer zal je dan weer aanmelden. Als alles in orde is, zal er nu geen melding meer verschijnen dat je je e-mailadres moet controleren... eindelijk geloven ze dat jij het bent!

Contactpersonen toevoegen

Als je geen enkele contactpersoon hebt, dan kun je niets doen. Je moet daarom contactpersonen toevoegen. Dit doe je door rechtsboven op de knop te klikken om contactpersonen toe te voegen. Kijk hiervoor op de foto. Je klikt op het figuurtje met de + op, en dan in het menu dat verschijnt op 'Een contactpersoon toevoegen...'.

Tik het e-mailadres in van de persoon die je wenst toe te voegen. Als je dit niet kent en je wilt iemand zoeken, dan moet je in het vorige menu op 'Personen zoeken...' klikken in plaats van op 'Een contactpersoon toevoegen'. Klik daarna met je linkermuisknop onderaan op 'Volgende'.

Je kunt nu een bericht ingeven voor de ontvanger, zodat hij/zij je toevoegt. Dit is echter niet verplicht. Klik daarna rechtsonder op 'Uitnodiging verzenden'. Wanneer deze persoon online is, zal deze onder 'Online' gezet worden, en anders onder 'Niet online'. Je kunt enkel communiceren met mensen die online zijn.

Iemand anders die jou als contactpersoon toevoegt

Iedereen die Messenger heeft en je e-mailadres kent, kan jou toevoegen. Je kunt natuurlijk gewoon doen alsof je nooit online bent, waardoor je niet benaderd kunt worden door ongewenste individuen.

Als iemand anders jou toevoegt bij zijn of haar contactpersonen, dan krijg jij daar melding van. Je krijgt de keuze tussen twee mogelijkheden: dat de ander kan zien wanneer je online bent, of dat de ander dit juist niet kan zien.

Standaard kies je er waarschijnlijk voor om wel gezien te worden en klik je gewoon op 'OK'; indien je door die persoon toch niet gevolgd wilt worden, klik je met je linkermuisknop het tweede rondje aan en bevestig je dit door op 'OK' te klikken.

De computer geeft dan nog eens weer dat alles klaar is en je klikt opnieuw op 'OK'.

Met iemand chatten

Om met een contactpersoon te chatten (dus communiceren via tekst), dubbelklik je op de naam die in het lijstje staat onder 'Online'. Vervolgens verschijnt er een groot nieuw en blanco scherm waarmee je kunt chatten. Onderaan kun je je tekst tikken. Druk op de Entertoets of klik met je linkermuisknop rechts op 'Verzend...' om de tekst te verzenden.

Je kunt ook zogenaamde 'emoticons' gebruiken. Voeg er eentje toe aan je tekst door met je linkermuisknop op het gele gezichtje te klikken en vervolgens op het gewenste figuurtje. Het zal dan verschijnen in het venster waar de tekst staat die je wilt versturen.

Het gesprek kun je bovenaan in het grote tekstveld volgen.

Als je wilt stoppen met chatten, klik je rechtsboven op het kruisje.

Een chatgesprek beantwoorden

Als iemand anders contact met je wil opnemen om te chatten, dan zal deze eerst iets versturen. Dit zal rechts onderaan op je scherm zichtbaar worden. Door in je taakbalk (onderaan, die blauwe balk) de persoon aan te klikken (meestal een e-mailadres), krijg je het chatvenster te zien en kun je vervolgens met de contactpersoon chatten.

Bellen via internet

Om met een contactpersoon te bellen, met andere woorden om een mondeling gesprek te voeren via je pc, doe je het volgende. Zorg ervoor dat je microfoon aangesloten is op je computer.

Klik met je linkermuisknop bovenaan op de meest rechtse knop (zie foto), vervolgens ga je staan op 'Acties', daarna op 'Gesprek' en op 'Van pc naar pc bellen...'.

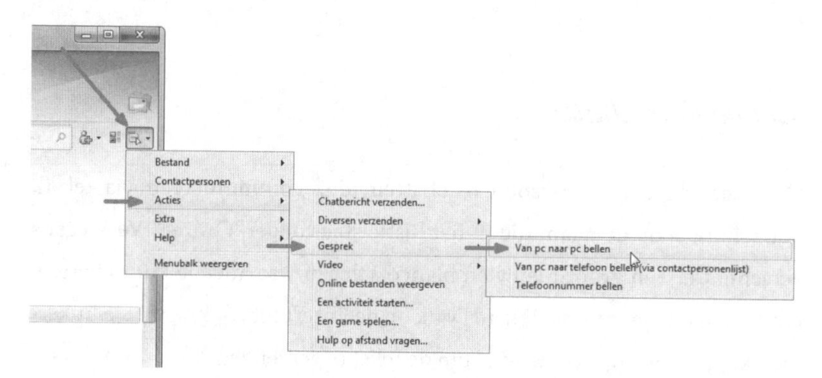

Vervolgens verschijnt er een scherm met alle contactpersonen die online zijn. Klik op de naam van de persoon waarmee je wilt bellen, en klik op 'OK'.

Je zult de eerste keer de 'Wizard Beeld en geluid afstemmen' zien verschijnen. Indien je deze niet ziet, is je microfoon al ingesteld en kun je onmiddellijk beginnen met spreken.

Klik op 'Volgende'. Lees de instructies en volg deze. Klik daarna opnieuw op 'Volgende'. Als je een hoofdtelefoon gebruikt, klik met je linkermuisknop op het vierkantje voor 'Ik gebruik een hoofdtelefoon'. Klik daarna opnieuw op 'Volgende'.

Nu moet je de luidsprekers testen. Klik op de knop 'Luidsprekers testen'; er zal vervolgens geluid worden afgespeeld. Je moet dit geluid kunnen horen. Indien je het volume wilt verhogen of verlagen, kun je dit doen door met je linkermuisknop op het verticale balkje te klikken, de knop ingedrukt houden en vervolgens naar links (zachter) of naar rechts (harder) slepen en dan de knop loslaten.

Als het in orde is, klik je met je linkermuisknop op 'Volgende'.

Nu moet je in de microfoon de tekst voorlezen die op het scherm staat. De computer zal automatisch het volume aanpassen. Klik vervolgens op 'Volgende' en dan op 'Voltooien'.

Het gesprek kan nu beginnen. Als de andere persoon je uitnodiging positief beantwoordt, dan kun je met elkaar rustig praten via het internet. Het is ook nog mogelijk iets in te tikken zoals bij het chatten. Indien de ander niet antwoordt, is deze waarschijnlijk even niet aan de computer.

Rechtsboven kun je indien gewenst het volume van de luidsprekers of van de microfoon toch nog wijzigen, door de verticale balk met je linkermuisknop aan te klikken, de knop ingedrukt te houden, en vervolgens naar links (zachter) of naar rechts (harder) slepen en bij het gewenste volume de knop weer los te laten.

Om het gesprek te beëindigen, klik je rechtsboven op het rode kruisje.

Een gesprek aanvaarden

Als iemand anders met jou een mondeling gesprek wil voeren, dan moet jij dit aanvaarden. Rechts onderaan zal er verschijnen wie jou uitnodigt tot een gesprek; klik daarop om te antwoorden of klik in de taakbalk (de blauwe balk helemaal onderaan op je scherm) op het e-mailadres van de aanvrager.

Vervolgens moet je klikken met je linkermuisknop op het blauw onderstreepte 'accepteren' ofwel de sneltoets Alt + T indrukken.

Dit aanvaarden is nodig omdat iemand anders zonder dat je het weet, je zou kunnen afluisteren. Die zou dan kunnen horen wat er allemaal gebeurt in de ruimte waar je computer staat en zelf niets zeggen.

Indien je niet met die persoon wilt spreken of gewoon geen zin hebt in een gesprek, kun je op 'weigeren' klikken, ofwel de sneltoets Alt + D gebruiken.

Je kunt echter wel gewoon chatten. Je kunt bijvoorbeeld zeggen waarom je het gesprek weigert: omdat je microfoon stuk is, omdat je direct weg moet...

Werken met een webcam

Als je met een van je contactpersonen wilt spreken en de ander tegelijkertijd ook wilt zien met behulp van een webcam, dan kun je dit met Messenger eenvoudig doen. Het enige waar je voor moet zorgen is dat je microfoon en je webcam goed werken. Voor de rest zorgt het programma.

Klik met je linkermuisknop bovenaan op 'Acties' en dan op 'Een videogesprek beginnen...'.

Vervolgens verschijnt er een scherm met alle contactpersonen die online zijn. Klik op de naam van degene met wie je een videogesprek wilt houden, en klik op 'OK'.

Als dit de eerste keer is en je hebt ook nog nooit gewoon gebeld via het internet, zal de wizard 'Wizard Beeld en geluid afstemmen' op je scherm verschijnen.

Klik hier op 'Volgende'. Lees de instructies en volg deze. Klik daarna opnieuw op 'Volgende'. Indien je een hoofdtelefoon gebruikt, klik met je linkermuisknop op het vierkantje voor 'Ik gebruik een hoofdtelefoon' en daarna opnieuw op 'Volgende'.

Nu moet je de luidsprekers testen. Klik op de knop 'Luidsprekers testen'; er zal vervolgens geluid worden afgespeeld. Je moet dit geluid kunnen horen. Indien je het volume wilt verhogen of verlagen, moet je met je linkermuisknop op het verticale balkje klikken, de knop ingedrukt houden en vervolgens naar links (zachter) of naar rechts (harder) slepen en bij het gewenste volume de knop weer loslaten.

Als het in orde is, klik je met je linkermuisknop op 'Volgende'.

Nu moet je in de microfoon de tekst voorlezen die op het scherm staat. De computer zal automatisch het volume aanpassen. Klik vervolgens op 'Volgende' en dan op 'Voltooien'.

Als je webcam goed is geïnstalleerd, kun je nu het gesprek beginnen, tenminste, als de persoon aan de andere kant heeft toegezegd voor het videogesprek. Indien deze niet reageert, is het mogelijk dat de computer wel aanstaat, maar dat de persoon even niet aanwezig is.

Indien beide partijen aanwezig zijn, kan nu het videogesprek beginnen. Rechtsboven kun je de videobeelden zien. Daaronder kun je indien gewenst het volume van de luidsprekers of van de microfoon toch nog wijzigen, door de verticale balk met je linkermuisknop aan te klikken, de knop ingedrukt te houden, en vervolgens naar links (zachter) of naar rechts (harder) te slepen en de knop bij het gewenste volume weer los te laten.

Het is ook nog mogelijk ondertussen iets in te tikken zoals bij het chatten.

Om het gesprek te beëindigen, klik je rechtsboven op het rode kruisje.

Een videogesprek aanvaarden

Als iemand anders met jou een videogesprek wil voeren, dan moet jij dit aanvaarden. Rechts onderaan op je scherm zal er verschijnen wie je uitnodigt tot een gesprek. Klik daarop om te antwoorden of klik in de taakbalk (de blauwe balk helemaal onderaan op je scherm) op het e-mailadres van de aanvrager. Vervolgens moet je met je linkermuisknop klikken op het blauw onderstreepte 'accepteren' ofwel de sneltoets Alt + T indrukken.

Dit aanvaarden is nodig omdat iemand anders zonder dat je het weet, je zou kunnen afluisteren en bespioneren. Hij of zij zou dan kunnen horen wat er allemaal gebeurt in de ruimte waar je computer staat en ook alles zien wat de webcam filmt.

Indien je met die persoon niet wilt spreken of je gewoon geen zin hebt in een gesprek, kun je op 'weigeren' klikken, ofwel de sneltoets Alt + D gebruiken.

Je kunt echter wel gewoon chatten. Je kunt bijvoorbeeld zeggen waarom je weigert: omdat je microfoon of webcam stuk is, omdat je direct weg moet of liever nu niet wordt gezien...

Een foto of een ander bestand versturen

Via Messenger is het net als met e-mail mogelijk om foto's en andere bestanden zoals documenten, geluid, muziek enzovoort te versturen.

Dat gaat als volgt.

Klik met je linkermuisknop bovenaan op 'Acties' en vervolgens op 'Een bestand of foto verzenden...'. Er verschijnt een scherm met alle contactpersonen die online zijn. Klik op de naam van de persoon waarmee je een videogesprek wilt houden en klik op 'OK'.

Nu verschijnt er een scherm waarop je het te versturen bestand moet selecteren. Ga dus op je harde schijf op zoek naar het bestand. Als je het bestand hebt gevonden, dubbelklik je erop.

Nu wordt er gewacht totdat de ander het bestand aanvaardt. Zodra deze het bestand aanvaard heeft, wordt het doorgestuurd.

Het is vervolgens ook mogelijk om iets in te tikken, zoals bij het chatten.

Een bestand aanvaarden

Als iemand anders jou een bestand wil doorsturen, dan moet jij dit aanvaarden.

Rechts onderaan op je scherm zal de mededeling verschijnen dat er iemand een bepaald bestand naar je wil sturen. Klik daarop om dit te beantwoorden of klik in de taakbalk (de blauwe balk helemaal onderaan op je scherm) op het e-mailadres van de aanvrager.

Je ziet vervolgens in het scherm dat die persoon je een bepaald bestand wil doorsturen. Er wordt ook bij vermeld hoe groot dit bestand is.

Indien je het bestand wilt aanvaarden, klik je op het blauw onderstreepte 'accepteren' ofwel druk je de sneltoets Alt + T in. Wil je het bestand niet binnenhalen, dan kun je op 'weigeren' klikken, ofwel de sneltoets Alt + D gebruiken.

Als je het bestand aanvaardt, dan zal er een waarschuwing worden getoond. Klik op de knop 'OK'. De computer waarschuwt je dat het bestand een virus kan zijn.

Vervolgens zal het bestand worden doorgestuurd; afhankelijk van de grootte van het bestand duurt het enkele seconden tot enkele uren. Je krijgt in het chatvenster te zien waar het bestand is opgeslagen op je computer.

Je kunt intussen ook gewoon chatten. Je kunt de persoon dus vragen wat voor een bestand het is, waarom je dat zou aanvaarden, je kunt hem of haar bedanken enzovoort.

Om de bestanden te bekijken die je hebt ontvangen, doe je het volgende in Messenger.

Klik met je linkermuisknop op 'Bestand', dat linksboven staat. Klik vervolgens in het submenu op 'Ontvangen bestanden openen'. De map met alle bestanden verschijnt nu, zodat je de bestanden kunt openen of verwijderen.

ICQ

Een programma dat de voorloper was van Messenger, is ICQ. Dit programma bestaat al zeer lang, maar loopt tegenwoordig achter op Messenger. Het wordt niet standaard geïnstalleerd op elke computer; het is wel gratis en ook in een Nederlandstalige versie verkrijgbaar, maar het heeft minder mogelijkheden dan Messenger.

Wil je dit programma gratis downloaden? Surf dan naar http://www.icq.com/download/ en klik vervolgens op 'Nederlands'. Je komt nu op een nieuwe website terecht, waar je op 'Download Now' moet klikken. Vervolgens moet je het programma zelf downloaden en installeren.

Downloaden

Wat?

Downloaden is het binnenhalen van informatie van een andere computer (meestal een website) naar jouw computer thuis. Downloaden doe je eigenlijk constant. Als je een webpagina bezoekt, dan download je eigenlijk al die informatie.

De tekst, de opmaak en de figuren worden binnengehaald. Maar dit gebeurt automatisch.

Wanneer we spreken over downloaden, bedoelen we meestal iets anders, namelijk dat je een programma wilt binnenhalen op je computer.

Het downloaden van een programma / bestand

Je zult het geregeld op het internet tegenkomen: je kunt dit programma downloaden door op... te klikken. Goed, maar wat dan? Als je het al eens hebt geprobeerd, weet je dat er opeens een schermpje tevoorschijn komt, en wat nu? Is het dan al gedownload? Neen.

We beginnen stap voor stap. Eerst moeten we een site vinden waar we iets kunnen downloaden. Op SeniorenNet (www.seniorennet.be of www.seniorennet.nl) staat er een pagina waar je handige en gratis programma's kunt downloaden. Deze programma's maken het leven eenvoudiger.

De pagina is te vinden in de rubriek 'Thuis op Internet' en vervolgens 'Handige (en gratis) software'. De pagina ziet er als volgt uit:

Nu kunnen we een programma uitkiezen. We nemen als voorbeeld het programma 'WinZip'. Het is een zeer populair programma om bestanden te kunnen verkleinen. Om het programma te kunnen downloaden, klik je op de titel 'WinZip'.

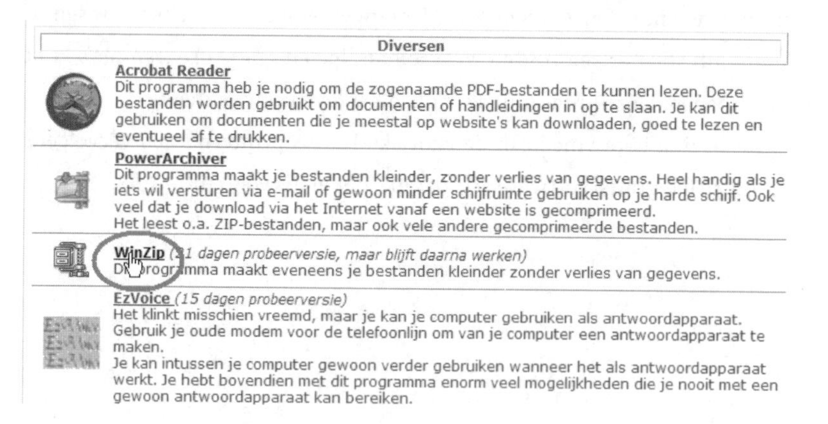

Er komt een scherm tevoorschijn.

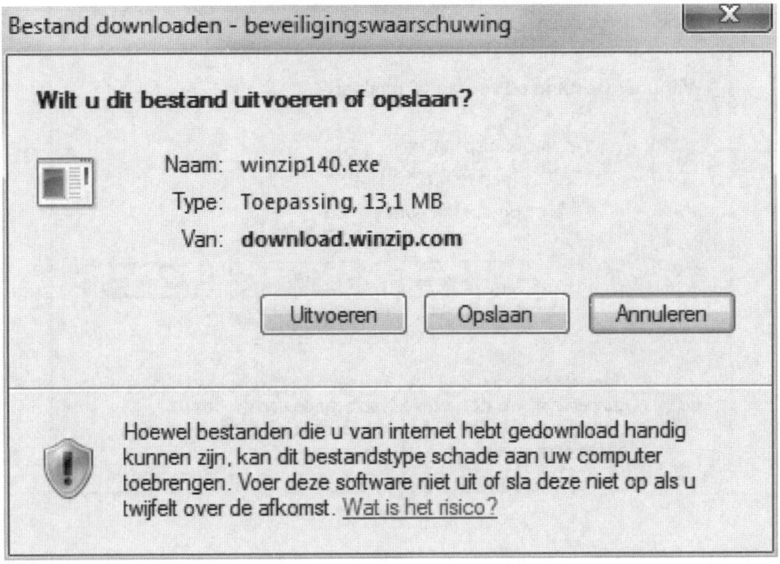

Bestand downloaden - beveiligingswaarschuwing

Wilt u dit bestand uitvoeren of opslaan?

Naam: winzip140.exe
Type: Toepassing, 13,1 MB
Van: **download.winzip.com**

Uitvoeren | Opslaan | Annuleren

Hoewel bestanden die u van internet hebt gedownload handig kunnen zijn, kan dit bestandstype schade aan uw computer toebrengen. Voer deze software niet uit of sla deze niet op als u twijfelt over de afkomst. Wat is het risico?

De computer vraagt je wat je wilt doen. We hebben verschillende mogelijkheden:

Uitvoeren. Als je op deze knop klikt, zal het programma eerst worden gedownload en vervolgens automatisch worden gestart. Je gebruikt deze functie beter niet omdat het niet handig is voor in de toekomst. Het is dan nú heel eenvoudig om het programma binnen te halen, maar als je het achteraf nog eens wilt openen of installeren, dan zul je het opnieuw moeten downloaden. En dat is natuurlijk niet efficiënt.

Opslaan. Dit is wat je het beste altijd kunt doen. Dit doen we ook in ons voorbeeld. Als we op die knop klikken, dan zal erna worden gevraagd waar we het bestand wensen op te slaan en zal vervolgens het downloaden beginnen.

Annuleren. Op deze knop klik je enkel indien je je vergist hebt, als je dus helemaal geen programma wilt downloaden. Als je op die knop klikt, verdwijnt het scherm en kun je gewoon verder surfen.

Je klikt dus op de knop 'Opslaan'.

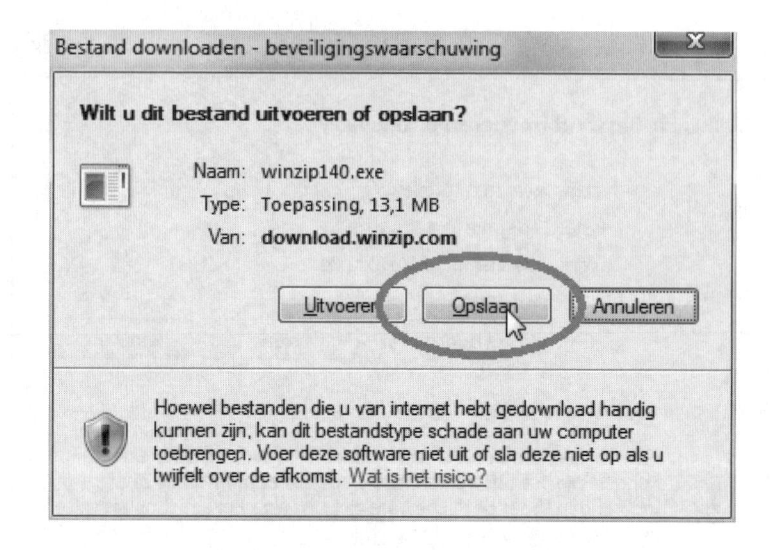

Nu krijgen we een scherm te zien. Dit scherm geeft ons de mogelijkheid om te vertellen waar we ons bestand wensen op te slaan.

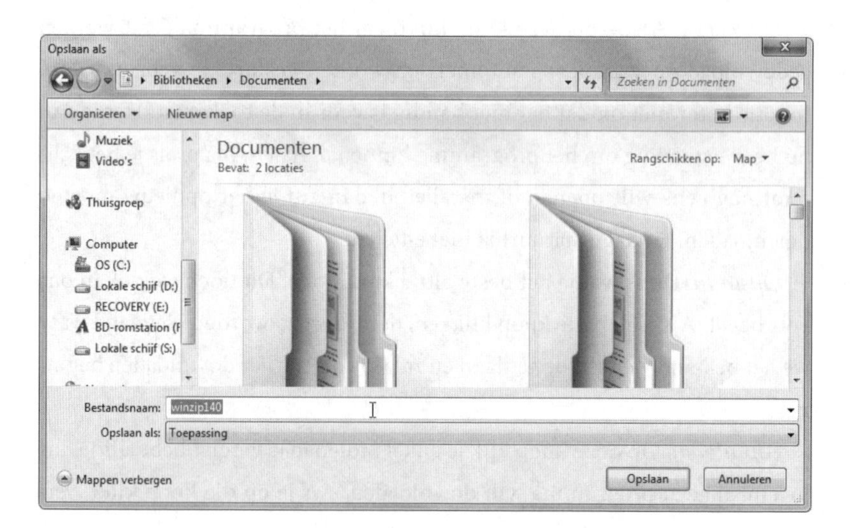

Door midden boven op het pijltje te klikken, kun je kiezen op welke harde schijf of in welke map je het bestand wenst op te slaan. Of je kunt dit doen door in de linkse kolom te klikken.

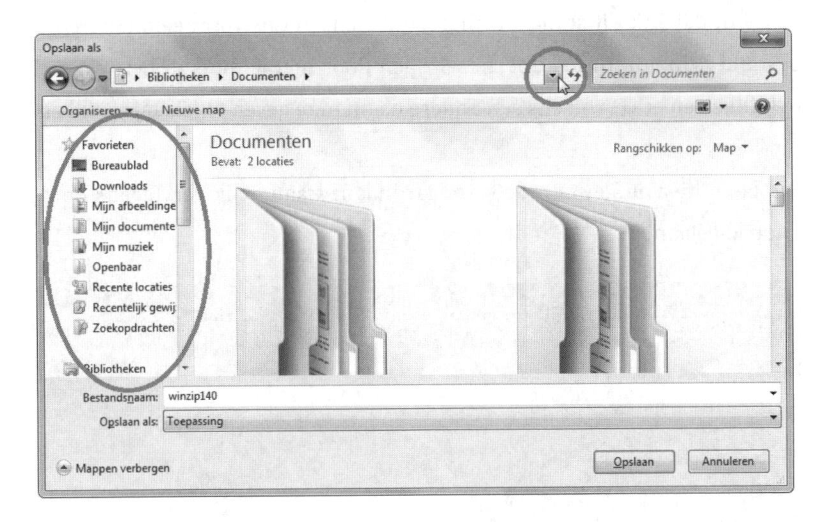

We kiezen in dit voorbeeld de map 'Documenten'. Het beste wat je kunt doen is alles wat je opslaat, steeds in dezelfde map te plaatsen. Op deze manier kun je achteraf snel een programma terugvinden dat je hebt gedownload. Klik dus op 'Documenten'.

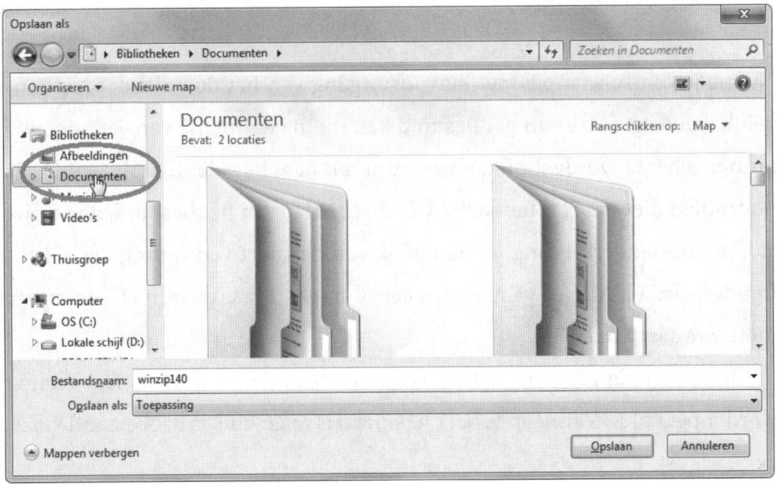

Vervolgens kunnen we onderaan ook een naam ingeven. Standaard is dit steeds al ingevuld, het is dezelfde naam als op de internetserver. Met andere woorden, indien het bedrijf WinZip zijn programma 'winzip' heeft genoemd, zul je in dat vak dit standaard ingevuld zien. In ons voorbeeld heette het bestand 'winzip140'. Je kunt dit wijzigen door met je muis in het tekstvak te klikken en er vervolgens een andere naam in te geven of iets bij te tikken.

We laten hier nu gewoon de standaardnaam staan. Klik vervolgens op de knop 'Opslaan'.

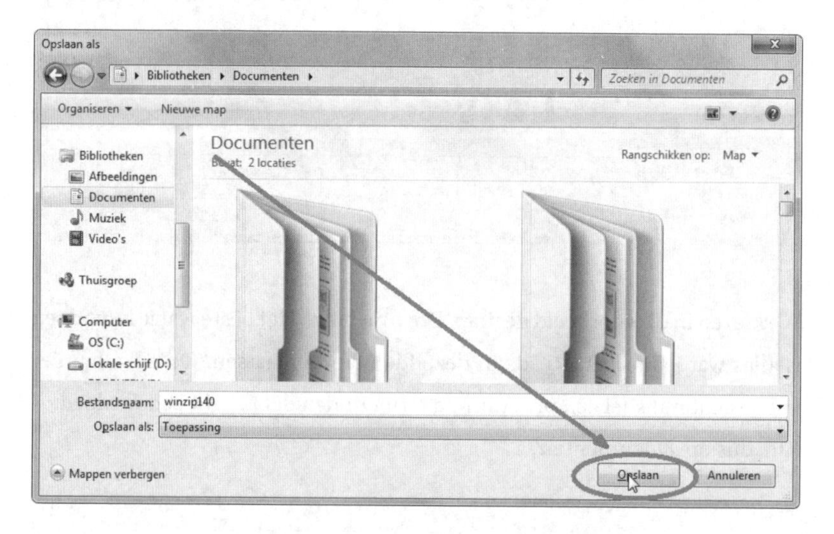

Nu zie je een schermpje met de vooruitgang van het downloaden. Afhankelijk van de grootte van het bestand kan dit in een fractie van een seconde binnengehaald worden, of kan het minuten of zelfs vele uren duren! Dit is bovendien niet enkel afhankelijk van de grootte van het bestand, maar ook van je internetverbinding. Afhankelijk van de soort verbinding die je hebt (modem, kabel, ADSL), gaat het sneller of trager. Maar daar hoef je je verder niets van aan te trekken.

De voortgang zie je door de horizontale balk die (van links naar rechts) wordt opgevuld. Wanneer de balk helemaal is opgevuld, is het bestand klaar.

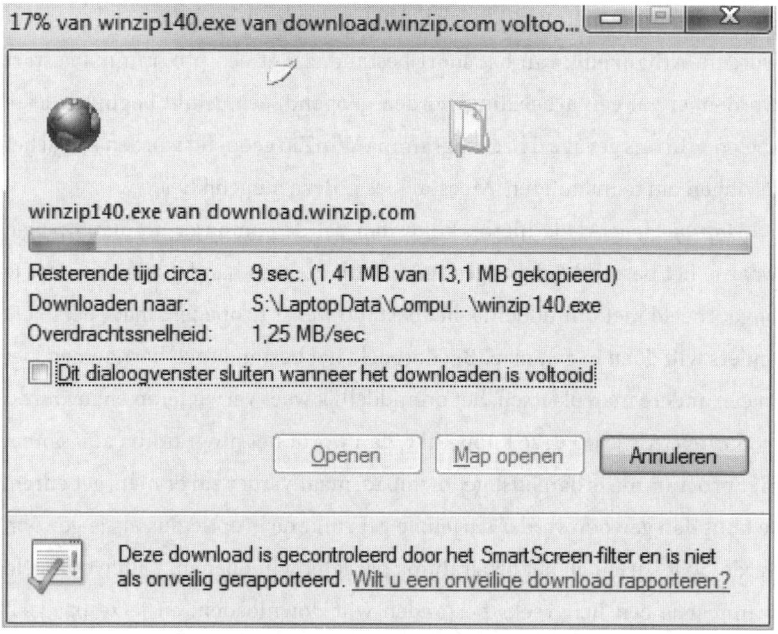

17% van winzip140.exe van download.winzip.com voltoo...

winzip140.exe van download.winzip.com

Resterende tijd circa: 9 sec. (1,41 MB van 13,1 MB gekopieerd)
Downloaden naar: S:\LaptopData\Compu...\winzip140.exe
Overdrachtssnelheid: 1,25 MB/sec

Dit dialoogvenster sluiten wanneer het downloaden is voltooid

Openen | Map openen | Annuleren

Deze download is gecontroleerd door het SmartScreen-filter en is niet als onveilig gerapporteerd. Wilt u een onveilige download rapporteren?

Als het bestand klaar is, heb je weer verschillende keuzemogelijkheden:

Het downloaden is voltooid

Het downloaden is voltooid

winzip140.exe van download.winzip.com

Gedownload: 13,1 MB in 7 sec.
Downloaden naar: S:\LaptopData\Compu...\winzip140.exe
Overdrachtssnelheid: 1,88 MB/sec

Dit dialoogvenster sluiten wanneer het downloaden is voltooid

Uitvoeren | Map openen | Sluiten

Deze download is gecontroleerd door het SmartScreen-filter en is niet als onveilig gerapporteerd. Wilt u een onveilige download rapporteren?

Uitvoeren. Als je hierop klikt, dan zal het net gedownloade bestand geopend worden. Afhankelijk van het soort bestand, zal er een programma gestart worden, er zal een afbeelding worden geopend, een geluid beginnen af te spelen... In ons geval zal het programma WinZip geopend worden en zal het je vragen om te installeren. Meestal kies je deze mogelijkheid.

Map openen. Als je hierop klikt, dan zal de computer de map openen waar je het bestand hebt opgeslagen. Dit kan soms handig zijn wanneer je bijvoorbeeld niet onmiddellijk het bestand wenst te openen, maar eerst iets anders wilt doen in een map. Bijvoorbeeld het bestand toch hernoemen, het in een andere map plaatsen, het onmiddellijk weer verwijderen enzovoort

Sluiten. Als je op deze knop klikt, dan wordt het programma afgesloten. Het programma is dan juist gedownload, maar verder zal er niets gebeuren. Je kunt dan gewoon verder surfen. Je gebruikt deze optie dus als je gewoon verder wilt surfen en het programma pas later wilt openen. Of bijvoorbeeld wanneer je een hele reeks bestanden wilt downloaden, en je ze pas gaat gebruiken nadat het laatste is gedownload. Om achteraf het gedownloade bestand terug te vinden, moet je op je harde schijf gaan naar de map waar je hebt gezegd dat het moest worden opgeslagen. In ons geval moet je dan naar de map 'Mijn documenten' teruggaan.

Hier stopt het downloaden. Het echt openen of installeren van het bestand laten we achterwege, omdat je het programma 'WinZip' misschien helemaal niet nodig hebt of niet wilt gebruiken. Het gaat hier om het opslaan van bestanden, en niet specifiek om WinZip.

Het opslaan van een afbeelding

Soms zie je op een webpagina een plaatje dat je graag zou opslaan op je computer: omdat je het wilt doorsturen naar iemand anders (bv. per e-mail), omdat je het graag zou gebruiken in een wenskaart, een document, een tekst enzovoort. Of je wilt de afbeelding opslaan omdat je deze bijvoorbeeld zou willen gebruiken om op je eigen website te plaatsen.

Alle plaatjes op websites kun je opslaan. Maar let op: veel afbeeldingen zijn auteursrechtelijk beschermd. Je mag die dus niet zomaar gebruiken op een eigen website of voor commerciële doeleinden. Indien je dit toch zou willen doen, dan vraag je het best eerst toestemming aan de website waar de afbeelding op staat.

Uiteraard is er voor vele andere (privé)doeleinden geen toestemming nodig. Als je het gewoon wilt gebruiken om door te sturen naar iemand anders of om een persoonlijke tekst op te fleuren, dan zal niemand daar iets op tegen hebben.

In dit voorbeeld gaan we het logo van SeniorenNet downloaden, het staat linksboven op elke pagina van www.seniorennet.be (en .nl).

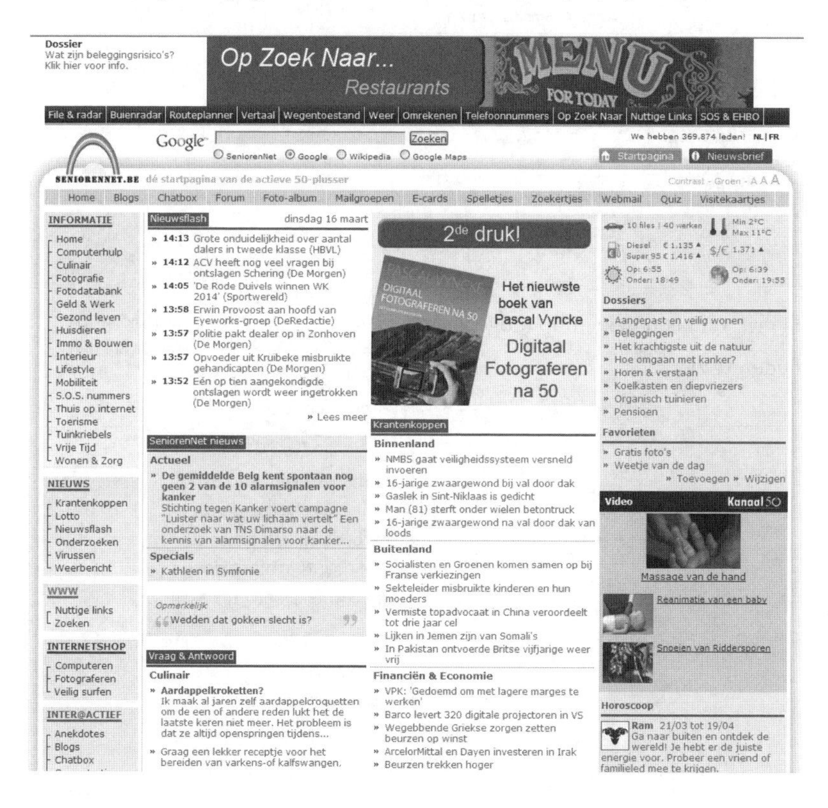

Om dit logo op te slaan, ga je er met de muisaanwijzer (het pijltje) op staan en vervolgens klik je met de rechtermuisknop één keer. Je krijgt nu een menutje te zien.

Google™ zoeken...
SeniorenNet Goc
SENIORENNET.BE dé startpagina van de actieve 50-
Home Blog
INFORMATIE
Home
Computerhulp
Culinair
Fotografie
Fotodatabank
Geld & Werk
Gezond leven
Huisdieren
Immo & Bouwen
Interieur
Lifestyle
Mobiliteit
S.O.S. nummers
Thuis op interne
Toerisme
Tuinkriebels
Vrije Tijd

Koppeling openen
Koppeling in een nieuw tabblad openen
Koppeling in een nieuw venster openen
Doel opslaan als...
Doel afdrukken
Afbeelding weergeven
Afbeelding opslaan als...
Per e-mail verzenden...
Afbeelding afdrukken...
Ga naar Mijn afbeeldingen
Als achtergrond gebruiken
Knippen
Kopiëren
Snelkoppeling kopiëren
Plakken
Aan Favorieten toevoegen...
Google Sidewiki...
Eigenschappen

Je krijgt nu een hele hoop mogelijkheden te zien:

Koppeling openen
Koppeling in een nieuw tabblad openen
Koppeling in een nieuw venster openen
Doel opslaan als...
Doel afdrukken
Afbeelding weergeven
Afbeelding opslaan als...
Per e-mail verzenden...
Afbeelding afdrukken...
Ga naar Mijn afbeeldingen
Als achtergrond gebruiken
Knippen
Kopiëren
Snelkoppeling kopiëren
Plakken
Aan Favorieten toevoegen...
Google Sidewiki...
Eigenschappen

Afbeelding weergeven. Deze optie is meestal niet mogelijk. Dit kun je gebruiken indien je speciale instellingen hebt gedaan in je browser waardoor deze geen enkele afbeelding weergeeft. Het surfen gaat dan wel snel, maar het is nooit mooi of aangenaam. Bovendien gebruiken heel wat websites afbeeldingen ook om informatie in te plaatsen die je nodig hebt (menu, navigatie...)

Zo'n instelling in je browser is niet bepaald slim; die gebruik je dus beter nooit.

Afbeelding opslaan als... Deze optie gaan we in dit voorbeeld gebruiken en doen we normaal het meeste. We gaan de afbeelding op onze harde schijf opslaan, zodat we ze later kunnen gebruiken.

Per e-mail verzenden. Dit is een optie om onmiddellijk de afbeelding als een bijlage (attachment) toe te voegen aan een e-mail. Dat kan soms handig zijn om iemand snel die afbeelding toe te sturen.

Afbeelding afdrukken. Als je hierop klikt, dan zal onmiddellijk het schermpje worden geopend om af te drukken. Daar kun je dan allerlei dingen instellen voor het juist afdrukken van de afbeelding (kleur of zwart-wit, aantal exemplaren...). Dit gebruik je enkel indien je onmiddellijk de afbeelding wenst af te drukken op (foto)papier.

Ga naar Mijn Afbeeldingen. Deze mogelijkheid opent de map 'Mijn Afbeeldingen'. Deze optie is nuttig als je onmiddellijk naar die map wenst te gaan, maar in de praktijk gebruik je deze optie waarschijnlijk nooit.

Als achtergrond gebruiken. Als je dit aanklikt, zal de afbeelding als achtergrond van je bureaublad worden ingesteld. De afbeelding zal dan steeds te zien zijn wanneer je je computer opstart en je naar je bureaublad gaat. Deze optie is nuttig als je een prachtige foto ziet op het internet en die onmiddellijk wilt plaatsen als bureaubladachtergrond.

We kiezen in dit voorbeeld dus voor 'Afbeelding opslaan als...', en dit is wat je in de praktijk ook het meeste zult doen. Klik dus met je linkermuisknop op 'Afbeelding opslaan als...'.

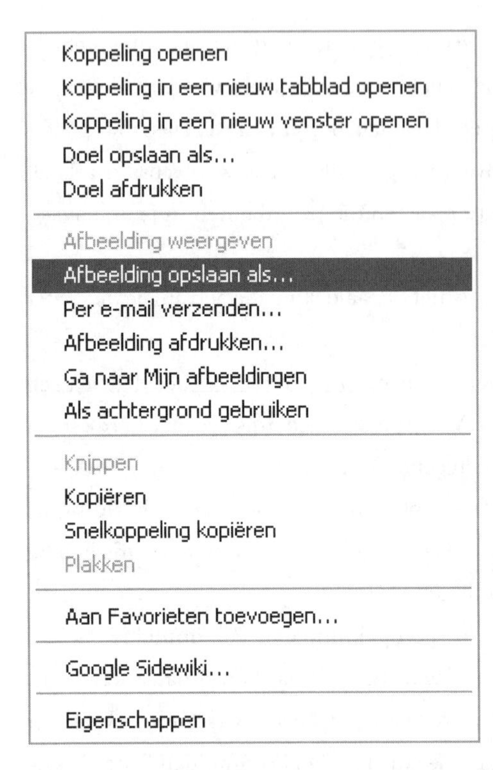

We krijgen nu een nieuw scherm. Dit is het scherm waar we moeten aangeven aan de computer waar hij de afbeelding moet opslaan. Het is belangrijk, zoals bij het downloaden van bestanden, dat je de afbeeldingen steeds in dezelfde map opslaat. Hierdoor kun je later de afbeeldingen makkelijk terugvinden. Uiteraard mag je een afbeelding in een andere map opslaan, maar dan moet je wel onthouden in welke map. Organisatie en orde besparen veel tijd, problemen en stress.

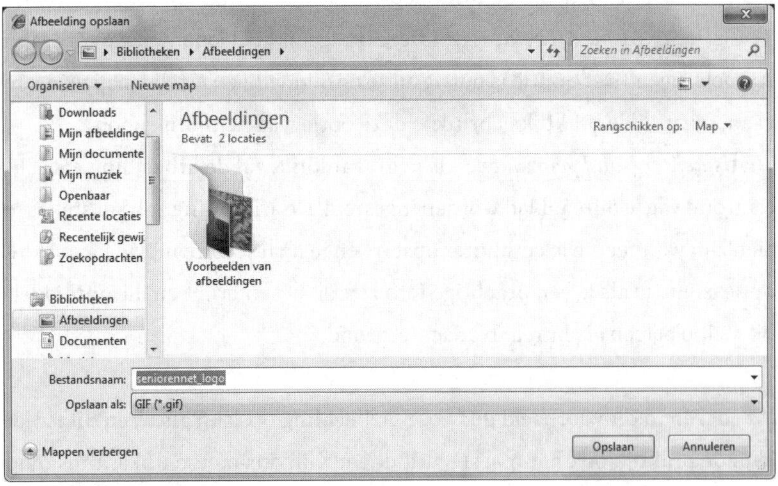

Onderaan kunnen we de naam van de afbeelding aanpassen. Klik in het witte tekstvak en tik er bijvoorbeeld iets bij. In dit voorbeeld heb ik er 'logo SeniorenNet' van gemaakt.

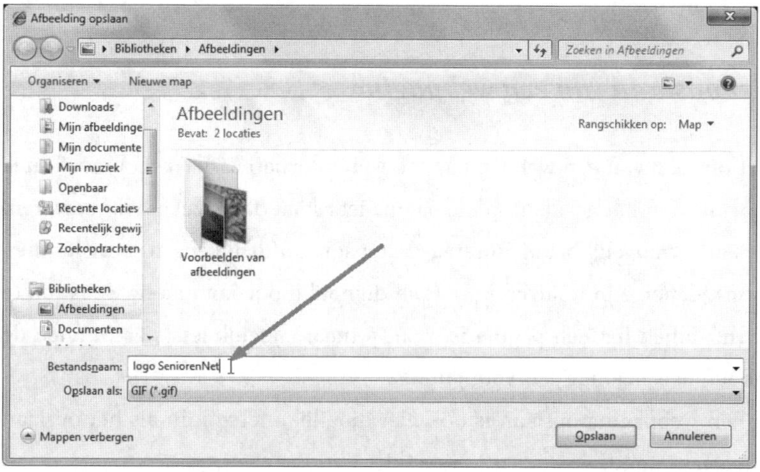

Klik vervolgens op Opslaan.

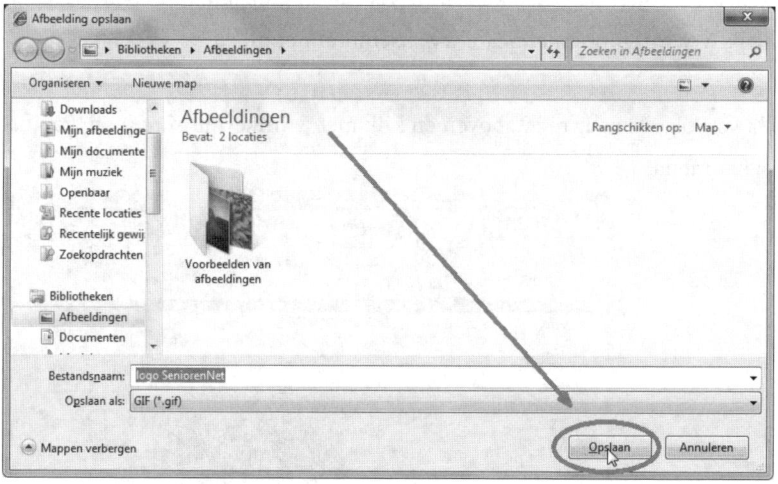

Zo, nu ben je klaar. Als het een erg grote foto is, dan kan het zijn dat je nog eventjes moet wachten voor de foto is opgeslagen, maar meestal zul je nu gewoon verder kunnen surfen. De foto is te vinden in de map waar je deze hebt opgeslagen.

Het opslaan van een webpagina

Het opslaan van een webpagina, ook wel 'internetpagina' genoemd, kun je gebruiken in het geval er op die pagina iets staat dat je zeker wilt bewaren. De eerste mogelijkheid is uiteraard de pagina afdrukken, maar er kunnen 1001 redenen zijn waarom je ze toch digitaal (op je computer) wenst op te slaan. Indien het een pagina is waarop maar tijdelijk iets staat, indien de inhoud heel belangrijk is voor jou...

Een webpagina opslaan is ook niet moeilijk, net zomin als het opslaan van een bestand.

We zullen het eens uitproberen. Surf eerst naar de pagina die je wenst op te slaan. In ons voorbeeld kiezen we voor de beginpagina van SeniorenNet: http://www.seniorennet.be (of www.seniorennet.nl).

Ga vervolgens naar rechtsboven en klik met je linkermuisknop op 'Pagina' in het menu:

Hieronder zie je de voorgaande afbeelding in detail (waar je dus moet klikken):

Als je op 'Pagina' hebt geklikt, krijg je nog een menuutje te zien.

Ga naar 'Opslaan als...' en klik erop met je linkermuisknop.

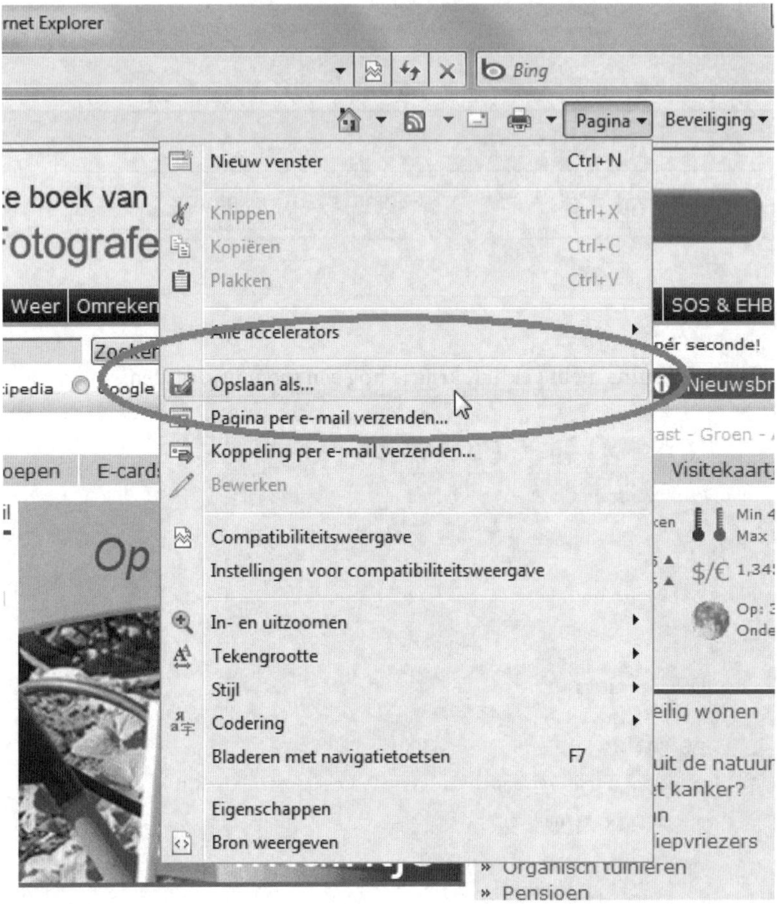

Nu krijgen we opnieuw zo'n scherm te zien waar we aan de computer moeten aangeven waar we de pagina willen opslaan. Nogmaals: het is het beste dat je steeds alle bestanden op dezelfde plaats bewaart op je harde schijf. Hierdoor is het achteraf eenvoudiger om deze terug te vinden.

In dit voorbeeld slaan we de pagina gewoon op in de map 'Documenten'.

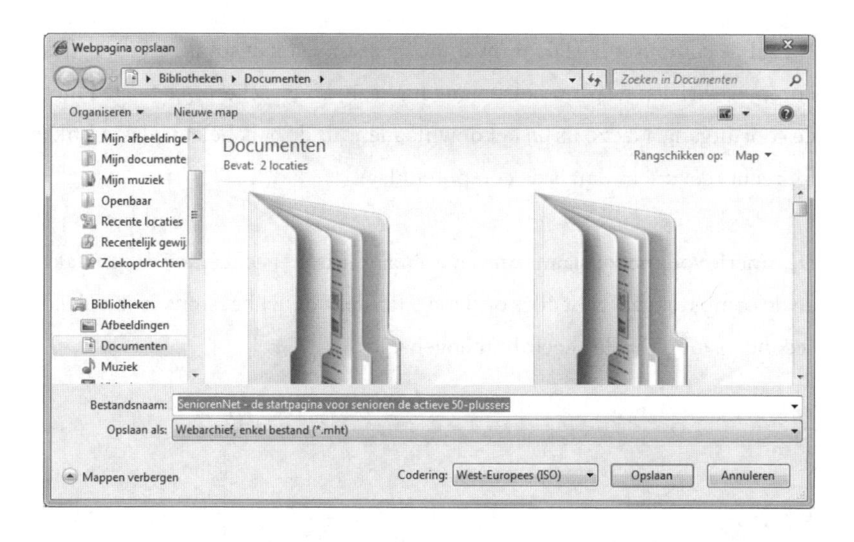

Het is ook nu weer mogelijk om onderaan in het witte vak de naam te wijzigen. De naam die er standaard in staat, is de 'titel' van de pagina die je wenst op te slaan. Deze is dus niet altijd hetzelfde en verschilt van website tot website en soms zelfs van pagina tot pagina.

Klik op de knop 'Opslaan' om de pagina op te slaan.

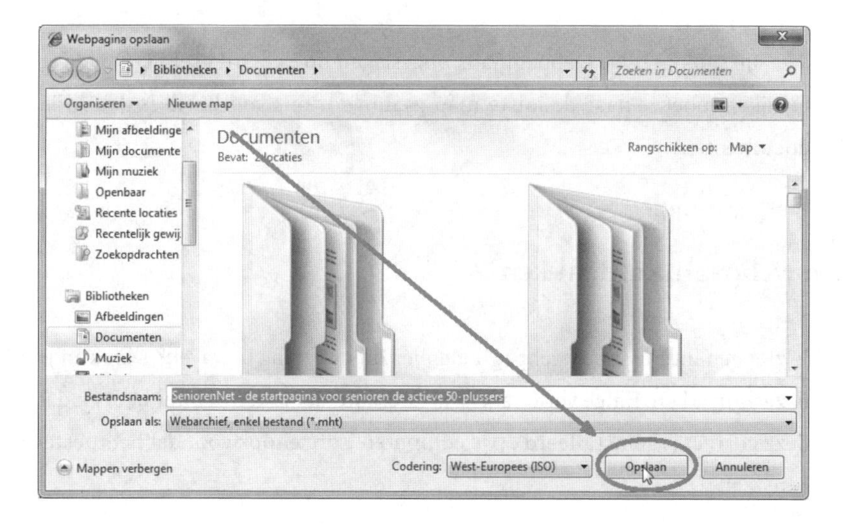

Nu zal de computer heel de webpagina opslaan. Dit kan soms zelfs eventjes duren, we krijgen daarom ook zolang hij bezig is een schermpje te zien met de vooruitgang. Net zoals bij het downloaden: als de balk helemaal van links tot rechts gevuld is, dan is de computer klaar.

De functie voor het opslaan van een webpagina is niet echt efficiënt gemaakt en de computer gaat echt álles opslaan. Hierdoor duurt het soms toch enkele seconden voor hij alles heeft binnengehaald.

We zijn nu klaar. De webpagina is opgeslagen op de harde schijf. Om ze te bekijken moet je naar de juiste map gaan; voor ons voorbeeld is dat 'Mijn documenten'.

Een webpagina afdrukken

Je ziet een interessante webpagina en je zou die graag bewaren? Dan kun je deze afdrukken. Enige voorwaarde is uiteraard dat je een printer hebt en dat deze correct is geïnstalleerd op je computer. Zorg er ook voor dat het toestel aanstaat.

Een hele webpagina afdrukken

Surf naar de gewenste pagina. In dit voorbeeld nemen we de beginpagina van SeniorenNet (www.seniorennet.be of www.seniorennet.nl).

Vervolgens ga je met het pijltje van de muis rechtsboven naar het figuurtje met een printer op (vlak naast 'Pagina'); klik erop met je linkermuisknop.

Vervolgens klik je op 'Afdrukken'.

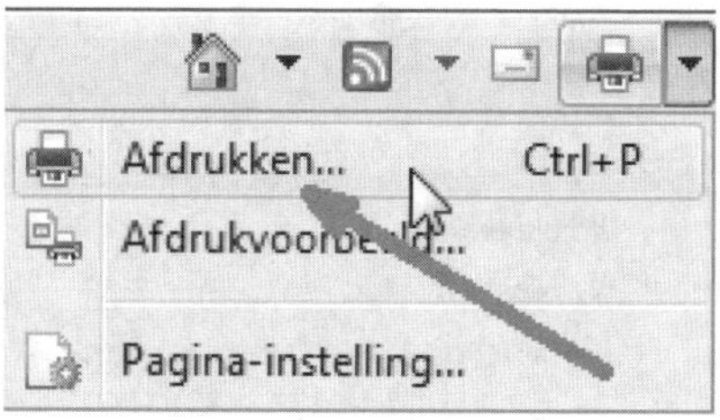

Nu krijg je een scherm te zien zoals hieronder. Afhankelijk van de versie van jouw besturingssysteem (Windows dus), en afhankelijk van de soort printer die je hebt, ziet dit er anders uit.

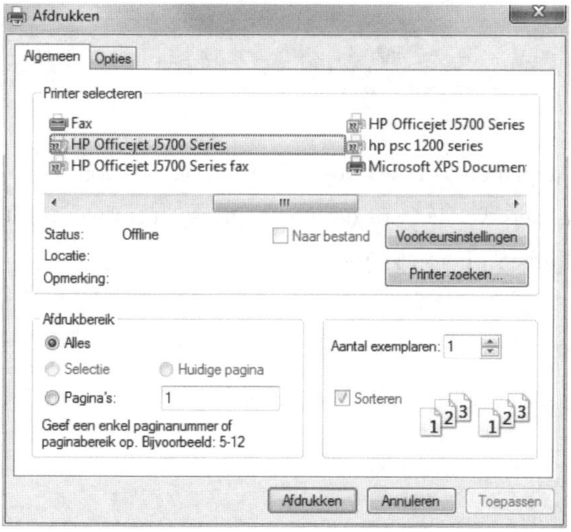

In detail uitleggen wat alle mogelijkheden zijn, is niet mogelijk. Dit is namelijk van printer tot printer verschillend. Voor normaal gebruik zijn de standaardinstellingen goed. Je kunt ook het aantal exemplaren instellen. Klik op het pijltje omhoog of pijltje omlaag om een of meerdere keren hetzelfde af te drukken.

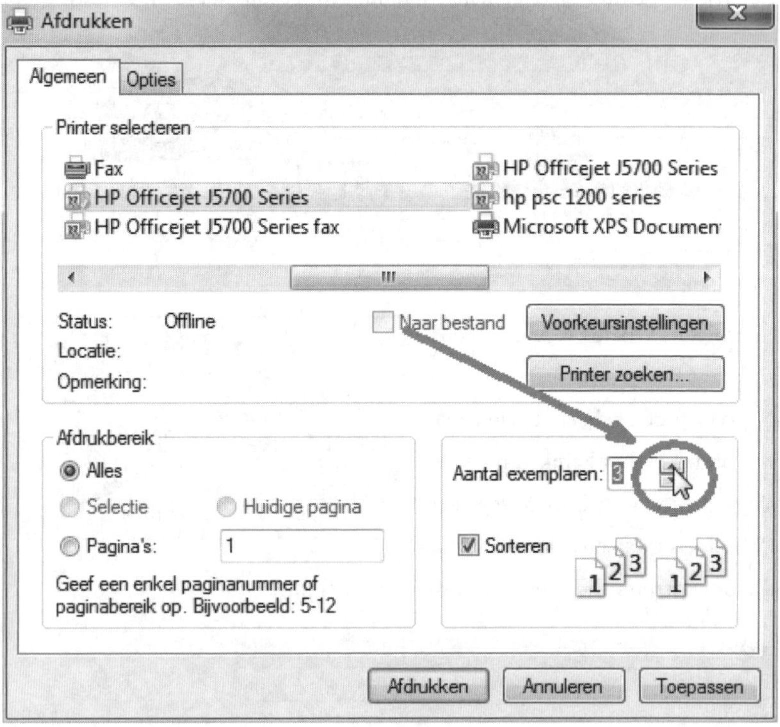

Extra instellingen van je printer vind je door te klikken op de knop 'Voorkeursinstellingen'. In andere versies van het besturingssysteem wordt dit ook wel gewoon 'Instellingen' of 'Voorkeuren' genoemd.

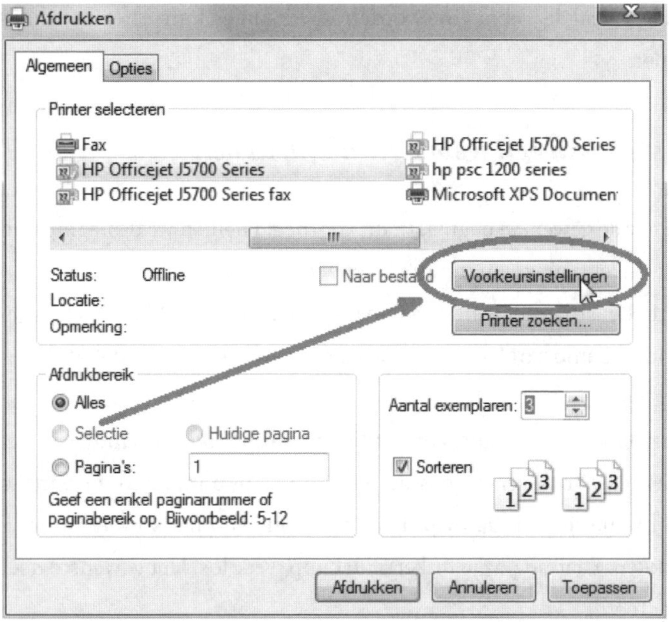

Afdrukken

Algemeen | Opties

Printer selecteren

Fax
HP Officejet J5700 Series
HP Officejet J5700 Series fax
HP Officejet J5700 Series
hp psc 1200 series
Microsoft XPS Documen

Status: Offline
Locatie:
Opmerking:
Naar bestand
Voorkeursinstellingen
Printer zoeken...

Afdrukbereik
Alles
Selectie
Huidige pagina
Pagina's: 1
Geef een enkel paginanummer of paginabereik op. Bijvoorbeeld: 5-12

Aantal exemplaren: 3
Sorteren

Afdrukken | Annuleren | Toepassen

Als je klaar bent, klik je op ‘Afdrukken’.

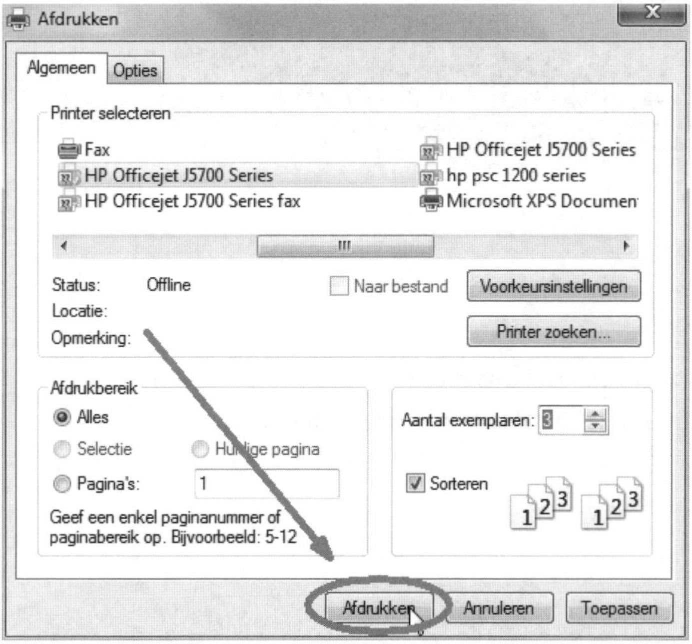

Afdrukken

Algemeen | Opties

Printer selecteren

Fax
HP Officejet J5700 Series
HP Officejet J5700 Series fax
HP Officejet J5700 Series
hp psc 1200 series
Microsoft XPS Documen

Status: Offline
Locatie:
Opmerking:
Naar bestand
Voorkeursinstellingen
Printer zoeken...

Afdrukbereik
Alles
Selectie
Huidige pagina
Pagina's: 1
Geef een enkel paginanummer of paginabereik op. Bijvoorbeeld: 5-12

Aantal exemplaren: 3
Sorteren

Afdrukken | Annuleren | Toepassen

Vervolgens zal de webpagina worden afgedrukt en kun je het blad uit je printer halen.

Een stuk van een webpagina afdrukken

Surf naar de gewenste pagina. In dit voorbeeld nemen we de beginpagina van SeniorenNet (www.seniorennet.be of www.seniorennet.nl).

Duid het stuk met je muis aan dat je wenst af te drukken. Stel dat je enkel het kader 'SeniorenNet nieuws' wenst af te drukken, en niet al de rest van de pagina.

Dan ga je met je muis aan het begin van het stuk staan dat je wenst af te drukken. Druk vervolgens de linkermuisknop in, houd deze ingedrukt, en ga nu met je muisaanwijzer tot het einde van het stuk tekst dat je wilt afdrukken. Laat nu pas je linkermuisknop weer los. Het gewenste deel is nu geselecteerd.

SeniorenNet nieuws
Actueel
» Nieuw: dossier 'Veilig Fietsen'
Fietsen is één van de populairste sporten die er is. Je blijft in beweging én je gezondheid krijgt een boost. Bovendien is het ook een heel sociale en...

Vervolgens ga ja rechtsboven terug naar de knop met de printer op (net naast 'Pagina'), en je klikt daarop met je linkermuisknop.

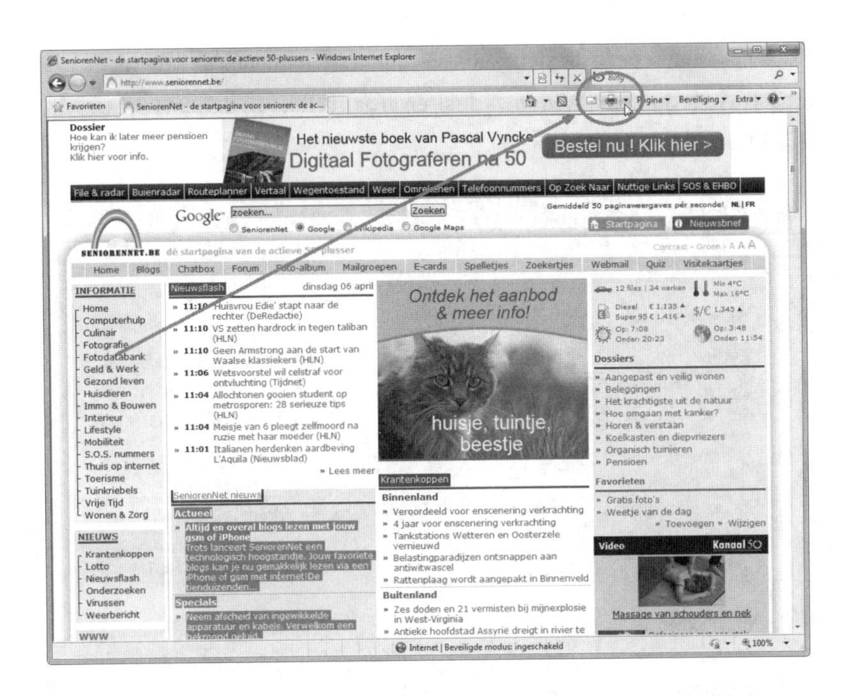

Nog eens bovenstaande afbeelding, maar dan in detail.

Vervolgens klik je op 'Afdrukken'.

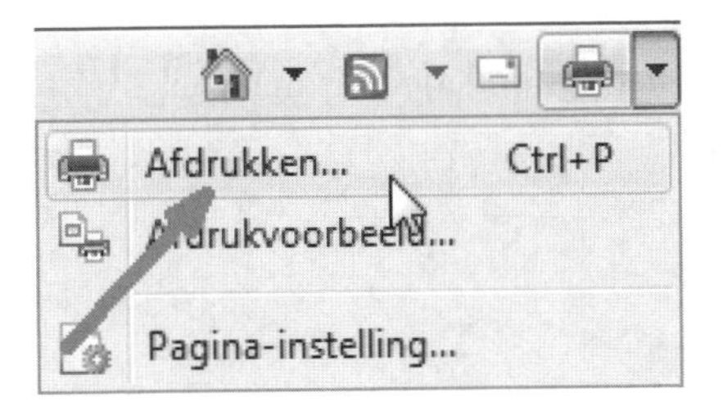

Nu krijg je een scherm te zien zoals hieronder. Afhankelijk van de versie van je besturingssysteem (Windows dus), en afhankelijk van de soort printer die je hebt, ziet dit er anders uit.

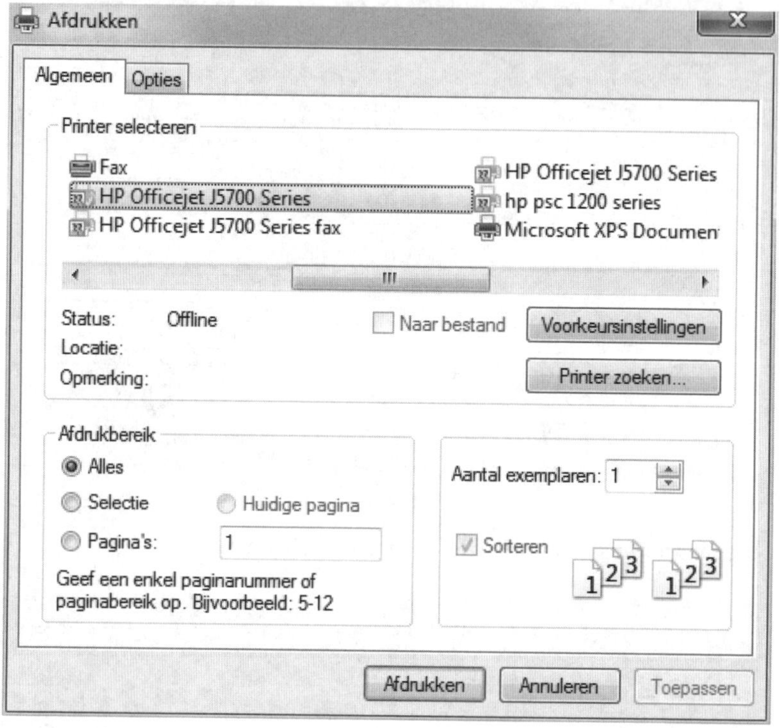

In detail uitleggen wat alle mogelijkheden zijn, is niet mogelijk. Dit verschilt namelijk van printer tot printer. Voor normaal gebruik zijn de standaardinstellingen goed. In tegenstelling tot de vorige keer (hele pagina afdrukken) is het vakje ‘Selectie’ nu wel zichtbaar.

We vinken dit bolletje aan: klik op dat lege bolletje voor ‘Selectie’.

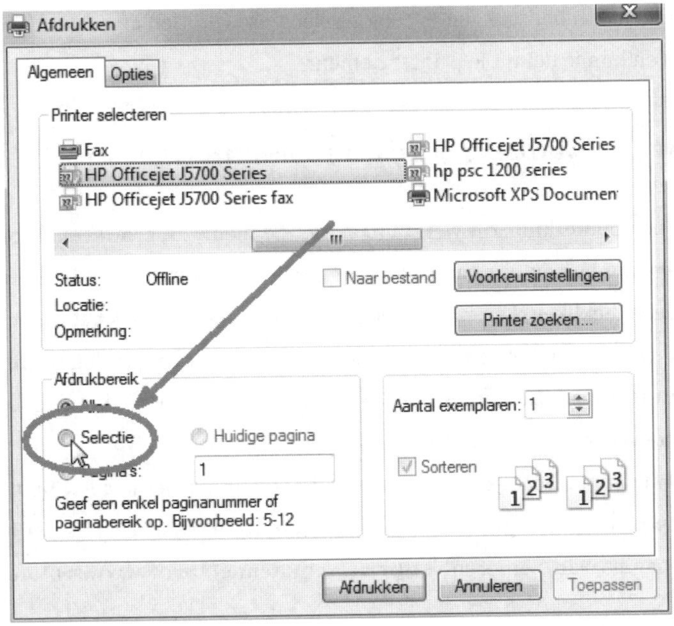

Afdrukken

Algemeen Opties

Printer selecteren

Fax
HP Officejet J5700 Series
HP Officejet J5700 Series fax
HP Officejet J5700 Series
hp psc 1200 series
Microsoft XPS Documen

Status: Offline
Locatie:
Opmerking:
Naar bestand
Voorkeursinstellingen
Printer zoeken...

Afdrukbereik
Alles
Selectie
Huidige pagina
Pagina's: 1
Geef een enkel paginanummer of paginabereik op. Bijvoorbeeld: 5-12

Aantal exemplaren: 1
Sorteren

Afdrukken Annuleren Toepassen

Klik vervolgens op 'Afdrukken'.

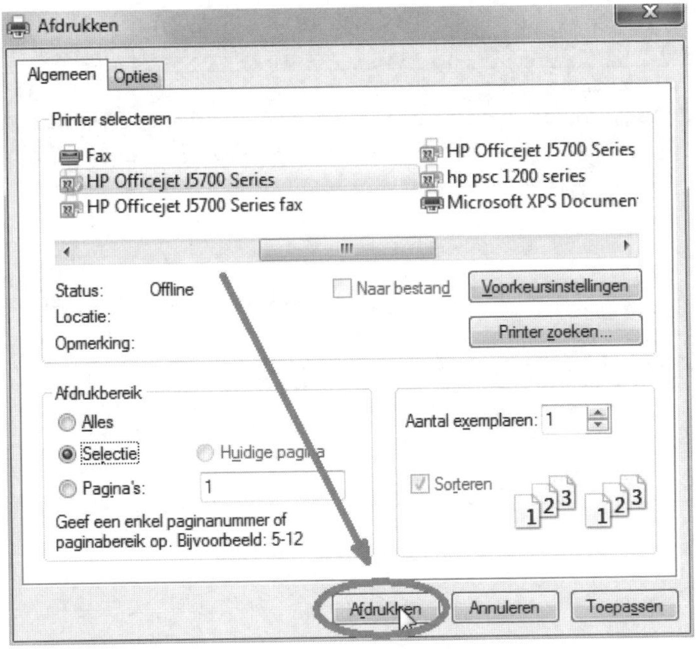

Afdrukken

Algemeen Opties

Printer selecteren

Fax
HP Officejet J5700 Series
HP Officejet J5700 Series fax
HP Officejet J5700 Series
hp psc 1200 series
Microsoft XPS Documen

Status: Offline
Locatie:
Opmerking:
Naar bestand
Voorkeursinstellingen
Printer zoeken...

Afdrukbereik
Alles
Selectie
Huidige pagina
Pagina's: 1
Geef een enkel paginanummer of paginabereik op. Bijvoorbeeld: 5-12

Aantal exemplaren: 1
Sorteren

Afdrukken Annuleren Toepassen

Vervolgens zal het stuk dat je hebt geselecteerd, worden afgedrukt (en niets meer) en kun je het uit je printer nemen.

Eerst een voorbeeld bekijken voor je afdrukt

Eerst een opmerking: dit werkt enkel met de nieuwere browsers, de oudere konden dit nog niet. We gaan dus, voor je een webpagina gaat afdrukken, een voorbeeld bekijken. Uiteraard niet op papier (want anders is het niet vóór je afdrukt), maar op het scherm. Dit kan handig zijn om eerst vlug te kijken of wat uit je printer zal komen, wel aan je wensen voldoet. Of het er goed uitziet, hoeveel pagina's het zullen zijn enzovoort.

Om een voorbeeld te bekijken voor je afdrukt, moet je eerst de pagina oproepen die je graag zou willen afdrukken. In dit voorbeeld nemen we de beginpagina van SeniorenNet (www.seniorennet.be of www.seniorennet.nl).

Vervolgens klik je rechtsboven met je linkermuisknop op de knop met een printertje (net naast 'Pagina').

Vervolgens klik je in het menutje dat verschijnt op 'Afdrukvoorbeeld'.

Nu wordt er een scherm geopend. Je krijgt één of twee virtuele bladen te zien, met daarop de tekst en figuren zoals het zal worden afgedrukt:

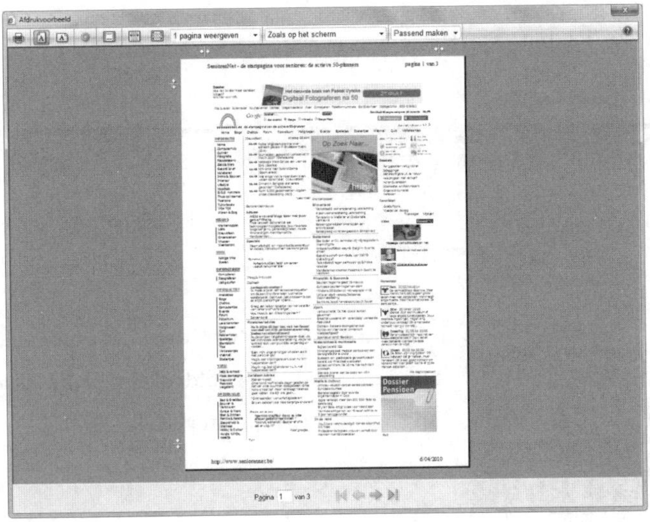

Je kunt hier ook zien hoeveel pagina's het zullen worden. Hieronder op de figuur zie je waar je dat kunt vinden: steeds rechts bovenaan op elk blad, alsook onderaan bij 'Pagina x van y', waarbij x en y twee cijfers zullen zijn:

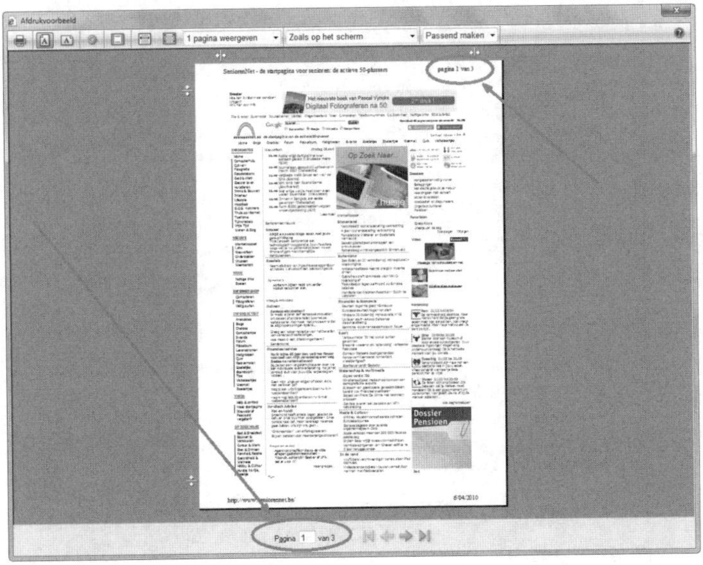

Detail van elke pagina rechts bovenaan:

Detail van 'Pagina x van y':

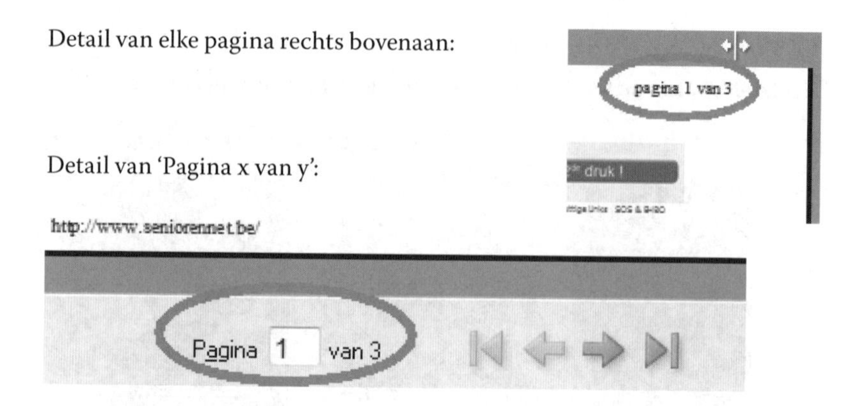

Indien je tevreden bent over het voorbeeld, dan kun je onmiddellijk afdrukken. Klik daarvoor linksboven op het printertje.

Nu krijg je een scherm te zien zoals hieronder. Afhankelijk van de versie van je besturingssysteem (Windows dus), en afhankelijk van de soort printer die je hebt, ziet dit er anders uit.

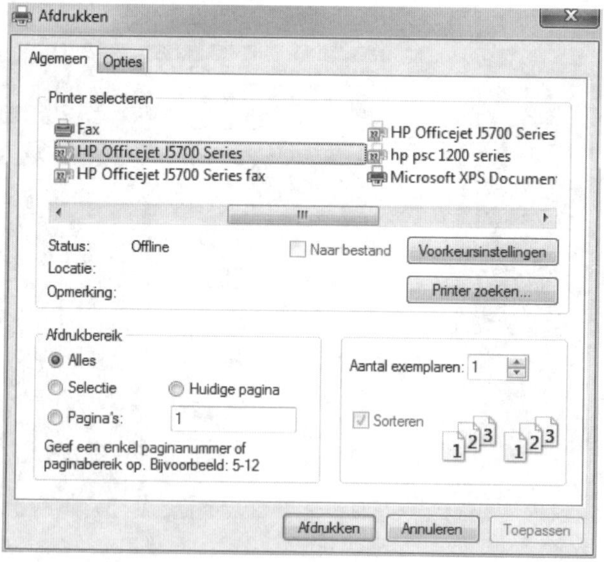

Extra instellingen van je printer vind je door te klikken op de knop 'Voorkeursinstellingen'. In andere versies van het besturingssysteem wordt dit ook wel 'Instellingen' of 'Voorkeuren' genoemd.

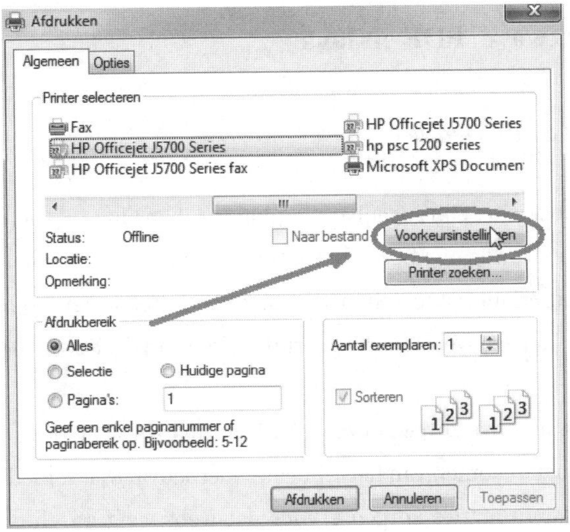

Afdrukken
Algemeen
Opties
Printer selecteren
Fax
HP Officejet J5700 Series
HP Officejet J5700 Series fax
HP Officejet J5700 Series
hp psc 1200 series
Microsoft XPS Documen
Status: Offline
Locatie:
Opmerking:
Naar bestand
Voorkeursinstellingen
Printer zoeken...
Afdrukbereik
Alles
Selectie
Huidige pagina
Pagina's: 1
Geef een enkel paginanummer of paginabereik op. Bijvoorbeeld: 5-12
Aantal exemplaren: 1
Sorteren
Afdrukken
Annuleren
Toepassen

Als je klaar bent, klik je op 'Afdrukken'.

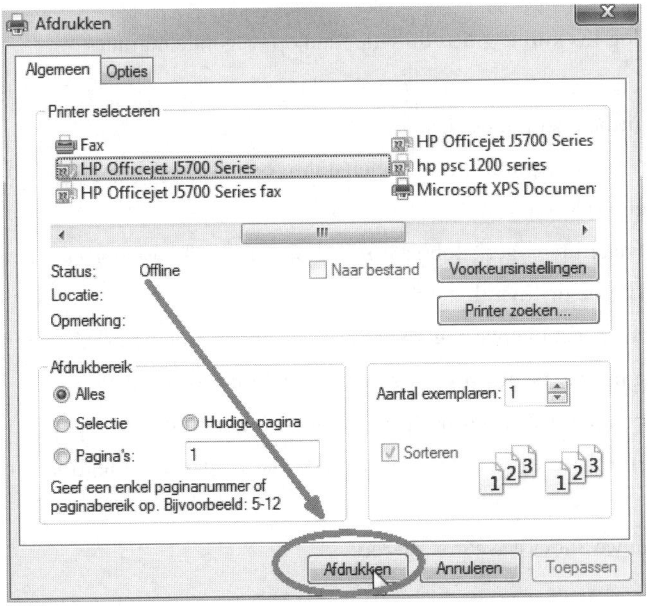

Afdrukken
Algemeen
Opties
Printer selecteren
Fax
HP Officejet J5700 Series
HP Officejet J5700 Series fax
HP Officejet J5700 Series
hp psc 1200 series
Microsoft XPS Documen
Status: Offline
Locatie:
Opmerking:
Naar bestand
Voorkeursinstellingen
Printer zoeken...
Afdrukbereik
Alles
Selectie
Huidige pagina
Pagina's: 1
Geef een enkel paginanummer of paginabereik op. Bijvoorbeeld: 5-12
Aantal exemplaren: 1
Sorteren
Afdrukken
Annuleren
Toepassen

Vervolgens zal de webpagina worden afgedrukt en kun je het resultaat uit je printer nemen. Dit zal er precies zo uitzien als je op het scherm hebt gezien.

Flash, Shockwave, PDF en Java

Flash en Shockwave

Flash en Shockwave zijn zogenaamde 'plug-ins'. Een plug-in is een gratis programmaatje dat nog niet op je computer staat en dat je, als je het installeert op je computer, meer mogelijkheden biedt voor het surfen op het internet en het bekijken van websites die gebruikmaken van deze speciale plug-in.

Flash en Shockwave zorgen ervoor dat je animaties kunt zien op websites. Beide producten komen van hetzelfde moederbedrijf Macromedia.

Dergelijke animaties zorgen ervoor dat websites grafisch enorm knap zijn, er tekenfilmpjes kunnen worden afgespeeld, je spelletjes kunt spelen, er interactieve menu's zijn enzovoort.

Deze plug-ins kun je gratis downloaden op volgende manier:

We beginnen eerst met Flash.

Sluit alle programma's die openstaan, behalve één browservenster van Internet Explorer.

Surf naar http://get.adobe.com/flashplayer/ en klik vervolgens met je linkermuisknop op 'Install now'.

Er wordt een nieuwe pagina geopend en er verschijnt een scherm met een beveiligingswaarschuwing. Klik met je linkermuisknop op 'Ja'.

De computer gaat nu het programma binnenhalen op je computer, het installeren en alles instellen. Als het klaar is, krijg je hier melding van.

Nu gaan we Shockwave installeren.

Surf naar het internetadres http://get.adobe.com/shockwave/ en klik vervolgens met je linkermuisknop op 'Install now'.

Er wordt een nieuwe pagina geopend en er verschijnt een scherm met een beveiligingswaarschuwing. Klik met je linkermuisknop op 'Ja'.

De computer gaat nu het programma binnenhalen op je computer, het installeren en alles instellen. Als het klaar is, krijg je hier melding van.

PDF

Nu gaan we PDF installeren. Met dit programma kunnen we zogenaamde PDF-documenten lezen. Dergelijke documenten kom je tegen op websites waar je formulieren kunt verkrijgen (bijvoorbeeld op de website van je gemeente of van de regering), maar ook op websites die een cursus aanbieden, websites van kranten enzovoort.

De reden waarom PDF behoorlijk veel wordt gebruikt, is dat het er op elke computer exact hetzelfde uitziet. Zoals de maker het document heeft opgemaakt, zo zal iedereen het op zijn scherm zien en als je het afdrukt, zal het ook exact hetzelfde worden afgedrukt. Dit is niet zo met andere documenten (tekstbestanden, Word-documenten, RTF enzovoort).

Ook PDF is gratis te downloaden en te installeren om zo PDF-bestanden op je computer te kunnen weergeven. Surf naar de website

http://get.adobe.com/nl/reader/.

Op die pagina kun je met je linkermuisknop klikken op de knop 'Downloaden'. Vervolgens kun je het programma downloaden en installeren.

Als het programma klaar is, klik je op 'Voltooien'.

PDF is nu geïnstalleerd. Als je nu in de toekomst een PDF-document tegenkomt, zal het programma zichzelf automatisch openen en zal automatisch het document worden weergegeven zodat je het kunt lezen en indien nodig kunt afdrukken met je printer.

Java

Als laatste hebben we Java. Java is een programmeertaal waarmee heel wat mogelijk is. Het voordeel van Java is dat het op alle computers kan werken. Java wordt gebruikt voor allerlei hulpprogramma's op websites, bij spelletjes, rekenmachines en simulaties, voor wetenschappelijke doeleinden enzovoort.

Om Java te installeren, ga je naar de volgende website: http://www.java.com/en/download/.

Klik op het scherm dat verschijnt op 'Free Java Download'. Er verschijnt nu een nieuw scherm, het programma wordt binnengehaald op je computer. Er flitst nog een aantal schermen voorbij.

Klik met je linkermuisknop op 'I accept the terms in the license agreement'. Klik vervolgens op 'Next' en vervolgens nogmaals op 'Next'.

Het programma wordt nu geïnstalleerd. Heb even geduld: alle bestanden worden naar de juiste plaats gekopieerd en alle instellingen worden afgestemd op die van je computer. Dit kan een aantal minuten in beslag nemen. Als het programma klaar is, kun je met je linkermuisknop klikken op 'Finish'. Vanaf nu kun je altijd gebruikmaken van alle Javatoepassingen.

Nu je Java, PDF, Flash en Shockwave hebt geïnstalleerd, kun je alle soorten websites aan. Je kunt nu de interactiefste en knapste websites bezoeken, alsook vele soorten spelletjes spelen en de speciale PDF-documenten lezen.

Startpagina instellen

Wat?

Telkens als je het programma opstart om te surfen op internet – het programma Internet Explorer – kom je op een bepaalde website terecht. De website waar je steeds terechtkomt, de startpagina, kun je eenvoudig veranderen. Op deze manier kom je steeds snel op de website van jouw keuze en ben je het snelste echt aan het surfen op het internet. Zo hoef je niet steeds via een zoekmachine je favoriete website te zoeken, hoef je niet tussen je favorieten te zoeken of telkens opnieuw het internetadres in te tikken.

Aan de slag

Om een nieuwe startpagina in te stellen, ga je als volgt te werk.

Open je browser Internet Explorer. Ga vervolgens naar de website die je graag zou willen instellen als startpagina. Doe dit door het adres in te tikken in de adresbalk, door de website te zoeken via een zoekmachine of door deze aan te klikken in je favorieten.

In dit voorbeeld gaan we de website www.seniorennet.be instellen als startpagina (of www.seniorennet.nl voor Nederland).

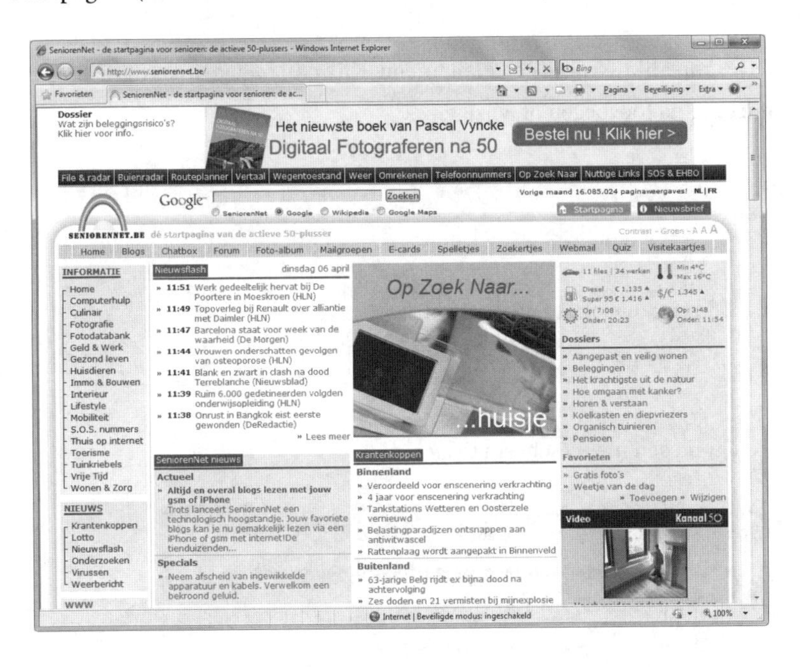

Als je eenmaal op de juiste website bent terechtgekomen, in ons voorbeeld dus op SeniorenNet, ga je naar rechtsboven en klik je op de knop met het huisje (helemaal links van 'Pagina').

Als je erop klikt, krijg je een klein menu. Klik dan met je linkermuisknop op 'Startpagina toevoegen of wijzigen...'.

: de ac...
SeniorenNet - de startpagina voor senioren: de actieve 50-...
Startpagina toevoegen of wijzigen...
Verwijderen

Je krijgt nu een nieuw scherm te zien.

Startpagina toevoegen of wijzigen
Wilt u de volgende pagina als startpagina gebruiken?
http://www.seniorennet.be/
Deze webpagina als enige startpagina gebruiken
Deze webpagina aan de tabbladen van uw startpagina toevoegen
Ja
Nee

Klik vervolgens met je linkermuisknop op het rondje net voor 'Deze webpagina als enige startpagina gebruiken'.

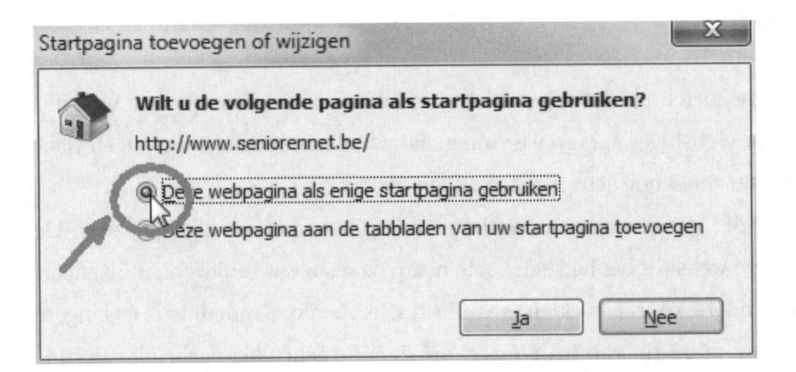

Klik daarna op 'Ja'.

Nu is de website www.seniorennet.be (of .nl) ingesteld als startpagina. We gaan dit eens uitproberen. Sluit je browser af door rechtsboven op het kruisje te klikken.

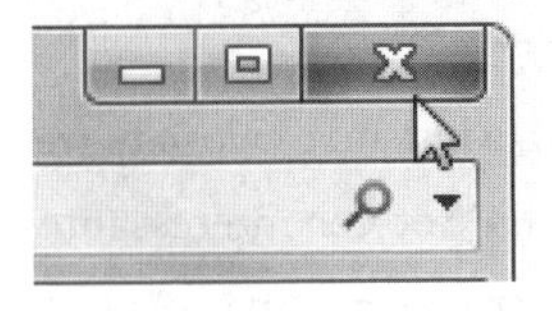

Start vervolgens je browser Internet Explorer opnieuw op. Je zult zien dat nu automatisch de website www.seniorennet.be (of .nl) als startpagina verschijnt.

Favorieten

Wat?

Als we surfen op het internet, komen we af en toe interessante websites tegen. Websites waarvan we vinden dat we ze niet mogen vergeten en waar we later zeker nog eens naartoe willen surfen.

Al die internetadressen onthouden is echter een onmogelijke zaak. De grotere websites hebben een korte naam (zoals www.seniorennet.be), maar vele andere, vooral iets kleinere websites, hebben veel moeilijkere en langere namen, in de zin van http://users.provider.be/gebruikers/gebruikersnaam/home/index.htm, en die zijn zogoed als niet te onthouden. Ons geheugen is ook niet altijd meer zo best en dan hebben we een probleem, want we willen ze toch regelmatig opnieuw bezoeken.

Een mogelijke optie is dat je alle adressen gaat opschrijven op een papier dat je naast je computer laat liggen en dat je dus telkens heel dat internetadres intikt, met de kans dat je dan nog fouten tikt.

Het zou handiger zijn wanneer je een lijstje in je browser zou kunnen hebben met al die internetadressen en dat je er maar op hoefde te klikken. En dat bestaat gelukkig, we noemen dat de favorieten.

Aan de slag

De lijst met favoriete websites kun je zelf aanleggen in je browser. Telkens als je op een interessante website komt die je later zeker en vast nog eens wilt terugzien, kun je die website opnemen in 'Favorieten'. Je doet dit als volgt:

Om te beginnen moet je dus je browser, Internet Explorer, openen. Je moet op de website staan die je wilt toevoegen aan je favorieten, bijvoorbeeld www.seniorennet.be, deze website moet dus geopend zijn.

Klik vervolgens bovenaan op 'Favorieten' en vervolgens op de knop 'Aan Favorieten toevoegen...'

Nu verschijnt er een klein nieuw schermpje. Hier kun je zeggen hoe de favoriete website later moet worden weergegeven, de naam dus. Standaard wordt de titel van de website genomen, maar je kunt deze ook aanpassen door in het tekstveld achter 'Naam:' iets anders te tikken.

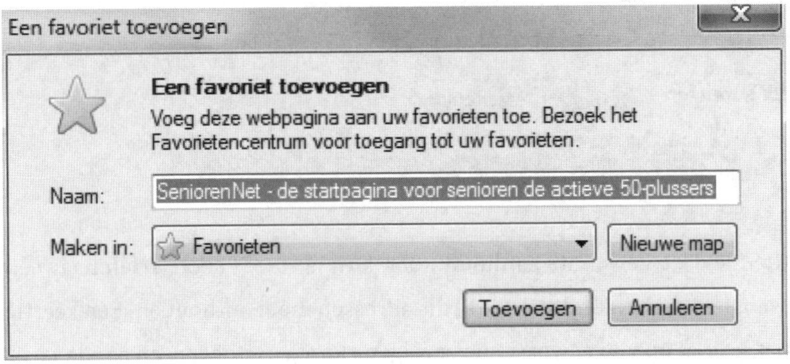

In dit voorbeeld laten we gewoon de naam van de site staan. Klik vervolgens op de knop 'Toevoegen', die onderaan staat.

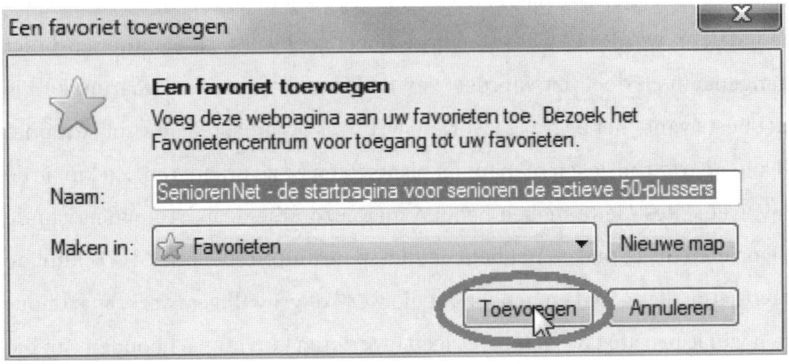

Nu is de website toegevoegd aan 'Favorieten'.

Om nu snel naar de websites te gaan die opgenomen zijn in je favorieten, ga je als volgt te werk. Je gaat opnieuw in je browser naar boven en klikt met je linkermuisknop op 'Favorieten'. Vervolgens kun je in het lijstje dat verschijnt, de gewenste website zoeken en klik je met je linkermuisknop op de titel. Dan zal de computer rechtstreeks naar deze website surfen.

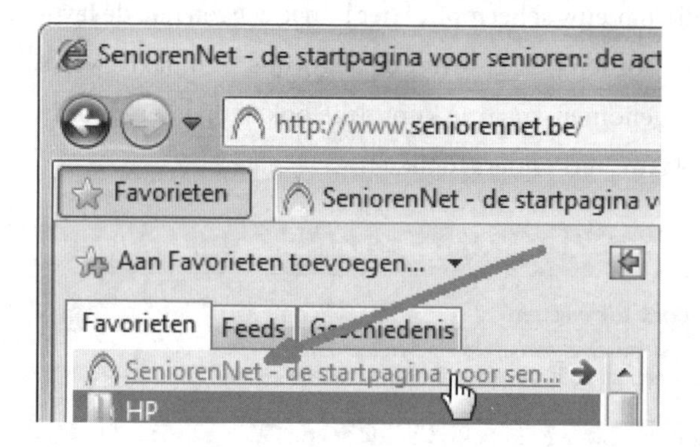

Indien je deze gewoonte aanhoudt, dan kun je steeds snel surfen naar een gewenste website, zonder dat je al die adressen moet onthouden. Eén keertje moet je er al op zijn geweest en vervolgens kun je ze toevoegen aan je favoriete websites om ze niet meer te vergeten.

Na verloop van tijd zal het geheel echter onoverzichtelijk worden. Als je tientallen favorieten hebt, dan is het niet meer zo eenvoudig om de juiste eruit te halen en wordt het weer steeds een heel zoekwerk. Dat is uiteraard niet aangenaam en doet het voordeel van de 'Favorieten' teniet. Daarom kun je het beste vanaf het begin je favoriete websites organiseren: je kunt ze namelijk in aparte rubrieken of mappen plaatsen en ze zo groeperen. Zo kun je de favoriete sites die te maken hebben met gezondheid, apart houden van de favorieten die te maken hebben met ontspanning en spelletjes. En je kunt de favorieten die te maken hebben met je werk of vrijwilligerswerk, apart houden van je private favorieten. Je eigen favorieten kun je apart houden van die van je partner en van die van je kinderen.

Dit doe je als volgt.

Je surft ook nu naar de website die je wenst toe te voegen aan je favorieten, je klikt in het menu op 'Favorieten' en vervolgens op 'Aan Favorieten toevoegen...'. Dus net zoals hierboven al is uitgelegd.

Op het scherm dat je nu te zien krijgt, moet je echter iets anders doen. Indien het de eerste keer is dat je een favoriet in een bepaalde groep (map) wilt zetten, moet je het volgende doen. Klik op de knop 'Nieuwe map'.

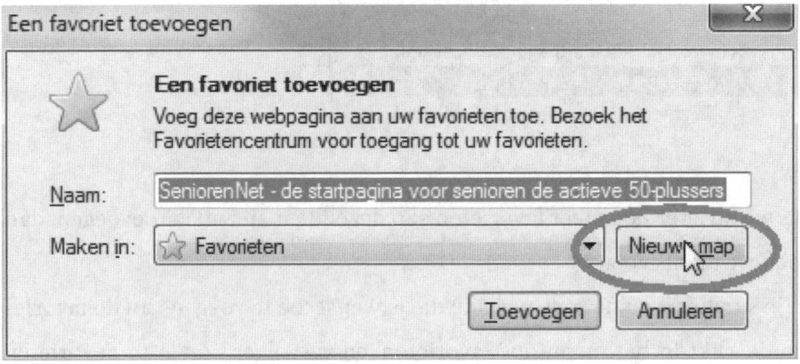

Vervolgens verschijnt er nog een klein venster met de vraag naar de naam van deze nieuwe map. Laat ons in dit voorbeeld de website in de map zetten waar we in de toekomst alle websites in gaan plaatsen die te maken hebben met gezondheid. We geven bijvoorbeeld 'Gezondheid' als naam op.

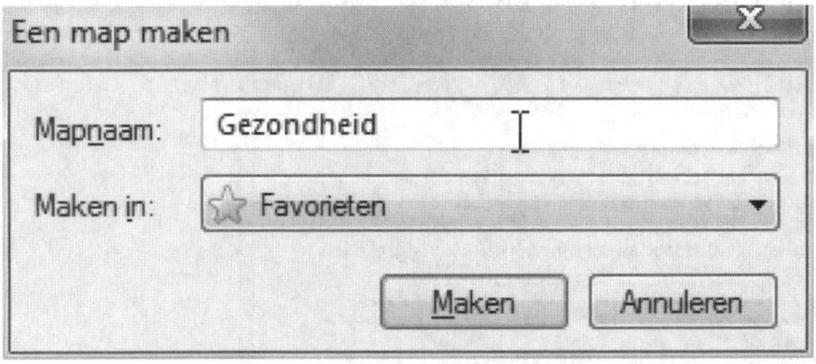

Klik nu op 'Maken' en daarna op 'Toevoegen'.

Nu is je favoriet toegevoegd aan de map 'Gezondheid'. We kunnen dit zien door terug naar het menu 'Favorieten' te gaan en daar zien we een map

'Gezondheid' verschijnen. Indien we erop klikken, komt rechts ervan een submenuutje met de favorieten van die map.

Als we nu later nog meer favorieten aan dezelfde map willen toevoegen, dan doen we dit als volgt:

Je surft ook nu naar de website die je wenst toe te voegen aan de favorieten, je klikt in het menu op 'Favorieten' en vervolgens op 'Aan Favorieten toevoegen...'. Dus net zoals hierboven al werd uitgelegd.

Op het scherm dat je nu te zien krijgt, moet je echter weer iets anders doen.

Onder het tekstvak voor de naam zie je 'Maken in'. Klik met je linkermuisknop op het pijltje ernaast om de lijst te zien. Vervolgens kun je met je linkermuisknop de gewenste map kiezen, 'Gezondheid' in dit voorbeeld.

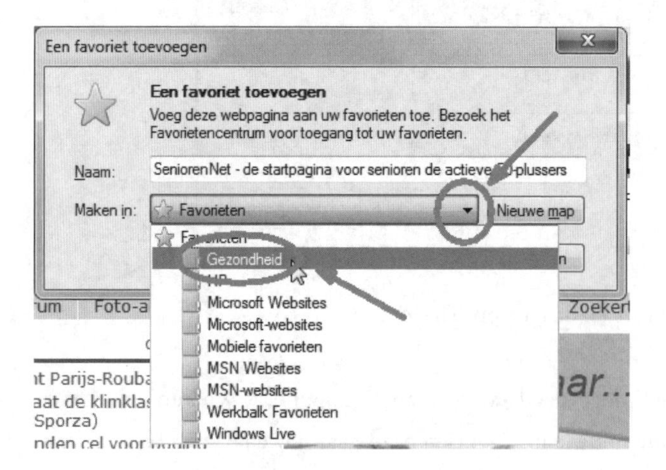

Klik vervolgens op 'Toevoegen'.

Nu zal ook die website toegevoegd zijn als favoriet in deze map. Wat je dus in de toekomst het beste kunt doen, is je favorieten indelen in mappen. Indien je een nieuwe map wenst aan te maken, volg je de instructies die in het begin werden gegeven, indien je een favoriet wilt toevoegen in een bestaande map, volg je de laatst gegeven instructies.

Door deze orde te houden vanaf het begin, ga je steeds wijs raken uit je favorieten, wat je veel ergernis en stress zal besparen. Velen doen dit niet en hierdoor wordt hun favorietenlijst waardeloos doordat ze hier zelf niets meer terugvinden. De favorieten achteraf reorganiseren is wel mogelijk, maar vraagt enorm veel werk.

Geschiedenis

Wat?

We kunnen met onze computer teruggaan in de tijd. We gaan niet spreken over de middeleeuwen of andere historische periodes. We gaan wel nagaan welke websites we in het verleden hebben bezocht. We kunnen namelijk zien welke websites we gisteren, eergisteren of zelfs vorige week tegengekomen zijn.

Dat is bijvoorbeeld erg handig wanneer je je nog herinnert een interessante website te hebben bezocht, maar deze niet meer terugvindt en je ook vergeten bent ze bij je favorieten te plaatsen. Via de functie 'Geschiedenis' kun je zo teruggaan in de tijd en de site relatief eenvoudig terugvinden. Standaard kun je tot twintig dagen in de tijd teruggaan.

Aan de slag

Voor de geschiedenis moet je in je browser Internet Explorer klikken op de 'Favorieten'-knop en vervolgens op 'Geschiedenis', die zich linksboven op het scherm bevindt:

Vervolgens verschijnt aan de linkerkant van het scherm onze surfgeschiedenis.

De websites die je bezocht hebt, worden gesorteerd. Je krijg een lijst van websites te zien: ofwel in de volgorde van raadpleging die bewuste dag, ofwel verdeeld dag per dag voor de afgelopen dagen/weken. Door op deze titels te klikken, krijg je alle sites onder elkaar te zien die die dag of periode bezocht zijn. Hoe verder je teruggaat in de tijd, hoe langer de periode wordt.

Door op de naam van de website te klikken, verschijnen alle pagina's onder elkaar die je op die ene website hebt bezocht.

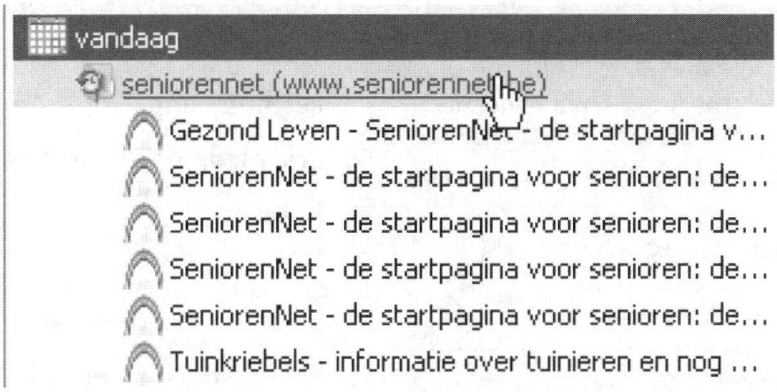

Door op de pagina's te klikken, zal de computer op het scherm rechts ervan naar de juiste pagina surfen. Op deze manier kun je eenvoudig naar de juiste periode teruggaan, de juiste website zoeken en vervolgens de juiste pagina terugvinden.

We kunnen echter de computer de websites anders laten rangschikken. Indien je niet goed meer weet hoelang het geleden is, kun je ook nog op een andere manier de juiste website terugvinden. Je kunt de computer namelijk de hele geschiedenis alfabetisch laten sorteren op de naam van de website, op de volgorde zoals je de websites vandaag hebt bezocht of volgens het criterium 'meest bezocht'.

Daarvoor klik je bovenaan onder 'Geschiedenis' op het pijltje naar onderen om de keuzelijst te openen. Vervolgens verschijnt er een submenu waarop je kunt aanduiden hoe de computer de lijst moet sorteren.

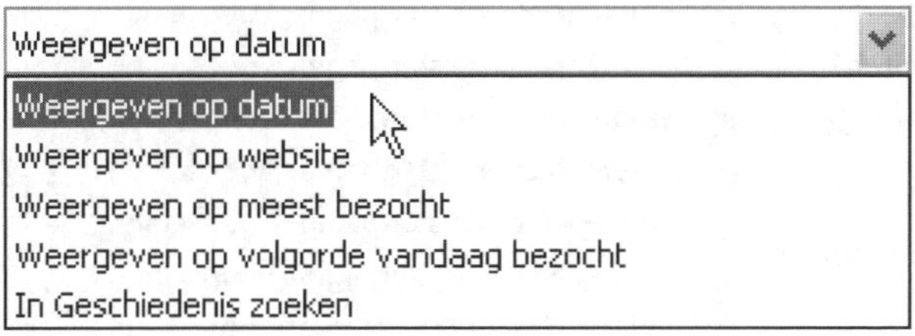

Indien je het met deze methode nog niet vindt, is er nog een laatste mogelijkheid om de website terug te vinden. Wanneer je geschiedenis erg groot en uitgebreid is (omdat je erg veel surft), kun je ook in de geschiedenis gaan zoeken.

Dit doe je door in het keuzelijstje met je linkermuisknop op 'In geschiedenis zoeken' te klikken.

Je kunt vervolgens in het tekstvak dat eronder verschijnt, een woord of naam ingeven die in de titel van de website zou moeten staan. Klik vervolgens met je linkermuisknop op de knop 'Nu zoeken' om de computer dan te laten zoeken in je geschiedenis.

De gevonden resultaten zullen er dan onder verschijnen in een lijst. Door op de titel te klikken van die pagina, zal de computer naar de gewenste pagina surfen, die je rechts op het scherm zult zien.

Om de geschiedenis weer te sluiten, klik je bovenaan opnieuw op dezelfde knop als waarop je hebt geklikt om de geschiedenis te openen (dus de knop naast 'Media').

De geschiedenis zal vervolgens verdwijnen.

Langer of korter bijhouden

Indien je wenst dat de computer de geschiedenis minder lang bijhoudt, of juist veel langer bijhoudt, kun je dit aanpassen op de volgende manier.

Ga in Internet Explorer naar boven en klik met je linkermuisknop op 'Extra'. Klik vervolgens in het submenu dat verschijnt met je linkermuisknop op 'Internetopties'.

Op het scherm dat nu verschijnt, klik je met je linkermuisknop op de knop 'Instellingen' bij 'Browsergeschiedenis'.

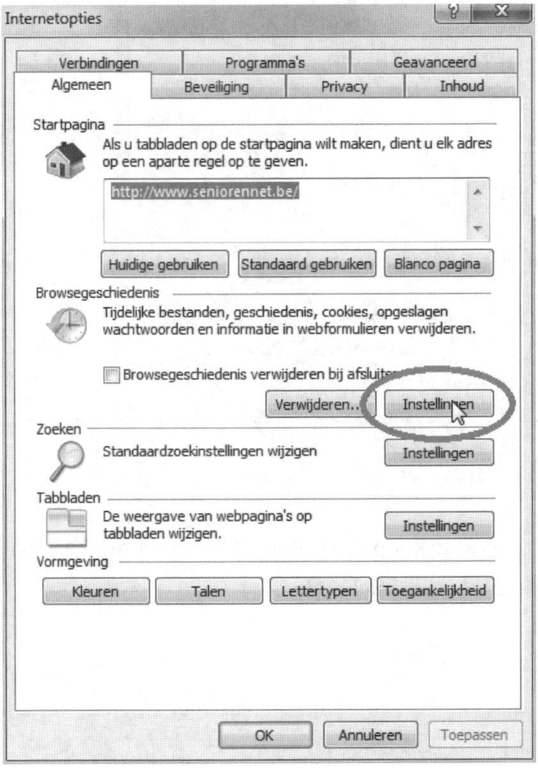

Op het scherm dat nu verschijnt, wijzig je onderaan het cijfer. Er staat standaard 20, maar je kunt dit cijfer verhogen of verlagen. Het maximum is 999 dagen.

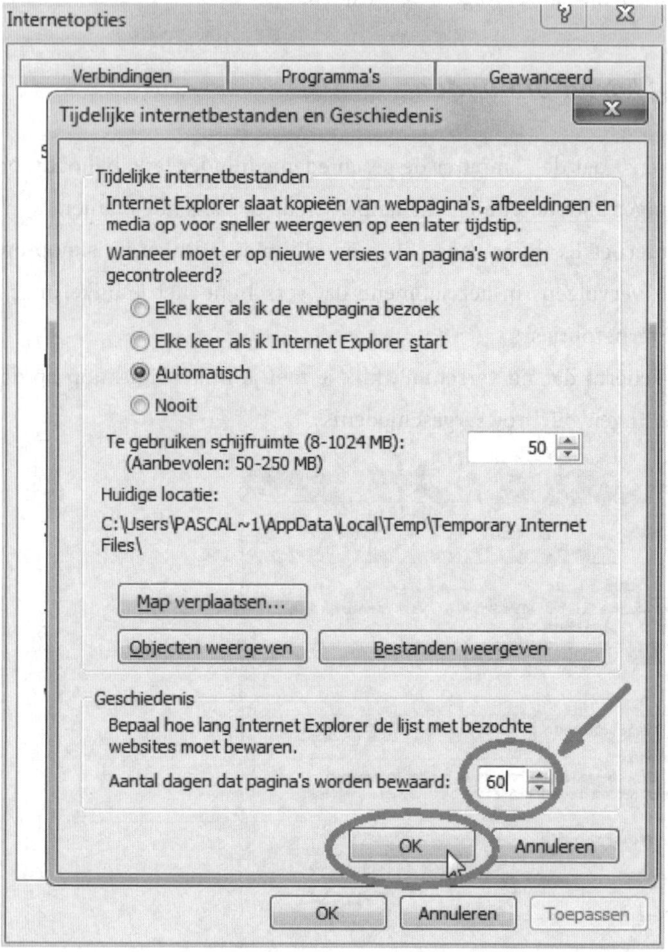

Klik vervolgens met je linkermuisknop op de knop 'OK'. De computer slaat de instelling op en zal hiermee rekening houden.

Webpagina doormailen

Stel dat je aan het surfen bent op het internet en dat je denkt dat iemand anders die webpagina ook eens zou moeten bekijken. Je zou daarom graag die ene webpagina via e-mail willen doorsturen naar een vriend of familielid.

Je zou dit kunnen doen door een e-mail aan te maken, het adres te kopiëren enzovoort. Maar het kan veel sneller en eenvoudiger.

In Internet Explorer, je browser dus, zit namelijk een functie ingebouwd om snel en eenvoudig een webpagina naar iemand anders door te sturen. Deze persoon ontvangt de e-mail, eventueel met een berichtje van jou erbij, en kan dan snel naar de website surfen.

Je doet dit als volgt:

Ga naar de webpagina die je wilt doorsturen, bijvoorbeeld www.seniorennet.be (of www.seniorennet.nl).

Ga in het menu van Internet Explorer naar 'Pagina' (rechtsboven) en klik erop.

Er verschijnt een submenuutje. Ga vervolgens naar 'Koppeling per e-mail verzenden'.

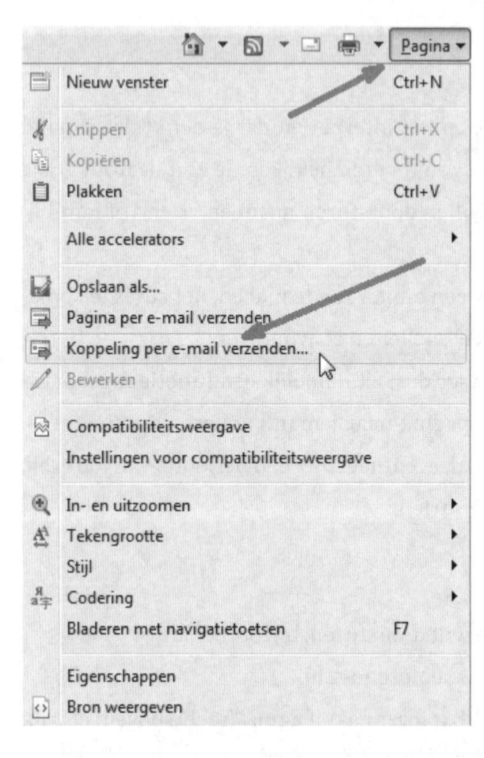

Nu zal er een e-mail geopend worden waar een bijlage aan vastzit. Dit is de link naar de huidige webpagina.

Je kunt vervolgens de ontvanger ingeven (bij 'Aan:'), eventueel een berichtje intikken en de mail verzenden.

SeniorenNet - de startpagina voor senioren: de actieve 50-plussers - Beri...
Bericht Invoegen Opties Tekst opmaken Adobe PDF
Dit bericht is niet verzonden.
Aan... mijn_vriend@seniorennet.be
Onderwerp: SeniorenNet - de startpagina voor senioren: de actieve 50-plussers

Hallo,

Hierbij een heel interessante website die je zeker en vast eens moet bezoeken!

Groetjes,
Pascal

http://www.seniorennet.be/

De ontvanger kan dan de bijlage openen, die hem rechtstreeks naar dezelfde pagina brengt die jij hebt openstaan.

Er is nog een tweede mogelijkheid. Op sommige websites is het mogelijk dat je door gewoon op een link te klikken een e-mail kunt openen om het adres door te sturen naar een vriend(in).

We proberen dit uit op de website www.seniorennet.be (of .nl), want ook daar is deze eenvoudige mogelijkheid voorzien.

Surf naar www.seniorennet.be (of www.seniorennet.nl).

Vervolgens moet je naar beneden scrollen door rechts onderaan op het pijltje te klikken.

Je doet dit totdat je de onderkant van de pagina hebt bereikt.

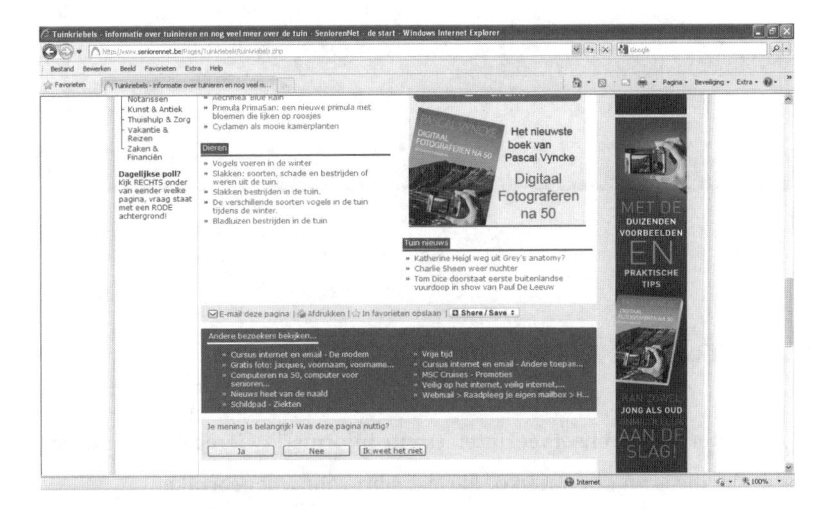

Klik vervolgens op de link 'E-mail deze pagina'.

E-mail deze pagina |

Nu verschijnt er ook een e-mailbericht. Ook hier moet je het adres ingeven van degene naar wie je het berichtje wilt versturen en eventueel een extra tekstje bij ingeven.

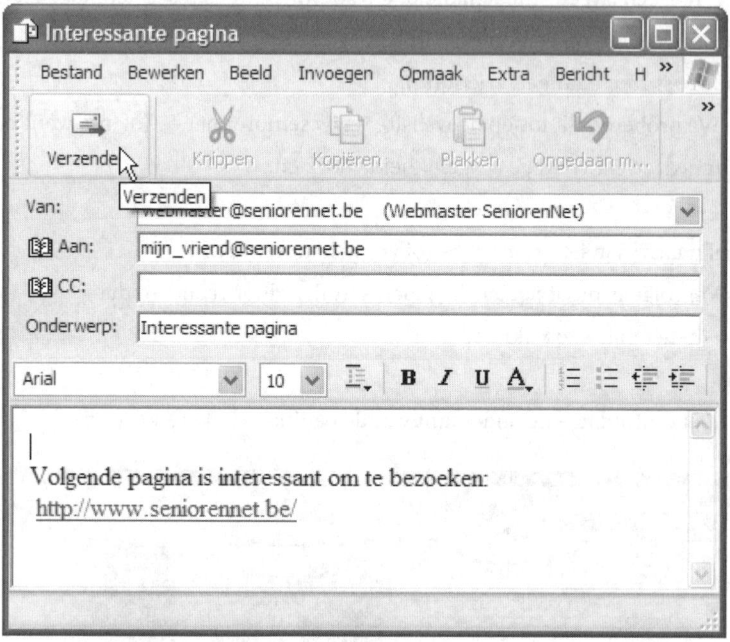

Tekst kopiëren

Op het internet staat heel veel interessante informatie. Geregeld zal er informatie zijn die je wilt bewaren of die je ergens voor wilt gebruiken.

De eerste mogelijkheid is om de informatie af te drukken op papier (zie webpagina afdrukken). Een andere mogelijkheid is het op de computer te houden en te kopiëren naar een tekstverwerker om er zo mee te doen wat je wenst.

Om een stuk tekst te kopiëren dat je op een website ziet, doe je het volgende: Je moet eerst in Internet Explorer naar de pagina surfen waar de tekst op staat die je wilt kopiëren. Ik gebruik in dit voorbeeld een pagina op de website SeniorenNet die gaat over 'Slaapstoornissen'.

Wat je eerst moet doen, is het stuk tekst dat je wilt kopiëren, selecteren met je muis. Je doet dit als volgt.

Ga met je muisaanwijzer naar het begin van de tekst waar je wilt beginnen te kopiëren. Klik vervolgens de linkermuisknop in en hou deze ingeklikt. Ga vervolgens met je muisaanwijzer tot het einde van de tekst die je wilt selecteren. Je zult zien dat de tekst die je op het ogenblik hebt geselecteerd, in het negatief staat: tekst licht en de achtergrond donker. Als je muisaanwijzer op het einde van het stuk gewenste tekst staat, laat je de linkermuisknop los. Je hebt nu de tekst geselecteerd.

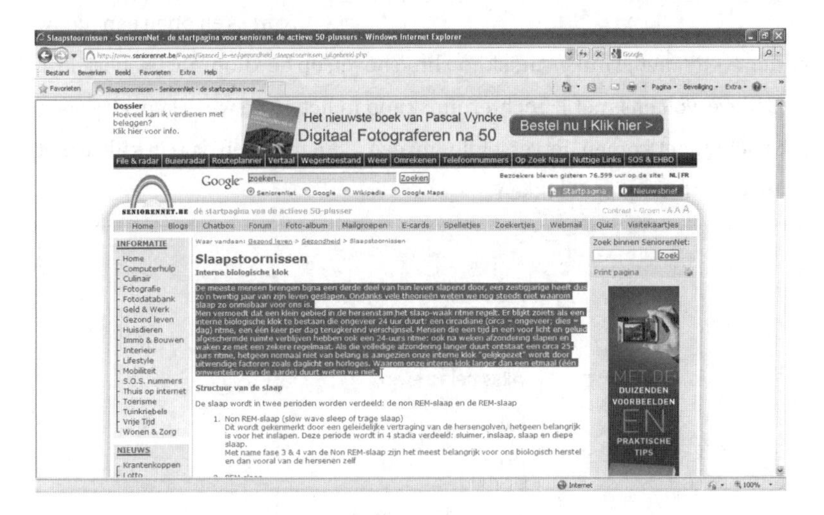

Vervolgens ga je met je muisaanwijzer ergens op de geselecteerde tekst staan en klik je de rechtermuisknop in. Er zal nu een menu verschijnen:

Klik in het submenu met je linkermuisknop op 'Kopieren'.

De tekst is nu gekopieerd. Je kunt nu de tekst plakken in een tekstverwerker of in een ander programma. Je kunt het ook plakken in een e-mail. Laat ons dit laatste uitvoeren.

Ga naar Outlook Express en open een nieuw bericht (klik met je linkermuisknop linksboven op de knop 'Nieuw bericht').

Klik vervolgens met je rechtermuisknop in het grote witte gedeelte waar je bericht moet komen. Er verschijnt nu een klein menu en daarin klik je met je linkermuisknop op 'Plakken'.

De tekst die je zonet hebt gekopieerd, zal nu worden geplakt in je e-mailbericht. Nu kun je eventueel iets aan de tekst aanpassen, iets erbij tikken, de opmaak aanpassen... en het bericht versturen.

Sneltoetsen

Altijd als je iets wilt doen, moet je met je muis naar een bepaalde plaats gaan en erop klikken. In het ergste geval moet je zelf de opdracht zoeken in een menu en dan soms nog eens in een submenu. Als je bepaalde handelingen regelmatig doet, is dit erg lastig en tijdrovend. Hiervoor is gelukkig een oplossing: de sneltoetsen.

De naam laat al doorschijnen waarover het gaat: iets waardoor dingen sneller gebeuren. En inderdaad, dit is zo. Het zijn geen speciale toetsen die je voor je toetsenbord moet bijkopen, neen, het zijn combinaties van gewone toetsen die je indrukt op je toetsenbord, die de computer een commando geven. Deze speciale combinaties maak je onder normale omstandigheden niet. Indien ze dan toch worden ingedrukt, weet de computer dat je een sneltoets wilt gebruiken.

Zou het niet leuker zijn als je op het internet snel iets kunt afdrukken, iets kunt zoeken, naar de startpagina gaan, een e-mail opslaan... met één handeling?

De werking van de sneltoetsen is eenvoudig. Ze is gebaseerd op het tegelijk indrukken van twee toetsen. Bijna altijd gaat het om de Control- (soms ook 'Ctrl' op het toetsenbord) of de Alt-toets, die je moet indrukken tegelijk met een letter of cijfer.

De Control- en de Alt-toets zijn de sleutel tot succes bij sneltoetsen.

We gaan samen één voorbeeldje uitwerken. We willen een bepaalde webpagina afdrukken.

In plaats van linksboven op het menu 'Bestand' te klikken en vervolgens te gaan naar 'Afdrukken...' kunnen we dit eenvoudiger oplossen.

De sneltoets om af te drukken is 'Control + P' (soms ook geschreven als 'Ctrl + P').

Je moet dus het volgende doen.

Druk met een vinger van je linkerhand de toets Control in en hou deze ingedrukt. Druk vervolgens met een vinger van je rechterhand op de toets

'P' en laat vervolgens de 'P' weer los (dus gewoon maar eventjes indrukken, alsof je een P zou willen intikken). Laat vervolgens de Control-toets los.

Je zult nu zien dat er hetzelfde schermpje verschijnt zoals je anders had gekregen als je naar het menu Bestand en dan naar Afdrukken was gegaan.

De eerste keer is het wat vreemd om via dergelijke toetsencombinaties iets te laten verschijnen. Maar als je het eenmaal wat gewend bent, kun je het zelfs met één hand doen in een fractie van een seconde, veel sneller en minder moeilijk dan via het menu.

Er zijn echter uitzonderingen. Er bestaan ook sneltoetsen die niet enkel met letters of cijfers werken, maar die ook met andere toetsen van je toetsenbord werken.

Je ziet namelijk op je toetsenbord ook nog de zogenaamde 'functietoetsen' staan, de hele reeks die bovenaan op je toetsenbord staat: F1, F2, F3...

Er zijn ook sneltoetsen die onder andere met de toetsen 'Delete', 'Home', 'End' en andere toetsen werken. Deze laatstgenoemde toetsen bevinden zich boven de pijltjestoetsen, aan de rechterkant van alle letters op je toetsenbord.

En er zijn nog meer uitzonderingen. Er bestaan namelijk sneltoetsen die een combinatie zijn van maar liefst drie toetsen. Ze zijn zeer zeldzaam en bij normaal gebruik komen we er misschien maar één of twee tegen. Deze komen meestal maar voor in gespecialiseerde programma's waar tientallen of zelfs honderden sneltoetsen worden aangemaakt en er meer combinaties kunnen worden gemaakt met drie toetsen in plaats van met twee toetsen.

Er bestaan ook sneltoetsen die maar uit 1 toets bestaan. Meestal is dit een van de 'functietoetsen' (F1, F2...).

Ik geef hieronder een overzicht van de sneltoetsen die je kunt gebruiken in Internet Explorer:

Control + P	Huidige pagina afdrukken.
Control + C	De tekst die je hebt geselecteerd met je muis kopiëren.
Control + V	De tekst die je ervoor hebt gekopieerd, plakken (in bijvoorbeeld de adresbalk).
Control + A	Alles selecteren van die ene webpagina.
Control + F	Zoeken op een woord in de webpagina die je voor je hebt staan.
Alt + Home	Teruggaan naar je startpagina.
F5	De huidige pagina die je voor je hebt staan opnieuw ophalen. Dit kan handig zijn omdat mogelijk de pagina intussen werd bijgewerkt (nieuwspagina's, forum,...).
F11	Al het onnodige van je scherm laten verdwijnen en zo veel mogelijk van de webpagina tonen op je scherm. Druk nogmaals op F11 om terug te keren naar de gewone weergave.
F1	Helpfunctie.

Er zijn ook sneltoetsen voor je e-mailprogramma. Sommige zijn hetzelfde, maar afhankelijk van in welk programma je bent, zal er mogelijk iets anders worden uitgevoerd.

Control + O	Een e-mailbericht openen.
Control + N	Een nieuwe (lege) e-mail openen om te kunnen versturen.
Control + P	De e-mail afdrukken.
Control + C	De geselecteerde tekst in de e-mail kopiëren.
Control + X	De geselecteerde tekst in de e-mail wegknippen (de tekst verdwijnt, via Control + V (plakken) kun je de tekst ergens anders terugzetten).
Control + V	De gekopieerde of geknipte tekst plakken.

Control + Shift + F	Dit is zo'n sneltoets bestaande uit drie toetsen. De 'Shift'-toets bevindt zich net boven de 'Control'-toets. Er staat 'Shift' op of een pijltje naar boven. Met deze sneltoets kun je een e-mailbericht zoeken.
F5	Controleer op nieuwe berichten en verstuur indien nodig de berichten die klaar staan om verstuurd te worden.
Control + R	Beantwoord de afzender van de e-mail die openstaat (zogenaamde 'reply').
Control + F	Stuur de e-mail die openstaat door naar iemand anders (zogenaamde 'forward').
F1	Helpfunctie

Sneltoetsen zijn dus echt afhankelijk van het programma dat openstaat. Indien je in Internet Explorer bent, betekent bijvoorbeeld de sneltoets 'Control + F' (zoeken in pagina) iets helemaal anders dan in je e-mailprogramma Outlook Express (een bericht doorsturen).

Dit zorgt soms voor wat verwarring, maar indien je de sneltoetsen regelmatig gebruikt, zul je al snel geen fouten meer maken.

De vraag is nu waar deze combinaties vandaan komen. Waarom nu net 'Control + O' om iets te openen, en niet iets anders? De makers van deze programma's hebben hier zo veel mogelijk logica in proberen te steken.

'Control + O' komt van het Engelse 'open', of 'openen' in het Nederlands.

'Control + C' komt van 'copy', of 'kopiëren' in het Nederlands.

'Control + F' komt van 'find', of 'zoeken' in het Nederlands.

Dit gaat echter niet altijd op. 'F5', 'Control + X' enzovoort hebben er niets mee te maken. De softwaremakers kunnen het zelf kiezen. Alle software van Microsoft en vele andere software houden wel min of meer hetzelfde aan in alle verschillende programma's. Zo zal kopiëren, plakken en knippen in bijna élk softwarepakket hetzelfde zijn.

Heel handig om te weten en om nooit de sneltoetsen te vergeten is dat de sneltoetsen bijna altijd worden vermeld in het menu.

Ga maar eens in Internet Explorer naar linksboven in het menu 'Pagina'.

Rechts achter de uitleg staat steeds de sneltoets. Zo zie je dat achter 'Alles selecteren' de sneltoets 'Ctrl + A' staat. Als je dus een sneltoets vergeten bent, dan ga je gewoon naar de juiste plaats in het menu en je kijkt wat erachter staat. Ook kun je zo in onbekende programma's makkelijk de sneltoetsen achterhalen, want ook daar staat dit steeds achter de functie in het menu.

Een laatste plaats waar de sneltoetsen te vinden zijn, is de handleiding van de software. In een goede handleiding wordt meestal een overzicht van alle sneltoetsen gegeven. Ook kun je hetzelfde terugvinden bij de helpfunctie van het programma (bijna in alle software via de sneltoets F1 of in het menu 'Help').

Ongewenste reclame

Waarschijnlijk is alle reclame ongewenst. Als je op de televisie een interessant programma of een film aan het bekijken bent, is er opeens reclame. Je kunt er niets tegen doen en je moet afwachten totdat de reclame afgelopen is. Uiteraard kun je intussen iets anders doen, naar het toilet gaan of naar een andere zender kijken. Ook op de radio is er steeds die vervelende reclame, en alle tijdschriften en kranten staan er vol van. Zelfs je brievenbus – al dan niet voorzien van 'geen reclame a.u.b.' – zit regelmatig vol met reclamebladen.

Het is dan ook niet moeilijk om je voor te stellen dat er ook op het internet en in je mailbox reclame zal worden gemaakt. Het voordeel is echter dat je hier wel iets tegen al die reclame kunt doen.

Spam

►► *WAT?*

Spam is de naam die gebruikt wordt voor ongewenste reclame-e-mails. Met ongewenst wordt bedoeld dat je er nooit om hebt gevraagd, maar vooral dat je er ook niet van af raakt.

Als je pech hebt, komen er in je mailbox dagelijks verschillende reclameberichten binnen en wordt het steeds moeilijker om de andere berichten eruit te halen, omdat je steeds opnieuw die reclame moet verwijderen. Om van die reclame-e-mails af te komen, helpt het meestal niet om onderaan te klikken op een speciale link om geen e-mails meer te ontvangen. Meestal is dit er zelfs de oorzaak van dat je nog meer reclame toegestuurd krijgt. Dat komt doordat de bedrijven die de spam versturen, zo heel zeker zijn dat het e-mailadres bestaat en de mail bovendien gelezen wordt.

Spam is een wereldje apart. Alle reclame-e-mail waarvan je last hebt, wordt meestal maar verstuurd door een handvol bedrijven die dagelijks honderden miljoenen e-mails versturen. Het is een heel eigen wereldje waar vele miljoenen e-mailadressen aan elkaar worden doorverkocht om zo massaal alles te versturen naar iedereen.

De naam spam werd oorspronkelijk gebruikt voor een bepaald merk van ingeblikt vlees. Die naam werd gebruikt omdat het een heel slecht product zou zijn. Het woord werd steeds ruimer overgenomen en nu is het de echte naam voor ongewenste e-mail.

Een voorbeeld van een spambericht:

Elvis fans!!! Officially licensed by Elvis Presley enterprises. Exact replica of Elvis's last driver's license issued by the state of Tennessee. Plastic laminated to last for years, it has Elvis's height, weight, date of birth, eye and hair colour, street address, expiration date and colour photo. 'this is a must have for any Elvis fan', only $8.95!

De meeste spamberichten bieden een product of dienst aan waarvoor je moet betalen. In vele gevallen gaat het over pornografische of erotische diensten. Ook de gevoelige snaar 'snel geld verdienen' wordt hier weleens gebruikt. De meeste berichten zijn Engelstalig, al zul je af en toe ook een Nederlandstalig bericht tegenkomen.

►► *Hoe kun je spam vermijden?*

Om spam in de toekomst te vermijden, kun je volgende nuttige tips gebruiken.

Geef je e-mailadres niet zomaar door aan alle sites. Kijk uit aan wie je het geeft.

Gebruik twee e-mailadressen: een voor je privéberichten, en een dat je gebruikt bij bedrijven waarvan je twijfelt aan de betrouwbaarheid. Op deze manier komt de spam op je tweede adres terecht.

Als je toch spam krijgt, beantwoord het bericht NOOIT. Als je antwoordt, geef je het bedrijf dat je de spam stuurde een extra verzekering dat je zijn mail hebt gekregen, en dit zorgt in de meeste gevallen voor nog méér spam...

Vertel deze tips ook door aan de anderen die eventueel werken aan je computer (partner, kinderen, kleinkinderen). Zij kennen de gevaren misschien nog niet en geven daarom mogelijk wel zomaar hun e-mailadres.

►► *Hoe kom je van die spam af?*

Als je last hebt van spam, dan kun je twee verschillende dingen doen. De eerste manier is de afzender blokkeren. Je opent de e-mail en klikt met je linkermuisknop in het menu op 'Bericht', en vervolgens 'Afzender blokkeren...'.

Spijtig is wel dat een aantal spammers hiermee niet te stoppen zijn, omdat ze voor elk bericht een andere afzender gebruiken.

Een tweede mogelijkheid is het gebruik van een filter. Een filter is een programma dat alle e-mailberichten gaat bekijken en zo de meeste reclame-e-mails eruit haalt. De programma's werken met heel recente databanken om ervoor te zorgen dat ook de laatste nieuwe afzenders en spambedrijven kunnen worden geblokkeerd.

Op onderstaande adressen kun je een programma downloaden dat je helpt om spam tegen te gaan.

SpamPal (http://sourceforge.net/projects/spampal/)
Spam Buster (www.contactplus.com)
Spam Killer (www.spamkiller.com)

Indien je een gratis e-mailadres hebt bij Hotmail, Yahoo, MSN..., dan zal waarschijnlijk je e-mail automatisch al gefilterd worden voor spam. Deze diensten geven meestal gratis al een filter op je e-mails.

Een laatste mogelijkheid is een dienst van je provider. Er zijn steeds meer providers die (al dan niet gratis) je e-mail scannen op ongewenste e-mails en die verwijderen. Neem eventueel contact op met je provider (de helpdesk bellen) om te vragen of zij een dergelijke dienst aanbieden.

Pop-ups en pop-unders

►► *Wat?*

Een pop-upscherm is een kleiner schermpje dat verschijnt tijdens het surfen op websites. In dit kleinere schermpje staat altijd reclame. Deze is soms gewoon een afbeelding, andere keren een hele animatie waar je soms zelfs een klein spelletje in kunt spelen. Het doel is altijd om je aandacht te trekken in de hoop dat je erop klikt, zodat je bij de adverteerder terechtkomt.

Makers van websites gebruiken deze reclamevorm om geld te verdienen via hun website. Ze steken er uiteindelijk enorm veel tijd en soms ook veel geld in, ze willen dan ook graag geld terugverdienen.

Pop-upschermen hebben door hun grote zichtbaarheid meer waarde voor een adverteerder dan een andere reclamevorm op een webpagina. Het grote nadeel is, wat blijkt uit talloze onderzoeken, dat pop-upschermen de meest irritante reclamevorm is die momenteel gebruikt wordt.

Nog een nadeel is dat bij sommige websites er niet één maar meerdere, soms wel tien verschillende pop-upschermen tevoorschijn komen, waardoor je door de bomen het bos niet meer ziet en de originele website eigenlijk niet meer normaal kunt bezoeken, want elke keer als je een nieuwe pagina opent van deze website, worden de pop-upschermen opnieuw gestart.

Gelukkig merken steeds meer websites op dat de pop-up toch niet de oplossing is. Steeds meer websites beginnen deze reclametechniek dan ook te weren.

►► *Pop-ups tegenhouden*

Het leuke aan pop-upschermen is dat je ze met gratis software heel eenvoudig kunt tegenhouden.

Je hebt bovendien ook heel wat mogelijkheden met deze programma's. Je kunt enerzijds altijd het programma laten openstaan, wat ervoor zorgt dat je nooit pop-up- of pop-underschermen te zien krijgt. Maar het nadeel is dat dergelijke programma's je computer vertragen, ook als je niet aan het surfen bent.

Je kunt er anderzijds ook voor kiezen het programma enkel op te starten indien het nodig is. Sommige programma's kun je automatisch starten met een bepaalde toetsencombinatie, zodat het allemaal snel en gemakkelijk kan gebeuren.

Maar het kan altijd voorkomen dat je toch een pop-upscherm wenst te krijgen. Dit zal dan waarschijnlijk geen reclameboodschap zijn, maar heel wat sites gebruiken deze schermen ook om bijvoorbeeld extra uitleg te geven bij een bepaald product. Als je dan op een link klikt voor zo'n pop-upscherm, zou dit niet worden weergegeven. Bij de meeste programma's kun je dan de Control-toets ingedrukt houden; zolang deze is ingedrukt gaat het programma geen pop-up- of pop-underschermen verwijderen, waardoor je toch de informatie kunt zien die de website wil bieden.

Er zijn wel 50 programma's die je beschermen tegen deze pop-upschermen. Spijtig genoeg zijn er maar enkele degelijke programma's die gratis zijn, voor de rest moet je betalen. De belangrijkste drie zijn:

PopUp Stopper (http://www.panicware.com/popupstopper.html)

Dit programma is het bekendste en meest gebruikte programma dat wel gratis is, maar toch doet wat je ervan verwacht.

Als je dit programma gebruikt, let er dan op dat je bij de instellingen zeker 'agressive pop-up control' aanduidt.

EMS Free Surfer (http://www.emsproject.com/FS)

Dit programma is ook volkomen gratis en heeft bovendien meer mogelijkheden dan PopUp Stopper. Nadeel hiervan is dat het moeilijker in te stellen is, wat zeker voor de beginner geen aanrader is.

Het programma kun je niet alleen gebruiken tegen pop-upschermen, maar ook om je cookies te verwijderen, en afbeeldingen en animaties te blokkeren, wat enerzijds het surfen makkelijker maakt, anderzijds je ook veel reclame bespaart. Het nadeel is dan wel dat je de webpagina's uiteraard niet meer goed te zien krijgt doordat de figuren en animaties niet meer werken.

Pow! (http://www.analogx.com/contents/download/network/pow.htm)

Dit is een minder bekend programma, maar is eveneens gratis en heeft nog meer mogelijkheden dan de EMS Free Surfer. Dit programma heeft het voordeel dat het ook werkt onder andere browsers dan Internet Explorer.

Hou wel in het achterhoofd dat het laten verwijderen van de pop-upschermen eigenlijk 'diefstal' is. Het is wettelijk toegelaten, maar de makers van de website steken er veel tijd en geld in om de website te maken zoals ze is. Om die moeite en investeringen te kunnen bekostigen, moeten ze dit (gedeeltelijk) terugbetaald kunnen krijgen, via reclame-inkomsten.

Door het totaal negeren van de reclame, maak je dus wel gebruik van de website, maar breng je niets op voor de website.

Dat kan een probleem worden: als iedereen de reclame weglaat, zullen de websites misschien genoodzaakt zijn bezoekers te laten betalen omdat ze anders de kosten niet meer kunnen dragen.

Cookies

Wat?

Een cookie is letterlijk vertaald een koekje. Cookies worden op internet echter niet gebruikt voor lekkere zoete koekjes, maar om informatie op te slaan op je computer.

Een cookie is een klein tekstbestandje dat meestal niet meer dan een regel tekens bevat.

Zo'n cookie kan door een website worden geplaatst op jouw computer. Dit is trouwens de enige manier waarop een website informatie op jouw computer kan zetten zonder dat je dit eigenlijk weet.

Het nut van zo'n tekstbestandje op je computer is dat de website kan 'onthouden' dat jij het bent. Zo kunnen instellingen die je hebt ingegeven (bijvoorbeeld 'grote letters', een gebruikersnaam, een wachtwoord...) onthouden worden. Hierdoor moet je het niet steeds opnieuw intikken, want de website heeft die informatie al.

Cookies hebben echter ook een donkere zijde. Ze zijn niet gevaarlijk voor virussen of iets dergelijks, daar moet je niet bang voor zijn. Wat soms wel voorkomt, is dat er een uniek nummer in het cookie geplaatst wordt. De website kan vervolgens alles bijhouden wat je bezoekt op hun website en zo een profiel maken van jou. Dit is dan bruikbaar om specifieker en gerichter te adverteren. Sommige mensen zien dit als een schending van hun privacy.

Toch zijn cookies nodig. Als je op een website werkt in een gedeelte waar je een gebruikersnaam en wachtwoord moet opgeven om te kunnen werken, dan moeten je cookies op staan. Als dit niet zo zou zijn, zou je iedere keer dat je naar een andere pagina surft, opnieuw je gebruikersnaam en wachtwoord moeten opgeven, wat natuurlijk erg omslachtig en vervelend zou zijn.

Je cookies aanzetten

Standaard staat het gebruik van cookies aan. Om dit te controleren of om de cookies die uitgeschakeld zijn geweest opnieuw aan te zetten, volg je onderstaande stappen.

Kijk dit ook na wanneer je op een website je paswoord en gebruikersnaam ingeeft (die correct zijn) en de computer een pagina later opnieuw vraagt om je gegevens in te tikken omdat je ze nog niet hebt ingegeven. Kijk dit ook na indien je hebt aangegeven bij de website dat de informatie automatisch moet worden onthouden en dat de website dit toch niet onthouden heeft en bij het volgende bezoek opnieuw de gegevens vraagt.

Klik in je browser Internet Explorer met je linkermuisknop op het menu 'Extra' en vervolgens op 'Internetopties'.

Klik vervolgens met je linkermuisknop op het tabblad 'Privacy'.

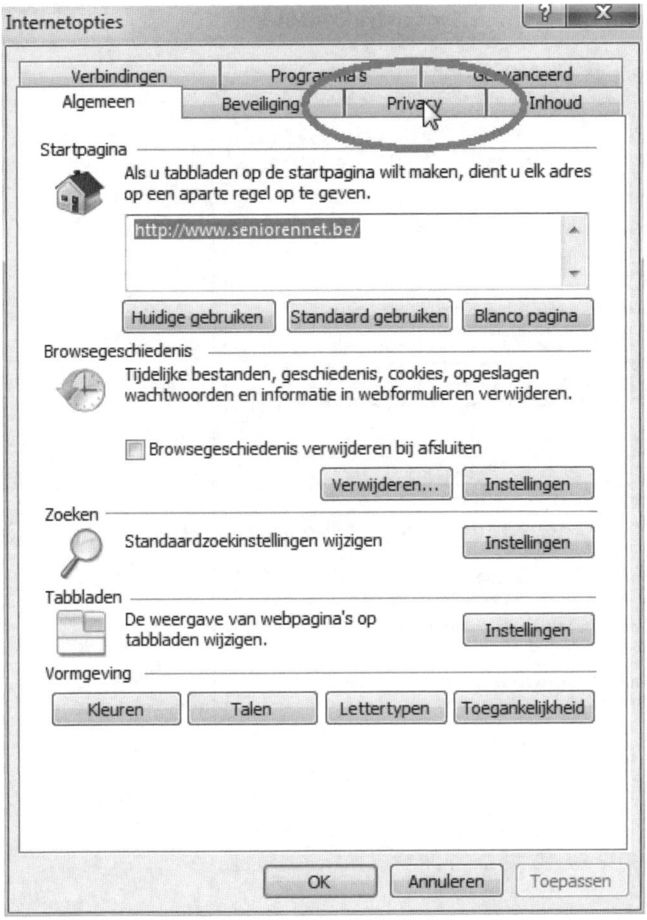

Internetopties

Verbindingen | Programma's | Geavanceerd

Algemeen | Beveiliging | Privacy | Inhoud

Startpagina

Als u tabbladen op de startpagina wilt maken, dient u elk adres op een aparte regel op te geven.

http://www.seniorennet.be/

Huidige gebruiken | Standaard gebruiken | Blanco pagina

Browsegeschiedenis

Tijdelijke bestanden, geschiedenis, cookies, opgeslagen wachtwoorden en informatie in webformulieren verwijderen.

Browsegeschiedenis verwijderen bij afsluiten

Verwijderen... | Instellingen

Zoeken

Standaardzoekinstellingen wijzigen | Instellingen

Tabbladen

De weergave van webpagina's op tabbladen wijzigen. | Instellingen

Vormgeving

Kleuren | Talen | Lettertypen | Toegankelijkheid

OK | Annuleren | Toepassen

Zorg er dan voor dat 'Normaal' vet gedrukt staat.

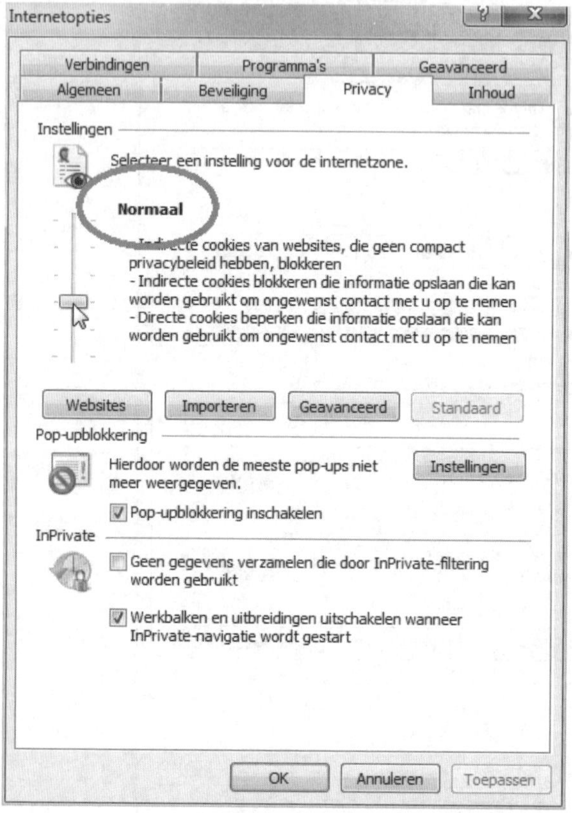

Indien dit niet het geval is, klik dan met je linkermuisknop op de horizontale balk en verschuif deze naar boven of naar beneden, totdat je 'Normaal' ziet verschijnen.

Wanneer dit klaar is, klik je onderaan met je linkermuisknop op 'OK'.

Je cookies uitschakelen

Indien je de cookies wilt uitschakelen, wetende dat er dan verschillende websites totaal niet zullen werken en vele andere diensten op andere sites ook niet zullen werken, volg dan onderstaande instructies. Je kunt ze altijd weer opzetten door de instructies die hierboven vermeld staan, te volgen.

Klik in je browser Internet Explorer met je linkermuisknop op het menu 'Extra' en vervolgens klik je met je linkermuisknop op 'Internetopties'.

Klik vervolgens met je linkermuisknop op het tabblad 'Privacy'.

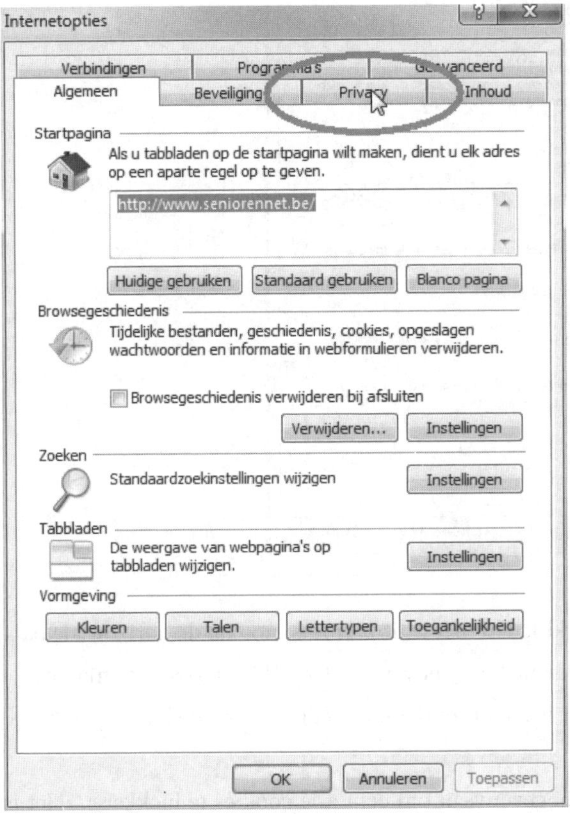

Internetopties

Verbindingen | Programma's | Geavanceerd
Algemeen | Beveiliging | Privacy | Inhoud

Startpagina
Als u tabbladen op de startpagina wilt maken, dient u elk adres op een aparte regel op te geven.
http://www.seniorennet.be/
Huidige gebruiken | Standaard gebruiken | Blanco pagina

Browsegeschiedenis
Tijdelijke bestanden, geschiedenis, cookies, opgeslagen wachtwoorden en informatie in webformulieren verwijderen.
Browsegeschiedenis verwijderen bij afsluiten
Verwijderen... | Instellingen

Zoeken
Standaardzoekinstellingen wijzigen | Instellingen

Tabbladen
De weergave van webpagina's op tabbladen wijzigen. | Instellingen

Vormgeving
Kleuren | Talen | Lettertypen | Toegankelijkheid

OK | Annuleren | Toepassen

Zorg er dan voor dat 'Hoog' vet gedrukt staat.

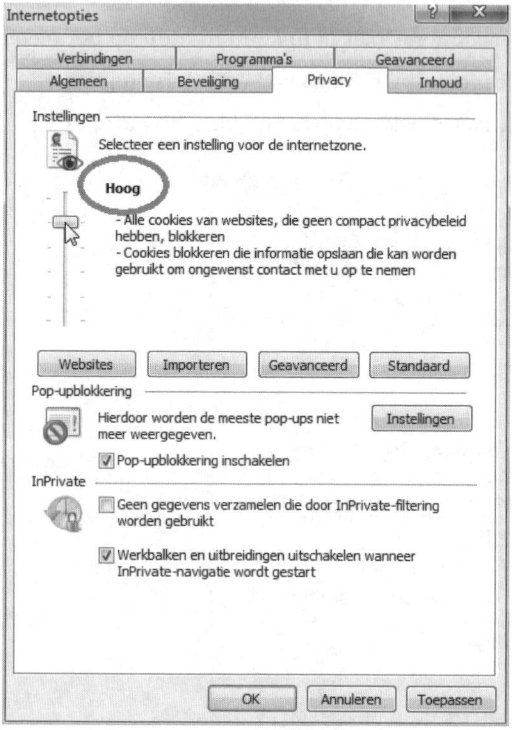

Is dit niet het geval, klik dan met je linkermuisknop op de horizontale balk en verschuif deze helemaal naar boven, totdat je 'Hoog' ziet verschijnen.

Wanneer dit klaar is, klik je onderaan met je linkermuisknop op 'OK'.

Er bestaat nog een hoger niveau om echt alle cookies te blokkeren. Het is echter niet slim om dit niveau te kiezen. Indien je dit toch wenst, moet je 'Alle cookies blokkeren' kiezen, in plaats van 'Hoog'.

Veiliger werken met cookies

Het is ook mogelijk de 'gevaarlijke' cookies voor je privacy uit te schakelen en de nuttige (in de meeste gevallen) toe te laten. Dit kun je doen door onderstaande instructies te volgen.

Klik in je browser Internet Explorer met je linkermuisknop op het menu 'Extra' en vervolgens op 'Internetopties'. Klik dan met je linkermuisknop op het tabblad 'Privacy'.

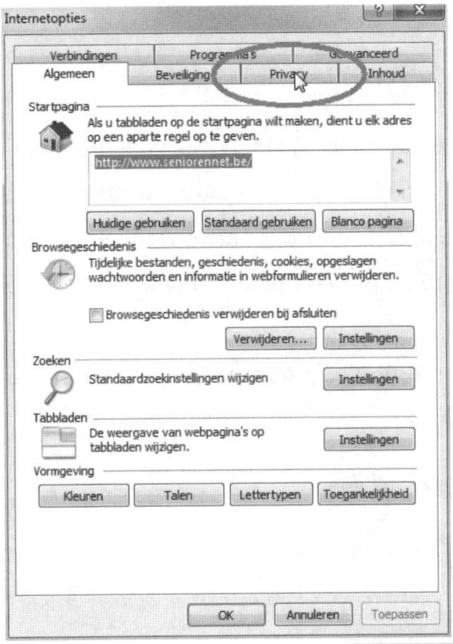

Zorg er dan voor dat 'Normaal-hoog' vet gedrukt staat.

Is dit niet het geval, klik dan met je linkermuisknop op de horizontale balk en verschuif deze helemaal naar boven, totdat je 'Normaal-hoog' ziet verschijnen.

Wanneer dit klaar is, klik je onderaan met je linkermuisknop op 'OK'.

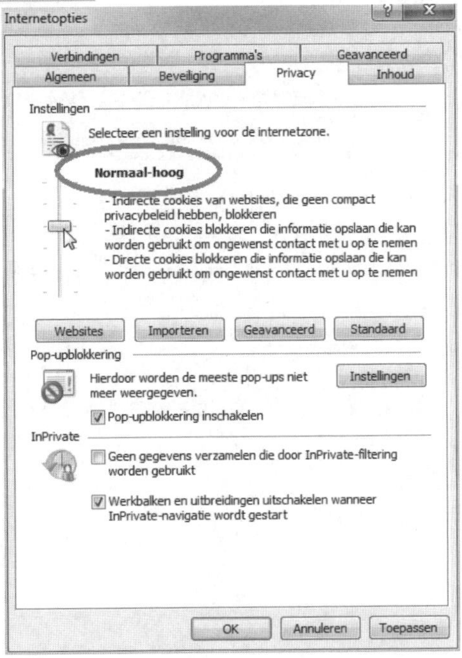

De computer zal nu in de toekomst telkens vragen of je wel of geen cookies wilt toelaten voor een bepaalde website. Zo kun je de cookies toelaten bij de websites die je vertrouwt en blokkeren bij de websites die je niet vertrouwt.

Je cookies verwijderen

Het is mogelijk alle cookies die op je computer staan, te verwijderen. Hierdoor wis je alle cookies die in het verleden op je computer werden gezet en kun je er zo meer orde in houden. Dit is vooral nuttig wanneer je een hoger beveiligingsniveau hebt ingesteld op je computer. Volg onderstaande instructies.

Klik in je browser Internet Explorer met je linkermuisknop op het menu 'Extra' en vervolgens op 'Internetopties'.

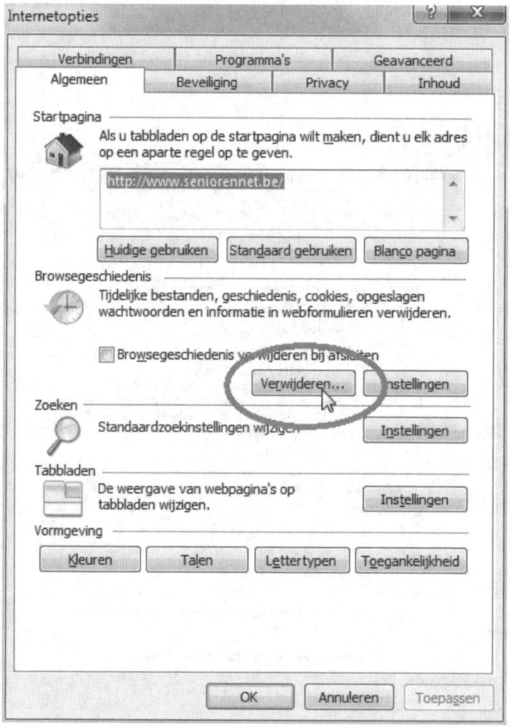

Klik vervolgens met je linkermuisknop op de knop 'Verwijderen' bij 'Browsegeschiedenis'.

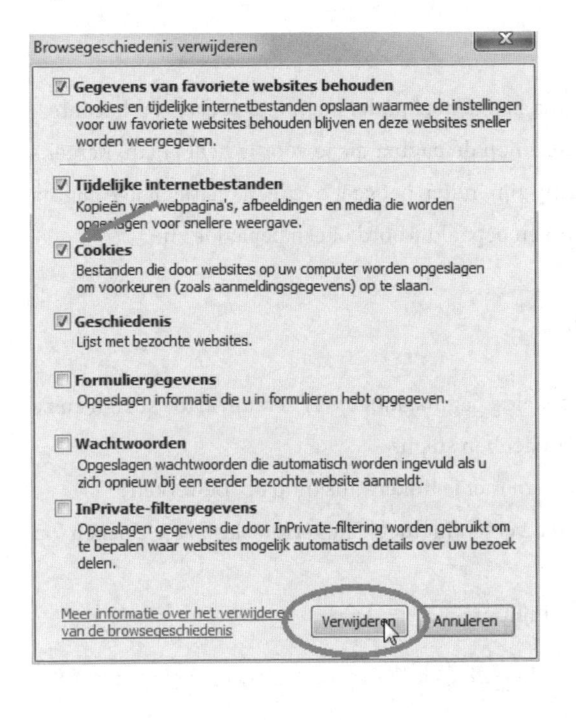

Nu verschijnt een nieuw scherm. Hier kun je kiezen wat je wilt verwijderen. Om de cookies te verwijderen moet het vakje voor 'Cookies' aangeklikt staan (dit is meestal standaard al het geval). Klik vervolgens met je linkermuisknop onderaan op 'Verwijderen'.

De cookies worden vervolgens allemaal verwijderd. Klik vervolgens onderaan met je linkermuisknop op de knop 'OK'.

Zoeken op een webpagina

Wat?

Zoeken op een webpagina is iets heel anders dan iets zoeken op het internet. Je gaat namelijk zoeken op de pagina die je voor je hebt staan, nergens anders. Dit kan heel nuttig zijn indien het gaat over een relatief lange pagina waar je wilt zoeken naar een bepaald woord of een bepaalde zin.

Eenvoudig zoeken

Om te zoeken op een bepaalde pagina, moet je er eerst naartoe surfen en ze dus voor je op het scherm hebben staan.

Klik vervolgens bovenaan met je linkermuisknop op 'Bewerken'.

Klik in het submenu dat verschijnt met je linkermuisknop op 'Zoeken (op deze pagina)...'.

Het zoekvenster verschijnt nu:

Geef in het witte tekstvak achter 'Zoeken' het woord of de woorden in die je wilt zoeken op de pagina. Klik vervolgens met je linkermuisknop op 'volgende'. De computer toont in geel op de webpagina alle gevonden woorden die overeenkomen. Een voorbeeld is te zien op volgende foto, waar ik op het woord 'van' zocht.

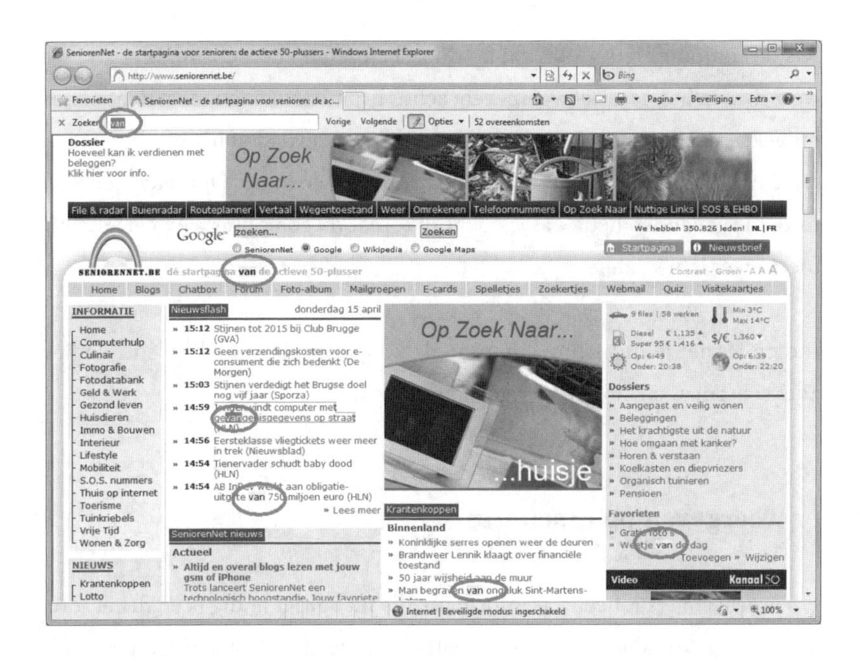

Zoeken met meer mogelijkheden

Het eerste dat je kunt vragen is dat de computer zoekt op het hele woord. Indien je een woord als 'weer' hebt ingegeven, gaat de computer ook 'weerbericht' of 'weerkaart' laten zien. Indien je echt wenst dat hij alleen naar 'weer' zoekt, dat het dus echt een apart woord moet zijn, moet je met je linkermuisknop op het vierkantje voor 'Heel woord' klikken.

De computer houdt ook geen rekening met hoofdletters of kleine letters. Als je 'weer' ingeeft, zal hij ook 'Weer' laten zien als gevonden resultaat. Indien je dit niet wenst en de computer dus hoofdlettergevoelig moet gaan zoeken, klik je met je linkermuisknop op het vierkantje dat staat voor 'Hoofd-/kleine letters'.

Indien je de computer in een bepaalde richting wilt laten zoeken, enkel naar beneden of ook naar boven (handig indien je naar het vorige gevonden woord terug wilt gaan), dan kun je met je linkermuisknop op het rondje klikken dat staat voor 'Omhoog' of 'Omlaag'.

Als de computer iets vindt, zal hij dit selecteren op de website. Met andere woorden, in het negatief weergeven: achtergrond donker en tekst licht of net omgekeerd. Indien het woord dat de computer gevonden heeft niet goed is en je wilt verder zoeken, klik dan nogmaals op de knop 'Opnieuw zoeken', totdat je gevonden hebt wat je zocht of totdat de computer aangeeft dat hij niets meer kan vinden.

Indien je met je linkermuisknop op de knop 'Annuleren' klikt, sluit je het zoekscherm af en kun je weer gewoon surfen.

Meer weergeven op je scherm

Op je scherm staat heel wat informatie die niet altijd nodig is en die ervoor zorgt dat er minder andere informatie op je scherm kan worden getoond. Het menu, de adresbalk, onderaan de balk met de programma's enz. nemen allemaal veel plaats in.

Als je al het onnodige van je scherm wilt laten verdwijnen en de website maximaal op je scherm wilt zien, moet je de toets F11 gebruiken.

Zorg ervoor dat je in Internet Explorer bent en dat er een website openstaat. Druk vervolgens op je toetsenbord op de toets F11. Je zult nu zien dat al het overbodige verdwijnt, behalve de knoppen bovenaan. Hiermee kun je nog naar de vorige pagina of de volgende pagina.

Om dit aangepaste uiterlijk ongedaan te maken, druk je opnieuw op de toets F11 op je toetsenbord. De weergave zal weer worden hersteld zoals ze daarvoor was.

Meer hulp?

Als je in een bepaald programma in de problemen zit en je wilt meer hulp of informatie, dan kun je de helpfunctie gebruiken. Een helpfunctie is ingebouwd in vrijwel elk programma en zeker en vast in Internet Explorer en Outlook Express.

Spijtig genoeg is deze helpfunctie in veel gevallen onvoldoende of onduidelijk, maar je kunt het altijd proberen indien je het echt niet meer ziet zitten bij een bepaald probleem. Mogelijk geeft het je toch een duidelijk antwoord en kun je weer verder.

Hoe kun je de Helpfunctie vinden? Dat is eenvoudig. Druk op de toets F1 ,die zich linksboven op je toetsenbord bevindt. Deze toets is algemeen bekend in alle programma's als de helptoets. De Helpfunctie zal automatisch verschijnen.

Start Internet Explorer op en druk op de F1-toets. Er zal een scherm verschijnen zoals op de foto.

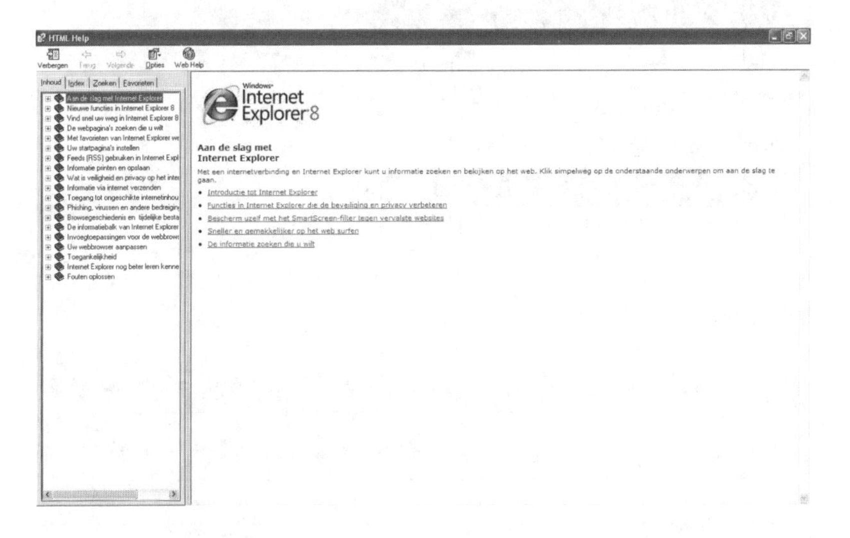

Links van het scherm zie je de inhoud. Een paars gesloten boek betekent dat eronder nog onderwerpen komen. Klik in de inhoud op een gewone pagina (met een vraagteken ervoor) om de betreffende pagina te zien. Klik op een boekje om alle onderwerpen te zien te krijgen, je kunt dan op een van de onderwerpen klikken.

Verder werken de helppagina's zoals webpagina's. In de teksten (die dus rechts op je scherm verschijnen, het grootste gedeelte van je scherm) zullen ook links voorkomen (blauw en onderstreept) waarop je kunt klikken om over een bepaald onderwerp meer te weten te komen.

Bovenaan staan ook nog twee belangrijke knoppen: 'Terug' en 'Volgende', die ook hetzelfde werken als bij de browser.

Om iets te zoeken in de 'Help' (als je een of meerdere woorden weet waardoor je het mogelijk kunt vinden, bijvoorbeeld 'favorieten', 'startpagina' of 'sneltoetsen'), klik je met je linkermuisknop links bovenaan op het tabblad 'Zoeken'. In Windows 7 heb je midden bovenaan op het scherm 'Zoeken in Help', waarin je de zoekopdracht kunt intikken.

Windows 7:

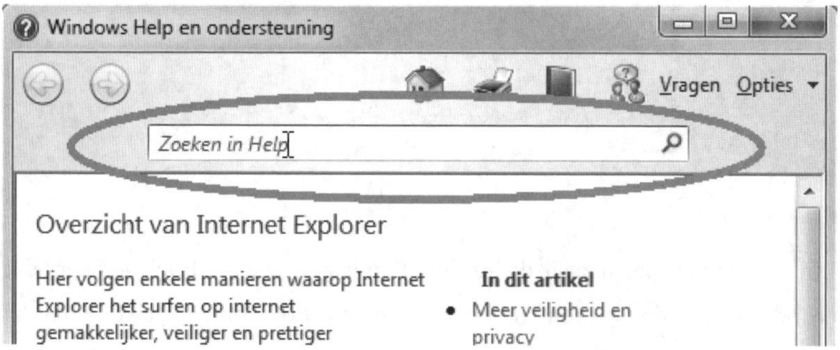

Je kunt vervolgens in het tekstvak onder 'geef een trefwoord op' het woord opgeven waarover je iets zoekt en je drukt vervolgens op de Entertoets.

Indien de computer documenten vindt met het woord erin, zullen die daaronder in het lange verticale vlak onder elkaar worden getoond. Door met je linkermuisknop op de titel te dubbelklikken, zal rechts het document worden getoond met het gevraagde woord aangeduid in het blauw.

Om de helpfunctie te sluiten, klik je rechtsboven op het kruisje.

Internet op je gsm

Wat?

Surfen op het internet kan niet alleen met je computer, maar ook met je gsm. Kun je het internet niet meer missen en wil je overal en altijd op het internet? Dan is internet op je gsm de oplossing.

Op je gsm heb je echter een veel kleiner scherm en meestal geen kleur. Hierdoor zijn de mogelijkheden beperkt en kun je uitsluitend speciaal hiervoor bestemde websites bezoeken.

Er zijn een aantal verschillende technieken waarmee je kunt surfen op het internet via je gsm:

WAP

WAP komt van Wireless Application Protocol. Het 'wappen' met je gsm is de oudste techniek. Heel wat gsm's (maar niet allemaal) kunnen het aan en je kunt dit ook standaard uitvoeren met je gsm (je hoeft er geen speciaal abonnement voor te nemen). Het is echter de traagste en duurste techniek om op het internet rond te surfen. Let erop dat het heel wat geld kost, je moet namelijk tegen gsm-tarief (dus hetzelfde tarief als wanneer je aan het bellen bent met je gsm) surfen.

GPRS

GPRS, dat staat voor General Packet Radio Service, is de opvolger van WAP. Met GPRS wordt heel wat meer mogelijk én met een hogere snelheid. Bovendien worden de kosten niet meer verrekend per seconde die je belt, maar voor de informatie die je binnenhaalt, de hoeveelheid data (in MB). Je betaalt per MB, en dit heeft heel wat voordelen. Met deze techniek kun je zo duizenden sms'jes versturen of duizenden internetpagina's openen voor een spotprijs.

UMTS

UMTS of voluit 'Universal Mobile Telecommunications System' is de huidige standaard voor het surfen of internet (HSDPA is de opvolger en al in ons land beschikbaar). Dit systeem heeft dezelfde mogelijkheden als GPRS, maar is vele malen sneller en betrouwbaarder. Zo zul je bijna met de snelheid van een gewone internetverbinding kunnen surfen. Je hebt hiervoor wel een mobiele telefoon nodig die deze technologie aankan, al is dat tegenwoordig bijna standaard. UMTS wordt ook wel aangeduid als 3G (en HSDPA als 3.5G).

Fout 404, 403 of 500? Pagina niet gevonden?

Als je op het internet surft, en vooral wanneer je iets zoekt via een zoekmachine, zul je het regelmatig tegenkomen: een 'error 404', 'error 403' of 'error 500'. Maar wat betekent dit?

Het internet heeft het grote voordeel dat alles onmiddellijk kan gebeuren. Als er iets in de wereld gebeurt, kan dit onmiddellijk op een nieuwswebsite worden gezet, en een fractie van een seconde later kan iedereen ter wereld het zien.

Het nadeel hiervan is echter dat pagina's en ook websites weer verdwijnen, van de ene dag op de andere. Een pagina kan verdwijnen omdat ze niet meer actueel is, omdat er problemen mee waren (auteursrechten...), maar het kan ook zijn dat de hele website ermee stopt wegens financiële problemen of dat ze gewoon een nieuw adres hebben. Een gewone firma verhuist soms ook.

Als je op een normale website aan het surfen bent, kom je dit meestal niet tegen. Alle links naar de verschillende pagina's in de website zijn meestal goed gecontroleerd en werken normaal allemaal. Maar als je naar websites gaat die niet zo goed worden onderhouden of via zoekmachines zoekt, kan het gebeuren dat je op oude pagina's terechtkomt die niet meer te vinden zijn.

Afhankelijk van de website zul je dan soms een vriendelijke pagina te zien krijgen met de mededeling dat de pagina niet meer bestaat.

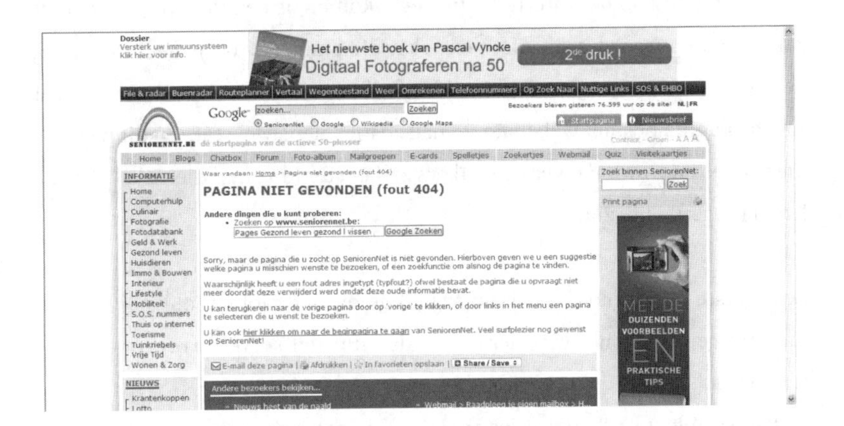

Een tweede mogelijkheid is dat je een pagina krijgt die door je eigen computer wordt samengesteld. Deze geeft je de mogelijkheid naar de gewone website te surfen of naar de vorige pagina te gaan.

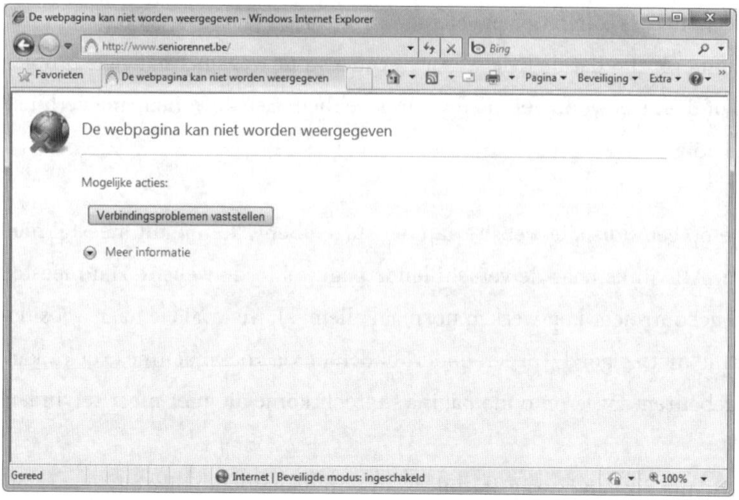

Wat je ook nog op het internet kunt tegenkomen, is een fout 403. Deze fout zal meestal gepaard gaan met een tekst die aangeeft dat je geen toelating hebt om deze pagina te bekijken. Met andere woorden: de website bestaat wel, de pagina bestaat wel, maar je mag ze niet zien. Meestal zijn dit pagina's die uitsluitend voor de websitemakers zelf bestemd zijn of die enkel voor de leden toegankelijk zijn.

Een laatste soort fout die je kunt tegenkomen, is de fout 500. Deze fout zal meestal gepaard gaan met een tekst als 'internal server error' of 'interne serverfout'.

Het probleem dat zich hier voordoet, is dat er een programmafout is. Het ligt dus niet aan jou dat je op een foute pagina terechtkomt. De pagina bestaat daadwerkelijk, maar het programma dat ervoor moet zorgen dat de website die je wilt zien, ook wordt weergegeven, bevat een fout. Vandaar die 'interne serverfout'. Meestal verdwijnt deze fout na een aantal uren of dagen, nadat de maker van de website dit heeft opgelost. Indien je dus een dergelijke foutmelding krijgt, probeer het dan later nog eens opnieuw.

Wat je ook kan overkomen, is dat een website tijdelijk niet beschikbaar is. Een website die je al heel veel hebt bezocht, kun je plots niet meer op. Dit kan gebeuren doordat je enorm lang moet wachten voor de pagina op je scherm staat, je allerlei vreemde fouten krijgt of je er gewoonweg niet op raakt.

Dit verschijnsel noemt men 'down' zijn. Het down zijn van een website kan voorkomen doordat een hacker in de website heeft ingebroken en zo de website heeft stilgelegd, doordat de website tijdelijk overbelast is (te veel bezoekers) of door een fout of andere actie van de websitemaker.

Het down zijn van een website is meestal maar een kwestie van minuten of uren. Panikeer dus niet indien je favoriete website eens niet bereikbaar is. Probeer het dan enkele uren later nog eens. Vooral grote websites kunnen al eens down zijn doordat een enorme hoeveelheid bezoekers tegelijk de website bezoekt. Meestal na een speciale actie of een nieuwsbrief krijgen ze veel bezoekers tegelijk te verwerken. Indien dit aantal te groot wordt, kunnen er wachttijden optreden. Maar vanaf het moment dat deze wachttijden meer dan een minuut zijn, is het niet meer interessant om te surfen en kun je beter eventjes wachten.

101 nuttige links

Bankieren

ABN AMRO: http://www.abnamro.nl
AXA: http://www.axa.be
Bank van de Post: https://www.bpo.be
Centea: http://www.centea.be
Citibank: http://www.citibank.be
Dexia: http://www.dexia.be
Deutsche Bank: http://www.deutschebank.be
BNP Paribas Fortis: https://www.fortisbanking.be
ING: http://www.ing.be
ING: http://www.ing.nl
KBC: http://www.kbc.be

Keytradebank: http://www.keytradebank.com

Rabobank: http://www.rabobank.be

Rabobank: http://www.rabobank.nl

SNS Bank: http://www.snsbank.nl

Staalbankiers: http://www.staalbankiers.nl

Beleggen

Analist: http://www.analist.be

Belegger Nederland: http://www.belegger.nl

Beurs NL: http://www.beurs.nl.

Beursduivel: http://www.beursduivel.be

Cash: http://www.cash.be

CNN Money: http://www.cnnmoney.com

De Belegger: http://belegger.tijd.be

De Beurs: http://www.debeurs.nl

De Tijd: http://www.tijd.be

Euronext: http://www.euronext.com

IEX: http://www.iex.nlNetto: http://www.netto.be

RTL-Z: http://www.rtl-z.nl

E-cards

1000+ kaarten: http://www.seniorennet.be/ecards/

123 Greetings: http://www.123greetings.com

E-mail

Hotmail: http://www.hotmail.com

GMail: http://www.gmail.com

Yahoo: http://mail.yahoo.com

Webmail (elk e-mailadres ophalen): http://webmail.seniorennet.be

Encyclopedie

Britannica: http://www.britannica.com/

Winkler Prins: http://www.winklerprins.com

Encyclopedia: http://www.encyclopedia.com/

Oxford: http://www.oed.com/

Wikipedia: http://nl.wikipedia.org/

Kranten

De Morgen: http://www.demorgen.be

De Standaard: http://www.standaard.be

De Spits: http://spitsnieuws.nl/

De Telegraaf: http://www.telegraaf.nl

De Tijd: http://www.tijd.be

De Volkskrant: http://www.volkskrant.nl

Gazet van Antwerpen: http://www.gva.be

Het AD: http://www.ad.nl

Het Belang van Limburg: http://www.hbvl.be

Het Laatste Nieuws: http://www.hln.be

Het Nieuwsblad: http://www.nieuwsblad.be

Het NRC: http://www.nrc.nl

Het Parool: http://www.parool.nl

Metro Nederland: http://www.metronieuws.nl

Metro België: http://www.metrotime.be/

Lotto

Lotto SeniorenNet: http://www.seniorennet.be/lotto

Nationale Loterij: http://www.lotto.be/

Nederlandse Lotto: http://www.lotto.nl

Postcodeloterij: http://www.postcodeloterij.nl

Staatsloterij: http://www.staatsloterij.nl

Overheid

De Nederlandse overheid: http://www.overheid.nl/

De Vlaamse overheid: http://www.vlaanderen.be

Postbus 51: http://www.postbus51.nl/

Website Belgische eerste minister: http://premier.fgov.be/

Politiek

CDA: http://www.cda.nl/

CD&V: http://www.cdenv.be/

Christen Unie: http://www.christenunie.nl

D66: http://www.d66.nl/

De federale overheid: http://www.belgium.be

Groen: http://www.groen.be

Groenlinks: http://www.groenlinks.nl/

Groep Wilders: http://www.geertwilders.nl

Lijst Dedecker: http://www.lijstdedecker.com/

N-VA: http://www.n-va.be

Onafhankelijke politieke website: http://www.politics.be/

PVDA: http://www.pvda.be/

PVDA: http://www.pvda.nl

SP: http://www.sp.nl/

SP.A: http://www.s-p-a.be

SLP: http://www.s-lp.be/

VLD: http://www.vld.be

Vivant: http://www.vivant.org/

Vlaams Belang: http://www.vlaamsbelang.be/

VVD: http://www.vvd.nl/

Radio

FunX: http://www.funx.nl
JOEfm: http://www.joefm.be/
Klara: http://www.klara.be
MNM: http://www.mnm.be
Radio 1: http://www.radio1.be
Radio 1: http://www.radio1.nl
Radio 2: http://www.radio2.be/
Radio 2: http://www.radio2.nl/
Radio 3FM: http://www.3fm.nl/
Radio 4: http://www.radio4.nl/
Radio 5: http://www.radio5.nl
Radio 10 Gold: http://www.radio10gold.nl
Radio 538: http://www.radio538.nl
Radio BRO: http://www.radiobro.be
Radio Netherlands Worldwide (Wereldomroep): http://www.rnw.nl
Radio Minerva: http://www.radio-minerva.be/
Radio Veronica: http://www.radioveronica.nl/
RTL FM: http://www.rtlfm.nl
Skyradio: http://www.skyradio.nl
Studio Brussel: http://www.stubru.be
Q-music: http://www.q-music.be/

Reizen

9292ov: http://www.9292ov.nl
Arke: http://www.arke.nl
Brussels Airlines: http://www.brusselsairlines.com/
ClubMed: http://www.clubmed.be
Clubmed: http://www.clubmed.nl
Connections: http://www.connections.be
De Lijn: http://www.delijn.be

D-Reizen http://www.d-reizen.nl
Eurostar: http://www.eurostar.com
Jetair: http://www.jetair.be
KLM: http://www.klm.nl
Martinair http://www.martinair.nl
NBBS: http://www.nbbs.nl
Neckermann: http://www.neckermann.be
Neckermann: http://www.neckermann.nl
NMBS: http://www.nmbs.be
NS: http://www.ns.nl
NS Hispeed: http://www.nshispeed.nl/
Ryanair: http://www.ryanair.com
Schiphol: http://www.schiphol.nl/
SeniorenNet: http://www.seniorennet.be/toerisme
Sunjets: http://www.sunjets.be
Thalys: http://www.thalys.be
Thomas Cook: http://www.thomascook.be
Transavia: http://www.transavia.nl

Routeplanner

ANWB: http://www.anwb.nl
Map24: http://www.map24.be
Routenet: http://www.routenet.be/
Routenet: http://www.routenet.nl
SeniorenNet: http://www.seniorennet.be/routeplanner
Maporama: http://www.maporama.com/

Sport

Eurosport: http://www.eurosport.com
NOC NSF: http://www.sport.nl
Overzicht: http://sport.overzicht.nl

Sport.be: http://www.sport.be
Sportlinks: http://sport.2link.be
Sportweek: http://www.sportweek.nl
Sportwereld: http://www.sportwereld.be
Sporza: http://www.sporza.be

Telefoongids

1207: http://www.1207.be
De telefoongids: http://www.telefoongids.nl
Gouden Gids: http://www.goudengids.be
SeniorenNet: http://www.seniorennet.be/telefoonnummers

Teletekst

2be: http://2be.be/INTERACTIEF/TEXTTWEE/
Een: http://teletekst.een.be/
NOS: http://teletekst.nos.nl/
VTM: http://www.vtm.be/webtext/?zender=vtm&pagnr=100

Televisie

2be: http://www.2be.be
Canvas: http://www.canvas.be
Kanaal Z: http://www.kanaalz.be
Ketnet: http://www.ketnet.be
MTV: http://www.mtv.be
Nederlandse Omroepen: http://www.omroep.nl
Nederland 1: http://www.nederland1.nl/
Nederland 2: http://www.nederland2.nl/
Nederland 3: http://www.nederland3.nl/
Nederland 4: http://www.nederland4.nl

Net 5: http://www.net5.nl

RTL 4: http://www.rtl4.nl

RTL 5: http://www.rtl5.nl

RTL 7: http://www.rtl7.nl

SBS 6: http://www.sbs6.nl

Talpa: http://www.talpa.nl/

TMF: http://www.tmf.be

Eén: http://www.een.be

Veronica: http://www.veronica.nl/

VT4: http://www.vt4.be

VTM: http://www.vtm.be

Tijdschriften

Autoweek: http://www.autoweek.nl/

Ché: http://www.che.be/

Clickx: http://www.clickxmagazine.be

Eos: http://www.eos.be/

Humo: http://www.humo.be/

Knack: http://www.knack.be/

Libelle: http://www.libelle.nl/

Margriet: http://www.margriet.nl/

Nieuwe Revu: http://www.nieuwerevu.nl/

Panorama: http://www.panorama.nl/

P-magazine: http://www.p-magazine.be/

Sportweek: http://www.sportweek.nl/

Story: http://www.story.nl/

Tertio: http://www.tertio.be/

Test-Aankoop: http://www.test-aankoop.be/

Trends: http://www.trends.be/

Viva: http://www.viva.nl/

Vivenda: http://www.vivenda.nl/

Tuin

GroenNet: http://www.groen.net

GroenInfo: http://www.groeninfo.com

Keukenhof: http://www.keukenhof.nl

Neerlands Tuin: http://www.neerlandstuin.nl/

Pond Library: http://www.pondlibrary.be

Tuinadvies: http://www.tuinadvies.be

Tuinen.nl: http://www.tuinen.nl

Tuinkrant: http://www.tuinkrant.nl

Vijvers en koi: http://www.vijversenkoi.be

Verkeerssituatie

SeniorenNet: http://www.seniorennet.be/verkeersinfo

Trafficnet: http://www.trafficnet.nl

Verkeersinformatiedienst: http://www.verkeersinformatiedienst.nl/

Verkeerssituatie België: http://www.verkeerscentrum.be

Weer

Actuele weer in Nederland: http://www.weer.nl

Buienradar: http://www.buienradar.nl

KMI: http://www.kmi.be

KNMI: http://www.knmi.nl

Weer in België, Nederland en de wereld: www.seniorennet.be/weer

Huidige weer in België: http://dutch.wunderground.com/global/BX.html

Woordenboeken

Vertalen van/naar 42 talen: http://www.seniorennet.be/vertalen

Van Dale: http://www.vandale.nl

16 woordenboeken: http://www.freedict.com/

VI •• INTERNET: TOEGANKELIJK VOOR IEDEREEN

Grotere letters en het dragen van een bril

Niet ieders ogen zijn even goed. Zeker als we een dagje ouder worden kunnen we vaak de kleinere letters niet goed meer lezen. Het dragen van een bril lost dit probleem meestal op, maar niet altijd. Bovendien is het dragen van een bril voor een computer niet aangenaam en meestal vermoeiend voor je ogen.

Gelukkig kunnen we de letters op het scherm vergroten. We gaan ze vergroten tot een formaat dat je zelf goed kunt lezen.

Er zijn drie programma's waarin we letters kunnen vergroten. Enerzijds de letters die de computer gebruikt in alle programma's, in Windows dus. Anderzijds de webpagina's die we bekijken en onze e-mails.

De computer (Windows XP)

Ga naar je bureaublad, naar het scherm dat je ziet als je computer net is opgestart. Klik vervolgens met je rechtermuisknop ergens op je bureaublad (ergens op de achtergrond) en daarna met je linkermuisknop op 'Eigenschappen'.

Lukt het je niet? Vind je het bureaublad niet? Doe dan het volgende.

Ga met de muis links onderaan in je scherm naar de knop 'Start'. Klik erop met je linkermuisknop en daarna op 'Configuratiescherm'.

Op het beeld dat je nu te zien krijgt, moet je dubbelklikken op 'Beeldscherm'. Je bent nu op dezelfde plaats als wanneer je via het bureaublad zou gaan.

Klik met je linkermuisknop op het tabblad 'Vormgeving'.

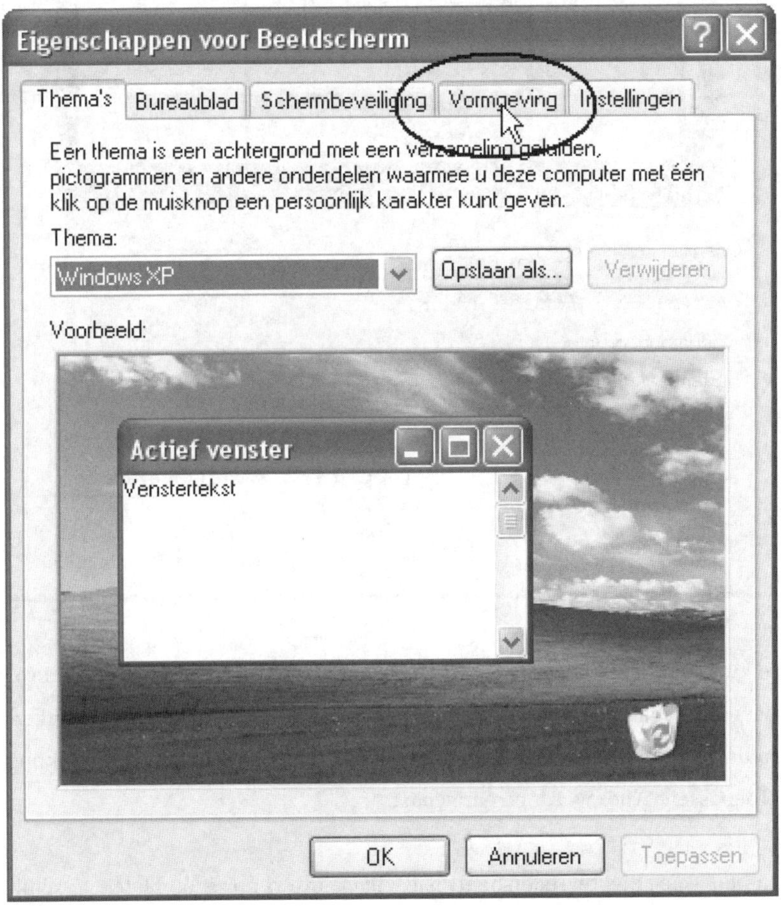

Eigenschappen voor Beeldscherm

Thema's | Bureaublad | Schermbeveiliging | Vormgeving | Instellingen

Een thema is een achtergrond met een verzameling geluiden, pictogrammen en andere onderdelen waarmee u deze computer met één klik op de muisknop een persoonlijk karakter kunt geven.

Thema:

Windows XP | Opslaan als... | Verwijderen

Voorbeeld:

Actief venster

Venstertekst

OK | Annuleren | Toepassen

Klik vervolgens met je muis op het pijltje dat naast 'Normaal' en onder 'Tekengrootte' staat.

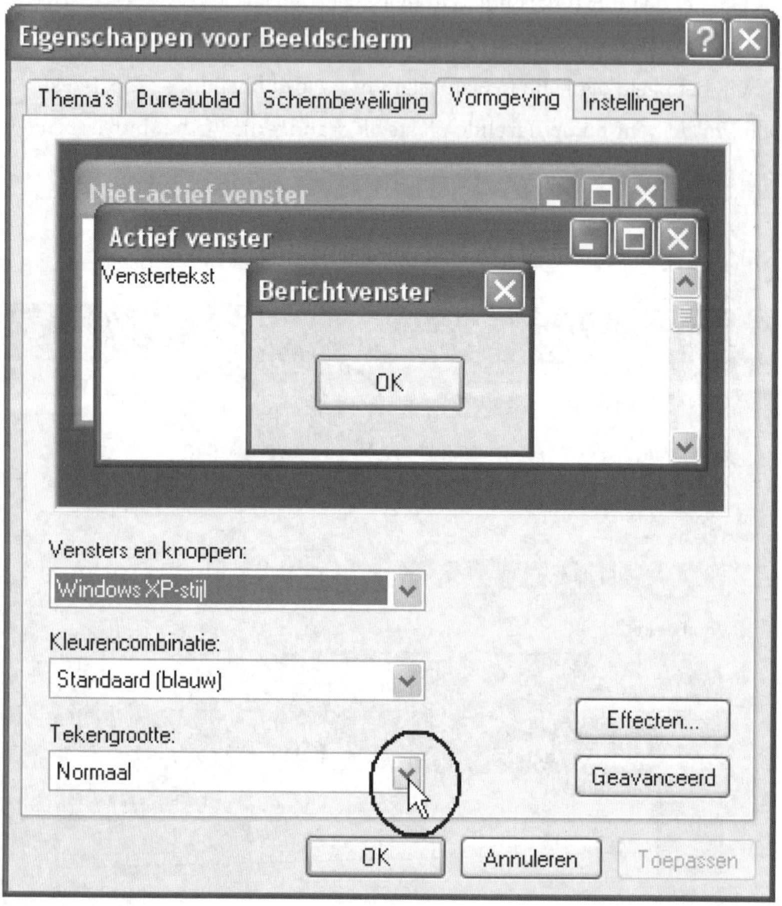

Je kunt nu kiezen uit 'Grote lettertypen' en 'Extra grote lettertypen'. Probeer eerst maar eens 'Grote lettertypen' door erop te klikken met je linkermuisknop. Vervolgens klik je met je linkermuisknop rechtsonder op de knop 'Toepassen'. Alles wordt nu aangepast.

Indien je nog niet tevreden bent en je wilt de letters nog groter laten verschijnen, klik dan weer op het pijltje naar beneden en met je linkermuisknop op 'Extra grote lettertypen'. Bevestig door met je linkermuisknop op de knop 'OK' te drukken. De computer past nu dit extra grote lettertype toe.

De computer (Windows Vista)

Ga naar je bureaublad, naar het scherm dat je ziet als je computer net is opgestart. Klik met je rechtermuisknop ergens op je bureaublad (ergens op de achtergrond) en vervolgens met je linkermuisknop op 'Aan persoonlijke voorkeur aanpassen'.

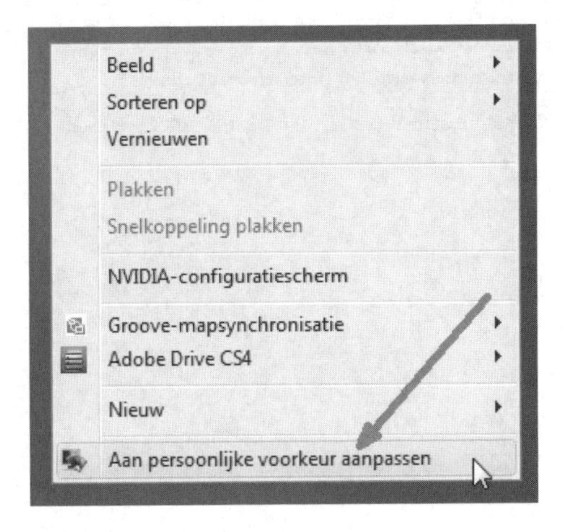

Klik nu met je linkermuisknop linksboven op 'Lettertypen groter of kleiner maken'.

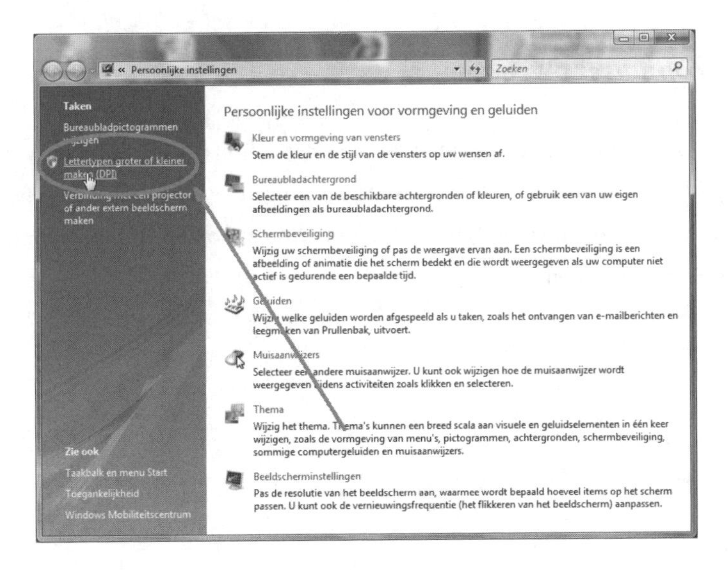

Klik nu op het rondje voor 'Grotere schaal' (of op 'Aangepaste DPI' om de letters nog groter te maken) en vervolgens met je linkermuisknop onderaan op 'OK'.

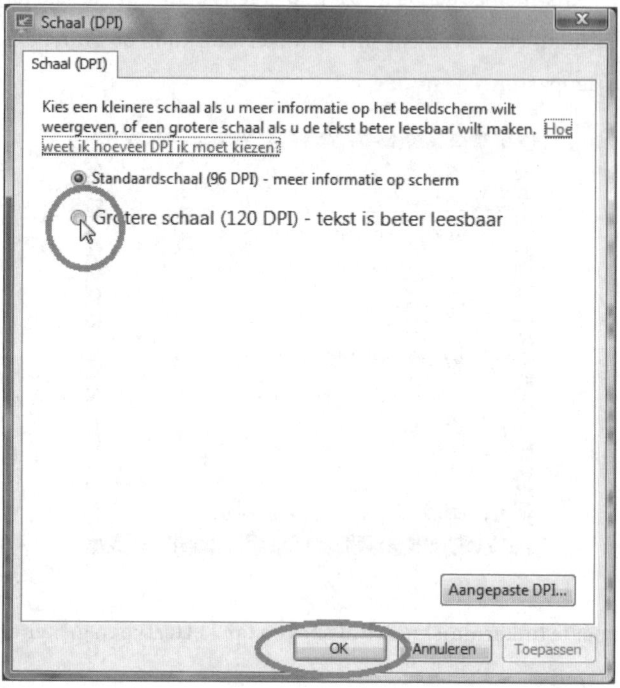

De computer (Windows 7)

Ga naar je bureaublad, naar het scherm dat je ziet als je computer net is opgestart. Klik met je rechtermuisknop ergens op je bureaublad (ergens op de achtergrond) en vervolgens met je linkermuisknop op 'Aan persoonlijke voorkeur aanpassen'.

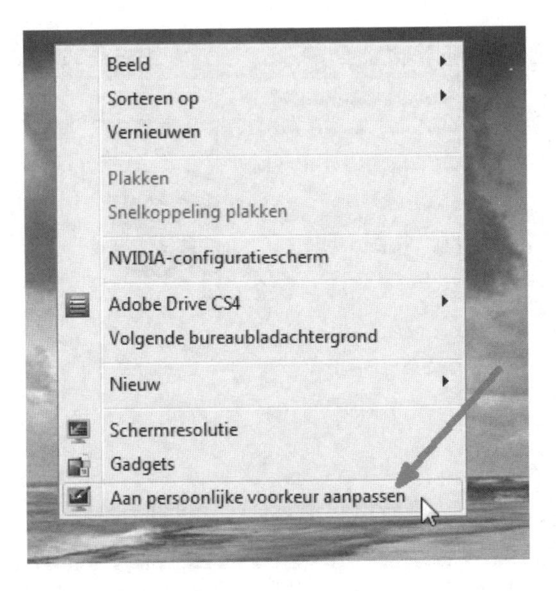

Op het scherm dat nu verschijnt, klik je linksonder op 'Beeldscherm'.

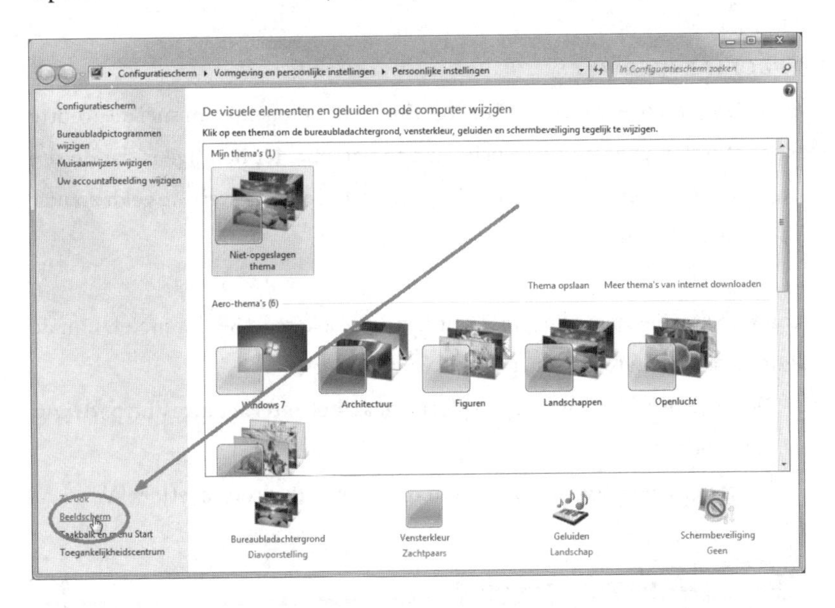

Vervolgens maak je de letters groter door met je linkermuisknop op het rondje voor 'Normaal' of 'Groter' te klikken en daarna op de knop 'Toepassen' om het resultaat te zien.

Webpagina's

►► *Speciale websites*

Op een aantal heel toegankelijke websites is het mogelijk om snel de grootte van het lettertype van de website aan te passen. Het handige is dat de site dit kan onthouden, het nadeel is dat dit enkel voor deze website geldt en niet voor alle andere websites.

Een website die toegankelijk is voor haar bezoekers, is SeniorenNet. Om de lettergrootte aan te passen, ga je als volgt te werk:

Ga in je browser Internet Explorer naar het internetadres http://www.seniorennet.be.

Klik vervolgens (rechts) bovenaan op een van de grotere letters 'A'.

Je ziet de letters vergroten.

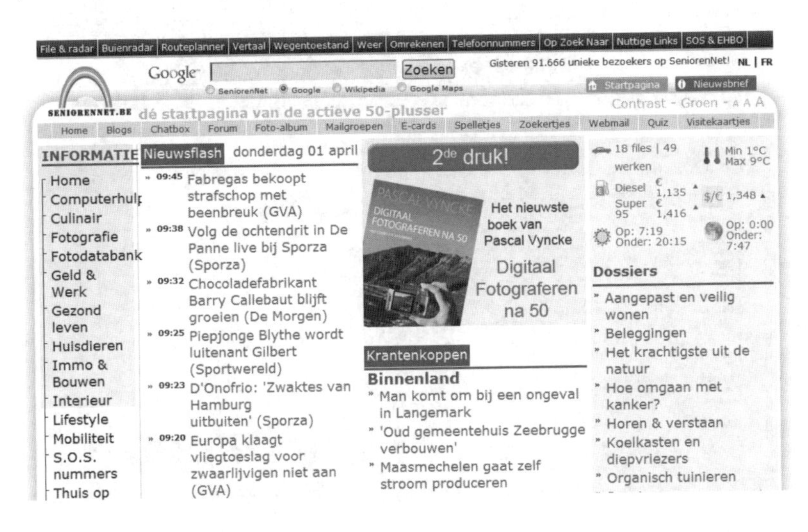

Wil je terug naar de originele grootte, klik dan rechtsboven op de meest linkse 'A'.

Let erop dat op de website juist dezelfde tekst blijft staan. Indien je de letters laat vergroten, zal ook de opmaak van de website gedeeltelijk verloren gaan. Maar dat is uiteraard beter dan de website niet te kunnen lezen.

Merk op dat er ook nog een mogelijkheid voor sterker contrast is voorzien. Klik op 'Contrast' in plaats van op een 'A'-letter. Gebruik deze toepassing om de website een sterk contrast te laten hebben (zwart-wit).

►► *Alle websites*

De letters van je computer zijn nu al vergroot, nu nog die van de websites die je bezoekt.

Je kunt rechts onderaan klikken op '100%'. Een enkele klik maakt het beeldscherm een kwart groter, een tweede klik vergroot met nog eens een kwart. Een derde klik zet alles terug zoals het was.

Je kunt kiezen voor meer groottes door rechts onderaan net naast het percentage op het zwarte pijltje te klikken. Dan krijg je een extra menuutje met meer mogelijkheden. Zo kun je alles wel tot 4 x vergroten (400%).

Op de foto zie je dat de instelling op 100% staat (er is niets vergroot of verkleind). Klik je op 400% bij het pijltje, dan wordt alles 4 x groter.

Alle websites worden aangepast. Het gebruik van de functie die sommige websites aanbieden om de letters te vergroten, verdient echter meestal de voorkeur. Op die manier blijven de verhoudingen bewaard. Titels zullen dan nog steeds net iets groter zijn dan de gewone tekst, onbelangrijke tekst zal iets kleiner staan enzovoort. Bovendien blijft de (mooie) opmaak van de website meestal nog gedeeltelijk overeind wanneer je de door de webmaster voorziene functie gebruikt.

Linkshandig

Ben je linkshandig, dan is het meestal eenvoudiger en aangenamer werken wanneer je de muis ook kunt gebruiken met je linkerhand in plaats van met je rechter. Je kunt natuurlijk gewoon de muis aan de linkerkant van je toetsenbord leggen, maar daarmee is het probleem niet opgelost. Voor rechtshandige gebruikers geldt namelijk dat ze de meest gebruikte knop met de wijsvinger moeten aanklikken. De andere knop, die veel minder wordt gebruikt, klikken ze aan met hun minder 'ontwikkelde' middenvinger. Leg je echter de muis aan de linkerkant, dan zijn linkshandige personen verplicht om vooral met hun middenvinger te werken voor het gebruik van de linkermuisknop. Dit is een onhandige en soms ook ongezonde manier van werken.

Gelukkig bestaat de mogelijkheid om de functies van de linker- en rechtermuisknop om te draaien. Ondanks het feit dat je linkshandig bent en de muis links van je toetsenbord legt, kun je daardoor voor de meeste handelingen met je wijsvinger werken.

Om die functies om te draaien, moet je in Windows het volgende doen.

Aanpassingen voor Windows XP

Ga met je cursor linksonder op je scherm staan. Klik met je linkermuisknop op de toets 'Start' en vervolgens op de knop 'Configuratiescherm'.

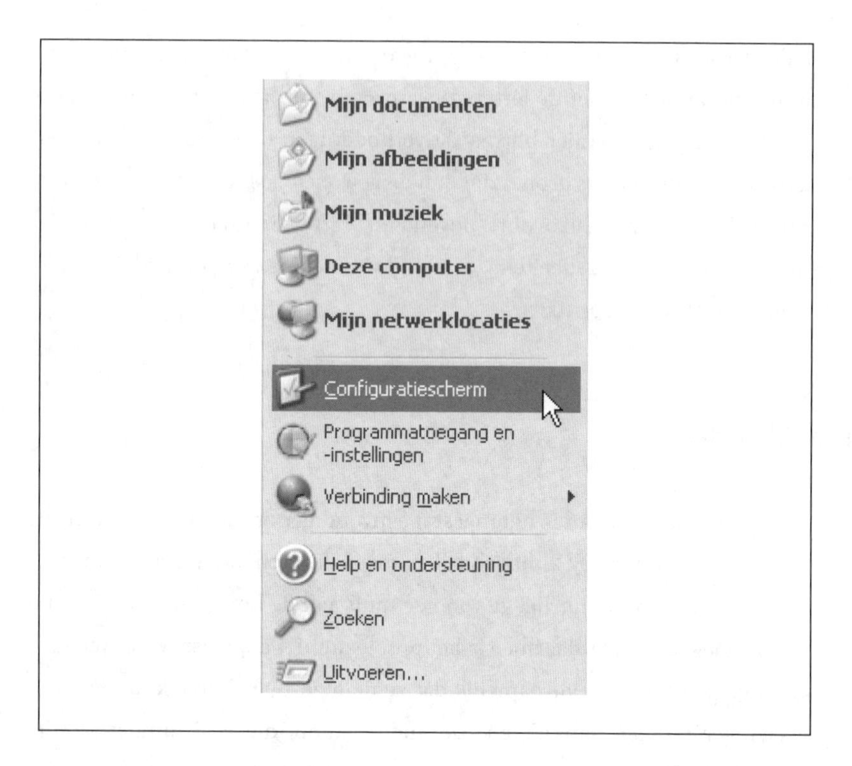

Op het nieuwe scherm moet je met je linkermuisknop dubbelklikken op 'Muis'.

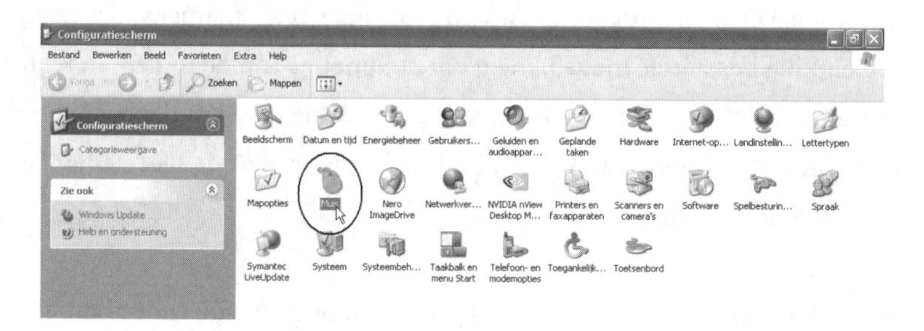

Het scherm dat nu verschijnt, is helaas op bijna elke computer verschillend. Afhankelijk van de soort muis die je hebt en de programma's die op je computer staan, is dit scherm anders. Je moet zelf zoeken naar een mogelijkheid om de functies van de muisknoppen om te draaien of om zelf de functie van de linker- en de rechterknop te bepalen. Heb je de instelling gevonden en de aanpassing ingesteld, klik dan onderaan op de knop 'OK'.

Indien je een standaardinstallatie hebt en een gewone muis, zal het scherm eruitzien als op onderstaande afbeelding. Dan moet je met je linkermuisknop op het vierkantje klikken waarachter staat 'Primaire en secundaire knop omwisselen'. Vervolgens klik je met je rechtermuisknop op 'OK'.

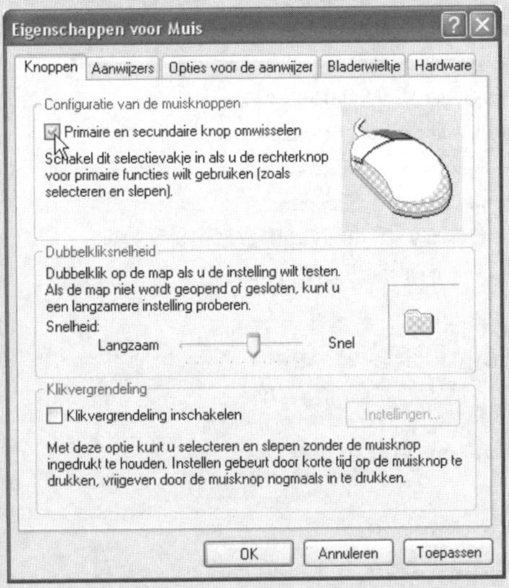

De functies van beide knoppen zijn nu omgewisseld. Opgelet, zowel in dit boek als in een handleiding of een ander boek zal er altijd sprake zijn van de linkermuisknop, terwijl jij dan de rechtermuisknop moet indrukken. Wordt er gevraagd om de rechtermuisknop te gebruiken, dan moet jij de linkermuisknop indrukken.

Aanpassingen voor Windows Vista en Windows 7

Ga met je cursor linksonder op je scherm staan en klik met je linkermuisknop op de toets 'Start'. Tik het woord 'muis' in. Je computer gaat nu alle programma's en instellingen weergeven waarin het woord 'muis' voorkomt.

Op die manier kun je snel bij de juiste instelling komen. Klik met je linkermuisknop op 'Muisinstellingen wijzigen' of 'Muis'.

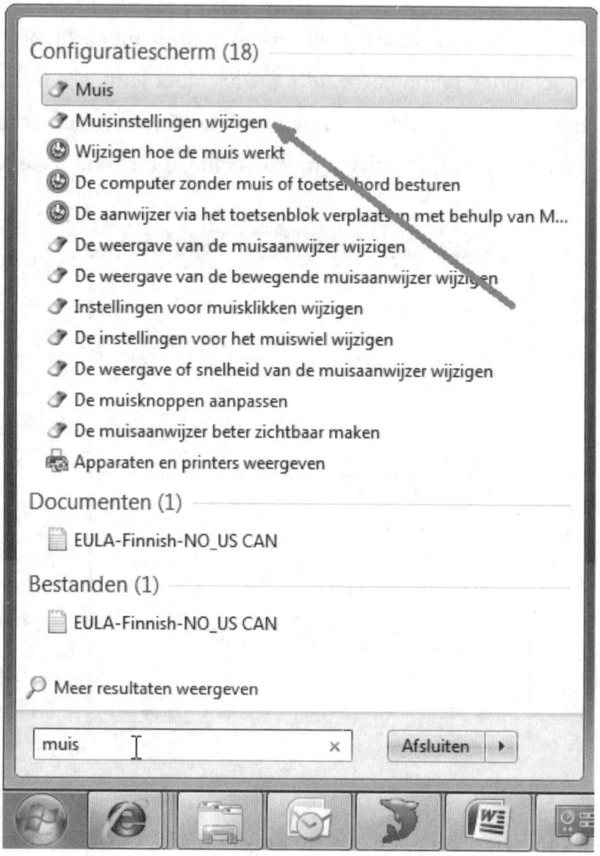

Klik nu met je linkermuisknop op het rondje dat staat voor 'Linkshandig' en daarna op de knop 'OK' onderaan.

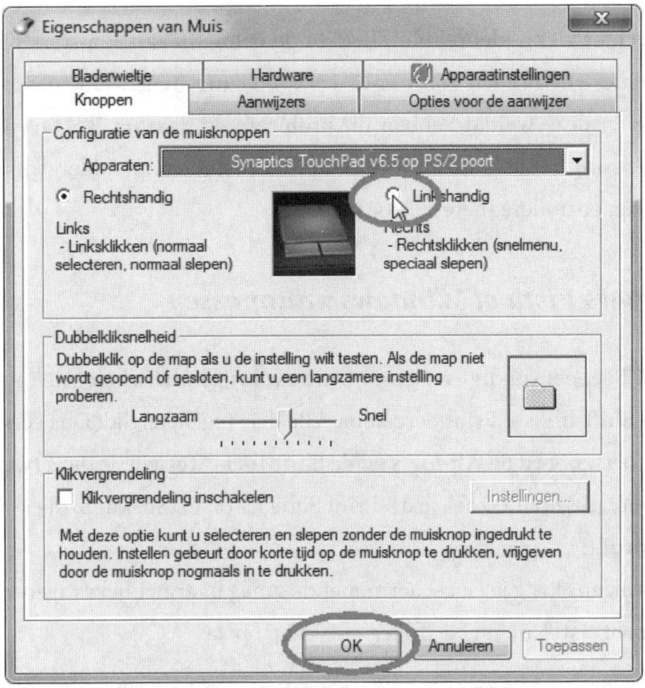

De functies van beide knoppen zijn nu omgewisseld. Opgelet, zowel in dit boek als in een handleiding of een ander boek zal er altijd sprake zijn van de linkermuisknop, terwijl jij dan de rechtermuisknop moet indrukken. Wordt er gevraagd om de rechtermuisknop te gebruiken, dan moet jij de linkermuisknop indrukken.

Contrasten en kleuren

Wat?

Het werken met de computer en internet is niet altijd eenvoudig indien je geen perfect zicht hebt. Je kunt meestal de tekst niet lezen omdat de contrasten onvoldoende zijn of omdat er kleuren worden gebruikt die je niet (goed) kunt zien wegens kleurenblindheid.

Een slechter zicht, kleurenblindheid of de behoefte aan een sterk contrast mag echter geen reden zijn om de computer niet te gebruiken. Heel veel mensen in deze wereld hebben dit probleem en daarom is daarvoor ook een oplossing bedacht. Je kunt je computer instellen om andere kleuren te gebruiken en andere (betere) contrasten.

Windows Vista of Windows 7 aanpassen

Je kunt heel eenvoudig een groot contrast krijgen. Druk de sneltoets Alt-links + Shift-links + Print Screen in. Alle drie tegelijkertijd! Dus eerst links van je toetsenbord de Alt-toets en de Shift-toets. Terwijl je deze twee toetsen ingedrukt houdt, zoek je de 'Print Screen'- of 'PrtSc'-knop, die je daarna ook indrukt.

Vervolgens krijg je een scherm met de vraag naar het bevestigen van een hoger contrast. Klik met je linkermuisknop op 'Ja'.

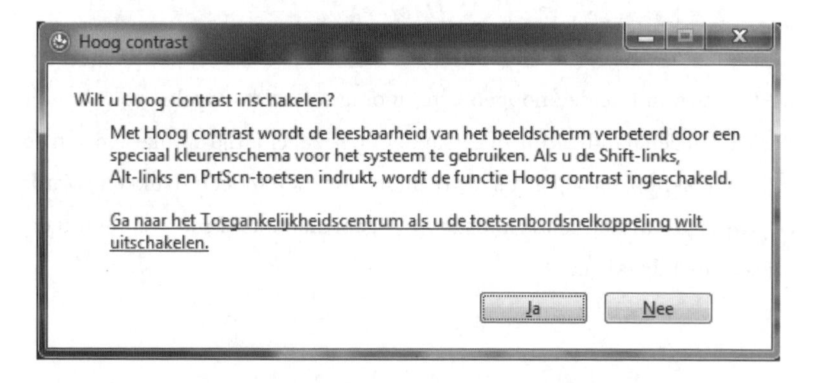

Even wachten en je computer staat nu in hoog contrast. Terug naar de originele weergave? Gebruik identiek dezelfde toetsencombinatie om terug te schakelen!

Windows XP aanpassen

Het eerste dat we gaan instellen, zijn de kleuren en contrasten van je computer (je besturingssysteem). Alle schermen, menu's en dergelijke zullen dan netjes worden aangepast aan je eigen wensen.

Ga naar je bureaublad, naar het scherm dat je ziet als je computer net is opgestart. Klik vervolgens met je rechtermuisknop ergens op je bureaublad (ergens op de achtergrond) en daarna met je linkermuisknop op 'Eigenschappen'.

Lukt het je niet? Vind je het bureaublad niet? Doe dan het volgende.

Ga met de muis links onderaan in je scherm naar de knop 'Start'. Klik erop met je linkermuisknop en daarna op 'Configuratiescherm'.

Op het beeld dat je nu te zien krijgt, moet je dubbelklikken op 'Beeldscherm'. Je bent nu op dezelfde plaats als wanneer je via het bureaublad zou gaan.

Klik met je linkermuisknop op het tabblad 'Vormgeving'.

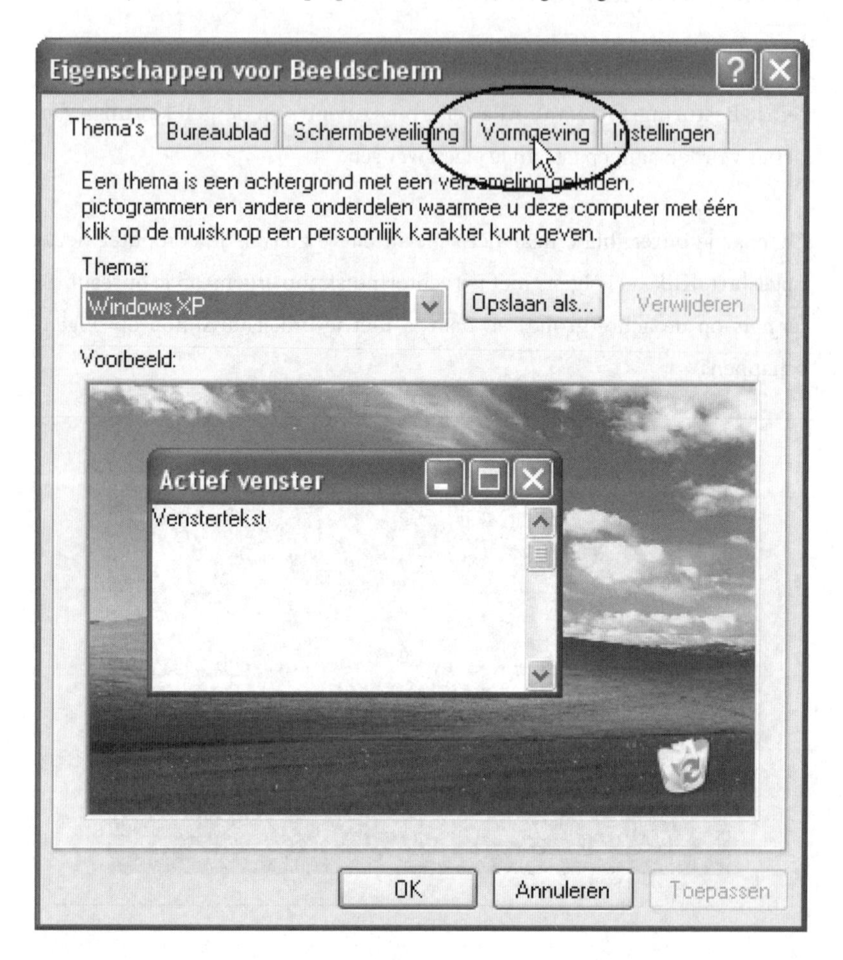

Op dit scherm kunnen we nu alles instellen naar onze wensen. Als eerste moet je met je linkermuisknop op het pijltje naar beneden onder 'Vensters en knoppen' en naast 'Windows XP-stijl' klikken. In het menu dat verschijnt, klik je vervolgens 'Windows-klassiek' aan.

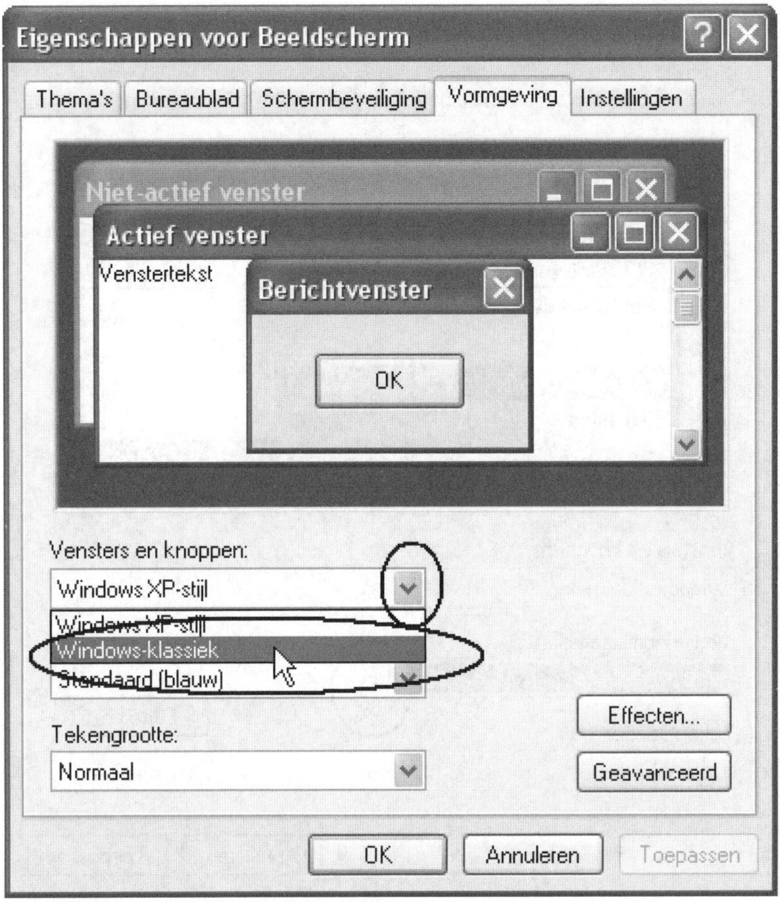

We doen dit omdat voor de 'Windows XP-stijl' er geen speciale aanpassing voor het contrast mogelijk is, in tegenstelling tot de 'Windows-klassiek', waar we over heel veel mogelijkheden beschikken.

Klik met je linkermuisknop op het pijltje onder 'Kleurencombinatie' en naast 'Windows-klassiek'.

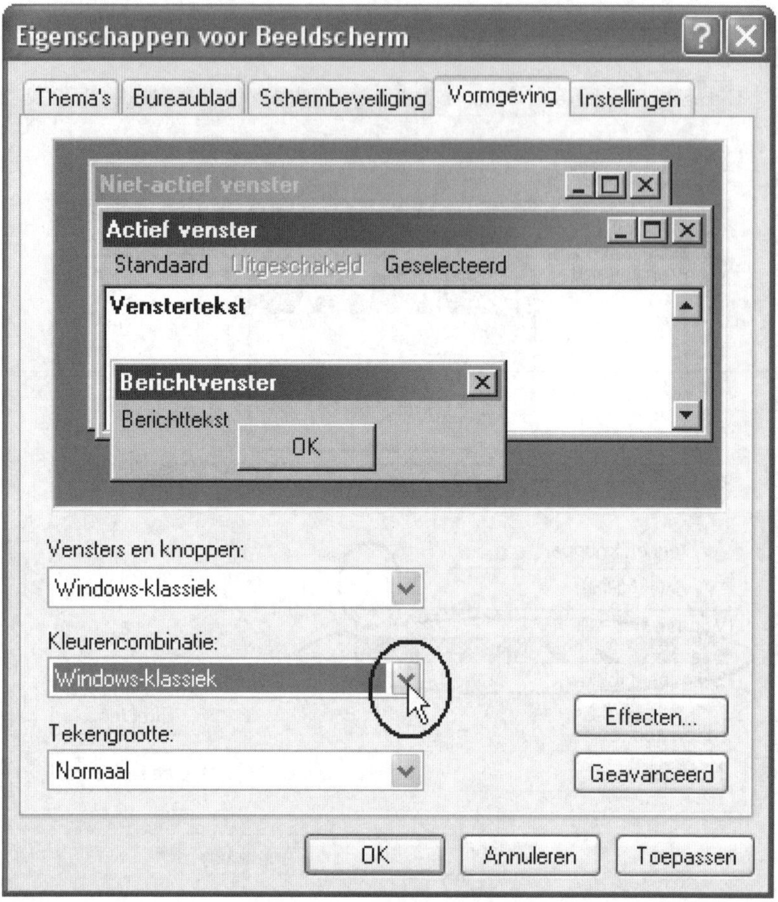

Er verschijnt nu een lange lijst met een reeks vooraf ingestelde kleurencombinaties.

Aubergine
Diepblauw (hoog contrast)
Esdoorn
Geeltinten
Groenblauw (VGA)
Hoog contrast nr.1
Hoog contrast nr.2
Hoog contrast wit
Hoog contrast zwart
Lei
Lila
Paars (hoog contrast)
Pompoen
Regenachtige dag
Rood, wit en blauw (VGA)
Roos
Spar
Steenrood
Storm (VGA)
Windows-klassiek
Windows-standaard
Woestijn

Wat je nu moet doen is een aantal kleurencombinaties proberen. De naam geeft aan met welke kleur(en) vooral wordt gewerkt. Zo zal de instelling 'geeltinten' vooral geel gebruiken.

Nog belangrijker en nuttiger zijn waarschijnlijk de vier mogelijkheden voor 'Hoog contrast'. Je zult in het lijstje 'Hoog contrast nr. 1', 'Hoog contrast nr. 2', 'Hoog contrast wit' en 'Hoog contrast zwart' zien staan. Een van deze vier zal waarschijnlijk (gedeeltelijk) aan je eisen voldoen.

Kies een mogelijkheid door met je linkermuisknop op de naam te klikken. Klik vervolgens met je linkermuisknop rechtsonder op de knop 'Toepassen'. De computer zal nu de gevraagde kleurencombinatie toepassen op je computer.

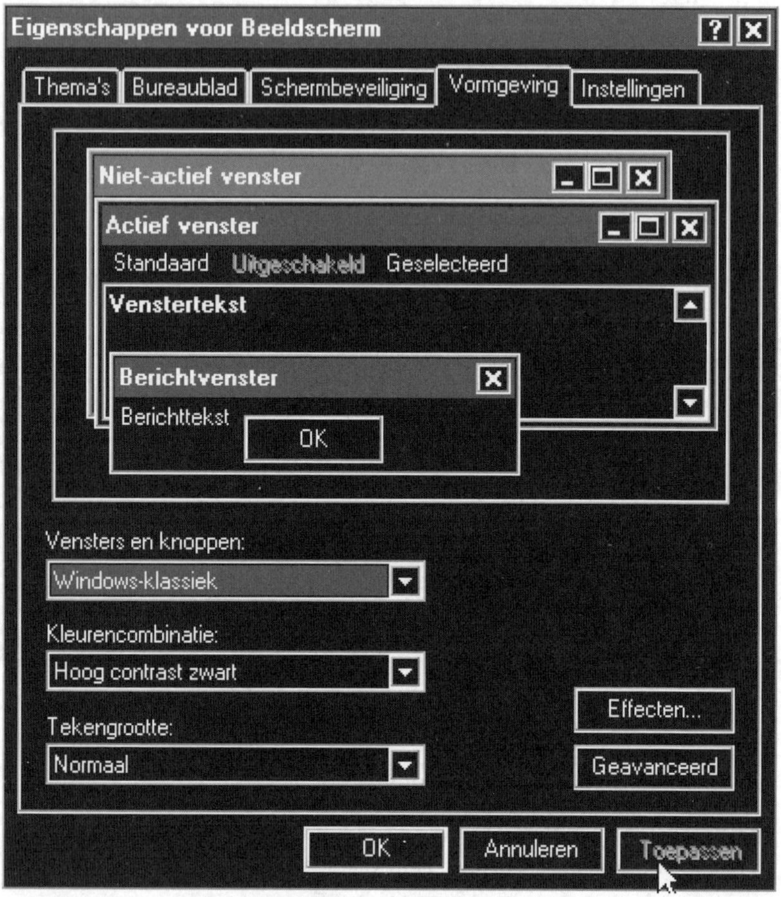

Op die manier kun je zien of de door jou gekozen instelling goed is of niet en je bijgevolg een andere kleur wilt proberen.

Vind je niet de juiste kleurencombinatie voor jou persoonlijk? Is er een combinatie die 'bijna' goed is maar met één kleur die net niet meevalt? Dan kun je dit eenvoudig zelf aanpassen en zo je eigen kleurencombinatie samenstellen.

Selecteer eerst de kleurencombinatie waarvan je wilt vertrekken, de combinatie die dus het beste overeenkomt met je wensen. Klik vervolgens met je linkermuisknop op de knop 'Geavanceerd'. Een nieuw scherm verschijnt.

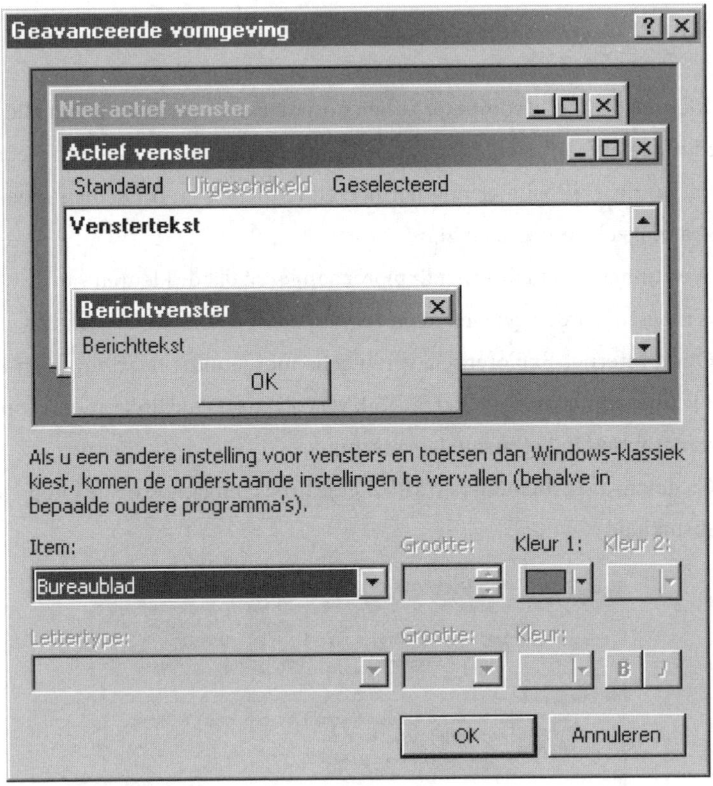

Je ziet onder 'Item:' 'Bureaublad' staan. Klik daarnaast op het pijltje naar beneden om een andere kleur te selecteren. Vervolgens kun je rechts de kleur aanpassen (onder Kleur 1) door opnieuw op het pijltje naar beneden te klikken en de gewenste kleur aan te duiden. Als je alles hebt ingesteld zoals je wilt, klik je met de linkermuisknop op 'OK'.

De instellingen zullen worden opgeslagen en toegepast op heel je computer.

Let erop dat nu alle schermen die je in dit boek (en ook in andere cursussen, boeken, tijdschriften) ziet, er anders zullen uitzien dan op jouw computer. Dezelfde informatie zal erop staan, maar de kleuren en contrasten zullen helemaal verschillend zijn. Uiteraard leg ik in dit boek altijd goed uit waarop je moet klikken en zijn de figuren extra, ter illustratie.

Internet aanpassen

De kleuren op heel je computer zullen nu aangepast zijn zodat je zelf alles zo goed mogelijk kunt zien. Maar als je in Internet Explorer naar een website surft, zal deze website er nog net hetzelfde uitzien en misschien moeilijk leesbaar of zelfs onleesbaar zijn.

We kunnen ook in Internet Explorer aangeven dat de kleuren van de websites moeten worden genegeerd en vervangen. We doen dit als volgt.

Open Internet Explorer. Ga vervolgens met je muis naar boven en klik met je linkermuisknop op 'Extra'. Klik vervolgens met je linkermuisknop op 'Internetopties' in het menu dat verschijnt.

Ga dan naar rechtsonder en klik met je linkermuisknop op de knop 'Toegankelijkheid'.

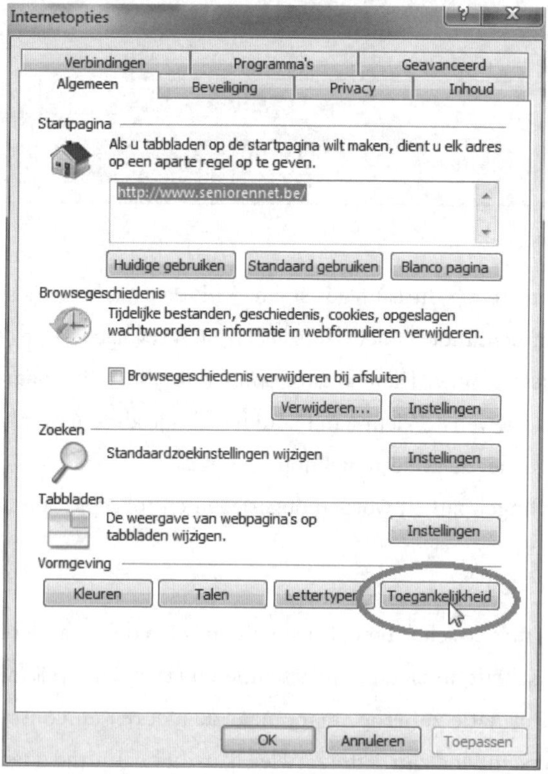

In het scherm dat nu verschijnt, heb je een aantal mogelijkheden. Om een mogelijkheid te selecteren, klik je met je linkermuisknop op het lege vierkantje voor de titel:

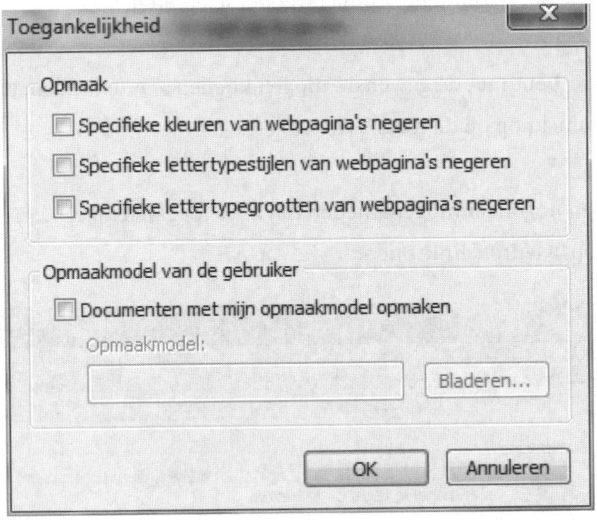

Toegankelijkheid

Opmaak

Specifieke kleuren van webpagina's negeren

Specifieke lettertypestijlen van webpagina's negeren

Specifieke lettertypegrootten van webpagina's negeren

Opmaakmodel van de gebruiker

Documenten met mijn opmaakmodel opmaken

Opmaakmodel:

Bladeren...

OK Annuleren

'Specifieke kleuren van webpagina's negeren': De computer zal toelaten dat je op alle webpagina's surft, maar alle kleuren die door de makers zijn opgegeven als de kleur van de achtergrond van de website, de kleur van de letters enzovoort zullen dan niet gebruikt worden.

'Specifieke lettertypestijlen van webpagina's negeren': Dit zal ervoor zorgen dat de computer altijd het gewone standaardlettertype gebruikt en geen andere vreemde, moeilijke lettertypes zal weergeven. Hierdoor kun je altijd een goed leesbaar lettertype gebruiken.

'Specifieke lettertypegrootten van webpagina's negeren': De grootte van de tekst die de makers van de website hebben opgegeven, zal worden genegeerd. Als de letters voor jou te klein zijn, kun je dit op die manier oplossen zodat je de tekst duidelijk kunt lezen.

'Documenten met mijn opmaakmodel opmaken': Deze functie zal ervoor zorgen dat alle websites die je bezoekt op het internet, zullen worden omgezet naar je eigen opmaakmodel. Zo'n model maken is echter moeilijk en dit kun je meestal niet zelf. We noemen zo'n model soms ook een CSS-bestand.

In dit model is het echter mogelijk zelf alle kleuren, de grootte van de lettertypes en het lettertype zelf op te geven die altijd moeten worden gebruikt. Bij het aanklikken van deze optie, moet je vervolgens op 'Bladeren...' klikken en dan op je harde schijf het opmaakmodel selecteren.

Als je klaar bent met de gewenste mogelijkheden aan te duiden, klik je met je linkermuisknop op de toets 'OK'.

We hebben nog meer mogelijkheden om alles toegankelijker te maken. Klik op de knop 'Kleuren' linksonder.

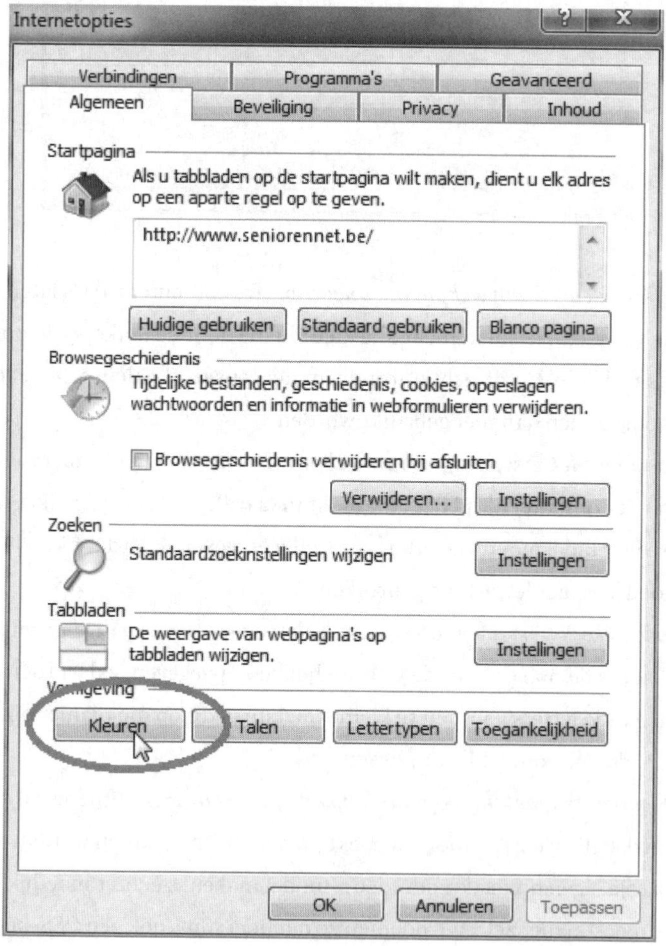

Zonder muis werken

Wat?

Het kan voorkomen dat iemand absoluut niet kan wennen aan het gebruik van een muis, de muis niet wil gebruiken of om gezondheidsredenen geen muis kan of mag gebruiken.

Ook als je geen muis wilt of kunt gebruiken, is het toch perfect mogelijk om te werken op de computer en te surfen op het internet.

Je hoeft hiervoor niets speciaals in te stellen, je moet enkel weten hoe je zonder muis kunt werken met de computer.

We gaan daarvoor een aantal toetsen van het toetsenbord veel meer gebruiken. Als eerste bekijken we de Alt-toets. Zoek deze toets op het toetsenbord. Hij staat op de onderste lijn van het klavier, aan de linkerkant en tussen de Ctrl- of Control-toets en de lange horizontale spatiebalk.

De tweede toets die we veel zullen nodig hebben, is de Tab-toets. Deze toets wordt aangegeven door twee pijltjes onder elkaar, het bovenste wijst naar links, het onderste wijst naar rechts. De Tab-toets staat helemaal links op je toetsenbord, onder de toets met '²' en boven de Shift Lock-toets (ook aangeduid met een hangslotje of een A in een vierkantje).

De derde toets die we ook veel zullen gebruiken, is de Entertoets. Deze toets gebruik je normaal om iets te bevestigen of om naar de volgende lijn te gaan. De Entertoets is meestal een grote toets, die zich rechts van de letters bevindt en waar een klein verticaal streepje op staat met eronder een pijltje naar links.

De laatste toetsen die je veel zult gebruiken, zijn de 'pijltjes-toetsen'. Je ziet vier pijltjes op je toetsenbord staan, eentje naar boven, eentje naar links, eentje naar rechts en eentje naar beneden. Deze vier toetsen, samen vormen ze een piramide, zul je gebruiken om te navigeren.

Aan de slag

We weten nu welke toetsen we moeten gebruiken. Nu leren we hoe we met de computer kunnen werken zonder muis, enkel met behulp van deze toetsen.

Als je de Tab-toets gebruikt, dan zal er op je scherm iets worden aangeduid, soms door de kleuren als negatief te zetten (achtergrond donker, tekst licht) of door er een kleine stippellijn rond te trekken zoals je kunt zien op de foto.

Indien je aan het werken bent in Windows zelf, dan zal dit per plaats zo gebeuren. Indien je bijvoorbeeld in 'Deze computer' aan het werken bent en de stippenlijn verschijnt rond een van de zaken in het grote witte vlak (dus waar je normaal op gaat klikken om je harde schijf of cd te openen), dan kun je met de pijltjestoetsen de juiste selecteren. Als de computer bijvoorbeeld de stippellijn zet op het cd-romstation, kun je zo naar de harde schijf of het diskettestation gaan.

Indien je aan het werken bent in Internet Explorer, dan zal de Tab-toets ervoor zorgen dat je élke link afgaat op de website. Elke link zal één voor één worden omlijnd door een stippellijn telkens als je op de Tab-toets drukt.

Als de stippellijn rond het gewenste staat, druk je op de Entertoets om het te openen.

Met de Alt-toets kunnen we snel naar een menu gaan. De menu's zie je steeds bovenaan op het scherm, meestal zie je er 'Bestand', 'Extra', 'Help' enzovoort staan.

Druk één keer op de Alt-toets, je zult zien dat er overal een lettertje wordt onderstreept. Bijvoorbeeld bij 'Bestand' zal de B onderstreept zijn, bij 'Help' de H enzovoort.

Druk vervolgens bijvoorbeeld op de letter B op je toetsenbord. Het menu 'Bestand' zal worden geopend.

Je drukt dus eerst op de Alt-toets, je ziet overal een lettertje onderstreept en je drukt vervolgens een van die letters in. In het menu dat nu opengaat, zal opnieuw bij elke functie een letter onderstreept zijn. Druk opnieuw een letter in om het gewenste te selecteren.

Indien ze niet onderstreept zijn (sommige programma's voorzien dit niet), kun je met de pijltjestoetsen werken en vervolgens op de Entertoets drukken.

Met deze combinatie van Alt, Tab en Enter kun je overal op je computer navigeren en de muis ongebruikt laten. Het werken zonder muis is echter wel moeilijker en meestal trager, maar beter trager werken dan niet kunnen werken, uiteraard!

Andere toegankelijkheidsmogelijkheden

Wat?

Doordat de computer en het internet wereldwijd door honderden miljoenen mensen worden gebruikt, is ervoor gezorgd dat de computer toegankelijk is, voor iedereen.

Als je om een bepaalde reden bepaalde handelingen niet kunt uitvoeren, is het mogelijk iets in te stellen op de computer en vervolgens te werken via een andere manier die je wel kunt uitvoeren om zo toch hetzelfde doel te bereiken.

Om extra toegankelijkheid mogelijk te maken, moet je klikken met je linkermuisknop op de knop 'Start', die zich links onderaan op je scherm bevindt. Klik vervolgens in het menu met je linkermuisknop op 'Configuratiescherm'. Dubbelklik dan op 'Toegankelijkheid' met je linkermuisknop.

Het scherm ziet eruit zoals op een van volgende twee foto's.

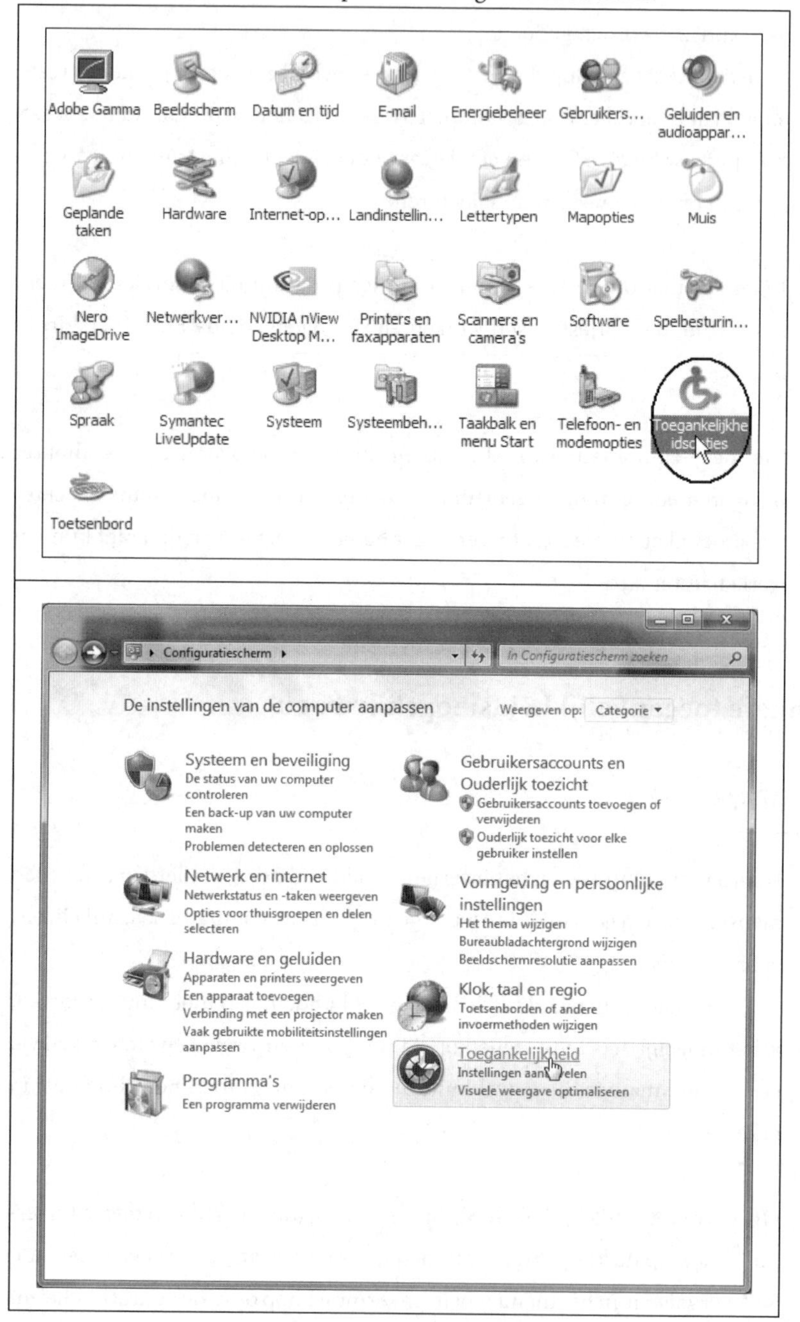

Vervolgens kun je allerlei instellingen vinden om de computer nog toegankelijker te maken. Ik leg een aantal termen uit die je in de verschillende schermen tegen kunt komen.

Toetsenbord

Plaktoetsen: Plaktoetsen maken het mogelijk dat je de gewone sneltoetsen op een andere manier gebruikt. Indien het voor jou niet mogelijk is om twee of drie toetsen tegelijk in te drukken, dan kun je gebruikmaken van de plaktoetsen. Door vijf keer de Shift-toets, de Control-toets of de Alt-toets in te drukken en vervolgens de tweede letter die je moest indrukken, zal het commando ook worden uitgevoerd.

Filtertoetsen: Indien je niet in staat bent om een toets op je toetsenbord maar heel even in te drukken, maar dat je die vanzelf langer indrukt of dat je een beetje bibbert en daardoor ongewild meestal twee of meerdere keren dezelfde toets hebt ingedrukt, kun je gebruikmaken van de filtertoetsen. Hierdoor zal de computer een opeenvolging van dezelfde toets, kort achter elkaar, negeren. Hierdoor kun je toch aangenaam tikken en gebruikmaken van de computer, zonder dat vele letters telkens achter elkaar op je scherm verschijnen.

Schakeltoetsen: Indien je via geluid verwittigd wilt worden wanneer je de Caps Lock- (vastzetten om alle volgende letters als hoofdletter te gebruiken), Scroll Lock- (wordt normaal niet meer gebruikt) of de Num Lock-toets (cijfers gebruiken of de pijltjesfunctie gebruiken) indrukt. Er zal een hoog geluid te horen zijn als een van de drie toetsen wordt geactiveerd, een laag geluid als de toets weer wordt afgezet.

Geluid

In het tabblad 'Geluid' zijn volgende mogelijkheden voorzien (om de inhoud te zien, klik je met je linkermuisknop bovenaan op 'Geluid'):

Geluidswaarschuwing: Deze functie zal ervoor zorgen dat de computer iets visueel zal uitvoeren wanneer er normaal geluid zou worden afgespeeld.

Geluid wordt afgespeeld als er een e-mail binnenkomt, als er een foutmelding verschijnt, als het downloaden van een programma is uitgevoerd enzovoort. Je hebt de keuze tussen het laten knipperen van de titelbalk van het scherm dat actief is (waar je op dat ogenblik mee bezig bent), het hele venster of je bureaublad (het scherm dat je ziet als je de computer opstart).

Geluidsbeschrijving: Enkele programma's gebruiken geluid om informatie mee te delen of om te bevestigen dat een bepaalde functie werd opgestart. Als je dit echter niet kunt horen, kun je de geluidsbeschrijving activeren. De programma's zullen dan via tekst of figuren laten zien wat er normaal wordt gezegd.

Weergave

In het tabblad 'Weergave' zijn er volgende mogelijkheden voorzien (om de inhoud te zien, klik met je linkermuisknop bovenaan op 'Weergave'):

Hoog contrast: Indien je hoog contrast nodig hebt om de informatie op het scherm goed te kunnen zien, kun je dit gebruiken. Het hoog contrast kun je ook instellen door het hoofdstuk in dit boek te lezen dat hier speciaal aan gewijd is.

Opties voor de cursor: Je hebt ongetwijfeld al het flikkerende verticale streepje gezien. Het is altijd zichtbaar als je ergens iets moet intikken. Ook de snelheid van het knipperen kan worden ingesteld: sneller, trager of afzetten.

Als je het streepje nauwelijks of niet kunt zien omdat het te dun is, kun je bij 'Breedte' het streepje breder maken, totdat het zelfs een flikkerend zwart blokje is.

Muis

In het tabblad 'Muis' zijn volgende mogelijkheden aanwezig (om de inhoud te zien, klik met je linkermuisknop bovenaan op 'Muis'):

Muisknoppen: Je kunt via het toetsenbord ook de muisaanwijzer bedienen. Via een sneltoets (namelijk de linkse Alt-toets, de linkse Shift-toets en de Num-Lock-toets tegelijk indrukken) kun je de muisaanwijzer bedienen met het numerieke toetsenbord (je ziet ook daar pijltjes staan op de 2, 4, 6, 8). Je kunt via de instellingen ook de snelheid en andere zaken aanpassen. Je kunt ook perfect werken zonder de muis, zie hiervoor het afzonderlijk onderdeel in dit boek.

Algemeen

In het tabblad 'Algemeen' zijn er volgende mogelijkheden opgesomd (om de inhoud te zien, klik met je linkermuisknop bovenaan op 'Algemeen'):

Beginwaarden automatisch instellen: Dit zorgt ervoor dat wanneer je de speciale toetsen gedurende een bepaalde tijd niet gebruikt, deze worden uitgeschakeld. Je kunt ze uiteraard later altijd weer inschakelen.

Melding: De 'waarschuwing weergeven' zal ervoor zorgen dat de eerste keer dat een functie wordt ingeschakeld, de computer een mededeling zal geven op het scherm om mee te melden dat dit een speciale toegankelijkheidsoptie is.

Het 'geluid laten horen' zal ervoor zorgen dat bij het gebruik steeds geluid zal worden afgespeeld.

Seriële toetsenapparaten: Indien je een extra toestel hebt voor toegankelijkheid – bijvoorbeeld een aangepast toetsenbord of muis, een brailletoestel of iets anders – dan kun je dat hier instellen.

Beheeropties: De eerste mogelijkheid zorgt ervoor dat alles wordt toegepast telkens als je de computer opstart. De tweede mogelijkheid is niet nuttig voor gewone gebruikers. Het zal ervoor zorgen dat de instellingen zullen gelden voor alle andere nieuwe gebruikers die van de computer gebruikmaken.

Als je klaar bent met alles in te stellen, klik je met je linkermuisknop op 'OK'.

VII •• HET INTERNETWOORDENBOEK VOOR 50-PLUSSERS

403-error

Deze foutmelding betekent dat je geen toegang hebt tot die bepaalde webpagina. Meestal komt dit voor bij het openen van een internetadres dat niet is toegelaten. Bijvoorbeeld, je opent http://www.seniorennet.be/Pages/Reizen/ en je krijgt deze fout. Het is namelijk zo dat je naar http://www.seniorennet.be/Pages/Reizen/reizen.php moet surfen (let op de reizen.php achteraan). Normaal ligt dit niet aan jou. Het gaat meestal om een fout van de webmaster.

404-error

Dit is de bekendste en meest voorkomende foutmelding. Het betekent dat de pagina die je wilde openen, niet bestaat. Als je bijvoorbeeld http://www.seniorennet.be/blablabla.htm probeert te openen, zal dit niet lukken. Deze pagina bestaat namelijk niet. Je zult dan een foutmelding krijgen, de 404-fout. Deze fout krijg je soms ook wanneer je een internetadres per ongeluk foutief hebt ingetikt, door een fout van de webmaster (de webmaster zelf heeft een tikfout gemaakt bij de creatie van de website) of bij een onbestaande pagina.

500-error

Dit is de vervelendste fout, zowel voor jou als gebruiker als voor de webmaster. Het is namelijk zo dat je deze foutmelding krijgt wanneer een programma niet werkt. Meestal staat er ook nog 'Internal Server Error'. Dit betekent dat er een fout is opgetreden bij het uitvoeren van een programma of van de website die je wilde bezoeken. De pagina bestaat wel, maar er is ergens iets fout gelopen. En die fout kan zowat alles zijn. Een fout in de programmacode, iets dat stuk is gegaan, een fout veroorzaakt door een hacker... Meestal zal de webmaster er zo snel mogelijk voor proberen te zorgen dat de fout opgelost wordt. Krijg je een dergelijke foutmelding, probeer dan enkele uren later of enkele dagen later nog eens.

@-teken (ook at-teken of apenstaart)

Dit is een scheidingsteken dat wordt gebruikt in een e-mailadres om de naam van de gebruiker te scheiden van de domeinnaam van de website of provider.

Bijvoorbeeld: webmaster@seniorennet.be. Mail je naar dit adres, dan wil je contact opnemen met de 'webmaster' van de website/provider 'seniorennet', gevestigd in '.be' (België).

Abuse (misbruik)

Letterlijk vertaald is dit 'misbruik'. Krijg je ongewenste reclame of doet iemand een poging om in je computer in te breken, dan kun je dit misbruik melden. Is de afzender van de bewuste e-mail bijvoorbeeld iemand@provider.be, dan vervang je wat voor het @-teken staat door 'abuse', dus abuse@provider.be. Naar dat e-mailadres stuur je de originele e-mail en indien mogelijk zo veel mogelijk andere gegevens zoals de omstandigheden waarin je de e-mail hebt ontvangen of hoeveel van dergelijke e-mails je al hebt ontvangen.

De 'abuse'-dienst van de provider zal dit geval dan verder onderzoeken en indien nodig de gebruiker straffen.

Account

Een account kan verschillende betekenissen hebben.

De eerste betekenis is een internetabonnement bij een internetaanbieder. Je krijgt via hen toegang tot het internet.

De tweede betekenis is een lidmaatschap bij een website. Dit hoeft niet altijd betalend te zijn, heel vaak is het gratis. Met zo'n account heb je meestal een gebruikersnaam en een paswoord waardoor je kunt gebruikmaken van bepaalde diensten (gratis e-mail, zoekertjes, visitekaartjes...).

Achtergrondafbeelding

Een achtergrondafbeelding is een foto of figuur die op de achtergrond wordt gebruikt. Op een website is deze zichtbaar achter de tekst. Sommige sites hebben als achtergrond een gewone egale kleur, andere hebben een figuur of foto als achtergrond. Voorwaarde voor zo'n afbeelding is dat deze niet stoort tijdens het lezen van de tekst, wat spijtig genoeg meestal het geval is.

Acrobat Reader

Dit is een gratis programma. Het zorgt ervoor dat je PDF-documenten kunt lezen. De voordelen van deze documenten zijn dat de maker exact weet hoe ze er op jouw scherm zullen uitzien en hoe ze bij jou uit de printer zullen komen. Dit is niet zo bij vele andere soorten van tekstbestanden. Een voordeel is bovendien dat de aard van je computer of besturingssysteem van geen tel is. Het werkt voor allemaal. Een laatste voordeel is dat de omvang deze documenten over het algemeen een heel stuk kleiner zijn dan andere formaten die ook voor tekst dienen (Word-document, tekstbestand...). Het programma is te downloaden op http://get.adobe.com/nl/reader/.

Active-X

Dit zijn softwarecomponenten die kunnen worden gebruikt bij informatie-uitwisseling tussen programma's. Active-X werd ontwikkeld door Microsoft als alternatief voor de taal Java. Hiermee kunnen bijvoorbeeld rekenfuncties op een website worden gezet, of iets anders dat via de gewone HTML-taal niet kan worden verkregen.

De nadelen hiervan zijn echter de platformafhankelijkheid (het werkt enkel op computers waar Windows op staat) en de veiligheidsproblemen (door de te grote mogelijkheden van Active-X kunnen mensen met slechte bedoelingen schade aanrichten aan je computer). Daarom wordt Active-X relatief weinig gebruikt op websites.

Adresboek

Een adresboek is een lijst met informatie over alle mensen die je in de computer hebt ingegeven. In een e-mailprogramma is het adresboek meestal een lijst van namen met hun bijbehorende e-mailadressen. Soms is het ook mogelijk om het volledige adres met telefoonnummer(s) toe te voegen. Op deze manier kun je snel en eenvoudig contact met iemand opnemen.

ADSL

Dit staat voor 'Asymmetrical Digital Subscriber Line'. Het is een communicatietechnologie die je in staat stelt om via de gewone telefoonkabel grote hoeveelheden data te verzenden, zonder dat het telefoonverkeer wordt belemmerd. De snelheid ligt 60 à 70 keer hoger dan die van een normale modemverbinding. De techniek maakt gebruik van het feit dat je via een telefoonkabel tot meerdere MHz informatie kunt verzenden, terwijl we voor gewoon telefoonverkeer daar maar een minuscuul klein deeltje van gebruiken (om precies te zijn 0,004 MHz). De ADSL-techniek maakt gebruik van de volledige capaciteit van de telefoonkabel.

Alias

Als je een normaal e-mailadres hebt, kun je ook een alias aanmaken. Dit is een alternatieve aanduiding van je e-mailadres, terwijl het toch op je eigen adres aankomt.

Bijvoorbeeld: webmaster@seniorennet.be en pascal.vyncke@ seniorennet.be. Het laatste adres is een alias van het eerste. Alles wat naar het tweede adres wordt gestuurd, zal gewoon in de mailbox aankomen van webmaster@ seniorennet.be. Als verzender van de e-mail kun je dit ook nooit weten, het lijkt ook een gewoon e-mailadres. Hierdoor kunnen mensen onder meerdere namen (schuilnamen) bekend zijn op het internet, of meerdere diensten aanbieden.

Alt-toets

Deze heeft eenzelfde functie als de Control-toets, maar wordt gebruikt voor extra mogelijkheden (je kunt alle letters afgaan in combinatie met de Control-toets en met de Alt-toets, wat zorgt voor tweemaal zoveel mogelijkheden). De Alt-toets staat links onderaan op je toetsenbord, naast de Control-toets. Deze wordt aangeduid door 'Alt'.

Animated GIF

Deze bewegende afbeelding wordt gemaakt door verschillende GIF-afbeeldingen achter elkaar te plaatsen en ze vervolgens af te spelen volgens het principe van een animatiefilm.

Applet

Dit is een in de programmeertaal Java geschreven programma dat op een website staat. Met een applet kun je allerlei effecten genereren in je webpagina of spelletjes maken voor op het internet. Java maakt allerlei dingen mogelijk op webpagina's die anders op geen enkele andere manier kunnen worden uitgevoerd.

ASCII

Dit staat voor 'American Standard Code for Information Interchange'. Deze code wordt gebruikt voor bestanden die louter 'platte tekst' bevatten, zonder opmaakkenmerken. ASCII is de universele norm voor het omzetten van tekst, getallen en leestekens in binaire gegevens die door om het even welke computer ter wereld altijd correct kunnen worden gelezen. De ASCII-tabel bevat zo'n 256 verschillende tekens.

AVI

Dit is de afkorting van 'Audio Video Interleaved', een filmformaat ontwikkeld door het bedrijf Microsoft en waarin zowel bewegende beelden als geluid in kunnen worden opgeslagen.

Een AVI-bestand kun je op verschillende manieren coderen en daarom bestaan er verschillende soorten AVI. Allemaal hebben ze hun eigen kwaliteit en bestandsgrootte. AVI is dus een manier om beeld en geluid samen op te slaan op een computer.

Azerty

Azerty geeft aan welk soort toetsenbord je hebt. Er zijn wereldwijd verschillende mogelijkheden. In Vlaanderen gebruiken we het Azerty-toetsenbord. De naam komt van de eerste zes letters die je kunt aflezen op de bovenste rij letters van je toetsenbord (onder de cijfers dus). Azerty wordt gebruikt voor de Franse tekens: é, è, ç, à, ù... Een ander, wereldwijd gebruikt toetsenbord is het Qwerty-toetsenbord. Dit toetsenbord is echter vooral gemaakt voor de Engelse taal en bevat geen Franse tekens. In landen als Nederland, Engeland en de Verenigde Staten wordt het Qwerty-toetsenbord gebruikt.

Back-up (reservekopie)

Back-up is het Engelse woord voor reservekopie. Iedereen die persoonlijke gegevens op zijn pc heeft staan, moet daar regelmatig een reservekopie van maken. Indien je computer stuk gaat, er per toeval toch bestanden worden verwijderd of er iets anders voorvalt, dan kun je de originele gegevens terughalen van je reservekopie. Op deze manier moet je niet al je werk opnieuw maken. Een reservekopie wordt meestal gemaakt op een andere computer, op een diskette, een cd of dvd of op een geheugenkaartje. Bedrijven maken ook zeer geregeld reservekopieën om het verlies van al hun gegevens te voorkomen. Een back-up maak je bijvoorbeeld ook van je e-mails of je adresboek om ervoor te zorgen dat je zo geen belangrijke gegevens verliest.

Bandbreedte

De bandbreedte in de computerwereld heeft niets te maken met je auto. Waar het echter wel mee te maken heeft, is de snelheid van je internetverbinding. Als je breedband hebt (ADSL of kabel), dan kun je tegen hoge snelheid surfen op het internet. Indien je 'smallband' hebt, dan surf je erg traag. Dit laatste is meestal het geval via een gewone modem en telefoonlijn, maar kan ook voorkomen wanneer je bepaalde limieten die opgelegd zijn door je provider hebt overschreden (je hebt bijvoorbeeld te veel gedownload...).

Banner

Dit is een advertentie op een website, normaal rechthoekig van vorm. Hierin staat reclame voor een bedrijf/website/dienst. De bedoeling is om de aandacht te trekken van de bezoeker van die website in de hoop dat die op de advertentie gaat klikken. Als je erop klikt, kom je terecht op de website van de adverteerder. Een banner kan op zowat alle plaatsen staan op een website en is soms een gewone afbeelding, maar geavanceerde banners bevatten zelfs kleine spelletjes waarbij je naar de website van de adverteerder gaat als je gewonnen hebt.

BCC

Dit staat voor 'Blind Carbon Copy'. Dit wordt gebruikt bij het versturen van een e-mail. Je kunt adressen ingeven in het vakje 'Naar' (To), 'CC' of 'BCC'. Indien je een of meerdere adressen ingeeft voor BCC, dan krijgen al deze mensen jouw e-mail, maar ze kunnen niet zien naar wie de e-mail nog werd verstuurd. Dit is niet zo bij 'To' of 'CC'. Als je daar verschillende adressen ingeeft, kunnen de ontvangers zien naar wie je het bericht allemaal hebt gestuurd. De keuze tussen 'CC' of 'BCC' hangt sterk af van de inhoud van je bericht. Als je een bericht stuurt naar iemand anders en je wilt ook nog een kopie naar een andere persoon verzenden – bijvoorbeeld een bericht naar een werknemer en een kopie naar de baas – dan gebruik je 'To' of 'CC'. Maar als je een bericht verstuurt naar heel wat mensen – bijvoorbeeld een grapje, een leuk bericht, een mededeling – dan kun je het best iedereen plaatsen bij 'BCC'. Op die manier kunnen de mensen elkaars e-mailadres niet zien. Een kennis van jou wil misschien niet gemaild worden door een andere kennis van jou; ze kennen jou wel allebei, maar niet elkaar. Het is ook een manier om ongewenste reclame-e-mail tegen te gaan.

Bestandsextensie

De naam van een bestand ziet er bijvoorbeeld zo uit: 'boodschappenlijst.doc'. Je ziet hier een zelfgekozen naam, een punt, en (meestal) drie letters die erachter komen. Deze laatste drie letters (soms ook twee of vier letters) zijn de bestandsextensie. De extensie geeft aan wat voor gegevens het bestand eigenlijk bevat. Is het een document (.doc), een figuur (.bmp, .jpg, .gif), muziek (.wav, .mp3, .wmv), video (.avi), een programma (.exe) of iets totaal anders? Op internet worden de volgende bestandsextensies veel gebruikt voor webpagina's: .htm en .html (gewone internetpagina's), .php en .asp (voor interactieve pagina's met veel mogelijkheden) en .pdf (voor speciale documenten). Op deze manier weet jij het, maar ook de computer. Er bestaan duizenden verschillende bestandsextensies. Iedereen die een programma zelf maakt, zou een nieuwe kunnen verzinnen. Gelukkig is het niet nodig deze allemaal te kennen.

Attachment
Zie bijlage

Besturingssysteem
Dit programma maakt van de computer meer dan een kastje met elektronische spullen; het zorgt ervoor dat alles correct samenwerkt, dat je alles kunt gebruiken en dat je op eenvoudige wijze je computer iets kunt laten doen, zonder al te veel (computer)kennis nodig te hebben. Een computer verzorgt de communicatie tussen jou als gebruiker en al die apparatuur in de computerkast. Een besturingssysteem kan Windows 95, 98, Me, 2000, XP of 2003 zijn, maar ook Linux, UNIX of Mac OS.

Bijlage (attachment)
Een bijlage van een e-mail bestaat uit een of meerdere bestanden die je toevoegt aan dat e-mailbericht. Dit kan bijvoorbeeld een programma, document of figuur zijn. Het voordeel is dat je makkelijk foto's en andere programma's of documenten naar derden kunt zenden. Soms is het echter gevaarlijk om een ontvangen bijlage te openen. De mogelijkheid bestaat immers dat de bijlage een virus bevat.

BMP
Dit is de extensie van een bitmapafbeelding, een afbeelding die vrijwel nooit wordt gebruikt op het internet. Reden? Het bestand is té groot en bijgevolg vraagt het (te) veel tijd om de afbeelding in te laden. Op internet worden GIF, JPG of andere formaten gebruikt die wel snel inladen. De techniek van de afbeelding bestaat erin het beeld op te delen in heel kleine stukjes (pixels) en vervolgens de kleur op te slaan van elk minuscuul stukje. Het BMP-bestand

is echter zo groot omdat het geen enkele techniek gebruikt om de totale grootte te verkleinen.

Bookmark
Zie favoriet

Breedbandverbinding
Dit is een verbinding waarmee je op hoge snelheid kunt surfen op het internet. Breedband verloopt via ADSL of kabel.

Broncode
Omvat de eigenlijke opdrachten waaruit een programma bestaat. Op internet is de broncode de werkelijk geschreven code van een webpagina. Een webpagina is namelijk niet geschreven zoals je ze te zien krijgt. Alle opmaak, figuren en dergelijke moeten via een programmataal worden doorgegeven. De broncode bevat deze programmacode.

Browser (bladeraar)
Dit is een programma waarmee je op het internet kunt surfen. Met dit programma zoek en bekijk je pagina's op het internet. De bekendste browsers zijn Internet Explorer, Netscape Navigator en Opera.

Bureaublad (desktop)
Het bureaublad is het startscherm dat je ziet wanneer je Windows hebt opgestart. Standaard staan er de 'prullenbak' en 'deze computer' op en mogelijk nog vele andere programma's. Het is de plaats waarvan je snel kunt vertrekken om iets te doen met je computer. Meestal wordt er op dit bureaublad een afbeelding of foto als achtergrond geplaatst om de computer een persoonlijk tintje te geven.

Button
Dit is hetzelfde als een banner, maar ongeveer vier keer zo smal (even hoog).

Cancel

Cancel is het Engelse woord voor annuleren. Annuleren betekent dat je iets niet wilt doen. Als de computer een vraag stelt en je wilt niet bevestigen dat hij het mag uitvoeren of dat er iets mag gebeuren (je hebt je bijvoorbeeld vergist), dan kun je op 'Annuleren' of 'Cancel' klikken. De benaming hangt af van de taal waarin het programma functioneert, namelijk in het Nederlands of in het Engels.

CC

Dit staat voor 'Carbon Copy'. Bij het versturen van een e-mail zul je meestal verschillende mogelijkheden hebben voor het ingeven van adressen: 'Aan' (of 'To'), 'CC' en 'BCC'. De 'Aan' is bedoeld voor de gewone ontvanger(s), dit is wat je normaal gebruikt. Indien je expliciet wilt aangeven dat je een kopie naar iemand anders toestuurt (maar het eigenlijk niet voor die persoon specifiek is geschreven), zet je dit adres in het vakje 'CC'. Dit kun je bijvoorbeeld gebruiken wanneer je communiceert met iemand uit een bedrijf en een kopie stuurt naar zijn of haar secretaresse.

Cd-rom

Dit staat voor 'compact disc read-only memory'. Een cd-rom, kortweg cd, ziet er net zo uit als een muziek-cd, maar bevat allerlei computergegevens, zoals tekst, animaties, afbeeldingen, gesproken tekst en video. Om een cd-rom te kunnen gebruiken, moet je over een cd-romstation beschikken dat in de computer is ingebouwd. Op een cd kan zo'n 80 minuten muziek of zo'n 700 MB aan informatie staan.

Chatbox

De chatbox is de plaats (en de software) die een website je kan aanbieden om te chatten.

Chatmaster

Een chatmaster is iemand die een chatbox in het oog houdt. Op de SeniorenNet-chatbox zijn er verschillende chatmasters aangesteld. Je kunt ze herkennen aan de @ voor hun naam. Deze mensen zijn ook chatters en zullen geregeld gewoon meechatten. Zoals moderators van een forum zijn zij eigenlijk een soort politieagenten van de chatbox. Ze zijn je beste vriend, je kunt er alles aan vragen, maar als je slechte bedoelingen hebt met de chatbox, zullen ze je vijand nummer 1 zijn. Zij hebben de mogelijkheid om iemand even eruit te gooien ('kicken') of iemand voor langere tijd uit te sluiten ('bannen'). Ook beschikken zij over de mogelijkheid om iemand die meermaals de regels heeft overtreden, voor altijd uit te sluiten (permanente ban). Valt iemand je lastig of doet iemand vervelend in de chatbox en grijpen de chatmasters niet in (het is mogelijk dat ze net op dat ogenblik niet aan het volgen zijn), dan kun je hen privé aanspreken door te dubbelklikken op hun naam. Zij zullen dan indien nodig ingrijpen. De chatmasters van SeniorenNet zijn ook te bereiken via abuse@seniorennet.be. Alle meldingen worden steeds zeer ernstig genomen.

Chatten

Chatten is praten via het internet. Je kunt bijvoorbeeld op SeniorenNet surfen naar de chatbox. Je moet een schuilnaam opgeven en dan kom je in een soort van virtuele kamer terecht. Iedereen die op dat ogenblik in dezelfde kamer zit, kan met elkaar praten. Het praten via internet werkt wel via het toetsenbord. Dus in plaats van alles te zeggen, tik je alles in wat je wilt zeggen. De andere chatters kunnen dan jouw berichtje lezen op het scherm. Zo 'praat' je dus echt met elkaar, de andere mensen zitten op datzelfde ogenblik ook voor hun computer en in dezelfde chatbox. Met mensen die op dat ogenblik niet aanwezig zijn, kun je niet communiceren.

Compressie

Dit is een techniek die data verkleint zodat een bestand kleiner van omvang wordt. Dit gebeurt met allerlei technieken. Deze technieken kunnen worden ingedeeld in verliesloze compressie en verliesgevende compressie. Bij verliesloze compressie gaan er geen gegevens verloren, maar kan via speciale technieken het originele bestand opnieuw worden opgebouwd. De verliesgevende compressie is een techniek om bestanden te verkleinen met verlies van gegevens. Dit kan door bijvoorbeeld onbelangrijke gegevens weg te laten, gegevens weg te laten die je toch niet ziet/hoort enzovoort.

Configureren

Configureren moet gebeuren om ervoor te zorgen dat alle onderdelen van je computer samen kunnen werken en dat er geen 'ruzie' ontstaat tussen de verschillende programma's. De belangrijkste en meeste dingen gebeuren automatisch (en zijn meestal juist), sommige dingen moet je evenwel handmatig doen om je persoonlijke voorkeuren in te stellen.

Control-toets

De Control-toets wordt gebruikt voor allerlei doeleinden. Meestal wordt deze ingeschakeld voor de 'sneltoetsen'. De Control-toets in combinatie met een andere toets op het toetsenbord (meestal een letter) zal ervoor zorgen dat er iets uitgevoerd wordt. De combinatie van bijvoorbeeld de Control-toets en de letter 'p' zal ervoor zorgen dat er wordt afgedrukt.

De Control-toets staat links onderaan op je toetsenbord en wordt meestal aangeduid met 'Control' of 'Ctrl'.

Cookie

Een cookie is een klein bestandje dat op je computer wordt geplaatst. Cookie is het Engelse woord voor koekje. Een cookie wordt op je computer gezet tijdens het surfen op het internet. Een website kan zo'n cookie gebruiken voor allerlei dingen: er een code in opslaan zodat je later kunt worden herkend, er instellingen in opslaan zodat je bepaalde zaken maar eenmalig hoeft in te stellen en deze in de toekomst worden onthouden enzovoort. SeniorenNet gebruikt ook cookies. Het onthouden van de ingestelde lettergrootte, het ingetikte wachtwoord of de eigen gebruikersnaam bijvoorbeeld, gebeurt met een cookie. Op deze manier hoef je niet telkens opnieuw deze gegevens in te geven.

Crackers

Deze hackers misbruiken de door hen illegaal verzamelde informatie door de gegevens te wijzigen, te verwijderen, te misbruiken of door te verkopen.

Cybercafé

Dit is een plaats waar je onder het nuttigen van een drankje kunt gebruikmaken van pc's om op het internet te surfen. Soms moet je nog extra betalen om te mogen surfen. Beschik je niet over een computer en/of een internetverbinding, dan kun je in een cybercafé terecht. Dit is in eerste instantie handig om te leren werken met internet voor je beslist om het werkelijk zelf aan te schaffen. Ook is het zeer handig voor mensen die regelmatig in het buitenland verblijven en toch even hun e-mail willen nakijken of naar hun favoriete website willen surfen.

Database

Een database is een structuur waarin op geordende wijze heel veel gegevens worden bewaard. Een database, ofwel gegevens- of databank in het Nederlands, wordt op het internet gebruikt om bijvoorbeeld e-mailadressen van alle klanten van een bedrijf of om klantgegevens van een internetwinkel op te slaan.

Desktop

Zie bureaublad

Dial-upverbinding

Dit is een inbelverbinding bij een provider. Met een telefoonlijn, een modem en een computer kun je hiermee contact maken met je provider, waardoor je toegang kunt krijgen tot het internet.

Data traffic (dataverkeer)

Bestaat uit het transport van een hoeveelheid gegevens (data). Tijdens het surfen op het internet of het bekijken van een webpagina worden systematisch gegevens doorgestuurd van de website naar je computer. Om de tekst, figuren, tabellen, muziek enzovoort te kunnen weergeven op je scherm, moeten er gegevens worden uitgewisseld tussen de website en je computer. En dit dataverkeer kost geld, zowel aan de website als aan de provider. Daarom zal een provider een limiet instellen, een maximale hoeveelheid dataverkeer die je mag opgebruiken per maand. Een normale gebruiker blijft altijd zonder problemen onder die grens. Sommige gebruikers surfen echter zoveel of halen zo veel muziek of videobeelden binnen, dat ze dit maximum overschrijden. Afhankelijk van de provider volgt er een sanctie (een waarschuwing, een beetje bijbetalen, het afsluiten van de verbinding, een duurder abonnement enzovoort). De website zelf moet ook voor deze data traffic betalen. Alle surfers die de webpagina bezoeken, zorgen dus voor dataverkeer. Hoe meer bezoekers, hoe meer dataverkeer, hoe meer de website kost.

Domeinnaam

Een domeinnaam is eigenlijk de naam van een website. 'seniorennet.be' is de domeinnaam van SeniorenNet. Het is wat staat na de 'www' van een adres, tot aan het '/' of '?' teken. Voor een internetadres als http://www.seniorennet.be/Pages/Thuis op internet/thuis op internet.php is ook 'seniorennet.be' de domeinnaam. Een domeinnaam is uniek. Wereldwijd bestaat er maar één 'seniorennet.be'. Een domeinnaam is niet gratis, hiervoor moet je betalen.

De registratie van de domeinnamen en het beheer ervan gebeurt door een handvol bedrijven op deze wereld. Voor de '.be'-domeinnamen (wat achter SeniorenNet staat) is dit bijvoorbeeld DNS België. Voor de '.com'-domeinnaam (komt bijvoorbeeld voor in 'http://www.seniorennet.com') is dit Network Solutions. Zoals je al zult hebben gemerkt, is het dus mogelijk dat 'seniorennet' zowel een '.be' als een '.com' kan zijn. In principe kunnen dit twee verschillende websites zijn, maar in dit geval (SeniorenNet) is dit één en dezelfde website. Dit geldt ook voor Nederland, waar .nl wordt gebruikt, bijvoorbeeld www.seniorennet.nl,

Downloaden

Dit is het binnenhalen van bestanden (afbeeldingen, programma's, webpagina's...) op je computer via het internet.

Driver

Dit is Engels voor een klein stuurprogramma dat een randapparaat afstemt op de computer. Het zorgt er dus voor dat het apparaat goed werkt. Je hebt een driver nodig voor alle randapparatuur die in je computer zit of die erbuiten op is aangesloten: printer, modem, webcam, geluidskaart, scanner, muis, toetsenbord, scherm enzovoort. Meestal wordt dit automatisch voor je in orde gebracht of heb je een installatie-cd gekregen bij de aankoop van je printer, scanner... Een foute driver betekent dat het randapparaat niet correct of helemaal niet zal werken.

Encryptie

Dit is het coderen van gegevens. Encryptie wordt gebruikt wanneer iemand met informatie bezig is die niet door iemand anders mag worden gelezen. In feite is het een soort geheimtaal die alleen kan worden ontcijferd door degene die ervan op de hoogte is of die toegang heeft tot de sleutel van de code. Er bestaan talrijke gebruiksmogelijkheden: ter geheimhouding van je online kredietkaartgegevens, om persoonlijke gegevens veilig via het internet door te sturen, om geheime informatie door te sturen tussen bedrijven enzovoort. Bovendien wordt ook steeds meer encryptie gebruikt voor normale doeleinden. Gewone e-mails, berichten en dergelijke worden steeds vaker gecodeerd doorgestuurd. Dit is enkel mogelijk als de computer voldoende snel is om zonder problemen de gegevens te coderen en daarna weer te decoderen.

E-mail

Een e-mail is een boodschap die je via de computer en de internetaansluiting naar een andere gebruiker kunt doorsturen. Je hebt daarvoor een e-mailadres nodig. Een e-mail is eigenlijk een elektronische brief. In plaats van op papier een berichtje te schrijven, tik je een bericht in op je computer.

Het versturen van een e-mail gaat zeer snel. Een e-mail komt in minder dan één seconde eender waar ter wereld aan.

E-mailen

Dit is het verzenden van e-mails naar andere mensen.

E-mailadres

Een e-mailadres is een adres of naam om de elektronische postbus te identificeren. Een adres bestaat uit je naam en de domeinnaam van je e-mailserver: 'naam@domein.land'. Een voorbeeld: webmaster@seniorennet.be. Hier is het de 'webmaster' van de website 'seniorennet' in het land '.be' ofwel België. De domeinnaam kan ook de naam zijn van je provider of een ander bedrijf. Voor Nederland staat er dan .nl, bijvoorbeeld: webmaster@seniorennet.nl.

Enter

De Entertoets wordt gebruikt om aan te geven dat je naar een nieuwe lijn wenst te gaan in een document. Het wordt ook gebruikt om te bevestigen dat iets goed is (bij een vraag van de computer kun je op Enter in plaats van op OK drukken). De Entertoets staat rechts op je toetsenbord. Er staat 'Enter', 'Entrée', 'Return' of een pijltje dat een klein stukje naar beneden en dan naar links wijst.

E-shoppen

Dit is een andere benaming voor het 'winkelen op het internet'. Het bekijken en het betalen van de producten gebeurt via internet. Daarna worden de bestellingen per post of koerier bezorgd.

Error

Een error betekent in het Nederlands dat zich een fout heeft voorgedaan. Er werkt iets niet of er is een probleem ontstaan.

Exploit

Hackers gebruiken deze term om naar een programma of broncode te verwijzen die gebruikmaakt van een veiligheidslek in een programma.

Exporteren

Exporteren is ervoor zorgen dat gegevens van een bepaald programma zo worden omgezet dat ze door een ander programma kunnen worden gelezen. Een bedrijf kan bijvoorbeeld gegevens uit een database exporteren naar een gewoon tekstdocument zodat iemand die niet beschikt over het dataprogramma toch de gegevens kan raadplegen of gebruiken. Je kunt ook je eigen favorieten exporteren. Dit zorgt ervoor dat alle favorieten die op je computer staan, in één bestand worden geplaatst. Dit bestand kun je vervolgens doorgeven aan iemand anders of later weer gebruiken als je computer niet meer werkt. Het omgekeerde van exporteren is importeren. Indien je je favorieten hebt geëxporteerd, dan kun je ze later weer importeren, bijvoorbeeld op andere computer.

Favoriet

Als je een webpagina interessant vindt, kun je in je browser een bookmark van die pagina maken. De browser bewaart dan het adres van die pagina op een aparte plaats, zodat je deze achteraf makkelijk terug kunt vinden. Bookmarks worden meestal 'favorieten' genoemd in het Nederlands.

FAQ

Dit staat voor 'Frequently Asked Questions' of in het Nederlands: veelgestelde vragen. Zo'n pagina of lijst wordt meestal opgesteld omdat er over een bepaald onderwerp veel dezelfde vragen worden gesteld. FAQ kun je vinden bij tal van programma's, sommige websites, bepaalde diensten enzovoort. Je ziet in zo'n FAQ eerst de vraag staan (soms aangeduid door 'Q:', een afkorting van Question of vraag) en daaronder het antwoord op die vraag (soms aangeduid door 'A:', een afkorting van Answer of antwoord). Hierdoor kun je heel snel een antwoord krijgen op vragen die vele mensen reeds vóór jou hebben gesteld.

Firewall

Dit is een programma dat je computer beschermt tegen gevaren van buitenaf. Het geeft vooral bescherming tegen hackers en spyware. Het bewaakt je internetverbinding en zorgt ervoor dat enkel 'veilige' gegevens worden uitgewisseld tussen je computer en het internet.

FireWire

Dit wordt soms ook aangeduid door '1394', 'IEEE 1394' of 'i-link'. Het is een methode om zeer snel gegevens over te brengen tussen twee toestellen. Je kunt dit gebruiken voor communicatie tussen een videocamera en de computer, een fotocamera en de computer... Het kan ook gebruikt worden om een netwerk tussen twee computers te maken zodat ze zeer snel met elkaar kunnen communiceren. FireWire is ongeveer hetzelfde (op gebied van snelheid en mogelijkheden) als USB 2.0. Met FireWire worden ook modems en webcams aangesloten op de computer.

Flash

Flash is gemaakt door het bedrijf Macromedia en wordt daarom ook veel aangeduid als 'Macromedia Flash'. Met dit programma worden afbeeldingen en animaties opgeslaan, niet op de klassieke manier door een figuur in minuscule stukjes te snijden en vervolgens van elk stukje de kleur op te slaan, maar door de figuur op te delen in een reeks van lijnen, cirkels en andere geometrische figuren. Het voordeel hiervan is dat de bestanden enorm klein zijn.

In de praktijk zul je af en toe 'Flash-websites' tegenkomen. Dit zijn websites die (bijna) volledig gemaakt zijn in Flash. De voordelen van deze websites zijn dat ze meestal speciale effecten hebben, veel kleurtjes enzovoort. Nadelen zijn dat ze traag zijn om in te laden en soms (geregeld) niet gebruiksvriendelijk, doordat de maker een beetje té enthousiast is geweest met allerlei effecten.

Forum

Een forum is een plaats op een website waar je met andere mensen kunt praten, discussiëren, elkaar vragen kunt stellen. Meestal zijn er verschillende hoofdonderwerpen zoals nieuws, politiek, internet... In elk hoofdonderwerp kunnen mensen een bericht plaatsen. Dit bericht kan worden gelezen door alle andere mensen die de website daarna bezoeken. Iedereen kan hier eventueel op antwoorden.

FTP

Technisch gezien is dit een protocol voor het doorgeven van bestanden. In de praktijk maak je hier meestal gebruik van zonder het te beseffen. FTP of voluit 'File Transfer Protocol' maakt de communicatie mogelijk van twee computers op het internet. Op die manier kunnen bestanden worden doorgegeven. Indien je iets van het internet downloadt, dan zal dit meestal via FTP gebeuren, ook al merk je er niets van. Je kunt het zelf zien doordat in het adres van het te downloaden bestand in plaats van 'http://' er 'ftp://' staat.

GIF

Dit staat voor 'Graphics Interchange Format'. Dankzij een goede compressiemethode zorgt het GIF-formaat ervoor dat een afbeelding in een relatief klein bestand kan worden bewaard. De afbeelding bevat dan wel maximaal 256 kleuren. GIF wordt veel gebruikt op webpagina's.

Gebruikersnaam (username)

Een gebruikersnaam is een naam die je moet kiezen om je later te kunnen identificeren. Meestal wordt een gebruikersnaam samen met een wachtwoord gebruikt om er zeker van te zijn dat jij het bent en niemand anders. Een gebruikersnaam kan je echte naam zijn, maar ook een schuilnaam of je e-mailadres.

Hackers

Dit zijn mensen die zonder toestemming binnendringen in de computer van iemand anders en er gegevens bekijken, stelen, beschadigen of vernietigen. Om je te beschermen tegen hackers, heb je een firewall nodig.

Helpdesk

Een helpdesk is de plaats waar je terechtkunt voor hulp. Bijna elk bedrijf (provider, softwarebedrijf, computerfirma...) heeft een helpdesk die jou kan helpen. Dit gaat dan per telefoon en meestal moet je ervoor betalen (via een 0900-nummer of een ander te betalen nummer). Als je een probleem hebt (je komt niet op het internet, je computer werkt niet meer, een programma wil maar niet werken...), dan kun je naar de juiste helpdesk bellen. Een medewerker aan de andere kant van de lijn zal je dan proberen te helpen.

Hit

De term hit wordt gebruikt in verband met het succes van een website. Een hit geeft aan dat er een bestand is opgevraagd van de website. Het opvragen van een internetpagina is dus een hit, maar ook het inladen van figuren zorgt voor verschillende hits, evenals het inladen van muziek, film enzovoort. Het aantal hits is dus meestal niet gelijk aan het aantal paginaweergaves (pageviews). Er wordt dan meestal gesproken over de hoeveelheid hits die de website heeft per dag of per maand. Bij een grote website kan het aantal hits per maand oplopen tot tientallen miljoenen.

Hoax

Een hoax is een nepvirus. Dit is dus een virus dat geen virus is. Een hoax (letterlijk vertaald 'grap') komt binnen via e-mail. Daarin wordt er gewaarschuwd voor een nieuw soort virus. Wat er precies in het bericht staat, is verschillend van hoax tot hoax. Meestal wordt vermeld dat het virus supergevaarlijk is, dat het dingen doet die normaal niet mogelijk zijn (zoals zichzelf openen) of dat het besmettelijk is voor de mens. Om de betrouwbaarheid van het bericht te verhogen, wordt ook vermeld dat de informatie afkomstig is van een of andere tv-zender (BBC, CNN...), tijdschrift/krant, website of antivirusbedrijf (Norton, McAfee...). Ook staat er altijd bij dat je de waarschuwing onmiddellijk moet doorsturen naar iedereen die je kent. Dit is echter niet waar. Het virus bestaat helemaal niet en het is een flauwe grap. Ooit heeft iemand dat bericht in een dwaze bui opgesteld en rondgestuurd. Vele mensen zijn goedgelovig en beginnen daadwerkelijk dat bericht verder te sturen. Op deze manier blijft het jaren rondzwerven op het internet en maakt het vele duizenden mensen voor niets bang. Bovendien zorgt het voor een onnodige belasting van het internet. Conclusie: krijg je een hoaxe-mail, stuur ze dan nooit door.

Hosting

Een website die je kunt bezoeken op het internet moet op een zogenaamde webserver staan (ook internetserver genoemd). Zo'n server is een speciale computer die aangesloten is op het internet via heel snelle communicatielijnen, zodat die zeer veel bezoekers tegelijk aankan. Bovendien zijn deze servers goed beveiligd tegen inbrekers. Vele staan zelfs in speciale centra waar de computers op een bepaalde temperatuur worden gehouden, volledig brandveilig, met garantie van elektriciteitsvoorziening (met dieselmotoren) enzovoort. Dit kost echter een heel pak geld. Als je een kleine website hebt, is dit véél te duur. Daarom zijn er bedrijven die zo'n server kopen en kleine stukjes van het geheugen (harde schijf) verhuren. Dit noemen we hosting. Je kunt bij zo'n bedrijf een bepaalde hoeveelheid schijfruimte huren om daar je website op te plaatsen. Indien je maar een kleine website hebt, kun je zo heel goedkoop toch je website op het internet plaatsen. Het bedrijf verdient geld door het verhuren van schijfruimte aan tientallen of honderden klanten.

HTML

Dit staat voor 'HyperText Markup Language', een soort taal die op internet wordt gebruikt om tekst en afbeeldingen mooi weer te geven. Zowat elke website is gemaakt in HTML. Seniorennet.be bijvoorbeeld is ook in HTML gemaakt. Ook de cursus 'website maken' maakt volledig gebruik van HTML.

HTML-e-mail

Dit is een e-mail die in HTML geschreven is. Daardoor kun je gebruikmaken van allerlei opmaak : tekst die vet is, onderstreept of cursief. Maar ook afbeeldingen, tabellen, geluiden en dergelijke zijn dan mogelijk. Eigenlijk is er bijna zoveel mogelijk als op een website (die ook in HTML gemaakt is). Het nadeel van een HTML-e-mail is dat niet iedereen dit bericht zal kunnen openen. Niet alle e-mailprogramma's ondersteunen HTML, al wordt dit met de dag een kleinere minderheid.

Http

Dit komt van 'Hyper Text Transfer Protocol'. Voor internet is er een protocol nodig zodat computers met elkaar kunnen communiceren en alles op dezelfde manier wordt doorgestuurd. Dankzij het http-protocol kun je probleemloos met een computer uit Japan, China, Rusland, Amerika, Nieuw-Zeeland of Indonesië communiceren. Als je een internetadres intikt, zul je ook steeds zien dat er 'http' voor komt te staan. Bijvoorbeeld 'http://www.seniorennet.be'. Dit is om aan te gegeven dat je het http-protocol gebruikt. Er bestaan zo nog andere protocols: https, ftp enzovoort.

Hub

Een hub is een toestel waarmee verschillende computers met elkaar kunnen communiceren via een netwerk. De verschillende netwerkkabels van de diverse computers komen samen in dit toestel. Het toestel zorgt ervoor dat de juiste signalen worden doorgestuurd naar de juiste computer.

***Hyperlink* (koppeling)**

Kortweg ook 'link' genoemd. Dit is een referentie naar een ander document of een andere webpagina. Een link in een webpagina verwijst vaak naar een andere internetpagina. Links staan vaak in een ander kleurtje, zijn onderstreept, of beide. Ga je erover met de cursor, dan verandert die in een handje en weet je dat je erop kunt klikken.

ICQ

Dit staat voor 'I Seek You', ofwel 'ik zoek jou' in het Nederlands. ICQ is software om via het internet contact te leggen met andere ICQ-gebruikers.

IRC

Dit staat voor 'Internet Relay Chat', en is een internetprotocol dat gebruikt wordt om te chatten. Bijna alle chatboxen gebruiken IRC, zo ook de chatbox van SeniorenNet.

ISDN

Dit komt van 'Intergrated Services Digital Network', een mogelijkheid om op het internet te gaan, net zoals de gewone modem, kabel of ADSL. Deze technologie wordt vrijwel niet meer gebruikt voor internet (te duur ten opzichte van kabel of ADSL terwijl de snelheid veel lager ligt).

Internetadres

Een internetadres bestaat uit een aantal onderdelen. Neem het internetadres http://www.seniorennet.be.

Je ziet als eerste het stuk http://. Dit is de aanduiding van het zogenaamde protocol waarmee je de webpagina gaat bezoeken. Elke webpagina gebruikt het 'http'-protocol. Er is echter ook nog 'ftp' en dat dient om bestanden uit te wisselen.

Het tweede element van het internetadres is 'www'. Deze aanduiding staat voor 'world wide web' en geeft aan dat dit een webpagina is op het internet.

Het derde onderdeel is 'seniorennet'. Dit is de naam van de website en die is voor elke website anders.

Het laatste stuk is de zogenaamde TLD ('Top Level Domain') of landextensie, landcode in het Nederlands. Dit geeft aan uit welk land de website afkomstig is. In dit voorbeeld staat er 'be', wat staat voor België.

Elk land heeft zo zijn eigen code:

be	België
ca	Canada
cn	China
co.uk	Groot-Brittannië
de	Duitsland
es	Spanje
eu	Europa
fr	Frankrijk
gov	Amerika – overheid
lu	Luxemburg

nl	Nederland
pt	Portugal
tr	Turkije
us	Verenigde Staten

Er zijn ook speciale codes die land-onafhankelijk zijn (generische TLD's – gTLD – genoemd):

biz	Commercieel / business
com	Commercieel
edu	Educatief
info	Informatie
net	Netwerk
org	Niet-commercieel
tv	Televisie

Een volledige lijst is te vinden op http://www.iana.org/domains/root/db/.

Importeren

Zie exporteren

IMU

Een advertentie die een sterke gelijkenis vertoont met een banner maar een ander formaat heeft, namelijk een vierkant waarbij de breedte dezelfde blijft als de banner, en de hoogte even groot wordt als de breedte. Dit is een van de grootste vormen van advertenties die kunnen voorkomen op een normale website.

Internet

Internet (ook wel het net of het web genoemd) is een netwerk van vele miljoenen computernetwerken over de hele wereld. Met behulp van servers, providers en browsers kan er informatie op het internet worden uitgewisseld. Op het internet zitten vele honderden miljoenen mensen.

IP-adres

De informatie die je wilt uitwisselen tussen twee computers, vertrekt en komt aan bij het IP-adres van je netwerkkaart. Het IP-protocol laat gegevenspakketten naar hun bestemming 'reizen' via verschillende netwerken die deel uitmaken van het internet. Een IP-adres dient als herkenningsteken. Als je een opdracht stuurt naar een website om een bepaalde pagina te bezoeken, geef je je eigen IP-adres mee aan die website. De website gaat vervolgens alle gegevens versturen met als ontvanger jouw IP-adres. Dankzij de goede structuur van het internet komt deze informatie bliksemsnel bij jou terecht.

Java

Java is een programmeertaal die wordt gebruikt in webpagina's. Het programma maakt het mogelijk om dingen te maken of dingen te laten gebeuren die met HTML niet mogelijk zijn. Een bijvoorbeeld van een website gedeeltelijk gebouwd in Java, is SeniorenNet. Je ziet het niet altijd, maar het is er wel. Doordat de makers van websites de perfecte combinatie maken tussen HTML en Java, zorgen zij ervoor dat er veel mogelijkheden zijn en de site gebruiksvriendelijk is.

JPG

Dit is de verkorte vorm van JPEG, wat staat voor 'Joint Photographic Experts Group', een techniek om foto's via een speciale compressie te verkleinen. Het idee hierachter is dat je zo minder informatie zult opslaan, terwijl wij dat zelf niet echt merken. De techniek is gebaseerd op een uitgebreide studie van ons oog en onze hersenen. Aangezien wij bepaalde contrasten en kleurovergangen niet waarnemen, is het ook niet nodig deze informatie op te slaan. Dit formaat wordt zeer veel gebruikt bij foto's en andere afbeeldingen.

Junkmail

Zie spam

Kabelinternet

Deze verbinding gaat via de coaxkabel, die we kennen van de televisie (kabeldistributie). Door de hoge kwaliteit van de kabel, kan deze enorm veel gegevens doorsturen. Deze techniek maakt het mogelijk tientallen tot honderden keren sneller te surfen op het internet dan met een klassieke modem. Doordat er verschillende tv-zenders nog vrij zijn op de kabel, worden deze niet gebruikt voor televisie, maar om internetgegevens door te sturen.

Kabelmodem

Een kabelmodem is een modem die gebruikt wordt voor internet via de kabel, voor een breedbandverbinding. De kabelmodem stuurt het kabelsignaal, dat binnenkomt via de versterker/splitter, door naar je computer. De kabelmodem zorgt voor het ontvangen en versturen van gegevens.

LAN

Dit komt van 'Local Area Network', een manier om verschillende computers met elkaar te laten communiceren in een geografisch beperkt gebied. Met andere woorden: een netwerk op kleine schaal. Veel thuisgebruikers gebruiken een LAN om tussen twee of meerdere computers thuis te communiceren. Ook bijna elk midden- en kleinbedrijf en andere bedrijven gebruiken een LAN om tussen hun computers intern (dus niet via het internet) te communiceren. Je kunt het zien als een minuscuul internet dat enkel tussen je eigen computers werkt.

Lettertype

Het lettertype is de manier waarop letters worden weergegeven. Alle teksten die je ziet op een computer (in programma's, in documenten, op websites) zijn gezet in een bepaald lettertype. Het lettertype op zich is een reeks van figuurtjes die elk overeenkomen met een letter. Op deze manier kan een tekst op vele manieren door verschillende lettertypes worden weergegeven. Er bestaan lettertypes met grappige letters, blokletters, vette letters enzovoort. Veelvoorkomende namen zijn Times New Roman, Arial, Verdana, Courier, Comic Sans...

Link (koppeling/hyperlink)

Websites zijn met elkaar verbonden via links of verwijzingen. Dit is de verkorte naam van hyperlink.

Mailbom

Dit is het herhaaldelijk versturen van dezelfde e-mail naar één e-mailadres. Vooral vroeger zorgde dit voor problemen. Iemand die een bedrijf of een persoon wilde pesten, stuurde via een speciaal programma duizenden of tienduizenden keren dezelfde e-mail. Daardoor raakte de e-mail van de ontvanger overbelast en bijgevolg ontoegankelijk. Tegenwoordig zijn voor dit probleem filters, beveiligingen enzovoort beschikbaar.

Mailbox

Dit is een opslagplaats voor e-mail, een elektronische brievenbus. Het is een gebied in het geheugen waar je e-mailberichten bewaard worden.

Mailen

Zie e-mailen

Mailinglist

Een mailinglist is in het Nederlands een maillijst. Indien je ingeschreven bent op zo'n mailinglist, dan ontvang je alles wat ernaartoe wordt gestuurd. Meestal is dat een nieuwsbrief van een website of een ander digitaal magazine.

Mailserver

Een mailserver is een computer die instaat voor het ontvangen of verzenden van e-mail. Je hebt een inkomende mailserver om e-mail te ontvangen en een uitgaande mailserver om e-mail te versturen. Zo'n mailserver staat meestal bij je provider en deze zorgt ervoor dat je e-mails kunt verzenden en ontvangen.

mIRC

Dit is de afkorting van 'Multi Internet Relay Chat'. mIRC is een directe communicatievorm via het internet, waarbij het mogelijk is om met meerdere groepen tegelijk te communiceren. Het is eigenlijk gewoon een uitgebreide versie van IRC.

Modem

Betekent voluit 'MOdulator/DEModulator'. Met een modem kun je computer (via de telefoonlijn) communiceren met een andere computer. Een modem bestaat in een interne of externe vorm (in de computer ingebouwd of als apart toestel). Hij zet eigenlijk de digitale signalen van je computer om in analoge (geluids)signalen voor de telefoonverbinding en omgekeerd.

Moderator

Een moderator is iemand op het internet die een forum in het oog houdt. Het is iemand die de mensen helpt bij problemen, die berichtjes verplaatst indien ze op de verkeerde plaats gezet zijn, die dubbele berichten verwijdert en mogelijk ook foutieve berichten verwijdert.

Moderatoren zijn eigenlijk de politieagenten van het forum: ze zijn altijd je beste vrienden, je kunt er vragen aan stellen, ze helpen je zo goed mogelijk enzovoort. Maar indien je slechte bedoelingen hebt, dan zijn ze je vijand nummer 1. Moderatoren kunnen berichten verwijderen, indien je de regels van het forum overtreedt. Niet elk forum heeft een of meerdere moderators.

MP3

Dit komt van 'Motion Picture Expert Group 1 layer 3'. Dit is een erg populair formaat voor muziek- en geluidsbestanden op het internet. MP3 verkleint de bestanden enorm, terwijl de kwaliteit vrijwel niet wijzigt. Het bestand is ongeveer 12 keer kleiner dan het originele bestand. MP3 werkt op verschillende manieren om zo weinig mogelijk kwaliteitsverlies te verkrijgen, namelijk op basis van wat het menselijk oor eigenlijk hoort. De frequenties, de combinaties van tonen enzovoort die onze oren toch niet kunnen waarnemen, worden 'weggegooid'. Door deze techniek horen we dus geen verschil, terwijl het bestand vele malen kleiner is. Daarom is dit formaat zeer populair. Werken met MP3 betekent dat op een gewone cd, waarop normaal maximaal zo'n 80 minuten kan staan, in één klap 960 minuten (16 uur) beschikbaar is. SeniorenNet gebruikt MP3 voor alle voorgelezen teksten, die daardoor snel kunnen worden gedownload.

MSN

Dit staat voor 'MicroSoft Network', een dienst van Microsoft voor e-mail en andere communicatiemogelijkheden die gedeeltelijk gratis is.

Multimedia

Multimedia hoor je vaak wanneer er over een (nieuwe) computer wordt gepraat: een multimedia-pc. Dit betekent eigenlijk dat de computer kan werken met tekst, gegevens, beeld en geluid. Alle computers zijn tegenwoordig multimedia-pc's. De term wordt graag bij reclame gebruikt om het net iets meer te laten lijken dan het is.

Netiquette

Dit is de etiquette voor het internet, de gedragsregels waaraan je je houdt op het internet.

Netwerkkaart

De netwerkkaart staat in voor de netwerkcommunicatie van en naar de computer en is een intern onderdeel van de computer. Een netwerkkaart wordt ook wel een adapter genoemd of NIC ('Network Interface Card'). Er bestaan verschillende soorten; ISA-netwerkkaart, PCI-netwerkkaart, PCMCIA-netwerkkaart...

Nickname

Zie schuilnaam

Online

Letterlijk: 'Op de lijn'. Het slaat op het contact tussen een telefoon of vaste verbinding en het internet. Het tegenovergestelde is offline. Wanneer je computer direct contact heeft met een andere computer via een telefoonlijn of via een netwerk, spreken we van online. Indien er geen direct contact is, spreken we van offline. Meestal gebruiken we dit enkel in verband met het internet. Wanneer we surfen op het internet, zijn we online. Als we niet op het internet zitten (computer uitgeschakeld, geen verbinding...), zijn we offline.

Offline

Zie online

Pageview (paginaweergave)

Een pageview wordt gebruikt wanneer het gaat over het succes van een website en/of het aantal bezoekers van die website. Een pageview in het Nederlands betekent paginaweergave. Als we zeggen dat een website x pageviews heeft op een maand tijd, dan bedoelen we daarmee dat in die ene maand die webpagina x aantal keren werd weergegeven. Iedere keer dat je op een website op een link klikt om naar een andere pagina te gaan, wordt een paginaweergave geteld. Bij grote websites loopt dit cijfer in de miljoenen per maand.

Patch

Dit is een klein programma dat de gebruiker kan downloaden via het internet en dat na installatie bepaalde veiligheidslekken of programmafouten zal oplossen. Een patch wordt meestal gratis geleverd door het bedrijf dat de software heeft gemaakt waar zo'n fout in zit.

Plug & Play

Als u een extra toestel aan uw computer aansluit (muis, modem, webcam, toetsenbord, scherm, scanner, camera...) en deze ondersteunt Plug & Play, dan moet je het toestel enkel op je pc aansluiten (kabel aansluiten) en Windows zal dan automatisch het toestel detecteren en alle software installeren, zodat jij niets meer hoeft te doen. Indien nodig gaat het zelfs de benodigde gegevens rechtstreeks van het internet halen.

Plug-in

Dit is een klein programma dat in een bestaand programma wordt geïntegreerd om daar nieuwe functies te vervullen. Voorbeelden van plug-ins zijn Flash, een chatbox... Het binnenhalen (downloaden) van zo'n plug-in duurt normaal enkele seconden en maakt heel wat extra functies mogelijk.

Poll (peiling)

Dit is een 'peiling' uitgevoerd op een website. Aan de bezoeker wordt gevraagd om een antwoord te geven op een vraag. Je krijgt verschillende mogelijke antwoorden en je moet er dan eentje aanduiden. Na het antwoorden zie je meestal ook wat de andere bezoekers geantwoord hebben. Antwoorden op een poll is anoniem. Op SeniorenNet bijvoorbeeld zijn er ook zeer geregeld polls (onderaan in het menu).

POP

POP is het lokale toegangspunt tot internet, het staat voor 'Point Of Presence'. De provider heeft een of meerdere POP's. Meestal is dit de plaats waar de gegevens van de telefoonlijn of coaxkabel worden omgezet naar een glasvezelkabel.

POP3

POP3 is een protocol voor het afhalen van e-mail.

Pop-under

Dit is hetzelfde als de pop-up, maar in plaats van dat je de advertentie ziet verschijnen boven op de webpagina, verschijnt die onder de webpagina. Hierdoor heb je er op het ogenblik zelf niet echt last van, je weet meestal niet dat er een boodschap is verschenen. Enkel bij het sluiten van het browservenster zul je de advertentie zien, maar dan weet je niet echt van welke website de boodschap afkomstig is. Dit heeft als voordeel dat de bezoekers van de website niet kwaad kunnen zijn op de website die deze vervelende reclame plaatst, gewoon omdat ze niet weten wie daarvoor verantwoordelijk is.

Pop-up
Dit is een reclameboodschap die in een klein, nieuw venstertje verschijnt. In dit kleine venster staat er reclame van een adverteerder. Klik je erop, dan word je doorgestuurd naar de site van de adverteerder. Pop-ups worden door bijna iedereen ervaren als de meest irritante vorm van reclame op internet.

Portaalsite
Een portaalsite, ook wel een 'portal' genoemd (op zijn Engels), is een site die gemaakt is om als startpagina te worden ingesteld in je internetbrowser. Een goede portaalsite biedt veel nuttige links, diensten en informatie. www.seniorennet.be is een perfect voorbeeld van een goede portaalsite voor 50-plussers (of www.seniorennet.nl).

Postvak IN
Het postvak IN kom je tegen in je e-mailprogramma. Op die plaats worden alle e-mails verzameld die iemand anders naar jou heeft gestuurd. Je kunt er je e-mails lezen en eventueel beantwoorden.

Postvak UIT
Het postvak UIT kom je tegen in je e-mailprogramma, net zoals je postvak IN. Dit is de plaats waar alle e-mails samenkomen die moeten worden verstuurd. Meestal is deze map leeg, omdat het versturen van een e-mail normaal niet meer tijd vraagt dan een seconde.

Resolutie
In algemene fotografische termen staat resolutie voor het 'oplossend vermogen' van een beeld. Simpel gezegd: het aantal individuele, niet in elkaar overvloeiende puntjes dat je in een beeld of op een afgedrukte foto kunt onderscheiden. Hoe hoger dit getal, hoe fijner de puntjes, hoe gedetailleerder het beeld, hoe beter de kwaliteit. De resolutie zegt dus veel over de kwaliteit

van het beeld. Meestal worden foto's en figuren op het internet in een lagere resolutie geplaatst. Immers, hoe hoger de resolutie, hoe meer informatie er moet worden doorgestuurd en hoe trager de informatie verschijnt. Hoe lager de resolutie, hoe sneller je ze via internet op je scherm te zien krijgt.

Privacy Policy

Dit is het privacybeleid van de gebruiker op een bepaalde website. Hierin wordt bijvoorbeeld bepaald wat er gebeurt met de ingetikte gegevens, hoe die gegevens worden beschermd, in welke situaties ze eventueel worden doorgegeven aan derden...

Protocol

Het protocol is een overeenkomst voor het verzenden van gegevens tussen twee toestellen, waarbij de informatie correct aankomt en door beide apparaten wordt verstaan. Via dit protocol kunnen beide toestellen elkaar hoe dan ook verstaan, ongeacht het besturingssysteem, de versie, de ouderdom, het land enzovoort.

Provider

Een provider is een bedrijf dat aan gebruikers en bedrijven toegang biedt tot het internet. Als je informatie opvraagt bij een website, vertrekt de informatie van de websiteserver over het internet naar jouw provider om vervolgens aan te komen op jouw computer. Je browser zal dan de gegevens laten zien.

Proxyserver

Een proxyserver is een server die tussen de browser van de klant en de echte website staat. Een proxyserver slaat enorm veel informatie op. Drukbezochte websites worden door deze computer intern opgeslagen. Indien er dan een aanvraag komt van een klant voor die website, gaat de proxyserver eerst kijken of die de website al is opgeslagen. Zo ja, dan worden deze gegevens doorgestuurd naar de klant. Zo neen, dan wordt de aanvraag gewoon naar het internet doorgestuurd. Zo'n proxyserver wordt gebruikt omdat dit goedkoper is voor de provider. De provider moet namelijk betalen per aanvraag die hij naar het internet verstuurt. Elke aanvraag die de proxyserver dus kan beantwoorden, is winst voor de provider.

Qwerty

De aanduiding Qwerty slaat op het soort van toetsenbord dat je hebt. De eerste zes letters linksboven op de eerste rij letters van het toetsenbord vormen een 'naam'. Staat er qwerty op, dan heb je een Qwerty-toetsenbord. Dit klavier wordt in de meeste landen wereldwijd gebruikt en is gemaakt voor het Engels. In Vlaanderen gebruiken wij een Azerty-toetsenbord, net zoals de Franstalige Belgen en andere Franstalige landen. De reden hiervoor is dat dit toetsenbord voorzien is van Franse tekens (denk aan é, è, ç, à, ù).

Schermafdruk

Dit is een 'foto' van de inhoud van een computerscherm, ook wel screenshot genoemd. Je kunt deze nemen door op de toets 'Print Screen' of 'PrtSc' te drukken. De 'foto' kun je dan gebruiken in een tekstverwerker of beeldverwerkingsprogramma.

Schuilnaam (nickname)

Op het internet kun je een schuilnaam gebruiken, ook wel 'nick-name', 'nick' of 'pseudoniem' genoemd. Dit houdt in dat je een andere naam gebruikt dan je echte naam. Het voordeel hiervan is dat je steeds anoniem blijft en dat niemand kan weten wie jij echt bent. In een chatbox moet je bijvoorbeeld altijd een schuilnaam invullen om te chatten. Normaal gezien kies je één keer een schuilnaam, en blijf je deze gebruiken; je verandert die niet. Indien je toch regelmatig verandert van naam, weten de anderen niet dat jij het bent, en dit kan tot vervelende situaties leiden.

Screensaver

Dit is een programma dat het inbranden van je beeldscherm voorkomt. Als je pc aanstaat maar niet wordt gebruikt, dan blijft precies hetzelfde beeld urenlang op je scherm staan. Op termijn kan dit ervoor zorgen dat het beeld in je scherm 'brandt'. De screensaver zet daarom bewegende beelden of afwisselende beelden op het beeldscherm, zodat ze geen gevaar meer vormen voor uw scherm. Tegenwoordig hebben zowat alle schermen een beveiliging die het beeldscherm uitschakelt na een bepaalde periode, om het inbranden te voorkomen. Bij de nieuwe flatscreens (platte schermen) doet dit probleem zich gewoon niet meer voor. De screensaver wordt daarom hoofdzakelijk nog gebruikt voor het plezier. De meeste schermbeveiligingen kun je via het internet gratis downloaden. Zo kun je van je favoriete muziekgroep, film, tv-zender of organisatie gratis een schermbeveiliging krijgen.

Scripts

Dit zijn kleine programma's die in webpagina's worden verwerkt.

Scrollen

Scrollen is het naar beneden schuiven van een pagina. Dit naar beneden 'rollen' kan met de muisaanwijzer of de pijltjestoetsen op het toetsenbord gebeuren.

Search engine

Zie zoekmachine.

Selecteren

Selecteren is iets aanduiden. Als je een tekst moet selecteren, betekent dit dat je de tekst moet aanduiden. Dit aanduiden gebeurt meestal door met de linkermuisknop op het begin van de tekst te klikken, vervolgens de muisknop ingedrukt te houden en de muisaanwijzer te slepen tot het einde van de tekst en dan de knop los te laten. Niettemin doen zich verschillen voor van programma tot programma.

Server

Een server is een computer in een netwerk die de werking van (een deel van) het netwerk beheert. Elke server heeft een IP-adres om te kunnen communiceren met andere computers.

Websites staan ook op dergelijke servers: die worden internetserver, websiteserver of webserver genoemd. Deze computer zorgt ervoor dat iedereen de website kan raadplegen, maakt de pagina's aan, zorgt ervoor dat je de afbeeldingen kunt downloaden enzovoort. Meestal zijn zulke servers zeer krachtige computers die ook sterk beveiligd zijn tegen het uitvallen. Meerdere netwerkkaarten, meerdere harde schijven enzovoort moeten ervoor zorgen dat indien er iets stuk gaat, de server toch zijn werk kan blijven doen.

Shareware

Dit is software die je kunt downloaden van het internet en die je gedurende een bepaalde tijd gratis mag gebruiken. Na deze periode moet je beslissen of je het programma interessant vindt of niet. Indien je het wilt blijven gebruiken, moet je ervoor betalen. Shareware is soms het volledige programma, soms hebben de programmamakers ook wel een beperking aangebracht, zodat je niet alle functies van het programma kunt gebruiken en je gemotiveerd wordt om het programma te kopen.

Shift-toets

De Shift-toets staat op je toetsenbord. Meestal staat er op de toets 'Shift' ofwel een pijltje naar boven. De toets staat meestal helemaal links onderaan op je toetsenbord. De Shift-toets zorgt ervoor dat je een hoofdletter kunt tikken. Als je gewoon op de 'a' drukt, zal er een kleine 'a' verschijnen. Indien je de Shift-toets indrukt, vervolgens op de 'a' drukt en de Shift-toets weer loslaat, zal er een hoofdletter 'A' verschijnen. Indien je een lange tekst met hoofdletters moet tikken, kun je 'Shift Lock' gebruiken. Deze toets staat altijd net boven de Shift-toets, links op het toetsenbord. Soms staat er ook een hangslotje op. Indien je deze toets even indrukt, zullen alle volgende letters in hoofdletters staan. Druk je nogmaals op de 'Shift-Lock'-toets, dan zijn alle volgende letters weer klein.

Site map

Een site map is een overzicht van wat er allemaal op de site staat. Het is zoals de inhoudsopgave van een boek, de inhoud van de website. Dit wordt gebruikt om snel op de juiste plaats te komen. Het nadeel is echter dat hoe groter de website is, hoe moeilijker het is om een site map te maken. Daarom zul je op een grote website bijna nooit een site map zien.

Skyscraper

Dit is een advertentie, zoals een banner maar met een verticale vorm. (Ongeveer vier keer zo smal als een banner, maar wel vijf keer zo hoog).

Smiley

Ook wel emoticons genoemd, zijn tekeningetjes samengesteld uit letters of leestekens. Die illustraties tonen de stemming van de afzender van een e-mail, sms, iemand op de chat of het forum.

De meest gebruikte smileys zijn:

:-(	Verdrietig, kwaad
:-((	Heel verdrietig, heel kwaad
;-)	Knipoog, grapje
:-)	Lachen, grappig, blij
:-))	Erg blij, heel grappig
:-D	Lacht je toe
.-)	Eén oog
:-p	Tong uitsteken, grapje

SMTP

SMTP is een protocol dat gebruikt wordt voor het verzenden van e-mail.

Software

Dit zijn de programma's op een computer die je niet mag 'aanraken'. Ze zorgen ervoor dat je computer iets nuttigs kan uitvoeren. Zonder programma's is je computer niet bruikbaar. Voorbeelden: Windows, Mac OS (besturingssystemen), Word (tekstverwerker), Paint (afbeeldingen), Internet Explorer (browser), spelletjes, rekenmachine enzovoort.

Spam

Deze term wordt gebruikt voor ongevraagde reclame via e-mail. Veel mensen ervaren spam als zeer irritant.

Startpagina

Bij het opstarten van je browser of wanneer je op de Home-knop klikt, kom je automatisch terecht op de website die je als startpagina hebt ingegeven. Als startpagina kies je meestal een website die voor jezelf erg handig is, omdat je van daaruit snel naar andere plaatsen kunt surfen of vanaf die website veel informatie kunt vinden enzovoort. Een voorbeeld van een goede startpagina, die ook erg handig is, is SeniorenNet. Dankzij de 'Nuttige Links' en 'Zoeken' heb je onmiddellijk toegang tot het internet. Verder kun je snel informatie vinden op de site, naar de chatbox, het forum, de mailgroepen gaan enzovoort.

Steganografie

Dit is een techniek om tekst of andere informatie te verbergen in een ander bestand (bijvoorbeeld afbeeldingen, geluidsbestand...). Daardoor kunnen derden moeilijker op je harde schijf zoeken naar bepaalde informatie.

Stuurprogramma

Zie driver

Support

Support is het Engels voor 'hulp'. Het betekent dat je voor bepaalde producten en diensten hulp en assistentie kunt aanvragen. Soms gebeurt dit via e-mail, via telefoon of beide.

Surfen

Wanneer je surft, begeef je je van de ene website naar de andere via je webbrowser. Je webbrowser is dus eigenlijk de surfplank waarmee je van de ene informatiegolf in de andere rolt. Je surft via links tussen verschillende websites op zoek naar interessante onderwerpen, via zoekmachines of door het ingeven van adressen. Surfen is dus gewoon het bekijken van webpagina's, het bezig zijn op internet.

TCP/IP

Dit komt van 'Transmission Control Protocol/Internet Protocol'. TCP/IP is een combinatie van TCP en IP. Dit is een afspraak over hoe computers informatie uitwisselen. Dit protocol zorgt ervoor dat de informatie die verstuurd moet worden, in kleine pakketjes wordt verdeeld die allemaal even groot zijn. Vervolgens wordt aan elk pakketje het adres van de afzender en dat van de ontvanger gehangen. Dan wordt het verstuurd over het wijde internet. Bij de ontvanger komen al deze pakketjes aan. De TCP/IP daar zorgt ervoor dat ze in de juiste volgorde worden gerangschikt en dat de originele informatie weer wordt samengesteld (alle pakjes uitpakken). Aangezien iedereen met hetzelfde protocol werkt, kun je probleemloos over heel de wereld communiceren via TCP/IP.

Teller

Een teller wordt gebruikt om het aantal bezoekers van die website te tellen. Zo kun je zien of de site succesvol is of juist niet. Tegenwoordig zijn er heel ingewikkelde en uitgebreide tellers waarmee de webmaster kan zien waar de mensen vandaan komen, wanneer, met welke browser ze werken, over welke schermresolutie ze beschikken... Een teller is echter bijna nooit exact. Zij gaan namelijk de informatie die de bezoeker opvraagt van hun eigen harde schijf (proxiserver) halen en niet bij de website zelf, waardoor de bezoeker niet wordt meegeteld.

Thumbnail

Een thumbnail is een verkleinde versie van een grotere foto. Dit wordt vaak gebruikt om een lijst van foto's of andere afbeeldingen makkelijk en overzichtelijk te laten zien. Wanneer je op de foto klikt, dan krijg je de originele (grotere) versie te zien.

Trojan horse (Trojaans paard)

Dit is een programma dat, eenmaal geïnstalleerd op een computer, een hacker volledige controle verleent over de computer van het slachtoffer, de eigenaar van die computer. Een dergelijk programma is niet in staat zichzelf te vermenigvuldigen en is dus niet 'besmettelijk' voor andere computers. Het kan echter wel gecombineerd worden met een virus dat zich wel verspreidt, zodat het toch overal op komt te staan.

Tutorial

Dit is een leerprogramma of een introductie van een programma en is bedoeld als handleiding. Meestal geeft het stap voor stap uitleg over hoe je het moet gebruiken.

URL

Dit komt van 'Uniform Resource Location'. Een URL is het adres van een document of een bron op het web. Het adres bevat informatie over het te gebruiken protocol, over het IP-adres en de locatie van de bron. Bijvoorbeeld: http://www.seniorennet.be. Deze geeft aan dat je het http-protocol moet gebruiken, dat je op het 'www' wilt surfen, dat je 'seniorennet' oproept in '.be' voor België (.nl staat voor Nederland). Een URL zorgt ervoor dat je het adres van een website makkelijk kunt memoriseren. De URL maakt gebruik van lettercombinaties en/of woorden waardoor je snel en foutloos kunt tikken. De echte originele adressen zijn namelijk moeilijk te onthouden cijferreeksen.

Update

Programma's worden regelmatig vernieuwd of gezuiverd van kleine fouten. Het is echter niet altijd nodig om zo'n nieuwe versie te kopen, want deze zijn gratis te downloaden van het internet of tegen een zeer lage vergoeding (transportkosten) op cd of diskette te krijgen.

Upgrade

Upgraden (opwaarderen) is het krachtiger maken van een pc. Upgraden is af en toe nodig om op de pc zwaardere programma's te kunnen laten draaien. Deze term wordt soms ook verward met update (het vorige).

Uploaden

Uploaden is het versturen van een bestand naar een andere computer via het internet. Bij uploaden kopieer je een bestand van jouw computer naar een andere. Downloaden is net het omgekeerde (dan gaat het van een andere computer naar jouw computer). Bij de uitwisseling van gegevens is er dus altijd een computer die de informatie uploadt en een andere die de gegevens downloadt.

USB

Dit staat voor 'Universal Serial Bus', een serieel verbindingssysteem voor het aansluiten van allerlei randapparatuur op je pc zoals een toetsenbord, muis, webcam, modem, camera, scanner... USB werkt sneller dan parallelle of seriële poorten.

USB 2.0

Dit is een nieuwere versie van USB, die veertig keer sneller werkt dan de gewone USB.

Veiligheidslek (beveiligingslek)

Een fout in een programma dat hackers toelaat ongeoorloofde dingen te doen op jouw computer.

Warez

Dit is een verzamelnaam voor illegale software.

Webcam

Een webcam is een kleine camera die wordt aangesloten op de computer en waarmee je vervolgens foto's of beelden kunt doorsturen naar een andere computer. Een webcam wordt gebruikt om bijvoorbeeld een uitzicht (in de bergen, de stad, het weer...) aan de rest van de internetwereld te laten zien. Maar webcams kunnen ook gebruikt worden om met wie ook ter wereld (die uiteraard ook over een webcam moet beschikken) te communiceren via zowel geluid (met microfoon) als beeld. Zo kun je ook de ander zien terwijl die aan het praten is.

Webmaster

De webmaster is de persoon die een bepaalde website beheert, meestal is dit ook de ontwerper van de site. Hij of zij zorgt ervoor dat de website bereikbaar en up-to-date blijft. Bovendien zorgt de webmaster er ook voor dat als er problemen zijn met de website, deze vrijwel onmiddellijk worden opgelost. De webmaster van bijvoorbeeld seniorennet.be is Pascal Vyncke. Meestal is de webmaster van een website te bereiken via het adres webmaster@website-adres. Dus bijvoorbeeld webmaster@seniorennet.be.

Webserver

Een webserver is een server die websites beheert. Wanneer je een URL in je browser intikt, zendt de browser een aanvraag naar de webserver, waaraan de aanvraag is gericht. De server zendt de juiste informatie door en via je browser kun je die gegevens vervolgens bekijken.

Website

Een website is een pagina met tekst, afbeeldingen en soms ook bewegende beelden en geluid die je kunt opvragen via internet. Websites zijn met elkaar verbonden via verwijzigen. Deze verwijzingen noemen we links of hyperlinks. Elke website op het internet heeft een adres of URL. Een voorbeeld van een website is SeniorenNet, met het adres http://www.seniorennet.be of www.seniorennet.nl.

WMA

Dit is de afkorting van 'Windows Media Audio', een alternatief voor MP3-bestanden, ontworpen door Microsoft. De WMA-codeermethode is speciaal gemaakt om muziekbestanden zo compact mogelijk op te slaan, tweemaal zo compact als MP3. In een WMA-bestand zit dus geluidsinformatie. Bij het afspelen van zo'n bestand zal deze informatie omgezet worden in geluid.

WWW

Ofwel het World Wide Web, het Wereld Wijde Web, het net, het internet of het web. Het WWW is een systeem van webservers, dat specifieke gevormde documenten ondersteunt. De taal van deze documenten is HTML. Omdat websites met elkaar verbonden zijn door een wirwar van verwijzingen, wordt de verzameling van alle websites het web genoemd. Het hele WWW vormt dus het internet waarop je kunt surfen. Als je in een internetadres de 'www' intikt, maak je er gebruik van. Bijvoorbeeld www.seniorennet.be.

Zip code

Dit is geen echte computerterm, maar de Engelse benaming van postcode. Indien je op het internet ergens de 'zip code' moet invullen, gaat het gewoon om de postcode van je (thuis)adres.

ZIP-bestand

Een ZIP-bestand is een bestand dat verkleind werd. Door allerlei technieken wordt de opslagruimte verkleind en kun je méér gegevens op dezelfde harde schijf, diskette, cd of dvd plaatsen of dezelfde gegevens veel sneller versturen via het internet of via e-mail.

Zoekmachine (search engine)

Ook wel zoekrobot genoemd. Dit programma zorgt ervoor dat bij het intikken van een trefwoord alle op het internet aanwezige sites worden doorzocht naar de door jouw ingegeven term. De gevonden sites kun je dan simpelweg aanklikken en bekijken. De bekendste search engines zijn Google, Bing, Yahoo, Altavista, Advalvas en Lycos.